JN071178

ウブントゥ

人類の繁栄のための青写真（ブループリント）

マイケル・テリンジャー

田元明日菜［訳］　横河サラ［推薦］

まえがき

私たちの国家は企業であり、世界とは、ごく一部の銀行家たち（ただし、名を口にすることはタブー視されている）が支配するビジネスである。私たちの社会を支配する法律は、国家という企業を守るために長い時間をかけて綿密に作られており、あたかも私たちが自由であるかのように錯覚させている。そして、私たち国民は、自分たちが支配者たちにとっての奴隷であり資産であることにいたって無頓着である。

だが、今こそ目を覚まして、自分たちを解放するときだ。誰かが代わりに何かをしてくれるわけではない。宇宙は私たちの行動を待っている。私たちが行動を起こせば、宇宙の引き寄せの法則によって、人類は高次の意識が集う宇宙のコミュニティに迎え入れられるのである。

テリンジャー家のマイケルより
２００５年

愛と敬意と感謝の言葉

侵略者、植民地支配者、奴隷商人の手によって想像を絶する苦難に耐えてきた世界の先住民族にまずは敬意を表したい。

ウブントゥの精神を長年にわたって後世につないできた彼らの偉大なる人類への貢献に、尊敬の念と謙遜の思いを込めて。

ウブントゥとは

私という存在は、私たち皆によって存在している。

「人間は孤立して存在することはできない。それが人間の本質だ。私たちは互いにつながっているのだ。ウブントゥとは、私たちの相互のつながりのことを指す。人間は自分ひとりでは存在できず、ウブントゥの精神を持って生きることで他者にも寛容でいられるのだ。私たちの多くは、自分たちを、互いに切り離された単なる個人として考えているが、一方で、あなたはつながっていて、あなたのすることは世界全体に影響を及ぼしている。あなたが良い行動をすれば、それは広がっていき、人類全体のためになるのだ」

デズモンド・ツツ大司教

推薦のことば　～日本語版出版に向けて～

ウブントゥ貢献主義のこと

私がマイケル・テリンジャーと彼が発案したウブントゥ・ムーヴメントのことを知ったのは、今から6年ほど前のことです。

当時、Gaia.comで大変人気のあった「コズミック・ディスクロージャー」という番組に出演したマイケルが、ウブントゥの概念と、それに基づいたコミュニティのイメージや具体的なアイディアについて、とても熱く語っていたのです。

シークレット・スペース・プログラム（宇宙系ホワイトハッツ）の人々が「あともう少しで、レプタリアンやグレイ、カバルやディープステートが敗退し、彼らによる支配が終わる。そうなったら、地球人類は自らの手で新たに社会を創っていかなくてはならない。その時には、ウブントゥというアイディア（概念）と方法は、素晴らしいロールモデルとなるだろう」と言っているのがきっかけとなり、この番組にゲストとして招かれた、ということでした。

その時見たマイケルの瞳から溢れ出る人間への強い愛と信頼、「私たちは自らの手で素晴らしい世界を創り出せる」という確信に満ちた情熱は、私のハートを強く揺さぶりました。

後にGaia.comでは、「Hidden Origins（隠された起源）」というマイケルのシリーズが製作されますが、その中で彼は隠蔽されてきた人類の起源について深く探求し、そこから新しい人類の在り方、生き方を示すウブントゥの概念へとつなげています。

マイケルとウブントゥの概念に出会ってからというもの、私は彼が言わんとしていることを理解すべく原書を手に取り、いくつもの動画を見ていたのですが、ついに日本語版が出版されることになり、大変うれしく思っています。

ウブントゥは、まさにフラワー・オブ・ライフと同じ意味を持っています。

私たちは、みんなつながっている。
どんなに遠く離れていても
誰ひとりとしてここから外れることはない。
私という存在は、私たちすべてによって生かされている。

それに対して、

どんなに近くにいたとしても
小さいものでも大きなものでも
すべては分離していく。

というのが、ルシファーの作った二極性の幾何学から生まれる世界です。

今まで人間を隷属させて来た社会では、微に入り細に入り、あらゆるところにこの分離の幾何学が使われています。
この二極性の幾何学のエネルギーが弱くなり、宇宙の自然な成り立ちであるフラワー・オブ・ライフの中へと溶解していくにつれ、この社会も崩壊の一途を辿っています。

人間を長い間縛り付けてきた社会や経済のしくみをマイケルは深く理解しています。
特にマネー、おカネというもののカラクリについては、この本の中で、まさに目からうろこ！　というほど明確に、わかりやすく説明してくれています。

先述の番組の中で、マイケルが「いまこの瞬間におカネが全て消え去っても、私たちの活動には何にも影響を与えない」と言っていたことが、強く印象に残っています。

ある日突然おカネが消えたとしても、農家さんは農作物をつくり、大工さんは家を作り、床屋さんは髪を切り、画家は絵を描き、詩人は愛を歌うでしょう。
けれども、逆にそういったものがすべて消えてなくなり、おカネだけが残ったとしたら？
おカネは食べられませんし、おサツでは家も建てられず、着ることもできません。つまり、私たちはおカネだけあっても全然生きていけないのです。
この本を読むと、カバルが発明したおカネというものが、いかに効果的に人間同士を分離させ、奴隷にするツールであったかが、詳細にわかってきます。

ウブントゥが最終的に目指すところは、おカネのない社会です。

とはいえ、おカネに支配される世界に生まれ、そこで暮らしてきた私たちは、突然おカネだけ消え去ったら、実際にはそこからどうしたらいいのかわからず、カオスになってしまうかもしれません。

この本が素晴らしいのは、おカネのない社会への架け橋となる、ウブントゥの概念に基づいたコミュニティをつくるための実践的アイディアや、問題を解決していくためのアイディアをひとつひとつ具体的に、ていねいに提示していることです。


この本が書かれたのは9年前ですがその後10ヵ国語にも翻訳され、ウブントゥのインスピレーションは人々のハートを突き動かし、これを実践するべく、ウブントゥ・ムーヴメントの波が世界中に広がって行っています。


いま、日本でこの本が出版されることになったのは、日本の人々がこの本に書いてあることを知るべきベストなタイミング、ということかもしれません。

その理由は、２０２２年から２０２３年にかけては世界全体の社会構造が大激変していく最中であり、私たちはまさにいま、早急に自分たちの概念をアップグレードし、具体的に新しい社会を創生していくことを迫られている時だからです。

また、このスターシステムや銀河の兄弟姉妹の仲間入りをしていくためには、早急に私たちが目を覚まし、おカネ社会から脱することが必須です。


マイケル・テリンジャーという人は、純粋な瞳でこの世界を眺め、臆することなく「王様は裸だよ！」と告発している幼子であると同時に、永きにわたり探求と研究を積み重ねてきた老練な学者でもあります。

彼の多方面にわたる深い智識と、そこからインスパイアされ湧き上がってくるさまざまな実践的なアイディアは、すぐにでもそれらをたたき台として実践で試みたい、と思わせるものです。

ウブントゥの考え方に基づいたコミュニティが世界のあちこちで試されているようですが、現在マイケルは、ウブントゥ貢献主義の概念のもと、One Small Town（小さなひとつの町）というプロジェクトを世界中で立ち上げつつあり、コミュニティ内のみで使えるトークン（ＮＦＴ）を作成しているとのことです。

ONE SMALL TOWNウェブサイト
https://www.onesmalltown.org/

新しい経済システムであるＱＦＳ（クウォンタム・ファイナンシャル・システム）のインサイダーで公式スポークスマンであるチャーリー・ワードが、マイケルと一緒にプロジェクトをやっていくという話もあるようですから、両者の今後の活動と展開がとても楽しみなところです。

長い間、私たちは民主主義、資本主義という名前のついた社会の中で、自分は自由であると勘違いしたまま幻想の中に生きてきましたが、その時代はすでに終焉を迎えています。

私たちを幻想の囲いの中に入れて支配してきた者たちが消えていく中、私たちの自由と責任において創り出す新しい社会のための基本や基準となるイズムが必要です。

マイケル・テリンジャーが長い年月をかけて培ってきた、お互いにつながり、分かち合うイズムであるコントリビューショニズム〈貢献主義〉は、人々がハートでつながり、みんながしあわせに生きていたタイムラインへの帰り道を力強く指し示しています。

この本に込められたマイケルの生命への愛、情熱、インスピレーションが、この本を手に取る人のハートに光を灯しますように。

２０２２年11月吉日

横河サラ

ウブントゥ　目次

（出版社より）

・原書記載のリンクについて

翻訳時点（2022年9月）で、本文内のリンクが有効なものはアドレスを掲載（最新リンクへの差し替え含む）。リンク切れは、タイトルのみの掲載としています。

カバーデザイン：三瓶可南子
翻訳協力：伊能 華
翁 よしえ
平澤貴大
本文仮名書体：文麗仮名（キャップス）

序文

新しい社会構造としての「貢献主義」の理念は2005年に生まれた。この貢献主義とは、私自身が人類の起源と人類が今日まで歩んできた深く入り組んだ欺瞞(ぎまん)の道を徹底的に研究した結果、誕生した理念である。

現在の社会制度における多くの領域と基本的な理念について、何年も調査しているうちに、私は多くの古代文化が、コミュニティを維持するために同じような制度を採用していたことに気がついた。だが、残念ながら、こうした知識の多くは、世界中の先住民から土地を奪った探検家と呼ばれる人々による植民地化によって、抑圧され、失われてしまった。

チェロキー族などの先住民には、「皆にとって良いものでなければ、それは、まったくもって良いものでない」という教えがあるそうだ。このような考え方をアフリカでは「ウブントゥ」と呼んでいる。しかも、この哲学は、世界中の多くの文化で(何千とまではいかなくとも)共有されていた。ほかの古代文化では、異なる名称で呼ばれているかもしれないが、いずれもウブントゥの原則と一致しているようだ。

けれども、このような団結した過去のコミュニティは、悪意を持って破壊され、資本主義、工業化、近代化、そして最終的には、長い間世界を支配し、何としても権力を持ち続けたいと願う一握りの強力で貪欲な個人による絶対支配に取って代わられてしまった。

本書では、人々が互いに恐怖を感じながら分断されて生きるのではなく、ウブントゥのシンプルな喜び(あらゆるレベルで豊かに繁栄する、団結したコミュニティで生きていくということ)をお伝えしたい。

私はこれまでずっと、この美しい地球上の人間の苦しみや惨状に愕然としてきた。まるで人類の窮状を解決する方法がないかのように、苦しみが続いているのだ。しかし、私たちの多くは、心の中で、この問題には解決策があることと、そしてその解決策は実にシンプルであることを知っている。しかし、私たちのリーダーと呼ばれる人たちは、解決策を提供しない。それどころか、彼らはさらなる混乱と不幸の種をまいているのだ。

なぜ貧しい人と豊かな人がいるのか、なぜホームレスや飢餓に苦しむ人がいる一方で、贅沢な暮らしをしている人がいるのか、幼い私はこの苦しみに胸を痛めていた。そして、同じような思いをする人が数多くいることも知っていた。だから、私が生きてきた圧政の世に対して、ときにはさりげなく抵抗し、ときには公然と活動するという抗議の人生を歩むことになったのだ。

1976年に南アフリカで起きたソウェト蜂起は、私の良心に深い傷跡を残したし、その後に私が行った活動の多くは、この暴動がきっかけであった。それからの人生は、無意識のうちにその出来事によって形成された。

２００５年、私は「覚醒体験」とでも言うべきものを経験した。世界中の何百万人もの人々と同じように、この人生には、多くの人々が日常的に経験している惨状や争い以上の何かがあるはずだと気づき始めたのだ。当然のことながら、自己満足に陥り、いたって無頓着に奴隷民族としての運命を受け入れている社会からの、ありきたりな答えなど受け入れるつもりはなかった。

私は、人類がさまざまなレベルで深く分断された種族になっていることをはっきりと認識した。生存競争と近代化へのあくなき探求の中で、私たちは母なる地球から切り離されてしまったのだ。この分断は、自然の法則や、あらゆる創造の基盤であると思われる集合意識の共鳴と明らかに対立している。

過去の偉大な預言者や教師たちは皆、同じ知恵を教えようとしてきた。それは、団結すること、互いに愛し合い、尊重し合い、すべての創造物と調和して生きることである。実際、私たちの多くが子供たちに教えようとしている価値観と同じである。

しかし、人生のある不思議な瞬間に突然、事態は変化する。私たちは、そうした高次の意識の価値観に注意を払うことをやめ、日常生活の繰り返しに陥り、生存のための闘いに巻き込まれるようになるのだ。

このとき、私たちは、自分が生まれたこの星で生きていくために、「お金」というものを稼がなければならないことに気づかされる。私の心の中では、あるときから次のような素朴な疑問が繰り返し湧き上がるようになった。「自分が生まれた星で生きていくために、どうしてお金が必要なのだろう？」。多くの人たちと同じように、自分が純粋な奴隷として生まれてきたのだと気づいたのだ。

これはまさに、貨幣の創造と供給を支配する者たちが仕掛けた大きな罠なのだ。私たちは、あまりにも巧妙に織り込まれた経済的奴隷システムの静かで容赦のない戦争に囚われているが、ほとんどの人はそのことに気づいていない。この猛攻撃は、世界を人質にとり、私たち一人ひとりを奴隷にしたグローバルな銀行エリートによってコントロールされている。

私たちのすべての天然資源は、生きて呼吸している人間よりも多くの権利を持つ多国籍企業によって採掘され、取引されている。私たちは、お金と欲と政治的支配の名の下に、これらの企業の奴隷になっただけなのだ。多くの人々は、このような仕組みや、お金がどのように作られるのかをまったく理解していない。ごく少数の銀行家の一族が、私たちの生活のあらゆる側面を完全に支配しているのだ。

彼らは、世界を支配するグローバルな経済システムの背後にいる首謀者で、疑問や挑戦は受けつけない。このシステムは、彼らの生存を確保するために、反対するものすべてを破壊するように設計されている。そして、人類の運命を混乱させる、ねじれた意識の形に発展してきた。

私たちは繰り返し言われてきた。問題を克服することはできないし、すべては非常に複雑であり、お金だけが世界の問題を解決できると。だが、今や私たちは知っている。なぜなら、お金は何もしてくれないからである。人々はすべてを行う。食べ物を育て、橋を架け、数式を解き、非常に美しい芸術作品を創り出す。人々は、それが許されるならば、偉大なる精神と喜びをもって、あらゆることを行うことができる。けれどもお金は、私たち全員が創造し、繁栄することを妨げる障害物でしかない。

このことを認識した今、私たちは正しいことを行い、この不公平を皆に知らせなくてはいけない。この数年間、銀行エリートに対する法的措置は劇的に増加し、抵抗勢力は指数関数的に拡大し続けている。

２０１０年以降、私自身も、南アフリカで銀行を相手取った数々の注目すべき法的措置に関与してきた。その違法な活動を暴露するためだ。この原稿を書いている間も、銀行に対する私たちの抗議活動は続いている。

そして、何百万もの人々が、人類に対するこの静かな戦争に目覚め、世界中で変革のために団結している。彼らは勇気とビジョンを持ち、人類のためにより良い道があることを知っている。

幸せになるのも、惨めになるのも、私たち次第だ。個人的には、何より愛と幸福を選びたい。そして、これは私たちを結びつける共通の糸だと思っている。しかし、私たちの多くは、この喜びを実現する方法を知らずにいる。

偉大なる師は、物質的な所有物や富が幸せをもたらすわけではないことを教えてくれた。歴史を見ると、大きな変革の時期には、過去の帝国がその指導者の欲のために崩壊してきたことがわかる。

大きな変革のときが再び訪れている。この変化を暴力や対立によってではなく、愛と全人類のための団結によって受け入れるかどうかは、私たち、世界の人類にかかっている。

だからこそ、私たちは積極的に、団結した意識のメッセージ、あるいは私が「神の息吹」と呼んでいるようなメッセージを、すべての人に広めなくてはいけない。そうすることで、私たちは分断を癒し、不幸を豊かさに変えることができるようになるのだ。

２００５年、私はこの理念を「貢献主義」と名付けた。団結した意識の原則が勝利することで、お金が不要になるグローバルコミュニティのことだ。アフリカでは、これを「ウブントゥ」と呼んでいる。

絶対的な平等と、豊かさという共通の目的のために協力し、社会のあらゆるレベルで繁栄していく団結したコミュニティで働くという、この基本的な信念に基づいて、ウブントゥ貢献主義は誕生したのである。

それは、自然、地球、そしてすべての創造物と完全に調和した自然の摂理に従うことである。一部の人が考えているような、暗黒時代に逆戻りすることや、テクノロジーを排除した洞窟での生活を意味するのではなく、実際にはまったく逆のことを意味している。私たちの想像をはるかに超えた、人生のあらゆる領域における豊かさのことなのだ。

私たちはこのままではいけない。私たちが種族として生き残るためには、自分たちの生存と相反するものをすべて捨て、自分たちのために美しい未来を創造しなければならないのだ。

量子物理学と万有引力の法則は、観察者が出来事の結果に影響を与えることができること、そして私たちが自分の考えやイメージしたものを顕在化できることを教えてくれている。高次の意識を探究する人は、これらの自然の法則をより洗練された形で理解することができるだろう。

しかし、引き寄せの法則は、行動にも反応する。だから、ビジョンを実現するためには、行動する必要があるのだ。この美しいユートピアの世界を、単に思い描いているだけではいけない。私たちの心と、無限の創造の一部である私たちの中にある無限の愛の可能性を使って、顕在化させるために何かをしようではないか。まず、私たち一人ひとりができることは、自分の知識を共有し、全人類の明るい未来についてほかの人に伝えることである。そして、ウブントゥ運動に参加し、何か心から貢献できることをすることだ。私たちの強さは団結にある。

テリンジャー家のマイケル
２０１２年　８月１日
www.ubuntuparty.org.za

「正義は正義でしかない。あらゆる不正は、あらゆる正義を脅かすものだ」

マーティン・ルーサー・キング・ジュニア

暗いトンネルの先にある光

毎朝、何十億という人々が起きて、日々の仕事を始める。大半の人は職場が嫌いで、上司が嫌いで、雨や雪や暑い中、バスや電車や自転車や徒歩で何時間もかけて嫌な仕事に向かわなければならず、何時間もの交通渋滞を我慢している。なぜ、毎日このような狂気の沙汰を繰り返すのだろうか。パンやミルクや服を買うお金を稼ぐために、電気代を払い、子供を学校に送り、どうにか月末までやり過ごすために。そしてまた翌月も同じ狂気の沙汰を始めるのだ。

70億人の人口を抱えるこの地球で、多くの人々は貧困にあえぎ、厳しい経済状況から救い出してくれる奇跡を待ちながら、静かに絶望的な日々を過ごしている。何百万人もの人々が名声と富を夢見ていることは、まさにそれを提供するリアリティ番組が無限に存在することにも表れている。人々はあらゆる種類の救いを求めているが、多くの場合、さらなる不幸をもたらすだけの間違った選択をしているのだ。

私たちはニュースを見て、不正や犯罪、戦争に満ちた世界を目の当たりにし、自分自身の救済を必死で探している。私たちの多くはこの状況が劇的におかしいことに気づいている。まるで、私たちの社会が末期の病におかされているかのようなのだ。しかし、原因がわからないのに、どうやってこの人間病を治すことができるだろうか。

人間の葛藤や苦しみの背後にあるものを知るまでは、その原因を取り除くことはできず、盲目的に何度も治療し続けることになる。太陽が昇るたびにシンプルな解決策が私たちの目の前にはっきりと現れていても、無知でいる限り私たちは弱い存在のままだ。

いわゆる「アメリカン・ドリーム」が夢であり続けるのは、世界を牛耳る者たちに狡猾に騙され、皆が眠り続けているからだ。同じ夢を余韻のある永遠の「希望」として売りつけられ、地球上の何百万もの人々が、事態が好転することを日々「希望」しているのである。しかし、期待したり待ったりしても、行き着く場所はどこにもない。

ウブントゥ貢献主義は、あらゆる自然や母なる地球と完璧に調和しながら、そこに生きるすべての生命にとって想像を超える繁栄をもって、地球上の新しい現実を受け入れる機会を私たちに提示してくれる。それはまさに、この美しい地球上の大半の人々が共有している、静かな絶望と不幸という暗く陰鬱なトンネルの終わりにある明るい光なのだ。

ウブントゥ貢献主義のシステムとは

- 誰もが絶対的に自由で平等な新しい社会構造の設計図である。

- 貨幣の概念やいかなる形態の取引も存在せず、物質的なものに価値を付与しない社会である。
- 一人ひとりが情熱を持って行動し、生まれ持った才能や身につけた技術をもって、コミュニティの人々により大きな恩恵をもたらすために貢献することが奨励されるような文化である。
- 誰もがどこに住むかを選択でき、自分の意志に反することを強制されることはない。
- 人々のニーズに基づいた新しい法律があり、見返りを求めない自発的な取り組みによって、すべての人にすべてが提供される社会である。
- 職業もキャリアも企業もなく、失業、ホームレス、飢餓のない世界である。
- 経済的な制約がないため、最高水準の科学技術の探求が促進される社会である。
- 芸術・文化が盛んで、人々が生き生きと暮らし、人生を満喫する社会である。
- 芸術や文化の爆発的な発展を通じて人々が精神的に成長することによって、調和という概念を完全に受け入れる意識が急速に高まる社会である。
- 資本主義的な消費者主導の環境にいる人々には思いも寄らないような、あらゆるレベルにおいて想像を超える豊かさを提供するシステムである。

私たちの惑星

ここは私たちの惑星、母なる地球、宇宙の中にある私たちの故郷（ホーム）である。私たちがこの美しい星に存在し生きていられるのは、母なる地球がそのための完璧な環境をどうにかして作り上げてくれたからにほかならない。

もし宇宙で遭難して誰かにどこから来たのかと聞かれたら、あなたは振り返ってこの壮大な惑星を指し示し、「向こうに見える、あの地球という星です」と答えるだろう。「アメリカ出身です」「日本生まれです」「オーストラリア

から来ました」といった答え方はしないはずだ。

遠くから見ると、地球はとても美しく平和で、かつ健全でひとつにまとまっているように見える。しかし近づいてみると、この地球に住む生物に強いられた大きな分断が見えてくる。私たちは生まれたときから、さまざまなレベルで、さまざまな方法で分断されており、もはやその分断を認識することさえできない。

これからは、国、国旗、地域、宗教、都市、州、大陸、乗っている車、仕事、学校、好きなスポーツ、服のブランド、クレジットカード、飲んでいるビール、聴いている音楽、持っているお金など、数え上げればきりがない。考えてみてほしい。私たちはこのような「アパートメント（分かたれた場所）」に暮らしているのだ。

この分断によって、私たちは自分たちが想像もつかないほど操られ、コントロールされることを許してしまっている。私たちの大半が気づかないうちに、「分割統治」の原理は地球上で大成し、私たちを支配して永遠の対立状態に置くための非常に効果的な手段として利用されているのだ。

生まれながらに自由でありながら、システムに縛られる身

私たちは皆、この地球に自由な存在として生まれてきたにもかかわらず、思い通りに移動することも、好きな場所に住むこともできない。そのうえ、同意していない規則や法律に従い、お金を稼ぐために働き、実態のよくわからない行政機関に税金を払わなければならない。わかっていることといえば、もしこれらの規則を守らなかった場合、私たちは既存のシステムと対立し、おそらく裁判にかけられ、刑務所に連れて行かれるということだけである。システムに抗ったり抜け出したりしようとしたときに初めて、私たちは自分たちがいかに奴隷的な存在であるかに気づくのだ。

この世に生を受ける前、もしくは生まれた後のどこかの段階で、これらの規則や制限に同意したという人など誰1人としていない。自由な人間として母親の胎内から出てきて間もない赤子は特にそうだろう。私たちは、誰とも約束することなく、自由を制限する規則に同意することなく、合意や契約を結ぶことなく、誰かや何かに服従することなく、完全に自由な姿でこの世界にやってきた。

人は生まれながらにして自由であると、私たちは心から信じている。しかし実際には、誰もが何千年にもわたって課せられてきたシステムに従う奴隷であり、永遠の隷属者として生まれてきている。

私たちが生まれたその瞬間に、両親はいわゆる「出生証明書」に署名することで、私たちのすべての権利を放棄し、私たちを政府の所有物として引き渡す。両親は知らず知らずのうちに、私たちの地位を「自由な人間」から「市民」、さらに「国家の所有物」へと変えてしまうのだ。そうして

始まる嘘と欺瞞に満ちた人生は、あまりに根が深く無情で、私たちのほとんどは、このことをあえて信じようとはしない。真実を主張しても、誰の手にも負えないような恐ろしい結果が待っているだけだからである。

しかし、これは全員が直視するほかない冷厳な事実であり、私たちは自らの態度を決めなければならない。アメリカ南部や古代エジプトで奴隷に生まれた子供たちが人生のある段階でその事実に直面しなければならなかったように、私たちは人類としてこの事実に向き合う必要がある。地球全体が巨大な奴隷キャンプなのだ。過去の一部の人々や国々に限ったことではない。

歴史に学ぶ

人類がこれまで築いてきた社会・政治システムは、ことごとく私たちの期待を裏切ってきた。どこを見ても、みじめな暮らしがあふれている。政治と経済の混乱に幸せな結末はあり得ないようで、毎年、毎月、毎週、状況は悪化する一方である。

私たちは生き残るために、より早く起き、より長く働き、より懸命に働かなければならない。貧困、飢餓、ホームレス、絶望がかつてないほど増大している。あまりにも多くの人々が、人生にとてつもない耐え難さを覚え、これ以上の意味を見出せないでいる。何百万人もの人々が借金に溺れ、夫婦関係に悩み、1日をやり過ごすために抗うつ薬やその他の依存性のある薬物に頼ることも少なくない。事実、心身ともにむしばまれる状況は、特定の人ではなく誰にでも訪れるのだ。

連日流れる金融危機の報道は、こうした体制がもう長くは続かないことを明確に示している。世界中が壊滅的な経済破綻に見舞われ、破滅的な結果を迎える寸前である。

世界経済と天然資源は、無謀で無知な政治家たちによって略奪され、彼らは奉仕すべき人々への説明責任も果たしてない。しかし、あらゆる見込みに反し、多くの専門家の予測をよそに、どういうわけか「経済」というものは回り続け、拡大を続けている。なぜこのようなことが可能なのだろう？　いったい誰が、もしくは何が、世界経済を支え、その崩壊を防いでいるのだろうか。

豊かな星で続く飢餓

70億人もの人口を抱える地球上では、半数以上の人が飢えぎりぎりの生活を送り、その日その日を生き延びている。2011年5月12日付の英紙『ガーディアン』によると、国連は、毎年、世界の食糧の3分の1が廃棄されていると発表した。13億トン以上の食べ物が廃棄されている理由は、食べる人がいないからではなく、その食べ物を買うお金が人々にないからである。そして、毎日何千人もの人々が餓死し、さらに何十億人もの人々がお金やほかの手段がないために空腹に耐えて暮らしているのだ。

「持つ者」と「持たざる者」の間に深い溝があることを示す例があるとすれば、まさにこれである。もし、「権力者」が何かしてくれると思っているのであれば、大きな間違いだ。人民大衆の操作のすぐ背後には、「権力者」たちがいるのだ。ここからが、政府は私たちのためにできることをしていると信じる一般人にとって、ややこしい話になってくる。

これ以上の真実はないのだから、はっきり言っておく。政府はあなたの味方ではない。

政府は、モンサント社やデュポン社などの巨大農業企業に、世界の食料供給をゆっくりと支配することを許してきた。これらの巨大な数十億ドル規模の企業は、遺伝子組み換え種子の特許を何千件も保有し、自然の種子をすべて遺伝子組み換え生物へと急速に置き換えている。これらの種子の多くは一世代限りで再生産ができないため、結局モンサント社のような企業が世界の種子と食料供給をコントロールしているのが実状だ。そして、お金と食料を支配する者が、世界を支配するのである。

スーパーの棚に自然食品を並べることは、もはやほぼ不可能だ。ほとんどの製品は遺伝子組み換えで、人体への影響も明らかではない。国や州によっては、自分で食料を栽培することが違法になっている。いたるところで人々への締め付けを一層強めるため、巨大農業企業にけしかけられて新たに制定された偽りの法律や規則のおかげである。ブラジルのようにモンサント社に対抗している国もあるが、この非人道的な農業企業の活動は多くの政府によって支持されている。

米国では、近年、独立した有機農場を次々と潰してきたモンサント社を相手に、約30万人の有機農家の大集団が訴訟を起こしている。世界の農業界は、すべての農場と世界の食料供給を支配しようともくろむ遺伝子組み換え生物（GMO）の巨大企業の猛攻にさらされているのだ。

デュポン社は数百人の元警察官と契約し、米国内の農場を巡回して知的財産の侵害がないか探っている。その結果、米国および世界中の何千もの農家が、こうした巨大企業の強奪戦術によって農場を失っている。特許が取得されている作物を栽培している農家は摘発され、起訴される。ほとんどの場合、こうした農家は世界でもっとも強力な企業から身を守るための資金を持たず、農場を企業に奪われてしまうのだ。

このように、人類に対する静かな戦争は私たちの目の前で続いているのだが、私たちの多くはあまりにも無知で、騙されやすく、あるいは忙しすぎて、それを認識することができない。食料供給をめぐる戦争は、さまざまな分野で繰り広げられている、人類を支配下に置くための企ての1つにすぎない。私たちは政治家の嘘と欺瞞に騙され続けているのだ。政府は味方であり、悪質な企業が私たちに危害を加えることを許さないと、私たちは信じている。残念ながら無知な人間にとって、これほど真実からほど遠いものはない。ただし、この状況はもはや持続可能ではないのである。

恐ろしい真実に気がつく

現在のシステムには根本的な欠陥があり、意識が急速に高まっている地球上では、とても長くはもたない。この世界的な意識の高まりと、人類の間で起きている急速な覚醒こそが、私たちの救いになっているのだ。

修復不可能なまでにシステムは崩壊しており、現在の危機に対する救済策はないという事実に、世界中の人々が気がついている。指導者や銀行エリートによって誘い込まれたお金が原動力のシステムに幸せな結末はない。

項数が１０００の複雑な数式を想像してみてほしい。その最後になって、あなたは最終的な結果が正しくないことに気づく。問題の根本がそこでないなら、９９９番目の項を修正しても無駄である。同様に、９５０番目で修正することも、５００番目で修正することさえもできない。私たちの地球の場合、問題は第1項、つまり世界通貨システムの基本中の基本で起きているのだ。

しかし、真の意味で永続的な解決策を見出そうとするならば、私たちは自分たちの崩壊の原因を正しく理解する必要がある。私たちは、私たちの過去と、私たちをここに導いた道のりの恐ろしい真実に正面から向き合う勇気を持たなければならないのだ。なぜ、これほどひどい状況を迎えているのか？　自然の摂理と完璧なバランスを保っている地球で、なぜここまで悪化してしまったのか？　なぜ人類は、自らの宿主を破滅させるウイルスになってしまったのか？

今までに多くの人が「イルミナティ」という言葉を耳にしたことがあると思うが、その意味や正体がよくわからないという人もいるだろう。彼らは長年にわたり、さまざまな名前で呼ばれてきた。この秘密主義の超強力なグループが、極めて長い間こうした悪事に関わってきているということに、私たちは気づく必要がある。世界を手中に収めようとする陰謀は、数十年前や数百年前に起こったのではない。この操作は何千年も前、しばしば文明の勃興と呼ばれる非常にあいまいな始まりの時代にまでさかのぼることができる。世界的なエリートが世の支配権を握っていたことを文書で示す、昔からの証拠が存在するのだ。

王室血統と世界支配の原点

シュメールの粘土板は、人類の歴史上もっとも古くして、かつ解読されている文字記録である。何百万枚もの粘土板がイラクなどを中心とした中東、近東で収集されている。そこはかつてメソポタミアと呼ばれた乳と蜜の流れる古代の土地※で、バビロニア帝国も存在した場所だ。楔形文字と呼ばれる文字が刻まれた粘土板が何千枚も何万枚も出土し、そこから私たちの遠い過去についての驚くべき情報が明らかになっているのだ。

「王名表」と呼ばれる粘土板からは、非常に恐ろしい情報を得ることができる。ここには、世界を支配した数々の王の名前、彼らが支配した場所や期間など、古代に関する重要な情報が記されているのだ。また、その時代に崇拝と恐怖の対象であった王たちと神々の両者に関する物語や関係性も記されている。

紀元前2000年頃、バビロニアで作られたこの「王名表」は、地球上の王が神々によって任命され、人類を支配していたことを教えてくれる。このリストには、8人の王の名前、彼らが支配した場所、期間、そして大洪水がすべてを覆い尽くしたことが書かれている。（MS2855　大洪水の前の王名と都市名が記された粘土板。紀元前1800－2000年 バビロニア）

しかし、粘土板の中でももっとも重要な発見は、地球に王国と王がどのように作られたかを説き明かしたことにある。「王国が天から地上に下ろされ、神々が人間の中から王を任命した時代があった……」（ゼカリア・シッチン『シュメールの宇宙から飛来した神々』（ヒカルランド））

これは人間を支配するためである。

王国の起源は謎に包まれており、ほかのすべての人々を差し置いて、どうしてある数人が突然に王となったのか、多くの推測がなされてきた。だが、この粘土板の翻訳によって、古代の地球における王家の血統や神官王とその王国の謎に満ちた起源に関する最古の文献が得られたのである。

粘土板は、神と呼ばれる存在から突然王が任命された時代があったことを明確に伝えている。そして、初期の神官王たちは、臣下を支配するために特別な知識、力、武器を与えられていた。

これが、現在も世界を支配し続けている王家の血統の興隆である。私たちのほとんどは、このような事柄についてまったく考えたことがない。なぜなら、王族について考えて数百年前までさかのぼった頃には、混乱に陥り、興味を失ってしまうからだ。

繰り返しになるが、無知が私たちにとって不利になるように利用されている。だが、ひとたびこの古代の謎を解明すれば、何千年にもわたる隷属制度から自らを解放するための手がかりを発見することになるだろう。

※「乳と蜜が流れる地」は聖書に記された神に祝福された土地の意。肥沃な土地という意味ももつ。

メソポタミアの都市ウルから出土したシュメールの粘土板。紀元前2046年頃。大英博物館。宮殿（寺院）で銀シェケルを預ける金融取引が記録されている。これは古代の寺院が最初の銀行として機能したことを物語っており、現代の銀行が使用する「為替手形」のもっとも古い例の１つである。つまり、銀行家と王家の血統とのつながりは、これほど古くまでさかのぼることができるとされる。翻訳すると次のようになる。「マンシ族、ウル・スエンの子、ル・ニンシュブルからの利息として８銀シェケルが宮殿に納められた。総督の証印」出典：大英博物館

王族崇拝は21世紀のイギリスでも健在で、何百万人もの人々が女王に夢中だ。彼らは女王の一言一句にすがりつき、後を追いかけ、女王の公の場にすべて出向き、女王の顔が描かれた記念品を買い、女王を偶像化する。だがそれには、人間の潜在意識に組み込まれた「王族を崇拝する」ということ以外に明確な理由はないのだ。

貨幣の起源

古代の神官王たちが民衆を支配するときに最初にしたことの1つは、「貨幣」というものの導入だった。

お金は何千年にもわたる物々交換から発展したと私たちは信じているが、そうではない。

これは誤った情報で、私たちを暗闇に閉じ込め、お金そのものに隷属させている。お金が人類の進化と何らかの関係があると信じることは、私たちが種として今日まで歩んできた進化の自然な一過程に寄り添うように、お金が誕生したと信じることにつながるからである。歴史家はお金が世界を動かしていると語るため、私たちはお金がなくてはならないものだと思い込んでいる。

だが、そんなことはない。お金は何千年も前に、最初の王たちが奴隷を生みだすための道具として悪意を持って人類に持ち込んだのだ。お金は、シュメール人の文字言語と同じように、突然に現れたのである。

ハーバード大学のニーアル・ファーガソン教授は、名著『マネーの進化史』の中で、現在までに発見されている最古の貨幣は、商品やサービスの交換や支払いの証となる粘土板の形であったと語っている。粘土板には、商品や取引の内容を示すさまざまな説明文が刻まれていた。本質的にはこれが貨幣、もしくは約束手形の最初の形態であり、まさに後年、私たちの紙幣になったものだ。

しかし、今日私たちの紙幣はロゴや数字が書かれただけの紙であり、人々がそれに付与する価値以外には価値を持たない。私たちは、銀行家たちによって完全にコントロー

ルされた、実質的な価値をまったく持たない「不換紙幣」と呼ばれるものを使っているのだ。

古代では王族とエリートだけが文字を読むことができ、神官王から任命された書記だけが粘土板に文字を刻むことができた。そして、貨幣を含むすべての粘土板は王から依頼されて作成されたものであり、貨幣の供給のコントロールは何千年も前から現在に至るまでエリートによってコントロールされてきたことがわかる。

エリート銀行家たちの帝国

お金の創造と供給は、主にロスチャイルド、ロックフェラー、モルガン、カーネギー、ハリマン、シフ、ウォーバーグ、その他一握りの一族の手に委ねられている。

これらの信じられないほど強大な力を持ったファミリーは、地球上の全貨幣供給を支配している。彼らは無制限にお金を印刷し、流通させる権利を持っている。彼らの権利は、現在の世界政府と、政府を支える軍事力によって守られているのだ。さらに、政府によって作られた法律と、その法律を支持する裁判所によっても支えられている。すべての活動は銀行エリートが管理し、その見返りに彼らは政府の権力維持に協力している。

このシステムは極めて巧妙に作られており、私たちを盲目にしてきたこの設計者のことは賞賛せざるを得ない。しかし、私たちが世界規模の奴隷制という巨大なゲームの駒にすぎないことを理解した以上、今こそ変革を起こすときである。

この地球で生きる自由な人間として生まれてから、わずか数年のうちに、私たちは1人残らず「学校」という都合のいい名前の洗脳キャンプに動員される。そして、またも都合よく「教育」と呼ばれるプロセスを経て、マトリックスシステムに誘導されはじめる。あまりにも複雑にねじれたシステムなので、一般の人はその欺瞞の大きさを理解することができず、直視することになっても、無視するか否定するかのどちらかである。というのも、真実はあまりにも恐ろしいものだからだ。

私たちの多くは、自分は「自由」であり、選択と自由意志を持っていると信じている。だが、これはただの幻想で、自由で権利を持っていると信じさせられているにすぎない。私たちはメディアから、人権、権利章典、自由、民主主義、多数決、自由、などのスローガンを浴びせかけられる。

残念ながら真実はその逆で、私たちが「自由意志」だと信じているものは、糸を引いている人にとってあらかじめ決められた結果を保証する、巧妙に偽装された一連の選択肢にすぎないのだ。私たちに選択権はなく、例えばビッグマックやチーズバーガーのように、限られた出来合いの選択肢のみが与えられている。ただし、選択する権利そのものに制限はない。

私たちに提示される選択は、私たちが未来を築く一員であり、変化を起こせる存在だという幻想をもたらしている。あいにく、私たちが行うすべての選択は奴隷制度の中にとどまっているのだから、やはりこれは幻想にすぎない。真の変化をもたらすためには、このシステムを全体としてとらえ、それがただ1つのこと、つまり奴隷制のために設計されていることを認識しなければならないのだ。

私たちは、同じシステムの中で活動する民主党と共和党のどちらかを選んでいるつもりでいるが、両者は何ら変わりない。この誤認識のせいで、私たちはいつまでも現状に甘んじている。ドイツの詩人であり哲学者であるヨハン・ヴォルフガング・フォン・ゲーテが明確に述べたように、「自分が自由だと信じている人ほど奴隷になる」のだ。

しかし、人間のエゴは飽くことを知らないようだ。エゴは非人道的な行為を行うために、多くの人の中にある傲慢(ごうまん)さを増幅させている。そうした行為は、しばしば社会的地位や富の獲得によって強化され、階級制度や分断を存続させている。欺瞞と終わりのない嘘を信じさせられてきた者たちは、ほとんどの場合、それを守るために戦っている。

まさに「アメリカン・ドリーム」とは、現在のシステムでは決して達成できない自由という夢なのだ。そして、エゴと愛国心に駆られ、友人や兄弟の間で争いの火がともる。私たちの義務は、自分に敵対する者と戦うことではなく、むしろ別の道を示すことである。争いの代わりに協力することで、選ばれた少数者だけでなく、全人類に利益をもたらすような方法を示すのだ。

私たちはマトリックスに閉じ込められている

私たちが奴隷であることに光を当てようとする映画は数多くある。映画の興味深い点は、私たちをこの奴隷状態から解放するためのメッセージを奥深くに内包していることだ。これに関しては後の章、武器や先端技術の道具として使われる周波数や音について扱うときに詳しく説明していこう。『ネットワーク』『コンタクト』『月に囚われた男』『フランケンシュタイン』『猿の惑星』『アバター』『オズの魔法使い』などは、明らかにメッセージ性を有する作品だが、ほかにもこうした映画は何百本も作られている。

中でも『マトリックス』は、かなり強烈で印象に残る作品の1つだ。ネオはモーフィアスと出会う背筋の凍るようなシーンで、意識を失った状態の人間を閉じ込めるマトリックスの存在を知る。

モーフィアスはこう告げる。

「マトリックスはシステムだ、ネオ。そのシステムこそが我々の敵だ。だが、中に入って周りを見渡せば、何が見える？　ビジネスマン、教師、弁護士、大工。我々が救おうとしているのは、こうした人々の心そのものだ。しかし、救い出すまで、彼らは依然としてシステムの一部であり、我々の敵なのだ。プラグを抜く準備ができている人などほぼいない。多くは慣らされ、絶望的にシステムに依存させられているからこそ、システムを守ろうとして戦うのだ」

先に述べた超強力なエリート銀行家の一族は、目覚めていない人々ばかりの世界を思いのままに動かし続けている。それが可能なのは、彼らが何でも所有し、巨大企業を従わせているからだけではない。世界銀行、国際通貨基金（ＩＭＦ）、スイスのバーゼルに本部を持つ国際決済銀行（ＢＩＳ）という３つの主要な国際金融機関までをも手中に収めることで、自らの銀行へ資金を無限に流し、問題が起きても救済を受けられるようにしているからだ。

エリート銀行家の一族のパワーとコントロールは計り知れない。彼らは政府、株式市場の動向、世界貿易を支配し、そして石油、エネルギー、製薬、とりわけメディアといった主要産業を掌握して巨大な影響力を保ち続けている。マトリックスにがっちりと接続された無意識の奴隷は、テレビで語られる言葉をすべて信じ、組織の計画を盲目に推進し続けるのだ。

戦略的洗脳手段としてのメディア

世界のメディア帝国全体は、一握りの人々によって動かされている。メディア企業は国家よりも大きな予算を有することもあり、人類に対するその影響の大きさには、ただ唖然とさせられる。この極めて重要な産業が持つ威力と影響力を真に理解している人は、ほとんどいない。メディア企業の中には、競争に勝つために、金融投資家とパートナーシップを結ぶことで、影響力を格段に強めている企業も存在する。

次に紹介するのはメディア・コミュニケーション・ポリシー研究所が発表した２０１２年のメディア収益トップ50に選ばれた企業だ。

国際メディア企業　メディア収益トップ50

１　コムキャスト／ＮＢＣユニバーサル（フィラデルフィア／米国）４０１億１６００万ユーロ

２　ウォルト・ディズニー・カンパニー（バーバンク／米国）２９３億７７００万ユーロ

３　Ｇｏｏｇｌｅ（マウンテンビュー／米国）２７２億３１００万ユーロ

４　ニューズ・コーポレーション（ニューヨーク／米国）２３９億９８００万ユーロ

５　バイアコム／ＣＢＳコーポレーション（ニューヨーク／米国）２０９億４８００万ユーロ

６　タイム・ワーナー（ニューヨーク／米国）２０８億１５００万ユーロ

7 ソニー・エンタテインメント（東京／日本）167億5000万ユーロ
8 ベルテルスマン（ギュータースロー／ドイツ）152億5300万ユーロ
9 ヴィヴェンディ（パリ／フランス）124億8600万ユーロ
10 コックスエンタープライズ（アトランタ／米国）105億6000万ユーロ
11 ディッシュ・ネットワーク100億9200万ユーロ（コロラド州イングルウッド／米国）100億9200万ユーロ
12 トムソン・ロイター（ニューヨーク／米国）99億1900万ユーロ
13 リバティ・メディア／リバティ・インタラクティブ（コロラド州イングルウッド／米国）90億8000万ユーロ
14 ロジャーズ・コミュニケーションズ（トロント／カナダ）90億3100万ユーロ
15 ラガルデール（パリ／フランス）76億5700万ユーロ
16 リード・エルゼビア（ロンドン／英国）69億2000万ユーロ
17 ピアソン（ロンドン／英国）67億5400万ユーロ
18 日本放送協会（東京／日本）64億500万ユーロ
19 ドイツ公共放送連盟（ベルリン、ミュンヘン／ドイツ）62億2100万ユーロ
20 英国放送協会（ロンドン／英国）58億9300万ユーロ
21 フジ・メディア・ホールディングス（東京／日本）54億9000万ユーロ
22 ブルームバーグ・エル・ピー（ニューヨーク／米国）54億6000万ユーロ
23 チャーター・コミュニケーションズ（米国／セントルイス）51億7500万ユーロ
24 ケーブルビジョン・システムズ（ニューヨーク州ベスページ／米国）48億1400万ユーロ
25 グローボ・コムニカーソ（リオ・デ・ジャネイロ／ブラジル）47億2800万ユーロ
26 アドバンス・パブリケーションズ（ニューヨーク州スタテンアイランド／米国）47億500万ユーロ
27 マグロウヒル・カンパニーズ（ニューヨーク／米国）44億8700万ユーロ
28 クリア・チャンネル・コミュニケーションズ（サンアントニオ／米国）44億2600万ユーロ
29 メディアセット（ミラノ／イタリア）42億5000万ユーロ
30 ニールセン・カンパニー（ハーレム／オランダ）39億7400万ユーロ

31 ナスパーズ・グループ（ケープタウン／南アフリカ共和国）38億5600万ユーロ
32 ガネット・カンパニー（バージニア州マクリーン／米国）37億6400万ユーロ
33 グルポ・テレビサ（メキシコシティ／メキシコ）36億2000万ユーロ
34 ヤフー（サニーベール／米国）35億8000万ユーロ
35 ショー・コミュニケーションズ（カルガリー／カナダ）34億4500万ユーロ
36 ウォルターズ・クルワー（アムステルダム／オランダ）33億5400万ユーロ
37 ボニエ（ストックホルム／スウェーデン）33億200万ユーロ
38 TBSホールディングス（東京／日本）32億500万ユーロ
39 アクセル・シュプリンガー（ベルリン／ドイツ）31億8500万ユーロ
40 ケベコア（モントリオール／カナダ）30億5700万ユーロ
41 ディスカバリー・コミュニケーションズ（シルバースプリング／米国）30億4200万ユーロ
42 ワシントン・ポスト・カンパニー（ワシントンD.C.／米国）30億2800万ユーロ
43 フランステレビジョン（パリ／フランス）30億400万ユーロ
44 イタリア放送協会（ローマ／イタリア）29億7400万ユーロ
45 ITV（ロンドン／英国）28億200万ユーロ
46 プロジーベンザット1メディア（ウンターフェーリング／ドイツ）27億5600万ユーロ
47 サノマグループ（ヘルシンキ／フィンランド）27億4600万ユーロ
48 ハースト・コーポレーション（ニューヨーク／米国）27億3000万ユーロ
49 グルポ・プリサ（マドリード／スペイン）27億2400万ユーロ
50 TF1（ブローニュ・ビヤンクール／フランス）26億2000万ユーロ

これらの企業は、映画、テレビ、音楽、新聞、雑誌、インターネット、テレコミュニケーションなど、私たちが消費するあらゆるものをコントロールしている。そして、これらの企業を資金提供によって支配しているのが、銀行家たちなのだ。

ルパート・マードックは言わずと知れたメディア王で、世界のニュースチャンネルに何を流すか意のままに操ることのできる人物だ。有名な記者やテレビキャスターの間では、ニュースの内容から読み上げる際に使うフレーズに至るまで、すべてがマードックによって厳しく管理されていると声を上げる人も少なくない。

メディアネットワーク、特にニュースチャンネルは、受け手を継続的に洗脳する完璧なシンデレラメディアである。大多数の人は、ニュースで見たからという理由だけで、その内容をすべて真実だと思い込む。メディアやニュースは、大衆に信じさせたいことを発信する。だが実際のところ、いわゆる「ニュースチャンネル」は何のニュースも伝えていない。誰が善で誰が悪かを伝え、イルミナティの政治的・経済的計略を推進し、果てには次にどの国を侵略すべきかを提案するプロパガンダのプラットフォームにすぎないのだ。

あらゆる情報は、それぞれ決まった意図のもと、非常に狡猾に編集されたうえで流されている。ニュースは、戦争、暴力、暴動、犯罪、麻薬やテロとの戦い（テロリズムもまたイルミナティと無関係ではない）といった、いわば戦闘状況の映像を繰り返し見せる。私たちを死に対して鈍感にするため、ニュースは巧みに利用されているのだ。

扇動者の軍用車両はメディアを付き従えて戦争へ向かう。平和を愛する人々には、想像することすら難しいかもしれないが、自由と解放を装った暴力、死、破壊行為は、現代を生きる私たちの身近にあり続けている。

印刷機が誕生し、新聞が定期的に配られるようになって以来、メディアという怪物を意のままに飼い慣らしてきた者たちは、大衆に対してこのプロパガンダツールを極めて高い精度で活用してきたのである。トランジスタラジオとテレビ放送の始まりがこのマインドコントロールのプロセスを加速させ、今日にいたっては、最新の衛星技術をもって、想像もつかないほどの成功を収めている。

戦前・戦中のドイツ・ナチスが用いたものと同じ手法を、アメリカやイギリスの指導者は戦後になってもうまく利用している。ドイツ人もアメリカ人も、そしてイギリス人も、指導者が自分たちを騙し、偽りにまみれた盲目的な愛国心を抱くよう操作しているとは思いも寄らなかっただろう。そのために何百万人もの人々が死を覚悟した。

以下は、ヘルマン・ゲーリングが戦争と大衆操作について残した言葉である。

「当然、庶民は戦争を望んでいない。ロシアでもイギリスでも、ましてやドイツでも。それはわかっている。しかし結局のところ、政策を決定するのはその国の指導者であり、民主主義であれ、ファシスト独裁であれ、議会であれ、共産党独裁であれ、国民を引きずり込むのはいつでも簡単なことなのである。声があろうとなかろうと、いつだって国民は、たやすく指導者の言いなりになり得る。指導者たちは、自分たちが攻撃されていることを告げ、〝和平派は愛国心がなく国を危険にさらしている〟として糾弾すればいいだけだ。これはどこの国でも同じである」。

ヘルマン・ゲーリング――アドルフ・ヒトラーの副官。

これは、2001年にニューヨークで起きた9・11の偽旗事件の後、ジョージ・W・ブッシュが用いた理念とまったく同じだ。アメリカは攻撃を受けており、戦争に同意しない者は愛国心を欠く非アメリカ人で、卑劣で邪悪なテロリストの味方とみなされたのだ。

誰が銀行を救済しているのか？

この10年間、かつてないほど多くの銀行が、倒産から「救済」され、さらには国全体が救済されるまでの事態となった。私たちは、腐敗した銀行家が救済されるのを目の当たりにし、信じられないと首を横に振りながら、驚きを持ってニュースを見ている。その一方で、同じ銀行家によって、容赦なく私たちの家は差し押さえられ、競売に掛けられている。

いくつかの独立機関が発表したレポートによると、2012年末までにアメリカの連邦準備制度は、アメリカの銀行を救済するために26兆ドルを費やしたという。

このような規模の救済措置について、事情に精通している記者たちが語る数々の報道の中で、具体的な説明を要するもっとも重要な質問、つまり「誰が銀行を救済しているのか？」という問いが一度も投げかけられなかったのは、興味深いことである。

銀行や国家すら救済し続けるほどの無限の資金を持つ、この目に見えない存在とはいったい何者なのだろうか。その答えは、銀行エリート一族だ。世界中の主要銀行を所有する者たち、紙幣を発行し、どういうわけか世界中の通貨の供給をコントロールする権利を掌握している者たちである。主要銀行は世界中にある大半の中央銀行を含め、各々の国の民間企業を支配下に置いている。このため、彼らは銀行エリートと称され、「バンクスター」と呼ばれることもある。

至極単純な事実を述べよう。世界の主だったメディア企業もまた、すべて銀行一族によって所有されているため、ニュースチャンネルの記者たちは、彼らの不利益となり得る質問を許されないのだ。

今でも常に「借金」や「経済への資金投入」が語られ、世界中のどの国もどこかの国に借金をしている。それでも、政府の魔法の杖の一振りによって、いつだって銀行は救済される。中央銀行や準備銀行がさまざまな銀行や経済を救済するために、資金を「注入」したり「放出」したりするからである。こうして新たな「資金注入」が行われるたびに、人々はより多くの負債を抱え、奴隷状態から一層抜け出せなくなる。救済措置の負担は、国民に転嫁されるのだ。

ジャマイカが非常にわかりやすい例だ。ジャマイカの予算のうち、まず55％は借金の返済に、20％は政府への支払いに、残りの25％は国民が必要とするサービスの支払いに使われている。
どうすればこの深刻化する危機を食い止めることができるのか。世界の人々のために、この混乱から脱する方法はあるのだろうか。

銀行エリートによる支配の遺産

本書における銀行エリートとは、何千年も前から世界を支配してきた王族や王家の血筋を含む。貨幣の概念を最初に導入したのは、古代の神官王であることに留意してほしい。貨幣の供給支配は、これらの王族から子孫へ引き継がれ、ひいては銀行エリートの一族も王族の血統の分派であるに違いないのである。

多くの人が、英国女王が地球上でもっとも裕福な人物だと主張するのはこのためだ。王室は世界で群を抜く最大の単独土地所有者であるが、騙されてはいけない。王室の正体は女王ではなく、女王の名と信用を利用して運営されている企業だ。

過去300年を振り返ると、銀行家による世界情勢の操作という壮大なショーが繰り広げられてきた。銀行家たちは主要国の政府に影響を与え、革命や戦争を引き起こし、新しい法律を成立させ、邪魔になるリーダーを排除し、秘密組織を立ち上げ、何が何でも支配を維持してきた。

もっとも恐ろしいのは、銀行家が自分たちの利益のために世界の紛争や戦争を操り、支配を続けているということだ。彼らが忠実な駒として利用する大衆は、プライドと名誉と愛国心に満たされながら、死に向かって行進しているのだ。

銀行家に操られる戦争

「彼らは理由もなく、ただ実行し、死ぬだけだ」
（アルフレッド・テニスン『軽騎兵の突撃』1854年）

戦争は、王や女王、政治家、宗教指導者が企業の計略を支持することで始まるものであり、一般の人々が引き起こすものではない。人々は多くの反乱や革命を起こしてきた。しかし、それは多くの場合、抑圧的な政権に対する抵抗であり、戦争自体が目的でない。政治家が国民に約束し続けながら、決して実現しない自由を欲してのことだ。

過去数世紀の重要な歴史的出来事に向き合ってみよう。すると、銀行家が自分たちの利益のためにすべてを操作してきたという悲惨な事実を、私たちは突きつけられる。

アメリカ建国の父の1人、ベンジャミン・フランクリンは、「貨幣を操作する者の魔の手から人々を解放する誠実な貨幣制度の運用を、ジョージ3世が植民地に許さなかったことが、おそらく革命の大きな原因であった」と述べている。

アメリカ独立戦争は、主にジョージ3世治世下の通貨法をめぐって勃発した。この通貨法は、植民地の人々が事業を行うにあたり、民間の銀行であったイングランド銀行が発行する銀行券を利子付きで借用することを強制するものであった。

革命後、新たに生まれ変わったアメリカは、政府が独自の貨幣を発行するという、まったく異なる経済システムを採用した。イングランド銀行のような民間銀行に、利子のついた銀行券で国民の富を吸い上げさせないようにするためである。

フランス革命もロシア革命も、王族による抑圧、貧困、貨幣の支配に対する民衆の抵抗であった。

第一合衆国銀行は、1791年にロスチャイルド一族が設立させた、アメリカ議会公認の最初の民間銀行であった。この頃から、銀行家や実業家の世界観について、背筋の凍るような声明が読み取れるようになる。

当時、ロスチャイルド帝国の総帥であったマイヤー・アムシェル・ロスチャイルドは、「私が国の貨幣を発行し管理するなら、誰が法律を作ろうとかまわない」という忌まわしい発言で、その意図を明確にした。

設立から20年後、議会は第一合衆国銀行の公認期間の更新を承認しない決定を下し、国民がどの銀行家にも利子を支払わずに済むよう、国が発行する価値準拠の通貨へ戻すことを表明した。

これを受けて、ネイサン・マイヤー・ロスチャイルドが政府に示した露骨な脅迫からは、銀行家が有する世界政治への影響力の大きさを改めて確認することができる。彼は、「公認の許可申請が認められるか、米国がもっとも悲惨な戦争に巻き込まれることになるか、そのどちらかだ」と述べたのだ。

それでも議会が頑なに認可の更新を拒否すると、ネイサン・マイヤー・ロスチャイルドは、こう言い放った。「あの生意気なアメリカ人を懲らしめ、植民地時代に戻すのだ」。

この扇動的な発言のすぐ後に、1812年の英米戦争が勃発する。融資によってイングランド銀行を支配していたロスチャイルド家の狙いは、アメリカを再植民地化し、イングランド銀行の下で奴隷制へと戻すことであった。この計画は、戦争でアメリカを莫大な債務に陥れ、新たな民間中央銀行を受け入れざるを得なくさせるもので、見事に成功を収めた。

アメリカ議会は、通貨を供給し、国民に利子付きで貸付を行う民間銀行、第二合衆国銀行を新たに認可することを余儀なくされたのである。こうして再び、民間の銀行家が国家の通貨供給をコントロールするようになった。彼らからすれば、誰が法律を作ろうと、どれだけの英米の兵士が死ぬことになろうと、それは些末なことだった。

1832年、アメリカのアンドリュー・ジャクソン大統領は、2期目の大統領選で「ジャクソンに投票し、銀行を排除」というスローガンを掲げて選挙戦を展開し、勝利を収めた。

「銀行家の諸君！　私も合衆国銀行の動向を注視してきました。私は長い間あなた方を監視してきました。そしてあなた方が、この国の食糧に投機するために銀行の資金を利用してきたと確信しています。投機が成功すればその利益を自分たちのものとし、失敗すれば銀行のせいにした。もし私が銀行から預金を取り上げ、その認可を取り消せば、1万世帯を破滅させることになると言うのですね。確かにそうかもしれません。しかし、それはあなた方の罪だ！今の状況が続けば、あなた方は5万世帯を破滅させるでしょう。もしそうなれば、それこそ私の罪になります！　あなた方は毒蛇と盗賊の巣窟のようなもの。私はあなた方を根絶やしにすることを決意しました。永遠に（テーブルに拳を下ろして）根絶やしにしてみせます！」

アンドリュー・ジャクソン大統領　1834年2月

ジャクソンは、第二合衆国銀行の認可更新を阻止することに成功し、銀行家が生み出した国家債務を実際に完済した唯一の大統領となった。

犯罪と暗殺に手を染めるバンクスター

銀行家や秘密結社について声高に発言したことで暗殺のターゲットにされた著名なアメリカ大統領は3人いて、うち2人は実際に命を落とした。ジャクソン、リンカーン、ケネディの3人は、バンクスター一族の不法行為に立ち向かった。しかし、銀行家たちはいかにして厄介な大統領に対処し自分たちの犯罪をうまく隠すかを、よく心得ていた。

第二銀行の廃止からほどなくして、ジャクソン大統領の暗殺が試みられている。暗殺者リチャード・ローレンスが2度発砲したが、いずれも不発で、事件は未遂に終わった。

南部連合がアメリカから独立を宣言したとき、銀行家たちは借金をさせることによって大儲けするチャンスを再び見出した。彼らは南部を連邦に復帰させるための資金提供を申し出たが、リンカーン大統領はこれを拒否し、のちに「グリーンバック」として知られるようになった新しい政府通貨を発行することにした。銀行家たちの申し出は中央銀行の資本と権力に対する直接的な脅威であり、これに即座に対応したのだ。

リンカーンが南北戦争の資金調達のため、30％の利子で民間銀行家の融資に応じる代わりに、グリーンバックを発行する決定を下したことについて、『ロンドン・タイムズ』

は次のような記事を掲載した。

「北米に端を発するこの悪辣な金融政策が定着すれば、その政府はコストをかけずに自国の貨幣を調達できるようになります。そうすれば国債が利息なしに完済されます。商業を営むのに必要なすべての資金を自ら生み出すことで、北米は世界中の頭脳と富を集め、歴史上、前例がないほど繁栄するようになるでしょう。そのような国は滅ぼされてしかるべきです。さもないと、地球上の君主制はすべて崩壊することになります」

この記事を読めば、誰が『ロンドン・タイムズ』を支配していたのかは一目瞭然である。同時に、「君主制」や「王族」が、エリート銀行家と直接結びついていることの明確な証拠も示している。

大衆を支配することへの銀行家の執着心と欲望は、尽きることがなかった。1872年、ニューヨークの銀行家たちはアメリカ全土の銀行に次のような手紙を送り、リンカーンのグリーンバックのような政府発行紙幣に反対する新聞に資金を提供するよう促した。

「拝啓　グリーンバック紙幣の発行に反対する著名な日刊紙や週刊誌を維持するために、貴行が尽力することが望まれます。そして、政府の紙幣発行に異を唱える意思のないすべての顧客からの後援や便宜は、その受け入れを差し控えることが賢明でしょう……再び政府発行紙幣を流通させることは、国民に資金を供給することであり、したがって銀行家および貸金業者である貴殿方個人の利益に重大な影響を及ぼすことになります」

また、銀行家たちは次のような発言とともに、意のままに支配を続けた。「いかなる期間であっても、俗に言うグリーンバックを通貨として流通させるのは好ましくない。我々のコントロールが利かないからだ」（リン・ウィーラー著『プルトクラシーの勝利　1870年から1920年までのアメリカ国民の生活の物語』より抜粋）

銀行家たちは、貨幣が支配と奴隷化の完璧な道具であり、所有者がわざわざ家と食事を提供して人間を従属させる形態の奴隷制よりも、はるかに合理的だと確信していた。

お金は人類の間に奴隷制を広める狡猾な道具として、知らず知らずのうちにより一層効果的に利用されるようになるかもしれない。大衆は自分たちが信じている自由と民主主義のせいで盲目になり、お金を支配する人々によって完全に奴隷にされていることに気づくことはないだろう。

リン・ウィーラーは、著書『プルトクラシーの勝利』の中で、銀行家の悪意について、もう1つ驚くべき例を示している。「戦争によっておそらく奴隷制は廃止され、人間が奴隷を資産として所有する仕組みは崩壊するだろう。ヨーロッパ人の友人たちと私は、これを好ましく思う。というのも、奴隷制はあくまで労働力の所有であり、労働者への配慮を伴うからだ。一方、イギリスが主導するヨーロッパの計画は、資本が賃金をコントロールすることによって労働力を支配することである。これは、貨幣を支配することによって可能となる」

銀行エリートが人々を奴隷という所有可能な資産と見なしていることに目を向けると、息を呑むほどの驚きを覚える。百科事典『エンカルタ』で、奴隷資産の定義を見てみよう。

「動的資産。自由保有の土地不動産ではなく、無形でない個人的な財産。動産は通常、家具や車などの動かすことのできる個人資産であるが、リースなどの動産に対する権利を指す場合もある」

現代の銀行業界とそれを支配する一族は、世界最大の組織的犯罪シンジケートである。彼らがほかのカルテルよりはるかに危険なのは、彼らを保護するために各国で法律が作られ、その法律を支持する裁判所や裁判官に守られながら、すべての違法行為を行っている点である。

法を超越する銀行

1913年以降、米国の通貨は「連邦準備制度」（Ｆｅｄ）として知られる国際的な銀行家による民間法人によって所有・管理されている。このグループは「連邦準備券」を印刷し、それを米国財務省に貸し出している。アメリカ国民はこの大きな欺瞞に気づかず、自分たちのお金、つまり高級な紙切れを使う権利のために、連邦準備銀行の銀行家に利子を支払っているのだ。この方式は、民間が所有する中央銀行によって、ほとんどすべての国で適用されている。

したがって連邦準備銀行は、密かに政府の干渉を逃れ、自由に紙幣を印刷し、その何もないところから作り出したお金を渡す相手を自分たちの思いどおりに決めることができる。

アラン・グリーンスパン前連邦準備制度理事会議長は、ジム・レーラーとのテレビインタビューで、連邦準備制度理事会は独立機関であり、その決定は正当な米国政府のいかなる機関によっても覆すことができない、と概説している。このため、Ｆｅｄと大統領がどのような関係性であれ、Ｆｅｄの決定や活動に何ら影響はない。

これは、Ｆｅｄが誰に対しても責任を負う義務を持たないという、非常に恐ろしい現実である。政府も政府機関もＦｅｄを管轄しておらず、コントロールもしていない。言い換えれば、Ｆｅｄは自らの詐欺的行為を理由に逮捕される心配なく、思うように行動できる。中央銀行はこうして何世紀も続いてきたのだ。以下のリンクからはインタビューの一部を見ることができる（https://youtu.be/ol3mEe8TH7w）。動画では次のような会話が交わされている。

ジム・レーラー：Ｆｅｄ議長と米国大統領の適切な関係

とは、どうあるべきなのでしょうか？

グリーンスパン：第一に、連邦準備制度は独立した機関です。基本的に、我々の行動を覆すことのできるほかの政府機関は存在しません。この限りにおいて、政権や議会、そのほかの機関が、我々が適切だと考えること以外のことを要求する根拠はなく、そうした機関と我々の関係性がどのようなものであれ、率直に言って問題ではありません。そして、私は大統領と非常に良い関係を築いてきました。

戦争への資金供給

銀行家一族は世界中にある数多くの産業を所有し、莫大な投資を行っている。特に軍事産業への投資ほど、利益をもたらすものはない。お金の流れを支配する者によって人類の歴史上のすべての戦争が操作されてきたことは、誰もが確信している。ロスチャイルド家、ロックフェラー家、モルガン家、ハリマン家、ウォーバーグ家は、ボリシェビキ革命、第一次世界大戦、第二次世界大戦の主要な資金提供者であった。

アドルフ・ヒトラーがドイツで人気を得て力をつけるようになると、銀行エリートに衝撃が走った。その原因は、ヒトラーの軍事力ではなく経済政策である。ヒトラーが最初に行った金融政策は、中央銀行からの借用ではない独自の国家通貨、すなわち国民が銀行に利子を払わずに使える通貨を発行することであった。ドイツは大いに繁栄し、瞬く間に産業を再建させていった。マスコミはこれを「ドイツの奇跡」と呼び、ドイツ国民の生活を驚異的に向上させ、産業を爆発的に発展させたヒトラーは、1938年に『タイム』誌の「マン・オブ・ザ・イヤー」に選ばれた。

王室と深い関わりを持つ銀行家たちにとって、事態はとても歓迎できるものではなかった。そこで彼らは、英国首相のウィンストン・チャーチルを、今後に警鐘を鳴らすメッセンジャーとして利用した。

「今後50年間にドイツが再び商業を始めるようなことがあれば、この戦争（第一次世界大戦）を導いた我々の努力は無駄なものになる」ウィンストン・チャーチル、『タイム

ズ』誌にて（1919年）

「ドイツが強大になりすぎている。我々が打ち潰さなければならない」ウィンストン・チャーチル（1936年11月、ロバート・E・ウッド陸軍士官に語る）

「ヒトラーが望むと望まざるとに関わらず、我々はこの戦争をヒトラーに強いるだろう」ウィンストン・チャーチル（1936年の放送）

「この戦争はイギリスの戦争であり、その目的はドイツの破壊である」ウィンストン・チャーチル（1939年秋の放送）

また、第二次世界大戦を避けることも可能だったが、『販売市場』を征服するために戦争をすることは財政的に理にかなうことだとチャーチルは明言している。

「戦争はファシズムの廃絶だけでなく、販売市場の征服のためでもあった。我々がそのつもりになれば、一発の銃弾も放つことなくこの戦争の勃発を防ぐことができたが、そうしたくはなかった」ウィンストン・チャーチルからトルーマンへ（米国フルトン、1946年3月）

次に引用する発言においても、チャーチルは戦争が行われたまさにその要因を認めている。しかし、これは同時に、ヒトラーから支配権を奪った真犯人が銀行家だと気づいていることを示唆する不吉な発言でもあった。

「第二次世界大戦前のドイツの許されざる罪は、自国経済を世界貿易システムから解き放ち、世界金融が儲からないような独立した為替システムを構築しようとしたことである。我々は間違った豚を殺してしまった」ウィンストン・チャーチル（第二次世界大戦、ベルン、1960年）

1933年以降、ウォール街の銀行家たちは、ヒトラーとムッソリーニのクーデターを成功させるために資金を提供していた。ニューヨークのブラウン・ブラザーズ・ハリマン社は、対独宣戦布告直前までヒトラーに資金援助を続け、戦時中もおそらく秘密裏に続けていたのだろう。両者の間に確執があったという報道もあるが、軍事絡みの資金供給のような儲けの見込める機会を目の前にして、尻込みする銀行家がいたとは想像もできない。

銀行家たちはアメリカの政権のあり方について、ルーズベルトの「ニューディール」よりも、イタリアのファシスト独裁を基盤とするほうが、自分たちのビジネスにとってはるかに有利であると判断したのである。これは、労働階級や中産階級に資本を注入する大規模な富の再分配を脅かすものだった。

ウォール街の大物たちは、アメリカ政府を転覆させるという陰謀を企てていた。彼らはバトラー将軍を起用し、国民ではなくウォール街に対して責任を負う「総務長官」の設置により、策略を進めさせた。バトラー将軍は賛同を装っていたが、思いがけずその策略を議会に暴露した。残念ながら、当時も今もウォール街の銀行家の懐に入っている議会が、行動を起こすことはなかった。

ヒトラーとブッシュ家の帝国

2004年9月25日(土)の『ガーディアン』紙は、ブッシュ一族がいかにヒトラーの軍事行為を背景に帝国を築き上げ、利益を得たかについて報じている。以下は、その記事の編集版である。

「ジョージ・W・ブッシュの祖父、米国上院議員プレスコット・ブッシュは、ナチス・ドイツへの資金援助者との関わりから利益を得た企業の役員であり、株主であった。『ガーディアン』紙は、米国国立公文書館で新たに発見されたファイルから、プレスコット・ブッシュが役員を務めていた会社が、ナチズムの資金面での立役者と関わっていたことを確認した。

プレスコット・ブッシュの行動をめぐる議論は、以前から水面下で活発に行われてきた。このたびのファイルには、昨年に機密指定を解除されたばかりの文書が多く含まれる。そこには、アメリカの参戦後、ナチスの計画と政策についてすでに重要な情報が明らかになった後ですら、ブッシュがヒトラーの権力獲得に資金を提供していたドイツ企業と密接な関係にある企業で働き、利益を得ていたことが示されているのだ。

プレスコット・ブッシュのナチスへの同調を示唆する記述はないものの、彼が所属していたブラウン・ブラザーズ・ハリマン社が、1930年代にヒトラーに資金援助をしたドイツの実業家フリッツ・ティッセンの米国拠点として機能していたことは文書で明らかにされている。これは、1930年代末に両者の間に不和が生じるまで続いた。また『ガーディアン』紙は、ブッシュがティッセンの米国における影響力を象徴するニューヨーク拠点のユニオン・バンキング・コーポレーション(UBC)の役員を務め、アメリカが戦争に突入した後も同銀行で働き続けたことを示す証拠を入手した。

ティッセンは世界中に資産を移動させるためのダミー企業による多国籍ネットワークを築いていたが、ブッシュはその一部を成す会社の少なくとも1社でも、役員として名を連ねていた。

ティッセンはドイツ最大の鉄鋼・石炭会社を所有し、2つの世界大戦の間にヒトラーが再軍備に尽力したことから莫大な富を得た。ティッセンの多国籍企業ネットワークの柱の1つであるUBCは、ティッセン支配下にあったオランダの銀行に所有され、言いなりになっていた。

3つの記録文書ファイルがプレスコット・ブッシュの関与を明らかにしている。米国議会図書館に所蔵されているハリマン文書からは、プレスコット・ブッシュがティッセンに関係する多くの会社の役員であり株主であったことが読み取れる」

バンクスターによるケネディ暗殺

1963年6月4日、ジョン・F・ケネディ大統領は大統領令11110号に署名した。この命令は、米国財務省に新しい公共通貨である政府紙幣の発行を指示したものだが、ケネディは実質的に自らの死刑執行令状へ署名したも同然であった。

ケネディによる政府紙幣は、連邦準備銀行の民間銀行家たちから借りたものではなく、米国政府が発行し、政府保有の備蓄銀に裏打ちされたものであった。

約45億ドルの政府紙幣が市中に出回ったことで、利払いによる収入が減少した連邦準備銀行は、国家に対する支配力を衰退させることになった。そして、署名から5か月後にケネディはテキサス州ダラスで暗殺され、政府紙幣はほぼ即座に回収され、破棄されたのだ。

ウォーレン委員会の委員に選出されたジョン・J・マクロイは、暗殺の背後にある銀行のつながりを国民からうまく隠蔽するように取り計らった。マクロイは、チェース・マンハッタン銀行会長や世界銀行総裁という経歴を持つ人物である。実のところ、ほかの多くの政府と同様に、米国政府は憲法に従って無借金の貨幣を発行する権限を今も有している。しかし、バンクスターの支配力があまりに強大であるため、国民に奉仕するはずの政府は、国民のために最善を尽くしているとは言えないのである。

ここでひとつ例を挙げよう。2013年1月、プラチナ硬貨1枚で米国債を完済できる「抜け穴」の存在が明らか

になり、国内の主要メディアはこれを何週間にもわたって報道した。「1兆ドル硬貨」と呼ばれるこの硬貨は、米国政府が国の債務を清算する手段と機会を持っていることを、疑う余地もなく証明したのだ。主要メディアが視聴者に不換通貨の欺瞞の大きさを垣間見せたのは、初めてのことであった。これは、バンクスターがどのような力を持っているか、そして彼らがいかに長い間世界を操ってきたかを示す、ほんの一端にすぎない。それに対して何らかの行動を起こすかどうかは、私たち国民に任されているようである。

参考：『すべての戦争はバンカーズ・ウォーズ』マイケル・リベロ

世界を動かすのはお金ではない

お金に関するこの長く複雑な欺瞞の道のりで、私たちはよく訓練された兵士となり、お金を操る者たちが打ち鳴らす見えないドラムに合わせて行進するようになった。「お金が世界を動かす」「一生懸命働けば、トップに立てる」「お金があればウイスキーを買える」……私たちはそんな言葉を巧みに聞かされ、あまりにも長い間、少しの疑いを抱くこともなく過ごしてきたのである。しかし、世界は勝手に動いているし、トップに立っても人は満足などできない。確かにウイスキーを買うのはお金かもしれないが、ウイスキーを作るのは人であり、したがって、ウイスキーを誰がどのように飲むかを決めるのは、お金ではなく、人であるべきである。

巧妙な洗脳によって、お金は人間心理の生命線となった。しかし、お金はむしろ麻薬のようなもので、ほとんどの人がお金なしでは生きていけないと考え、お金に依存している。これほど真実から遠いことはない。目を開いて、あなたの周りの世界を見渡してみてほしい。私たちの周りにあるものはすべて、お金がなくても豊かに存在し、機能しているのだ。私たち人類は、お金というものを採用した唯一の種なのである。

世界中の何百万もの人々が、スーパーマーケットや倉庫、ショールームの棚を埋め尽くす無数の品々を日々作り出している。毎年、世界のいたるところで何百万もの農家が大量の食料を生産し、エンジニアは息を呑むような壮大な構造物を設計し、音楽家は魂を震わせる演奏で聴く人の涙を誘い、子供たちはその無邪気さで私たちの心を喜びとより良い人生への希望で満たしてくれる。お金が世界を動かすのではない。人が世界を動かすのだ。

それにもかかわらず、景気刺激策、資本注入、雇用創出、企業成長の安定化、国際貿易の拡大など、そもそも世界をこのような混乱に陥れた過去の失敗ばかりが、今日も繰り返し語られている。政府や銀行家が提案するものはどれも、国民のための解決策ではない。

彼らの解決策は、銀行とその所有者をさらに豊かにする行為にすぎない。いわゆる「プロブレム・リアクション・ソリューション」（デーヴィッド・アイク）と呼ばれる、銀行家たちが巧みに指揮する悪質な策略である。

銀行は救済され、国民は借金をする

銀行が中央銀行から救済されるたびに、銀行ではなく、国民が負債を返済しなければならないのは悲しい事実である。より端的に述べると、お金がたくさん詰まった魔法の金庫がどこかに隠されているわけではないということだ。銀行エリートは、お金を印刷する、つまり何もないところからお金を作り出す権利を自分たちに与えているのである。

こんな光景を思い浮かべてみてほしい。印刷工場に入ると、とても高価な印刷機の横に、100ドル分の価値のある紙の山がある。男がやってきて、その紙を印刷機に送り込み始めると、反対側には派手なデザイン、ロゴ、名前、そして隅に数字が印刷された紙が現れる。この紙切れは、今や1000億ドルの価値がある。この紙は綺麗に見た目よく裁断され、100枚単位の高級な紙束となり、銀行に出荷されるのだ。

今あなたが目にしたのは、中央銀行が何もないところからお金を作り出す様子である。これらの紙切れは、その後、人々に貸し出され、人々は利子を含めて返さなければならない。人々は返済のためにさらに同じような性質の紙切れを集めるため、紙切れの総量は増大することになる。しかし、人々は自らこの紙切れを印刷することができない。もしそうしたなら、非常に長い間刑務所に行くことになるだろう。銀行家だけが、法律に触れることなく、このような高級な紙切れを生み出す権利を持っているのだ。というのも、銀行家がこのような特権を得られるよう、法律を作らせているからである。

このようなごまかしを認める法律を制定する力があれば、世界中でいとも簡単に詐欺行為を働くことができる。その法律を執行するためには、政府を通じて軍隊や警察をコントロールする必要があるが、それを実現した者はもはや手のつけられない存在となり、周りをすべて従えて、あたかも神のように振舞うようになるのだ。

そうした行為を世の理であると見なして必死に擁護し、文明社会として機能するためには秩序と構造が必要だと主張する者たちがいる。彼らは、文明の頂点に達するまでには非常に長い時間を要し、ようやく先進テクノロジーがもたらす豊かさを皆が享受できるようになったと語るだろう。また、金融分野においては、このすべてがいかに複雑で、見た目ほど単純でないかを説く者たちもいる。彼らは、世界中の多数の会計士やトレーダーを、世の中を動かす非常に重要な仕事という偽りの使命で完全に洗脳し、自らの手の内に収めているのだ。

これらはすべて、銀行家が身を隠すための嘘とごまかしにすぎないのである。彼らの言うことは、何1つ信じてはならない。真実を単純に述べよう。中央銀行は何もないところからお金を生み出し、そのお金を政府に渡して銀行を救済し、我々国民は一層長く、懸命に働いて借金を返さなければならない。お金の出どころは、「何もないところ」ではなく、人々の汗と血だ。人類は完全なまでに騙されている。私たちは銀行家の権力を維持するための奴隷なのだ。

この際、言葉を濁さず、すでに話したことを繰り返させてもらう。銀行業界は、史上最大の組織的犯罪シンジケートである。しかし、どういうわけか、銀行家は自分たちがまっとうな存在であるかのように見せかけ、その搾取対象とされている人々から合法なものとして受け入れられてきた。

この後のパートでは、私たちを奴隷にするために悪意を持って作られた法律について詳しく説明する。私たちを守るためにあると信じられている法律は、実は多国籍企業の利益を守るために作られているのである。

銀行家が隠し持つ力——クラウンテンプル

銀行エリートは、限りなく複雑で制御不能に見えるこの巨大な金融モンスターをどのようにコントロールしているのだろうか？　いつ、どのようにして、これほど強力な組織になったのだろうか？　本社はどこにあるのだろうか？毎日、毎分、休むことなく、歯車を回し続けているのはいったい誰なのか？

その答えは「クラウン」と呼ばれる存在だ。多くの人々は、この権力の背後にイギリス女王が存在し、イギリス王室がアメリカを支配していると考えているが、ここで言う「クラウン」は別物だ。「クラウン」は、悪名高きテンプル騎士団が1185年に「シティ・オブ・ロンドン」にテンプル教会を創設したときに誕生し、「クラウンテンプル」または「クラウンテンプラー」という名前でも知られている。

アメリカの政府と司法制度は、連邦レベル、州レベルともに、外国の私権である「クラウン」が所有している。その本部はイギリス・ロンドンの中心部、主権を有する「シティ・オブ・ロンドン」にある。

銀行エリートや彼らが擁する議員たちの支配は、3つの独立主権国家、すなわちローマのバチカン市国、ワシントンD.C.、シティ・オブ・ロンドンに戦略的に配置されているのだ。シティ・オブ・ロンドンはスクエアマイルとも呼ばれ、独自に自治体としての地位を持つ。つまり、主権を有する独立した儀礼的な区である。

テンプル教会は、シティ・オブ・ロンドンの金融本部であるフリート・ストリートとテムズ川沿いのヴィクトリア・エンバンクメントの間に位置している。そこにあるクラウン・オフィス・ロウには、クラウン・オフィスも立ち並ぶ。テンプル教会は、あらゆる正当な法的管轄の外にある。つまり、アメリカのFedと同様で、政府やそのほかのいわゆる権力者は、この教会に対していかなる統制や影響力も持たないということである。テンプル教会のマスターは、任命式や制度もなしに、一般に知られていない非公開の特許行為によって選出され、その座に就く。

国際法曹協会は、クラウンテンプルのインズ・オブ・コート、位置的にはフリート・ストリート裏のチャンスリー・レーンに本部がある。世界各国の弁護士会はクラウンの認可を受けた加盟団体であり、弁護士たちにとっての始まりの場所とも言える。

シティの自治体であるシティ・オブ・ロンドン・コーポレーションは、シティの警察当局であるなど、英国の自治体としては珍しい責務を担い、シティの境界を越えた責任や所有権をも有する。シティの首長はロードメイヤーと呼ばれ、ロンドン市長であるロンドンメイヤーとは別の、より歴史が古い組織を統率する。

シティこそ、今日の世界中の銀行や法制度が人々への支配と専制の基礎を築いた元であり、手法だ。綿密な計画と実行を800年以上も遂行し、その一歩一歩において無知な人々を惑わし欺いてきたのである。世界のほとんどの国の法律と金融政策が、シティで決定されている。これには支配の戦略的手段として戦争や侵略を始めることも含まれ、国や国民に終わりのない債務を負わせることになるのだ。

アメリカは、連邦政府が宣言しているような自由で主権的な国家ではない。もしこれが本当なら、アメリカも世界中のほかの国々も、銀行家や弁護士を通してクラウンテンプルの指図を受けることはないはずだ。アメリカは外国の私権勢力によって支配されている。法を犯し不正を働く連邦政府は、彼らの質屋であるも同然なのである。

銀行や銀行エリートはテンプル教会を支配し、弁護士はその命令を遂行するために、彼らの餌食となる人々を司法で意のままに操る。これは、1185年のテンプル教会創設以来続いている、完全犯罪のための完璧な計画なのだ。多くの疑問を抱かれることなく、綿密に実行されてきたが、これからはそうはいかない。

クラウンはスイスの地から、不換紙幣である連邦準備券、すなわちドル紙幣を発行する連邦準備制度の財政を握っている。スイスには、国際連合、国際通貨基金、世界貿易機関の拠点があり、特筆すべき点として、国際決済銀行の本部も置かれている。これらの組織設立の法的な起源でもあるのだ。ヒトラーでさえクラウンの銀行家を敬遠して、スイスを爆撃しなかった。バーゼルに本部のある国際決済銀行は、G7諸国のみならず世界中の国々の中央銀行を支配している。金を支配する者が世界を支配するのである。

ここで、弁護士（attorney）の語源である「a

ｔｔｏｒｎ」という言葉の理解すべき重要な定義を２つ紹介しよう。

ATTORN：ある財産について新しい家主または所有者の借主になることに同意すること。語源はアングロ・フランス語で「(借主の忠誠をほかの領主に) 移す」を意味する「aturner」。古フランス語「atorner ＝ (〜の方を) 向く、調整する」より。成り立ち「a- (〜の方向)」＋「torner (向く)」。『メリアム・ウェブスター法律辞典 ©１９９６』

ATTORN：自動詞［ラテン語 ad、torno より］封建法において、忠誠および奉仕の対象をある領主からほかの領主に転じること。領地の譲渡に伴われる、臣下、農奴、借主の行為。『ウェブスター英語辞典 １８２８年版』

テンプル・バーおよび加盟する弁護士会の独占支配が世界中で展開するすべての法律詐欺は、インナー・テンプル法曹院、ミドル・テンプル法曹院、リンカーン法曹院、グレイ法曹院という４つの法曹院が根源である。これらは排他的かつ私的な会員制組織で、事実上商業界で世界的な力を持つ秘密結社だ。１２００年代初期に設立されたものもあり、歴史は古い。

米国にあるすべての加盟弁護士会と同様に、４つのいずれの法曹院も法人化されていない。理由は単純で、非法人または登録のない存在に対して、誰も申し立てをすることはできないからである。認可も制定法もない私的な社会であり、構成員らが言うところの憲章は、慣習や自主規制のみに基づいている。つまり、公的な「表玄関」を持たない秘密結社として存在しているのである。

さらに重要な言葉の定義が次のものである。

FEALTY：名詞［ラテン語 fidelis より］主君への忠誠。借人や臣下が、土地を有する主人に忠実に従うこと。忠誠心。

封建制度のもとでは、借人や臣下は主君に忠義を約束し、あらゆる敵から主君を守る義務を負っていた。この義務は忠誠心あるいは献身と呼ばれ、すべての借人は主君に対して忠誠の誓いを立てることが要求された。借人は配下 (lige man)、土地は封土権 (lige fee)、主君は領主 (lige lord) とそれぞれ称された。

１２１３年、イングランド王国ジョン王は、ローマ教皇とローマ教会に臣下として忠誠を誓い、イングランド王国ならびに王国が所有するすべて (将来的に有する財産、信託物、特権、特許状、土地を含む) を永遠に寄進することを宣言した。それから約５００年後、アメリカ大陸の入植地ニューイングランドは、「アメリカ合衆国」という名の、クラウンが所有する信託物となった。

アレクサンダー・ハミルトンは、法曹界に入った数多くのクラウンテンプラーの1人であった。１７７４年、ハミルトンはロンドンのキングス法曹院の会員が資金を提供するキングス・カレッジ（ニューヨークのコロンビア大学の前身）に入学し、アメリカ革命時の１７７７年にはジョージ・ワシントンの側近兼政務秘書官となる。

１７８２年5月、ハミルトンはニューヨーク州のオルバニーで法律を学びはじめ、3年間の課程を奇跡的にわずか半年で修了して、ニューヨーク法曹界入りを果たした。ニューヨーク法曹協会は、昔も今も、ミドル・テンプル法曹院を通じてクラウンテンプルの傘下にある組織である。１７８２年から連合会議で代議員として1年間の任期を務めると、ハミルトンはニューヨークシティで弁護士業に落ち着いた。１７８４年2月には、米国最古参の銀行であるニューヨーク銀行の設立認可を請い、その創設者となっている。

１７８７年6月18日、フィラデルフィア憲法制定会議で、ハミルトンは5時間に及ぶ演説を行い、「終身の行政者は、選挙で選ばれた君主となる」と述べた。連邦主義に反対するニューヨークの議員たちが抗議のためにそろって会議から脱すると、ハミルトンは合法的なクラウンの州ないしは植民地であるニューヨーク州を代表して、憲法草案に批准の署名をしたのである。

ここで私たちは、ある言葉遊びに注意を払わなければならない。合法的な州とは国民によって構成されるはずのものであるが、その州は実際、クラウンが有する法的存在、すなわちクラウンの植民地なのだ。これは、ミドル・テンプラーを通じてクラウンテンプルが用いてきた騙しの手口の1つだ。そうしてアメリカや世界の多くの地域は支配されてきたのである。

ハミルトンがワシントン大統領の下、財務長官として米国初の連邦中央銀行の基礎を築いたときも、この卑劣な策略は続いていた。ハミルトンは、フランスとオランダにあるクラウンの銀行から担保貸付を得て、欺瞞に気づいていない国民主体の州に対する連邦政府の影響力を増大させた。

アメリカ国民は、ニューイングランドを成す合法的なクラウンの植民地が、独立した州であるものと信じ込まされてきた。それらの州は今もなお、クラウンテンプルの植民地である。特許状や認可状によって、クラウンが定める規律や秩序から独立する法的権限を持たない植民地、言い換えると合法的なクラウンテンプルの植民地なのだ。

アメリカを所有しているのは、アメリカ国民でもイギリス女王でもない。ミドル・テンプル法曹院に忠誠を誓う人々を操るクラウンテンプルである。クラウンの銀行家やその配下にあるミドル・テンプラーの弁護士は、不法な契約、不法な税、そして騙して負わせた国債証書をもって、アメリカを支配しているのだ。クラウンテンプルは北米全土の土地の権利と財産権を握っている。完全に非合法でありながらも、クラウンテンプルの法体系が「合法」と見なす規律と規則によって厳格に支配されているこの状況こそが、表向きには「アメリカの司法制度」と呼ばれるものの正体だ。

しかし、複雑な支配は底なし沼のさらに奥深くまで続いている。ローマ教皇およびローマ教会がクラウンテンプルを支配しているのは、教皇の命令によって騎士団がその支配を確立させたからにほかならない。

参考：マイケル・エドワード『聖職者コモンウェルス・コミュニティ』

金を制する者は世界を制する

バチカンは世界中でもっとも黄金を有すると言われる。そして、金を制する者は世界を制する。だからこそ、世界の金が眠る南アフリカ共和国やジンバブエは、クラウンの目を逃れることができなかった。同じ理由から、南アフリカを舞台にして、ポール・クルーガーはその名を馳せ、セシル・ジョン・ローデスはクラウンのための金鉱採掘に送り込まれ、英国はかつてない戦費を投じて戦争を始めることになった。

1899年から1902年にわたって行われた南アフリカ戦争では、約47万人のイギリス軍が、約6万人のブール人や、それに匹敵する数のバンツー語を話すアフリカ原住民部族らを相手に戦い、クラウンに属する植民地を獲得した。クラウンのため、イギリスはどんな犠牲を払ってでも金鉱地帯の支配権を必要としていた。そして、南アフリカへの侵攻を決定したのだ。

この戦争で勝利するには過激な戦略が求められ、イギリスは破壊作戦を展開した。家や村や農場を焼き払い、家畜を殺生もしくは強奪し、ブール人の農場やバンツー部族から何千人もの女性や子供を強制収容所に収容した。南アフリカ中に何か所も設けられた収容所では、少なくとも3万4000人が死亡したと推定されているが、その数は低く見積もられている可能性が高い。約40年後、この南アフリカ戦争での収容所をモデルに、アドルフ・ヒトラーは独自に改良した強制収容所を生み出している。

戦争終結から8年後の1910年、ジョージ5世はイギリスの自治領南アフリカ連邦を成立させた。しかしこの連邦国家は、1961年5月31日に終わりを告げる。そして新たに誕生した「南アフリカ共和国」は、クラウンが所有する企業であった。つまり、時が経過し、名称が改められ、指導者が代わっても、支配は続いているのである。クラウンの意のままに、ある支配形態から次の形態へとゆっくりと転がされただけのことなのだ。

アフリカ民族会議（ANC）の前身である南アフリカ原住民民族会議の初期の指導者たちは、1918年12月16日、国王ジョージ5世に忠誠を約束する書簡を送っている。その内容は、なんとも不可解で非常に憂慮されるものだった。次の抜粋はその長い文書の冒頭部分である。

南アフリカ原住民民族会議から国王ジョージ5世への嘆願書

1918年12月16日

嘆願書

グレートブリテンおよび自治領と植民地を含むアイルランド連合王国ならびにインド帝国の王たるジョージ5世へ恐れながら陛下に申し上げます。

1　私たち首長および代表団は、1918年12月16日、南アフリカのバンツー諸部族を代表する政治組織である南アフリカ原住民民族会議がヨハネスブルグで召集した特別会議にて、グレートブリテンとその高貴な同盟国およびアメリカ合衆国の軍隊の勝利によってもたらされた先の大戦争における正義の偉業に、満足と感謝の意を表することを記録します。

2　私たちは陛下に、陛下ご自身と玉座に対する親愛なる忠誠と献身をお伝えし、より良い時代の幕開けにおいて、陛下と陛下のすべての自治領に神の祝福と繁栄が訪れることを切に願います。

3　さらに私たちは、陛下の治世の間、すべての民族と国家が公正に扱われ、肌の色や信条による差別を受けないこと、そして、陛下の旗の下で市民権、自由、束縛からの解放を享受できることへの希望と願いを表明します。

このような忠誠の宣言は、解放運動の原則から逆行している。解放運動とは本来、人民の完全な自由や、あらゆる抑圧と支配からの解放を象徴するものであるはずだ。特に、人民に対する財政的・経済的支配、より正確に言うと奴隷制度から自由になることである。

クラウンテンプラーは、一般の人々にはわからない形でテンプルを指し示す呼び名やシンボルを数多く持っている。日常風景に隠されている例の1つに、アメリカの連邦準備制度による1ドル紙幣がある。これはクラウンの銀行ネットワークにおける負債証券にほかならない。

1ドル紙幣に描かれたピラミッドの基部には、「MDCCLXXVI」という文字列がはっきりと見られる。ローマ数字で「1776年」と刻まれているのだ。さらに、堂々と書かれている「ANNUIT COEPTIS NOVUS ORDO SECLORUM」というラテン語は、「世界の新秩序の誕生を告げる」という意味である。「17

76年」は、クラウンテンプル支配下での新世界秩序の誕生を示している。この1776年に、クラウンの所有するアメリカ植民地は、アメリカ合衆国という名の政府を認められたのだ。

抗議する世界

現代はいつの時代にも増して、バンクスターや国民の自由を奪う政治体制に対する抗議の声が高まり、世界中で急速に広まっている。

2012年末までには、「OWS（ウォール街を占拠せよ）」を1つの大きなきっかけとして、世界中の国々や都市で大規模な抗議デモが起きていた。この動きは巨大な波となり、人々の生活に影響するさまざまな問題をめぐって、さらに多くの抗議運動を巻き起こした。

実際のところ世界の多くの政府は、選挙で彼らを選んだ人々のためになることをほとんど何もしていない。だからこそ、人々は抗議するのである。

2010年から2012年末までの間に抗議デモに参加した人数は、1000万人以上にのぼると推定されている。主要メディアがこれらの抗議運動をまともに報道しないどころか、むしろ軽視することにしたのは、想像に難くないだろう。メディアは抗議する人々を、よくある嘲笑の的として扱うことに徹したのである。

「ウォール街を占拠せよ」を合言葉としたデモ活動は、2011年9月17日にニューヨークのズコッティ・パークで始まり、占拠によるデモは同年末までに、世界中で1000件以上繰り広げられた。OWSが提起した主な問題は、社会的・経済的不平等、強欲、腐敗、そして（特に金融業界の）企業が有する政府への不当な影響力にまつわるものであった。銀行と非合法な法制度に支えられて活動する企業は人々の敵だということが、誰の目にも明らかになりはじめたのだ。

OWSが掲げる「私たちは99％だ」というスローガンは、ウブントゥ貢献主義の考え方と完全に一致する。地球を支配する1%の人々に騙されたり、怖気づいたりしてはならないということを、私たちに思い出させてくれるのである。宇宙の歴史から見ても、「変化」だけは常に起きてきた。99%の人々を奴隷にした強権的な体制もまた、変化を免れないだろう。

いわゆる「上流階級」は、残りの1%に含まれるものと、一般的には考えられている。しかし、もっとも所得の多い層は、必ずしも「上流階級」ではないということを、ここで強調しておかなければならない。たとえ非常に裕福だと思われている人であっても、大抵は1%に該当しないし、その中に悪者扱いされてしかるべき人はほとんどいないのである。この1%は極めて排他的なクラブであり、世界中の人々にとって、見ることも触れることもない存在であり続けている。

2011年11月15日、OWSのデモ参加者たちは、ズコッティ・パークから強制退去させられた。再占拠を試みたが失敗に終わったため、彼らは矛先を変え、銀行、企業本部、取締役会、大学キャンパスを占拠することに焦点を合わせた。

政府の秘密機関は、どんな状況でも国民を監視し、問題を排除するための手法は選ばないだろう。リンカーンやケネディを排除できたのだから、誰に対しても同じことができるはずだ。しかし、こんなことをしていると、長い目で見たときに、さらなる面倒が増える。そこで政府は、OWSのデモが反逆罪やテロリズムに発展する場合に備えて、OWSのリーダーについてできるだけ多くの情報を集めることにしたのである。テロ活動であれば、それを理由にして、自分と周りの人々の権利を守るために立ち上がった抗議者たちを逮捕することができるからだ。

その証拠に、2012年12月29日、『ガーディアン』紙のナオミ・ウルフは、FBIと米国国土安全保障省（DHS）が平和活動と称しながらも、合同テロ対策チームを通じてウォール街を監視していたことを証明する資料を政府に提出した。

抗議とは権利であると人々が考える一方で、抗議を既存のシステムに対する潜在的脅威と見なす者たちもいる。既存のシステムは、自らの持続を脅かす対象をすべて破壊するように設計されている。だが、2012年の終わりを前にして、証券会社の幹部や、グレッグ・スミスのような銀行幹部、カレン・フーデスのような世界銀行幹部といった面々も、世界の銀行エリートによる無数の犯罪行為を暴露している。

次に紹介するリストは氷山の一角にすぎないが、世界の人々の不幸な状況を確かに垣間見せてくれる。ただし、南アフリカで起きた占拠運動や、ほかにも世界各地で起きているさまざまな政府への抗議行動は含まれていない。

抗議する世界：これらの写真は、ほとんどの主要メディアに報じられなかった抗議活動の様子である

《アメリカ合衆国》
教育制度に反対する学生による全米150以上の抗議行動

《アフガニスタン》
アフガニスタン人、女性公開処刑に抗議

《オーストラリア》
先住民族リーダー、労働党への抗議票を要請
G20に向けて「待機する」デモ参加者
http://www.brisbanetimes.com.au/queensland/protesters-will-be-waiting-for-g20-20120711-21w0w.html

《バーレーン》
反対派の規制を受け、バーレーンで抗議デモ発生

《ベルギー》
「ミルクレイク」抗議デモに乗り出すEU農家

《ボリビア》
ボリビア、抗議を受け鉱業ライセンス取り消しへ

《ミャンマー》

ミャンマー人、タイの僧院占拠に抗議
http://www.irrawaddy.org/archives/8897

《カナダ》
デモ参加者の声：キーヤスクダムをめぐり水源に「混乱」
https://winnipegsun.com/2012/07/13/reserve-in-turmoil-over-keeyask-dam-protesters

キップを守る集会――２０１２年7月12日

行方不明後に殺害された女性たちの調査をめぐり数百人が集結
http://www.winnipegsun.com/2012/07/11/hundreds-rally-for-missing-murdered-women-inquiry

《中国》
中国汚染抗議デモ終結、残る政府への疑念
中国、汚染を懸念する抗議後に銅製錬所を停止
http://world.time.com/2012/07/04/chinese-city-halts-copper-smelter-after-protest-over-pollution-fears/

《エジプト》
もはや聖域なし、大統領官邸で新たな抗議活動
http://www.egyptindependent.com/news/no-longer-limits-presidential-palace-becomes-new-space-protest

《フランス》
パリで数百人が売春違法化の計画に抗議
https://www.reuters.com/article/france-prostitution-idINDEE86701E20120708

《ドイツ》
H&M衣料品生産の労働条件に抗議する活動家たち

《ギリシャ》
ギリシャの高齢者、年金削減に抗議

《ガイアナ》
「分割統治」による電力値上げ、リンデン市民ら大統領府に抗議
http://www.stabroeknews.com/2012/news/stories/07/13/op-faces-protest-over-divide-and-rule-linden-power-hike/.

《ハイチ》
ハイチ、計画立ち退きに約１００人が抗議
https://www.sandiegouniontribune.com/sdut-about-100-

protest-planned-eviction-in-haiti-2012jul12-story.html

《香港》
新指導者着任でデモ隊が香港を埋め尽くす
http://blogs.wsj.com/chinarealtime/2012/07/01/protesters-fill-hong-kong-as-new-leader-sworn-in/

《インド》
ジャールカンド州の野党、ＩＩＴやＩＩＭ設立の土地をめぐる地元部族の抗議に参加
https://www.deccanherald.com/jharkhand-parties-join-tribals-protest-against-land-for-iit-iim-255532.html

デリーでのデモ行動
http://www.e-pao.net/GP.asp?src=7..140712.jul12

カルナータカ州、ゴウダ氏の追放にヴォッカリガが抗議
https://www.deccanherald.com/content/263036/vokkaligas-protest-gowdas-removal-karnataka.html

《インドネシア》
アウトソーシングと低賃金をめぐり、数千人のインドネシア人労働者が街頭抗議に乗り出す

《アイルランド》
デモ隊が警察と衝突
https://www.irishexaminer.com/news/arid-30558773.html

《イスラエル》
イスラエル人、超正統派の兵役免除に抗議

イスラエル人男性、テルアビブでの社会的抗議活動中に自ら火をつける

《ケニア》
ケニア、イジャラ地区の女性らが選挙期間中に男性政治家の支配に抗議
http://allafrica.com/stories/201207121228.html

《クウェート》
クウェートは無国籍住民ビドゥンの表現と集会の自由を尊重せよ

《モルディブ》
モルディブ、続く抗議デモで暴力事件
http://india.blogs.nytimes.com/2012/07/13/violence-in-the-maldives-as-protests-continue/

《マニラ》
欠陥パスポート、デモの引き金に

《メキシコ》
メキシコで「世界で前例を見ない大規模な抗議活動」

《ニュージーランド》
「アオテアロア・イズ・ノット・フォー・セール」が抗議活動を主導
https://www.zimbio.com/photos/Bill+English/Judith+Collins/iZHqcFqiKAb/Protest+Called+Aotearoa+Not+Sale

《オマーン》
オマーンでの抗議デモ、雇用と改革の公約未達成を示唆

《パキスタン》
ラホール市内で、イスラム聖職者協会活動家らがNATOの補給路再開に反対するスローガンを唱える抗議デモ

《ペルー》
ペルー、採掘反対派弾圧に非難の声

《フィリピン》
警察がバリケード設置、大統領施政方針演説へのデモ対策

《ポルトガル》
ポルトガル、予算削減への抗議で医療部門が閉鎖
https://www.egypt-today.com/en/337/portugal-faces-health-sector-shutdown-in-cuts-protest

《ロシア》
野党、「暑い7月」デモに向けて準備
https://www.themoscowtimes.com/2012/07/11/opposition-gearing-up-for-hot-july-protest-a16198

《サウジアラビア》
サウジアラビア、葬儀で激怒する群衆
http://www.nytimes.com/2012/07/11/world/middleeast/in-saudi-arabia-thousands-at-funeral-of-protester.html

《スペイン》
公務員が賃金カットに抗議

《スーダン》
スーダン、金曜日の抗議運動「カンダガ」を取り締まる
https://allafrica.com/stories/201207160028.html

《スワジランド》
スワジランド警察、ゴム弾発射でデモ行進を阻止
《シリア》
ホウラでの金曜礼拝後、アサド大統領に抗議するデモ隊
《ウクライナ》
ウクライナの活動家、ロシア語法案に抗議
《アメリカ合衆国》
ＬＡ警察による抗議デモを解散時に逮捕者
ボヘミアン・グローブのキャンプ開設をめぐり小規模な抗議活動
資源採掘への抗議の渦中にある強制立ち退き世帯
https://www.timesonline.com/story/news/local/2012/07/12/displaced-families-at-center-fracking/18425199007/
チョークの粉収まるも、多様化する「ＬＡを占拠せよ」の最新デモ活動
http://www.nbclosangeles.com/news/local/Downtown-LA-Art-Walk-Protest-Arrest-DTLA-162338316.html
環境保護団体、石油パイプライン沿いのデモ行進を計画し、タールサンドに抗議
http://vtdigger.org/2012/07/15/environmental-groups-organize-walk-along-oil-pipeline-tar-sands-protest/
《アンゴラ》
アンゴラ警察、反政府集会で12人を逮捕
《イスラエル》
ネタニヤフ首相、抗議者へ調査を指示
《イギリス》
イングランド防衛同盟、ブリストルで平和的デモを展開
《ヨルダン》
ヨルダン警察、抗議するリビア人を解散
ヨルダンのイスラム主義者、選挙ボイコットを表明
《マリ》
マリのイスラム教徒、デモ参加者を拘束
http://www.nytimes.com/2012/07/15/world/africa/mali-

islamists-briefly-detain-protesters.html

《ベトナム》
ベトナムで大規模デモ、カトリック教会に対する政府の一斉取り締まりに抗議
http://www.indcatholicnews.com/news.php?viewStory=20803

南アフリカ共和国：2012年12月6日

国政与党ANCに属する南アフリカ最大の労働組合COSATUによる主要な有料道路の料金所封鎖は、2012年に同国で起きたもっとも重要な抗議活動の1つである。民間の企業体に料金所の設置を許し、人々の自由な移動を妨げ、人々から不法にお金を巻き上げるべきではないとして、COSATUは政府に対し、道路の民営化を止めるよう強いメッセージを送ったのだ。料金所の設置は民意に反するもので、すべての料金所が廃止されるまで抗議活動を続けるという、極めて明確なメッセージであった。与党ANCとバンクスターの影響力に対するCOSATUの健闘は、時代の流れだけが証明してくれるだろう。

1922年、ヘンリー・フォードは次の言葉を残した。人々が目を覚まし、世界中で意識の高まりが見られるようになるにつれて、いまその真意が明らかになりつつある。

「アメリカ国民や世界の人々が銀行や貨幣のシステムを理解していないのは、大いに結構なことである。というのも、もし理解したならば、きっと明日の朝までに革命が起きているだろうから」

ヘンリー・フォード　1922年

世界を支配する企業

「ウォール街を占拠せよ」運動が本格化する中、2011年10月19日から24日にかけて、『ニューサイエンティスト』誌と『フォーブス』誌がそれぞれ以下の見出しで似た内容の記事を掲載した。

世界を動かす資本主義ネットワークの正体
http://www.newscientist.com/article/mg21228354.500-revealed--the-capitalist-network-that-runs-the-world.html#.UkqrtX-o0_w

すべてを支配する147の企業
http://www.forbes.com/sites/bruceupbin/2011/10/22/the-147-companies-that-control-everything/

これら2つの記事の概要を述べると、スイス連邦工科大

学チューリッヒ校の３人のシステム理論研究者が、世界中の３７００万社の企業と機関投資家をリスト化したデータベースを活用し、そのうちのなんと4万３０６０社が複数企業の所有権を有する多国籍企業であることを明らかにしたのである。この研究は、企業が互いにどのような所有関係にあり、またその収益はどのようになっているのかを構造的に示し、経済力の全貌を詳細に割り出した。

その結果、中核を占めるのは、会社の所有権において２社以上の他社と相互関係を持ち、平均して20社とつながりのある１３１８社であると判明した。この１３１８社は世界の事業収益の20%を占めているが、実際には、自社株を通じて世界の優良株式や製造業の大部分（世界の事業収益の60%）を所有しているようである。

チューリッヒ校のチームが所有権に関する網目のようなつながりをさらに解きほぐしたところ、世界の企業支配のまさに中核をなす１４７社の存在が浮き彫りになった。この１４７社は互いに株式を持ち合い、企業のグローバルなネットワークにおける富の40%を支配している。そして、７３７社でその支配が80%に達していることが、さらなる分析で明らかになった。驚くにはあたらないが、大半は金融機関である。バークレイズ銀行、バンク・オブ・アメリカ、ＪＰモルガン・チェース、ドイツ銀行、ゴールドマン・サックス、クレディ・スイスをはじめ、一般にはあまり知られていない金融関連企業も含まれる。特に、南アフリカを拠点とする保険グループ、オールド・ミューチュアルが、このあとに掲載した企業ランキングの30位に入っているのは興味深い。南アフリカ国内の家庭や自動車への保険販売で得られる規模の富ではないことは明らかだが、では、彼らは誰とつながり、どんな事業活動をしているというのだろうか。

少数の多国籍企業が世界経済の大部分を所有していることはこれまでの研究でもわかっていたが、限られた数の企業のみを対象とし、間接的な所有権については省略している調査ばかりであった。イデオロギーを超えてこれほどの権力のネットワークを詳細に暴き出した本格的かつ科学的な研究は、これが初めてだ。自然界のシステムをモデル化するのに使われる数学的処理と包括的な企業データを組み合わせ、世界の多国籍企業間における所有の実態を割り出したのである。

「私たちの分析は現実に基づいている。現実は非常に複雑であり、陰謀論であれ自由市場主義であれ、ドグマから脱却しなければならない」と、研究チームのジェームズ・グラットフェルダーは述べている。

世界を動かす企業１４７社（上位50社）

1. バークレイズ
2. キャピタル・グループ・カンパニーズ

3. FMR
4. アクサ
5. ステート・ストリート・コーポレーション
6. JPモルガン・チェース・アンド・カンパニー
7. リーガル&ジェネラル・グループ
8. バンガード・グループ
9. UBS
10. メリルリンチ
11. ウエリントン・マネージメント
12. ドイツ銀行
13. フランクリン・リソーシズ
14. クレディ・スイス・グループ
15. ウォルトン・エンタープライズ
16. バンク・オブ・ニューヨーク・メロン・コーポレーション
17. ナティクシス
18. ゴールドマン・サックス・グループ
19. ティー・ロウ・プライス・グループ
20. レッグ・メイソン
21. モルガン・スタンレー
22. 三菱UFJフィナンシャル・グループ
23. ノーザン・トラスト・コーポレーション
24. ソシエテ・ジェネラル
25. バンク・オブ・アメリカ・コーポレーション
26. ロイズTSBグループ
27. インベスコ
28. アリアンツ
29. TIAA
30. オールド・ミューチュアル
31. アビバ
32. シュローダー
33. ダッジ・アンド・コックス
34. リーマン・ブラザーズ・ホールディングス
35. サン・ライフ・ファイナンシャル
36. スタンダード・ライフ
37. コンサート・ファーマシューティカルズ
38. 野村ホールディングス
39. デポジトリー・トラスト・カンパニー
40. マサチューセッツ・ミューチュアル・ライフ・インシュアランス・カンパニー
41. INGグループ
42. ブランデス・インベストメント・パートナーズ
43. ウニクレディト・イタリアーノ
44. 預金保険機構
45. エイゴン
46. BNPパリバ
47. アフィリエーテッド・マネジャーズ・グループ
48. りそなホールディングス

49. キャピタル・グループ・インターナショナル
50. 中国石油化工集団公司

崩壊寸前の世界経済

世間は今、世界経済に対するネガティブな感情を高める出来事の嵐に見舞われている。この状況は優に10年以上前から続いており、本書を執筆中の2012年末現在も変化していない。日々のニュースの見出しを見るたびに、私たちは深刻な経済的危機にあることを思い知らされる。耳にするのは、世界の金融業界における悲観論と、誰もが生活を切り詰め、より懸命に働かなければならないという話ばかりだ。

そうこうするうちに、いつの間にか銀行だけでなく、ギリシャ、アイルランド、イタリア、ポルトガル、スペイン、キプロスのように、国家までもが救済されるようになった。「救済」とは異なる名目で巨額の融資を受けている国もあるが、実際は同じことである。救済措置が増えれば増えるほど、銀行家の一族は微笑む。なぜなら、彼らは無限にお金を印刷する権利を持っているからだ。何もないところからお金を生み出して問題を解決するたびに、人々は土地や活力を奪われ、銀行家の奴隷になり果てていくのである。

いったいどうして、世界経済を安定させ続けるといったことが可能なのだろうか？　なぜ、金融が修羅場を迎え、壮大に崩壊したりしないのだろうか？　今となっては、誰もが難なく、その答えを語ることができるはずである。言うまでもないが、銀行家たちは生きている限り、何もないところからお金を刷り続けられるからだ。

銀行家は、政府と大衆を支配できる限り、どのような結果が生じても気にしないようだ。支配を続けるために、警察や軍隊、情報機関、ほかにもあらゆる政府機関を自由に操っているのである。

マイナス成長という虚構の概念

70億人もの人々が毎日身を粉にして働き、生産活動に従事している世界が、どうしてマイナスの結果に甘んじることになるのだろうか。

負の数は、虚数または理論上の数であることを忘れてはならない。実際には存在しないのだ。数学だと、実数の平方根を持たない数は存在しておらず、純粋に理論的なものである。例えば、9の平方根は3であるが、－9は平方根を持たない。

簡単に言うと、生きて存在している人間にマイナスなものは生み出せないということである。性別にマイナスはないし、マイナスなニンジンは食べられないし、マイナスなプレゼントは贈れない。「生み出す（クリエイト）」という言葉は、「聖なる創造」のことを指す。つまり、私たち人類の「人間らしさ」そのものと、種として何かを生み出し続ける能力に直結し、聖なる創造主として表現することが、「生み出す（クリエイト）」ということなのだ。

本来、人間に「マイナス成長」はできない。架空の存在や企業だけが、疑似的なモデルを用いてマイナス成長できるのだ。だからこそ、政府は私たちを本来の人間ではない形で扱おうとする。私たちは「法人」という実体のない人格と政府に見なされている。要は出生証明書や個人番号で管理する紙切れまたは「わら人形」であり、政府にとっての道具であり資産であると言い換えられる。そうすることで、「マイナス成長」が起きるわけであるが、マイナス成長を生み出しているのは架空の存在であって、人間ではないのである。

銀行家たちは、いつまで国民を騙せると思っているのだろうか？　この知識を皆と共有するかどうかは、私たち次第である。遅かれ早かれ多くの人々が目を覚まし、経済の問題はどれほどのお金があっても解決できない臨界点を迎えるだろう。ひとたび大衆がこの大きな欺瞞に気づけば、もう後戻りはできない。大々的な経済破綻、そして世界金融システムの全壊に直面することになるのである。

私たちが問わなければならないのは、それが現実になったときにどうするかということだ。

占拠による抗議活動は、銀行家の不正に対する意識に火をつける重要な役割を果たし、何百万人もの人々が銀行に疑問を持ち始めるきっかけとなった。彼らは「銀行家を刑務所に入れろ」「銀行家を打ち負かそう」「銀行家ではなく国民に救済を」「巨大すぎて潰せない、巨大すぎて刑務所に入れられない」などと書かれたいくつもの横断幕を振りかざした。そして、ウォール街の閉鎖を求める声を上げながら、世界中の何百万もの人々に、銀行業界が明らかに間違っていることを認識させたのである。しかし、残念なことに、こうした集中的な占拠運動は問題を強調するだけで、実行可能な代替案や現実的な解決策を提示することはなかった。

ウォール街崩壊の先にある新たな豊かさの道

私たちが問わなければならないのは、「すべてが崩壊したときにどうするか」ということだ。銀行が閉鎖しお金が底をついたら、私たちはどう行動するべきなのか？　もしこの未来に対して明確な計画を持っていなければ、人類は大きな問題に巻き込まれることになる。

アルバート・アインシュタインは、「狂気とは、同じ実験を繰り返し、異なる結果を期待することだ」と言い残した。絶えず紛争と不幸を引き起こしてきた貨幣という不完全な金融システムを6000年以上も使い続け、堂々巡りを繰り返している私たちは、彼の言葉にならえば狂気であるに違いない。

古い時代の終焉と、人々が覚醒した新時代の到来を目前にした2012年、世界中の人々がこれ以上虐げられることにうんざりしていることが明らかになった。

何百万もの人々による大規模な世界的抗議は、まったく新しいシステム、つまり私たちが「文明種」としてこれまで採用してきたものとは異なる新たな社会構造を見出すときが来たという強力なメッセージを、今生きているすべての人々に発信したのだ。

この新しいシステムには、私たちを支配しようとする者たちから解放を勝ち取るための、大きなビジョン、大きな勇気、大きな決意が必要である。多くの人が実現不可能だと思い込んでいる「すべての人が調和と豊かさを享受するユートピア世界」を実現するためには、私たちの考え方にパラダイムシフトを起こさなければならないだろう。

そして、何よりも欠かせないのは、十分な数の人々が、世界中で新しいレベルの団結した意識を持つことである。現在私たちが受け入れているのと同じ意識レベルで問題にアプローチし続けたところで、何も解決はできない。だからこそ私たちは意識の種となって、人々が憧れ、そこで生きるために生まれてきた「ユートピア」を創造していきたいと思う。

アフリカでは、これを「ウブントゥ」と呼んでいる。

ウブントゥ貢献主義

新しい世界のための新しい社会構造
人類の繁栄のための青写真

「すべての人が、生まれ持った才能や身につけた技術をコミュニティ全体のために役立てる生き方」のこと。

貢献主義のすばらしさはシンプルさにある。しかし、そのあまりの単純さゆえに、頭の先から足の先まで洗脳されている私たちはすぐさま反感を抱き、自分にこう言い聞かせる。「こんなに単純なはずがない。さもなければ、すでに広まっているはずだ」と。

6000年にわたってお金に隷属させられてきた私たちが、一瞬でそれをなかったことにするのは難しい。だから、心を完全に開いておくことだ。半分だけ開いておくのではいけない。病んだ資本主義からするとまったく異質な、新しいアイデアを受け入れる準備をするのである。心身ともに毒された社会は、切実に治療を必要としている。

私たちの不可侵の権利「人権」

選挙で私たち国民は、公への奉仕者として最善を尽くしてもらえるよう、政治家を選んできた。しかし、政治家たちは当選した途端にこのことを忘れるようで、国民の望みを実現する代わりに好き勝手なことを始める。そして、いつだって山ほどの言い訳を並べるのだ。つまり、政府は国民に奉仕していないのである。どの側面から見ても、政治家と政府は私たちを大いに失望させてきた。彼らは、ガンディー、ネルソン・マンデラ、マーティン・ルーサー・キング、ウィリアム・ウォレス、ジョン・レノンなど、人々の自由のために人生を捧げた数々の高潔な賢者たちをはじめとする何百万もの人々の夢を裏切ってきたのだ。

私たちは皆、この地球上に生きる人間として自由な状態で生まれ、何人も奪うことのできない不可侵の権利を与えられている。にもかかわらず、これは大きな欺瞞によって事実ではなくなっている。へその緒が切られ、初めて呼吸をした瞬間から、私たちのすべての権利は冒瀆(ぼうとく)されているのである。

人間の権利と架空の存在の権利は、区別して考えられなければならない。架空の存在は、出生証明書によって作り出されると、身分証明書やほかの公的書類によってその存在を証明されるようになる。文書に記された名前や個人番号を、人々は自分自身であると信じ込まされるのだ。このような存在は、法律用語で言うところの「法人」というただの紙切れであり、血の通った人間のことではない。

この重要な考え方を、ぜひ理解しておいてもらいたい。出生証明書を見て、自分自身に次のような質問をしてみよう。

1. あなたは証明書に同意できる年齢でしたか?
2. あなたは証明書に署名をしましたか?
3. 証明書には、どんな企業名が記載されていますか?
4. 署名をしたのは、どの企業職員ですか?
5. その企業に、生まれたばかりのあなたを所有するための証明書を作成してもよいと許可を与えたのは誰ですか?(証明書は所有権を意味し、誰かがあなたの出生証明書を通じてあなたを所有していると主張していること

を忘れてはならない）

ここで、私たちが神から与えられた極めて重要な不可侵の権利のことを、思い出してほしい。

- 私たちは皆、肉と血と永遠の魂を持って生きる人間として、決して奪われることのない権利を有した、生まれながらにして自由な存在である。
- 自由は私たちの権利ではなく、神聖な創造主から私たち一人ひとりへの贈り物であり、誰もそれを侵害したり、いかなる形であれ攻撃したりすることはできない。
- 政府でも企業でも誰であろうとも、私たち個人の自由をいかなる形でも制限することはできない。

これらの権利の中には、時の試練に耐え、人類の品位と名誉の礎を提示し続ける3つの共通原則がある。

1. 他人を殺したり傷つけたりしてはならない
2. 自分のものでないものを盗んだり、取ったりしてはならない
3. すべての行動と発言において、誇り高く振舞わなければならない

これらの共通原則のことを、そのままシンプルに「コモン・ロー」と言う。社会のために制定するすべての法律や指針の基礎を成すものである。これらを守れば、次のような権利が文化に刻まれ、すべての人間が自由に、あるいは自ら選択したコミュニティの一員として生きていけるようになる。地球とその豊かさは、すべての人のためにある。その目的は、個人が利益を得たり他者から搾取したりすることではなく、すべてのコミュニティのすべての人、ひいては全人類に利益をもたらすことなのだ。

1. 国は国民のためにある。
2. 国土は国民のためにある。
3. 水は国民のためにある。
4. 森は国民のためにある。
5. 川や湖は国民のためにある。
6. 金、プラチナ、ダイヤモンド、クロム、銅、鉄、ウラン、スズ、アルミニウムなど、地中にあるすべての鉱物は、国民のためにある。
7. 放送と電波は国民のためにある。
8. 大地に育つものはすべて、国民のためにある。
9. 浜辺や山や空は国民のためにある。
10. 動物たちは私たちやほかの誰かの所有物ではなく、地球のものである。私たちは動物たちを、管理し保護する立場にある。
11. 知識や知恵は、それを得た人によって皆と共有される

べきものである。合わさった知恵から、誰もが恩恵を受けることができる。

これらは、不法に権利を主張する政治家、政府、企業のいずれにも属さない。

国民から国（土地）を奪った政府

政府と企業は、私たちの国、土地、水、鉱物、動植物、電波、海岸線、海洋に関する権利を主張し、毎日のように新しい法律を作り続けては、想像しうるあらゆるものへの支配権を拡大しようとしている。

現状から導き出される唯一の結論は、政府と大企業が国民から国（土地）を奪ってきたということだ。すべては国民の無知と善意を餌に、嘘と欺瞞によって静かに行われた。それを取り戻すのは、一般人である私たちである。

急速な破壊が進む美しい地球を救えるかどうかは、私たちの肩にかかっている。地球は私たちの母だ。果てなき創造を背景に持つ地球の存在があるからこそ、私たちはここに生きていられるのである。土も水も大気も、すべて神聖なものだ。だからこそ、私たちは地球に敬意を払い、いかなる害からも守らなければならない。そうすることで、創造主ならびに創造という偉業そのものを称えることになるのである。

ここからは、奪われた私たちの権利について、深く掘り下げていこう。私たちは政治家と政府を奉仕者に任命していることを忘れてはならない。私たちが彼らに望むのは、国民のために最善を尽くすことであり、奴隷の主人となって己や己の支持基盤となる企業を裕福にすることではないのだ。

国は国民のものである

もしそうだとしたら、なぜ政府は国民のためにならない新しい法律を、国民に相談もせずに毎週作っているのだろうか？　国を私有化する政府や強力な多国籍企業の不正行為に対して、国民が何の手立ても持たないように見えるのはなぜだろうか？　なぜ法律は、国民ではなく企業にとって有益になるようにできているのだろうか？　なぜ裁判所は、政府や企業の思惑を実現するための道具にすぎないのだろうか？　ヨハネスブルグ高等裁判所の裁判官が、「ここは人民裁判所ではない」と言ったのはなぜだろうか？

国土は国民のものである

それならなぜ、これほどまでに貧困やホームレスが多いのだろうか？　人々を守り、人々に奉仕するはずの保安官や警察官が、政府の道具となって人々を家から追い出しているのはなぜだろうか？　政府はなぜ、国民の土地を外国企業や多国籍企業に無利子で売却することを許し、人々に利益をもたらすどころか安い労働力として利用して、私腹を肥やし続けていられるのだろうか？　なぜ政府は多くの土地を有していながら、持ち主である国民がそこへアクセスすることを認めないのだろうか？

水は国民のものである

なぜ国民は水にお金を払うのか？　政府が国土を流れる水の権利を主張し、その代金を支払うよう強制できるのはなぜだろうか？　どうして政府は私たちの水の権利を多国籍企業に売ることができるのだろうか？　なぜ政府は鉱山企業に、私たちの水を汚染させるのだろうか？　なぜすべてのダムや川で、発電ができないのだろうか？　ダムや川には、私たち全員に「無料」で電気を供給するのに十分なエネルギーがある。政府とエスコムのような電力供給会社は国民を騙し、奴隷化して電力供給に依存させてきた。その目的は、本来は国民に権利があるはずのものに法外な値段をつけて、料金を支払わせることだ。

森は国民のものである

政府はどうして、国土を紙パルプメーカーのSAPPIやMONDIなどの企業に売却または貸与するのだろうか？　彼らは私たちの土地で木々を育てたり、ほかの産業を発展させたりしながらも、奴隷のように働かせている人々に対して何ら報いていない。サウジアラビアは世界でも有数の森林地帯だが、国民は住宅や木製家具を作る木材を購入できないし、世界最大級の製紙工場がありながら、子供たちが学校で使う紙を買う余裕もない。サウジアラビアには、誰もが美しい家を持てるだけの木材があるのだ。しかし、政府は私たちを大いに失望させ、年月が経ってもますます希望は遠のくばかりだ。

川も湖も海も、国民のものである

漁師たちが家族やコミュニティのために漁をする権利を否定される一方で、外国の大型漁船には海から魚を枯渇させるのに十分なあらゆる権利が与えられるのはなぜだろうか？　すべての沿岸地域が、自分たちのために漁を行う権利と周囲のコミュニティにも海の恵みを供給する権利を、直ちに取り戻さなければならない。このためには、養殖や再繁殖によって国の周りに広がる海に再び活力をみなぎらせ、健全で調和のとれた状態を維持する努力が不可欠である。すべての河川をモニタリングし、地域社会のために利用すると同時に、水資源を正しく管理することで得られる魚や農産物を育む必要がある。そして国民の役に立つよう、あらゆるものの移動・運搬にも、海や川を活用するのだ。

金、プラチナ、クロム、銅、鉄、ウラン、スズ、アルミニウム、そのほか地中にあるすべての鉱物は、国民のものである

そうであるなら、なぜ私たちの暮らす国土にはこれほどまでに貧困が広がっているのだろうか？　南アフリカでは、数百年にわたって政府が国民の鉱物資源を奪い、巨大な多国籍企業に採掘権を認めてきた。彼らは地元の人々を奴隷化して安価な労働力とみなし、価値を持たない不換紙幣で給与を払う。人々は居場所を奪われ、利用され、虐げられ、搾取され、ひとたび鉱山企業が用なしと判断すれば、使い道のないゴミのように捨てられてきたのである。このような状況は今、かつてないほどに悪化している。貪欲な多国籍企業は、これまで以上に私たちの美しい土地を採掘・破壊しているのだ。そこで得られる莫大な富は人々の目に触れることなく、すべて企業の金庫に入って採掘事業の支配力を強化している。こんなことが許されるはずがない。

石炭は国民のものである

石炭が国民のものなら、なぜ私たちは電気やサソールのような企業が作るガソリンにお金を支払うのだろうか？　南アフリカは世界第5位の石炭輸出国だが、国民はその見返りに何を得ているのだろうか。石炭の権利は多国籍企業に与えられ、企業の富と利益のために輸出されている。その一方で一般の南アフリカ人は、電気代やガソリン代を支払う余裕がほとんどないのだ。

ダイヤモンドは国民のものである

なぜ国土の大部分が、国民に閉ざされているのだろうか？　ただダイヤモンドが豊富にあるというだけの理由で、人々が特定の区域への立ち入りを禁じられるのは、どうしてだろうか？　採掘や売買の権利をすべて、片手で数えられるほどの数の家族が占有しているせいで、必死に生活している人々が違法なダイヤモンド取引で命を落としている。長い間隠されてきたことであるが、ダイヤモンドは先端技術分野やフリーエネルギーの生成に使われる超伝導体なのだ。科学者たちが富裕層や国からあらゆる経済的支援を受けていることは、疑いようもない。彼らによって、国民のものであるはずのダイヤモンドを用いたエネルギー開発が進められると同時に、ほかにも多くの活用法が秘密裏に研究されているのだ。

大地に育つものはすべて、国民のものである

植物は神聖な創造物であるが、政府がある特定の種の植物を規制し、一方で有毒または致死性を持つ植物に少しも注意を払わないのはなぜなのか？「神は間違いを犯すものだ」とでも言いたげな政府の態度には、まったくあきれさせられる。なぜ伝統的な治療者（ヒーラー）が軽んじられ、彼らが何千年も使ってきた数々の植物が禁止されているのだろうか？　明らかに政府は、常識的な考え方を無視した範疇（はんちゅう）で、国民の意思に反する計略を隠し持っているのだ。なぜ世界を股

にかける製薬会社がラボで作り出す危険な薬物が歓迎され、自然に由来するハーブや治療法が禁じられるのだろうか？

空と電波は国民のものである

なぜ人々は、自分たちでラジオ局やテレビ局を始めることができないのか？　なぜ政府は電波利用を制限する権利を主張し、その権利を一握りの強力な多国籍企業に与えたのだろうか？　巨大企業は人々の利益など考えることなく、嘘の情報を広めることを主たる目的に電波を使用しているのである。電波は政府に属するものではなく、少数の企業が独占的に所有するものでもない。放送や通信の周波数は、空気と同じように母なる自然の一部であり、国民の利益のために誰もが自由に使えるものであるべきなのだ。

野生の動植物は、私たちやほかの誰かの所有物ではなく地球のものであり、私たちはその管理人であり保護者である

狩りによって数を減らしてしまった動物たちが、私たちの暮らす土地からよそへと追いやられてしまうのは、どうしてだろうか？　なぜ私たちは、野生動物が自由に歩き回る場所へ立ち入ることを禁じられてきたのだろうか？　なぜそうした場所の大半が国立公園へと変えられ、国民はお金を払うか許可を得なければ入ることができないのだろうか？　なぜ、これらの手つかずの土地の多くが鉱山企業に売却され、ダム建設など政府や企業の利益にしかならない活動に利用されているのだろうか？　土地は国民のものである。しかし、何とかして日々を懸命に生きている一般の人々は、動物の保護公園を訪れる余裕もないし、土地固有の動物たちとの触れ合いを制限されているのが実情である。動物や自然公園の管理は、土地とそこに棲む動物たちを大切に思う人々の手に戻されるべきなのだ。

本当に深くまで理解してもらいたい重要なことを、もう一度繰り返そう。

「政府は国民から国（土地）を奪った」

私たちは、どうすればこれを証明できるだろうか？

法人として登記される国

国が法人として登記されているさまを目にしさえすれば、すべてが腑に落ちるだろう。証拠は米国証券取引委員会のウェブサイトで見つけられる。そこに記載された企業が何をしているかと言うと、世界の株式市場において、国民を含む資産を取引しているのだ。それだけにとどまらない。登記一覧を見ると、州、県、市、政府部門や政府そのものまでが、企業として登記されている。私たちを取り巻く世界全体も、私たちが一人ひとり大切にしているものも、すべてがどこかの企業の資産に組み込まれ、彼らによって所

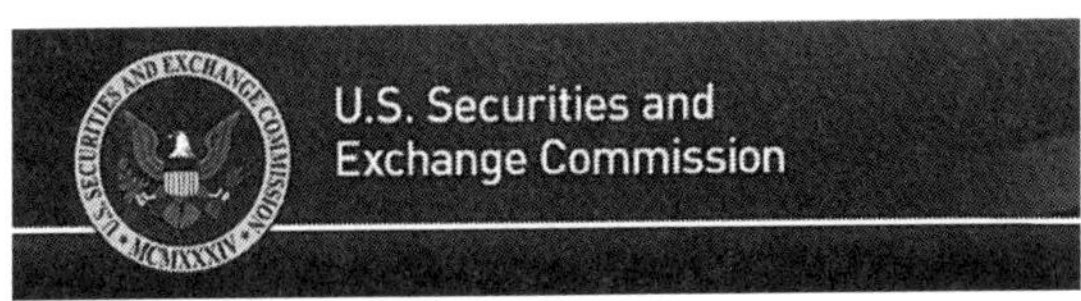

次世代型 EDGAR システムの検索
EDGAR 検索結果
「南アフリカ」に一致する名称の企業
1件目〜12件目

CIK	企業名	州／国
0000801973	ANGLO AMERCAN（アングロ・アメリカン） 旧：南アフリカアングロ・アメリカン・コーポレーション (2004-3-22までのファイル)	南アフリカ
0001254425	GOVERNMENT OF THE REPUBLIC OF SOUTH AFRICA（南アフリカ共和国政府）	
0001076855	LARSON JUHL SOUTH AFRICA（ラーソン・ジュール南アフリカ）	ジョージア
0000919230	LEHMAN BROTHERS SOUTH AFRICA GROWTH FUND（リーマン・ブラザーズ南アフリカ成長ファンド）	ニューヨーク
0000917715	NEW SOUTH AFRICA FUND（新南アフリカファンド）	ニュージャージー
0001003161	OLD MUTUAL EQUITY GROWTH ASSETS SOUTH AFRICA FUND（オールド・ミューチュアル エクイティ・グロース・アセット南アフリカファンド）	バミューダ諸島
0001003162	OLD MUTUAL SOUTH AFRICA EQUITY TRUST（オールド・ミューチュアル 南アフリカエクイティ・トラスト）	バミューダ諸島
0000932419	REPUBLIC OF SOUTH AFRICA（南アフリカ共和国） SIC：8888（海外政府） 旧：共和国南アフリカ (2002-4-10までのファイル)	ワシントン D.C.
0001561694	Sibanye Gold（シバニェ・ゴールド） SIC：1040（金銀鉱） 旧：GFI マイニング南アフリカ (2012-11-8までのファイル)	南アフリカ
0001003390	SILVERSTAR HOLDINGS（シルバースター・ホールディングス） SIC：7372（サービス業、ソフトウェアパッケージ） 旧：ファースト南アフリカ・コーポレーション (1990-5-17までのファイル) レジャープラネット・ホールディングス (2001-2-15までのファイル)	フロリダ
0000928785	STANDARD BANK OF SOUTH AFRICA（南アフリカスタンダード・バンク）	南アフリカ
0001442850	TCBY OF SOUTH AFRICA（TCBY 南アフリカ）	アメリカ合衆国

http://www.sec.gov/cgi-bin/browse-edgar
2012年3月14日修正

有・支配されている。言ってしまえば、何千年も前から続く王家の血を引くエリート銀行家の一族によって支配されているのだ。

前ページは、アメリカ証券取引委員会のウェブサイトからの抜粋であるが、誰もがよく知る大企業に混じって、南アフリカが掲載されている。オールド・ミューチュアル、アングロ・アメリカン、スタンダード・バンクと並んで、国が企業としてリストアップされているとは、思いも寄らないことかもしれない。しかし、実際に国の名前がそこに連ねられているのだ。

企業名が大文字で書かれていることにも注目してほしい。表記に大文字を使用するのは、出生証明書、運転免許証、パスポート、身分証明書などの公的書類でも同様である。私たちが受け取る公式文書では、名前が例外なく大文字で表記されている。

つまり、MICHAEL TELLINGER（マイケル テリンジャー）という「企業」宛ての文書であることを意味しているのだ。

さらに、墓石も同じルールに従って名前を大文字で表記する。理由は私が先ほどから繰り返しているとおりであり、決して偶然ではない。赤ん坊は、出生証明書に署名がされた瞬間から「法人」または「法律上の架空の存在」になるのだ。政府やその下位組織にとって、私たちは小さな企業ないし法的に扱う架空の存在である。あるいは概念として、法人または自然人と称されることもある。そして何より、私たちは政府の権限と支配の下にあるものと見なされているのである。

この考え方は、1666年に制定されたイギリスの信託受益者法で強調されている。同法は財産の信託について、海で遭難したとされる人が死亡していないことを7年以内に証明しなければならない、と記述している。ただしこの内容は、海で遭難した人だけでなく、あらゆる人を対象にするという含みがある。つまり、生きていることを証明できない限り、誰もが法律上死亡しているものとして扱われることになるのである。

この制度は生きている人々に目を向けず、死んでいることを前提にする。重視するのは、信託の管理者（トラスティ）だけだ。そして、管理者が信託から利益を得る場合、手数料や税金を支払う義務が生じる。人々が税金などを支払う理由はここにある。お金は「私たち」に直接与えられるのではなく、私たちが管理する「信託」に振り込まれるのだ。なぜなら、信託には私たちの名前が大文字で記載されており、大文字の名前は特別な証明書、すなわち出生証明書の裏付けを持つからである。

映画『キャスト・アウェイ』が良い例を提示してくれている。本作では、トム・ハンクスが無人島に長年取り残された男を演じる。彼が救助されて故郷に戻ると、友人たちは彼が自力で生き延びたという信じがたい奇跡を大いに喜び祝った。しかし行方不明の間、トムには死亡宣告が出されていた。政府が彼の財産を我が物にするためである。このような映画の本筋には影響しないある奇妙なシーンが、私たちが架空の存在でしかないことをさらけ出している。トムの友人は嬉しそうに「明日、君を生き返らせるよ」と語りかけるのだ。

このシーンでトムが死んでいないのは明らかだ。そして、彼がその場に立って会話をしているにもかかわらず、友人たちはトムという「わら人形」あるいは「法人」を生き返らせなければならない。これは、政府がトムにこれからも税金を支払わせ、国の支配下に置き続けるための手続きだ。もし彼が死亡宣告を受けたままで生活したなら、国は生身の人間である彼を管理できず、彼から何ら利益を得ることができないのである。

政府や銀行の職員から個人番号の確認を求められるとき、あなたは知らず知らずのうちに、自分がその個人番号で表された特殊な紙切れであることを認めてしまっている。あなたは法律上の架空の存在として振舞い、ただの紙切れとは異なる生きた人間としての地位を守る代わりに、あなたという法人を身をもって示す。これについては、「私たちを奴隷にする法律と言葉」のパートで詳しく説明する。

次ページのドキュメントは、米国証券取引委員会のウェブサイトにあるREPUBLIC OF SOUTH AFRICA（南アフリカ共和国）という企業の年次報告書のトップページ（2012年1月9日付）である。

そもそも、ジェフリー・C・コーエンとはいったい誰で、南アフリカの人々にどのような影響力を持つ人物なのだろうか？　また、南アフリカが、ニューヨークにある法律事務所のリンクレーターズに年次報告書を提出するのはなぜだろうか？　このことには、国民の権利および、国民と南アフリカ共和国企業との関係性にまつわる深い意味が隠されている。

大半の国が法人として登録されている

ここでは、米国証券取引委員会に法人として登録されている、さらにいくつかの国の一覧を紹介しよう。中には、他の証券取引所に巧妙に上場し、簡単にアクセスできないようにしてその事実を隠している国もある。すべては私たちの知らないところで、あるいは同意なしに起きている。私たちは国民として、最善を尽くしてくれる人を指導者に任命していることを考慮すると、ここに悪意があるという結論に至るほかない。

『ブラック法律辞典』によると、「市民」は「利益や特権と引き換えに国家に忠誠を誓う人」と定義されている。しかし、「市民」が法的にどのような意味を持つか、わざわざ調べたことのある人はいるだろうか。人々は「市民」で

書式18-K/A
外国政府およびその行政的下部組織向け
証券取引委員会

ワシントン D.C. 20549

南アフリカ共和国
年次報告書
（登録者名）
昨年度終了日：2011年３月31日

登録証券*
（年度終了時現在）

件名	登録有効金額	登録取引所名
N/A	N/A	N/A

証券取引委員会からの通知および連絡を受け取る
権限を有する者の氏名ならびに住所
ジェフリー・C・コーエン
リンクレーターズ
アベニュー・オブ・ザ・アメリカス1345番地
ニューヨーク市、ニューヨーク州 10105

*本年次報告書の提出は登録者の任意による。
署名

1934年証券取引所法の要件に従い、登録者である南アフリカ共和国は、2012年１月９日、南アフリカ共和国のプレトリアにおいて、上記要件に従う公認の署名者に組織を代表して本年次報告書の修正に署名させた。

南アフリカ共和国
署名者　モナレ・ラッツォーマ
モナレ・ラッツォーマ

南アフリカ共和国 財務省
負債管理主任監督官

あると宣言することで、権利に見せかけたわずかな利益や特権を得ると同時に、ほかのあらゆる権利を国（または企業）に差し出しているのである。

　国が企業であるなら、国民はその株式と財産ということになる。私たちの出生証明書は、株式市場で取引される株券なのである。私がぜひとも勧めたいのは、こうした情報をつぶさに検証し、大きな欺瞞に目覚めることだ。今こそ、催眠術にかけられた無知な状態から抜け出さなければならない。企業を動かしている者たち、つまりエリート銀行家の一族に全世界が牛耳られているという真実を、広く周りと共有するときなのだ。

　これを、子供たちにどう説明すればいいのだろうか？私たちは無知なまま、進んで子供たちを奴隷として売ってしまっている。彼らはもはや企業の所有物であり、私たちと同じように、このシステムの絶対的な奴隷である。何か行動を起こさなければ、彼らに未来はない。私たちだけが、奴隷化の連鎖を止めることができるのだ。

法人として登記されている国々の例

次ページ表参照。

EDGAR 検索結果—企業検索

「SIC 8888 海外政府」に該当する企業
１件目〜40件目（編集済み）

CIK	企業名	州／国
0001016472	CITY OF NAPLES（ネイプルズ市）	デラウェア州
0001109609	DEVELOPMENT BANK OF JAPAN INC.（株式会社日本政策投資銀行） 旧：日本政策投資銀行 （2008-9-29までのファイル）	日本
0000033745	EUROPEAN INVESTMENT BANK（欧州投資銀行）	ルクセンブルク
0000276328	EXPORT DEVELOPMENT CANADA/CN（カナダ輸出開発公社） 旧：輸出開発公社 （2002-6-7までのファイル）	ワシントン D.C.
0000873463	EXPORT IMPORT BANK OF KOREA（韓国輸出入銀行）	ニューヨーク州
0000205317	FEDERATIVE REPUBLIC OF BRAZIL（ブラジル連邦共和国）	ブラジル
0000035946	FINLAND REPUBLIC OF（フィンランド共和国）	ワシントン D.C.
0001556421	FMS WERTMANAGEMENT（FMS ウェルトマネジメント）	ドイツ
0001179453	GOVERNMENT OF BELIZE（ベリーズ政府）	ワシントン D.C.
0001163395	GOVERNMENT OF JAMICA（ジャマイカ政府）	ニューヨーク州
0000931106	HELLENIC REPUBLIC（ギリシャ共和国）	ニューヨーク州
0000216105	HER MAJESTY THE QUEEN IN RIGHT OF NEW ZEALAND（ニュージーランド女王陛下）	ニュージーランド
0000889414	HUNGARY（ハンガリー） 旧：ハンガリー共和国 （2011-11-25までのファイル）	ニューヨーク州
0000052749	ISRAEL STATE OF（イスラエル国）	ニューヨーク州
0000052782	ITALY REPUBLIC OF（イタリア共和国）	イタリア
0000053078	JAMAICA GOVERNMENT OF（ジャマイカ政府）	ジャマイカ
0000837056	JAPAN（日本）	ニューヨーク州
0001551322	Japan Bank for International Cooperation（国際協力銀行）	日本
0000053190	JAPAN DEVELOPMENT BANK（日本開発銀行）	日本
0001109604	Japan Finance Corp.（日本政策金融公庫）	

0000074615	ONTARIO PROVINCE OF（オンタリオ）	カナダ、オンタリオ州
0000076027	PANAMA REPUBLIC OF（パナマ共和国）	ワシントンD.C.
0000077694	PERU REPUBLIC OF（ペルー共和国）	ニューヨーク州
0000836136	PROVINCE OF BRITISH COLUMBIA（ブリティッシュコロンビア州）	カナダ、ブリティッシュコロンビア州
0000862406	PROVINCE OF NEW BRUNSWICK（ニューブランズウィック州）	カナダ、ニューブランズウィック州
0000842639	PROVINCE OF NOVA SCOTIA（ノバスコシア州）	ニューヨーク州
0000722803	QUEBEC（ケベック）	カナダ、ケベック州
0000852555	QUEENSLAND TREASURY CORP（クイーンズランド州財務公社）	オーストラリア
0001191980	REGION OF LOMBARDY（ロンバルディア州）	デラウェア州
0000914021	REPUBLIC OF ARGENTINA（アルゼンチン共和国）	ワシントンD.C.
0000019957	REPUBLIC OF CHILE（チリ共和国） 旧：共和国チリ (2002-11-01までのファイル)	チリ
0000917142	REPUBLIC OF COLOMBIA（コロンビア共和国）	ニューヨーク州
0000873465	REPUBLIC OF KOREA（大韓民国）	大韓民国
0000911076	REPUBLIC OF PORTUGAL（ポルトガル共和国）	ワシントンD.C.
0000932419	REPUBLIC OF SOUTH AFRICA（南アフリカ共和国） 旧：共和国南アフリカ (2002-04-10までのファイル)	ワシントンD.C.
0001030717	REPUBLIC OF THE PHILIPPINES（フィリピン共和国）	ニューヨーク州
0000869687	REPUBLIC OF TURKEY（トルコ共和国）	ニューヨーク州
0000203098	SASKATCHEWAN PROVINCE OF（サスカチュワン州）	ニューヨーク州
0000225913	SWEDEN KINGDOM OF（スウェーデン王国）	スウェーデン
0000898608	TREASURY CORP OF VICTORIA（ビクトリア州財務公社）	オーストラリア
0000101368	UNITED MEXICAN STATES（メキシコ合衆国）	ニューヨーク州
0000102385	URUGUAY REPUBLIC OF（ウルグアイ東方共和国）	

世界は無知な人々を奴隷にする巨大企業

国だけでなく、政府、議会、地方、州、市も企業として登録されている。企業の欺瞞のベールがはがされた今、腐敗のパターンがはっきりと見てとれる。法人化された南アフリカ共和国の国会とケープタウン市の例を紹介しよう。

「南アフリカ共和国政府」もまた企業として登録されている。このことは、政府のあらゆる行為や決定に重大な影響を及ぼし、政府と国民の関係を瞬時に一変させる。もはや政府は国民のための奉仕者ではなく、むしろ国民を操る存在なのだ。そのうえ、サイバーセキュリティ会社のRSAが国民を守る代わりに政府を保護しているため、国民は政府に近づくことすらできない。

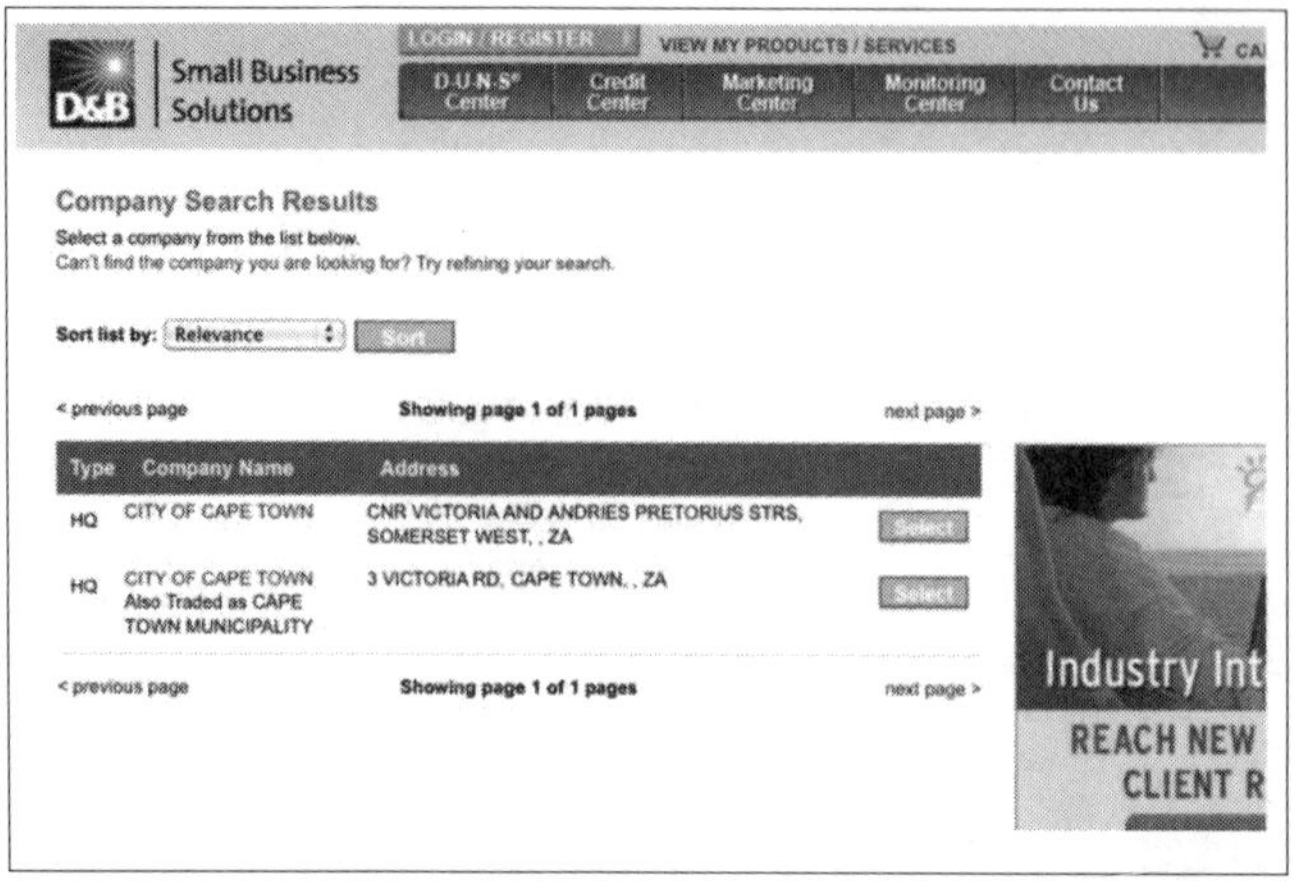

例えば、南アフリカ電力公社を国営としているように、政府がある産業の独占所有を主張することは、国民ではなく株主の利益を追求する私企業に所有権が与えられることを意味している。そうして、私たちはちょっとした言葉のあやに騙され続け、電気代や政府の息がかかったすべてのものに法外な費用を払い続けることになる。なぜなら、政府は国民のためではなく、政府という企業のために利益を必要としているからだ。

政府と大統領によるこのような密

D&B Small Business Solutions
LOGIN / REGISTER　VIEW MY PRODUCTS / SERVICES　CA
D-U-N-S® Center | Credit Center | Marketing Center | Monitoring Center | Contact Us

Company Search Results

Select a company from the list below.
Can't find the company you are looking for? Try refining your search.

Sort list by: Relevance　Sort

< previous page　**Showing page 1 of 1 pages**　next page >

Type	Company Name	Address	
HQ	CITY OF CAPE TOWN	CNR VICTORIA AND ANDRIES PRETORIUS STRS, SOMERSET WEST, , ZA	Select
HQ	CITY OF CAPE TOWN Also Traded as CAPE TOWN MUNICIPALITY	3 VICTORIA RD, CAPE TOWN, , ZA	Select

< previous page　**Showing page 1 of 1 pages**　next page >

Industry Int
REACH NEW
CLIENT R

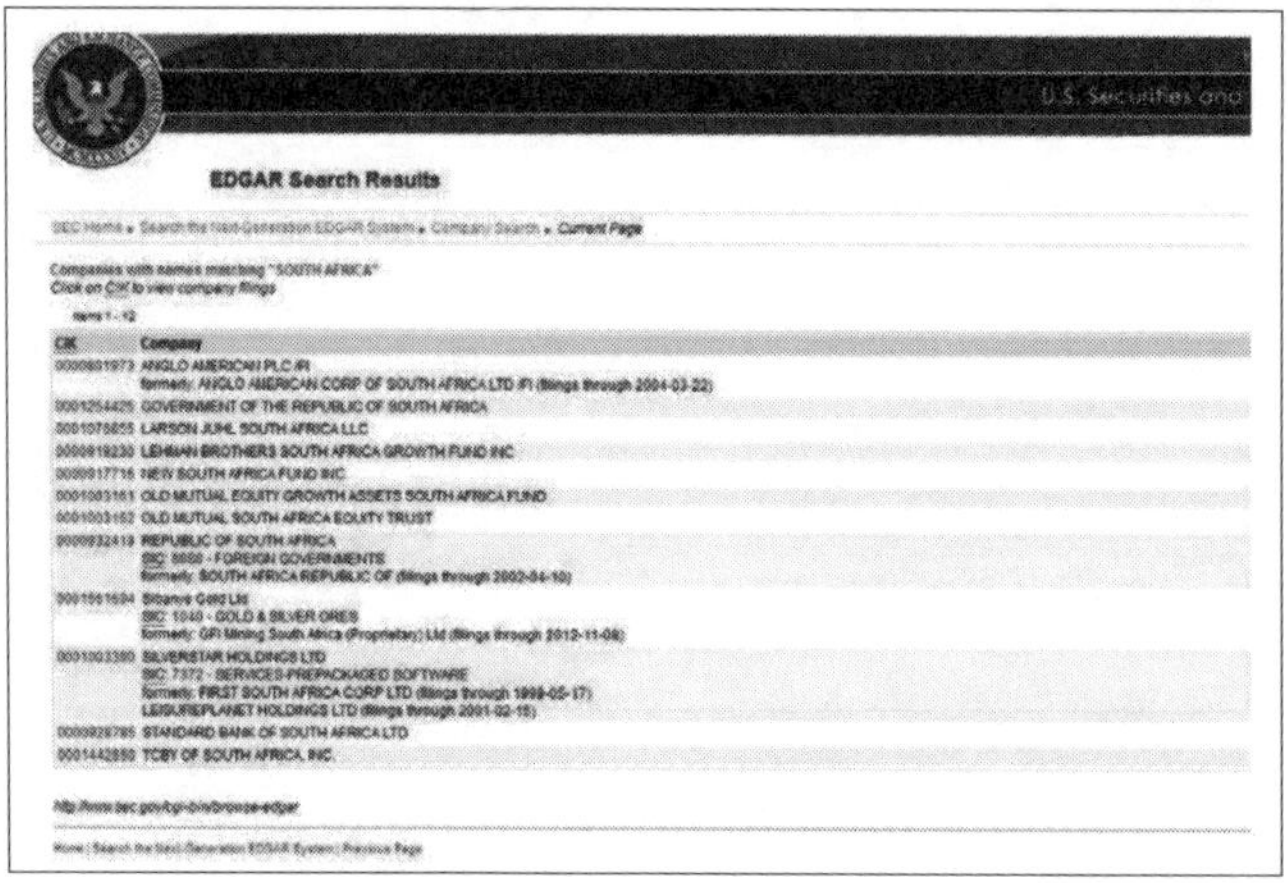

U.S. Securities and

EDGAR Search Results

SEC Home » Search the Next-Generation EDGAR System » Company Search » Current Page

Companies with names matching "SOUTH AFRICA"
Click on CIK to view company filings
Items 1 - 12

CIK	Company
0000931973	ANGLO AMERICAN PLC /FI formerly: ANGLO AMERICAN CORP OF SOUTH AFRICA LTD /FI (filings through 2004-03-22)
0001254425	GOVERNMENT OF THE REPUBLIC OF SOUTH AFRICA
0001078855	LARSON JUHL SOUTH AFRICA LLC
0000919230	LEHMAN BROTHERS SOUTH AFRICA GROWTH FUND INC
0000917716	NEW SOUTH AFRICA FUND INC
0001003161	OLD MUTUAL EQUITY GROWTH ASSETS SOUTH AFRICA FUND
0001003152	OLD MUTUAL SOUTH AFRICA EQUITY TRUST
0000932419	REPUBLIC OF SOUTH AFRICA SIC: 8888 - FOREIGN GOVERNMENTS formerly: SOUTH AFRICA REPUBLIC OF (filings through 2002-04-10)
0001581694	Sibanye Gold Ltd SIC: 1040 - GOLD & SILVER ORES formerly: GFI Mining South Africa (Proprietary) Ltd (filings through 2012-11-08)
0001003380	SILVERSTAR HOLDINGS LTD SIC: 7372 - SERVICES-PREPACKAGED SOFTWARE formerly: FIRST SOUTH AFRICA CORP LTD (filings through 1999-05-17) LEISUREPLANET HOLDINGS LTD (filings through 2001-02-15)
0000928785	STANDARD BANK OF SOUTH AFRICA LTD
0001442850	TCBY OF SOUTH AFRICA, INC.

http://www.sec.gov/cgi-bin/browse-edgar

Home | Search the Next-Generation EDGAR System | Previous Page

法人化された南アフリカ共和国の国会とケープタウン市

かな取引は、国民が真の自由を手に入れるために戦い、苦しみ、命を落として守ってきた南アフリカ共和国憲法を愚弄するものだ。憲法は国の最高法規として、すべての人に平等と自由と繁栄をもたらすことを宣言している。しかしその前文を読めば、私たちは権利を冒瀆されて気づかぬうちに従属させられていることが、一目瞭然なのである。

米国・国連・世界を買収した企業

企業が生きている人間の敵であるという事実を、私たちは受け入れなければならない。すべての人間性を破壊し、人々を数値化し、麻痺させ、主人の命令に喜んで従わせることが、企業の目的である。

「財を成した企業はおこがましくも政府に力比べを挑み、我が国の法律に反抗し続けている。私はこの貴族社会が誕生とともに打ち砕かれることを望む」
トーマス・ジェファーソン（第3代米大統領　1801－1809年）

登記企業の情報は、米国証券取引委員会のデータベースのほかに、ダン&ブラッドストリート（D&B）のレポートでも確認できる。

D&Bでは、信用度を把握するためにDUNSナンバーというコードが各企業に割り当てられている。そのため、米国の登録企業や世界の多国籍企業を探したり、動向を追いかけたりするうえで、大いに役立つ情報源となる。ほんの一部であるが、企業として登録されている米国の政府機関、州および主要都市のDUNSナンバーを以下に示しておく。もし、国連が世界の国々を結束させるために尽力し

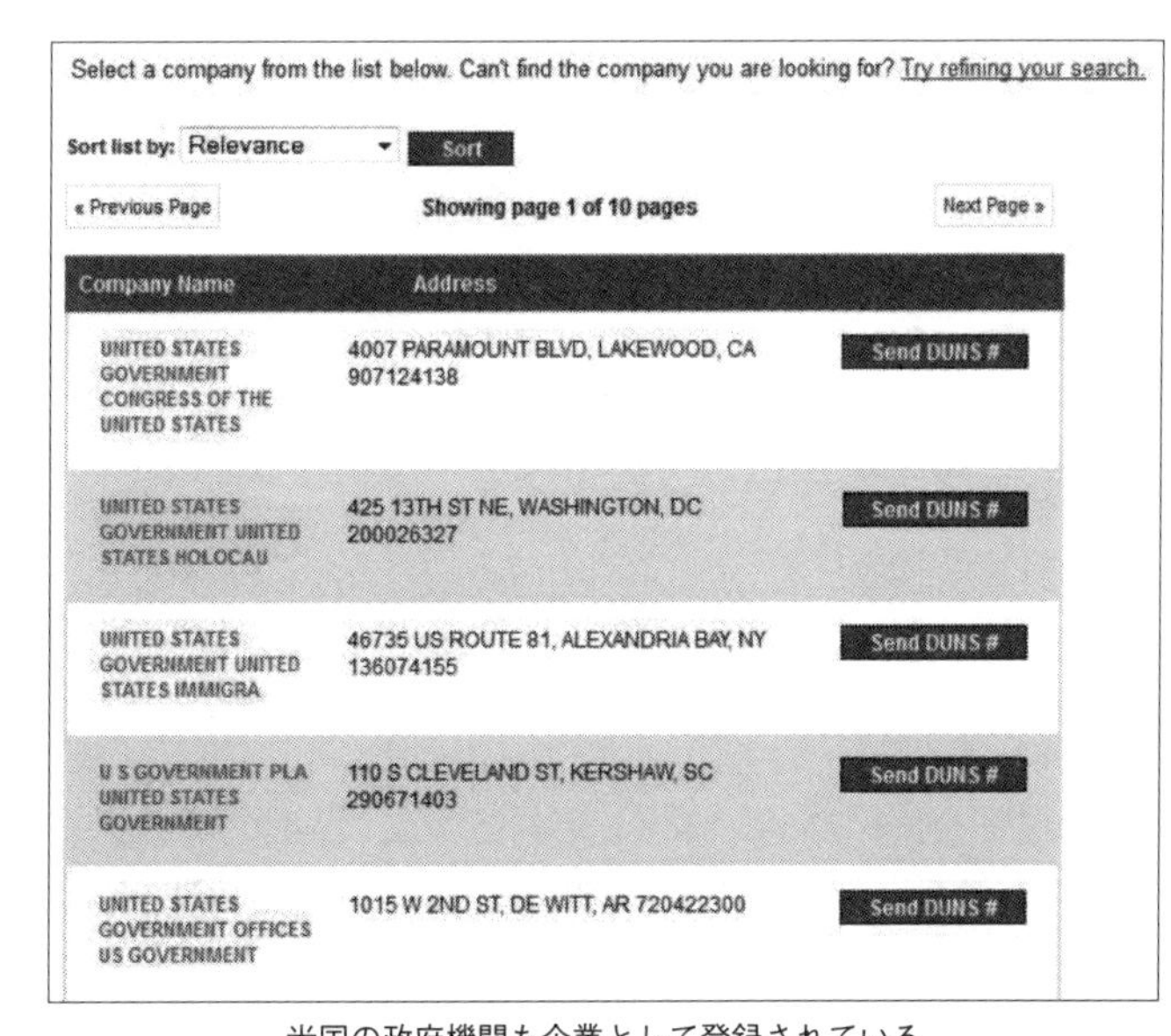

米国の政府機関も企業として登録されている

米国企業政府およびその主要機関の DUNS ナンバー

アメリカ合衆国政府	052714196
アメリカ合衆国国防総省（DOD）	030421397
アメリカ合衆国財務省（TD）	026661067
アメリカ合衆国司法省（DOJ）	011669674
アメリカ合衆国国務省（DOE）	026276622
アメリカ合衆国保健福祉省（HHS）長官室	112463521
アメリカ合衆国教育省	944419592
アメリカ合衆国エネルギー省	932010320
アメリカ合衆国国土安全保障省	932394187
アメリカ合衆国内務省	020949010
アメリカ合衆国労働省	029536183
連邦捜査局（FBI）	878865674

D&B のウェブサイトには、このあとも登録企業リストが続いている。

米国の企業州および最大都市の DUNS ナンバー

アラバマ州	004027553	バーミンガム市	074239450
アラスカ州	078198983	フェアバンクス市	079261830
アリゾナ州	068300170	フェニックス市	030002236
アーカンソー州	619312569	リトルロック市	06533794
カリフォルニア州	071549000	ロサンゼルス市	159166271
コロラド州	076438621	デンバー市	066985480
コネチカット州	016167285	ブリッジポート市	156280596
デラウェア州	037802962	ウィルミントン市	067393900
ワシントン D.C.	949056860	ワシントン市	073010550

国際連合株式会社およびその主要な企業機関の DUNS ナンバー

国際連合（UN）	824777304
国際連合開発計画（UNDP）	793511262
国際連合教育科学文化機関（UNESCO）	053317819
国際連合世界食糧計画（UNWFP）	054023952
国際連合児童基金（UNICEF）	017698452
国際連合世界保健機関（WHO）	618736326

参考：www.removingtheshackles.com

ている善良な組織だといまだに信じている人たちがいるなら、もう一度よく考えてみてほしい。国連も数多くの部門を有する一企業であり、銀行家の一族の支配下にあることに変わりないのである。次のリンクからD&Bのウェブサイトにアクセスし、必要な情報を入力すれば、DUNSナンバーを確認することができる。

http://mycredit.dnb.com/search-for-duns-number/

政府関連のDUNSナンバーを調べると、さまざまな子会社やダミー企業を政府があちこちに持っていることがわかる。これは人々を混乱させるための、単純だが効果的な戦術だ。実際に権限の及ぶ地域とは別の場所で登録がなされているケースもあり、どのような運営体制の企業なのか、いっそう疑念が湧いてくる。例えば、「シカゴ市」という企業はワシントンD.C.にあり、「モンタナ州」という企業はイリノイ州のシカゴにある。「メイン州」の企業所在地はニューヨーク市で、「ステート・オー・メイン社」という皮肉のこもった名称で登録されている。さらには、行政機関、立法機関、司法機関も法人として一覧に並んでいる。

このことから読み取られる意味合いは、まさに驚愕的である。企業による政府の転覆は米国と国連だけでなく、同様の策略を利用して世界のほぼすべての国で起こっているのだ。

「私にはわかる。まもなく訪れる危機に私は大いに心を乱され、この国の安全を思って震え上がることになるだろう。企業が頂点の座に君臨し、これから力を持つ者たちによる腐敗の時代が続く。国の財産は、企業の支配を何としてでも長引かせるために消費される。人々に不利益を押しつけ、すべての富がほんの数人の手に集約されるその時まで。そして、共和国は破壊されるのだ。私は今この瞬間、戦争の最中であっても、かつてないほど自国の安全に対する不安を感じている」エイブラハム・リンカーン大統領

政府と大企業

もし政府が私たちに隠れてこのようなことを容認しているのなら、政府も自ら関与し、国民に対する腐敗と犯罪に加担していることは明らかである。

ここで、私たちの目を覚まさせる事実を示す図を紹介しよう。ブログサイト「テックダート」で公開されたローレンス・レッシグによるこのベン図は、大企業とアメリカ政府の間にある天上り・天下りの腐敗した関係性を表している。両者がいかに関係し影響しあっているかを参照するうえで、極めて手軽でわかりやすいツールだ。国民が本当に政府を公の奉仕者として選挙で任命しているのであれば、政府の活動に企業が干渉することを、どうして許せるだろうか。

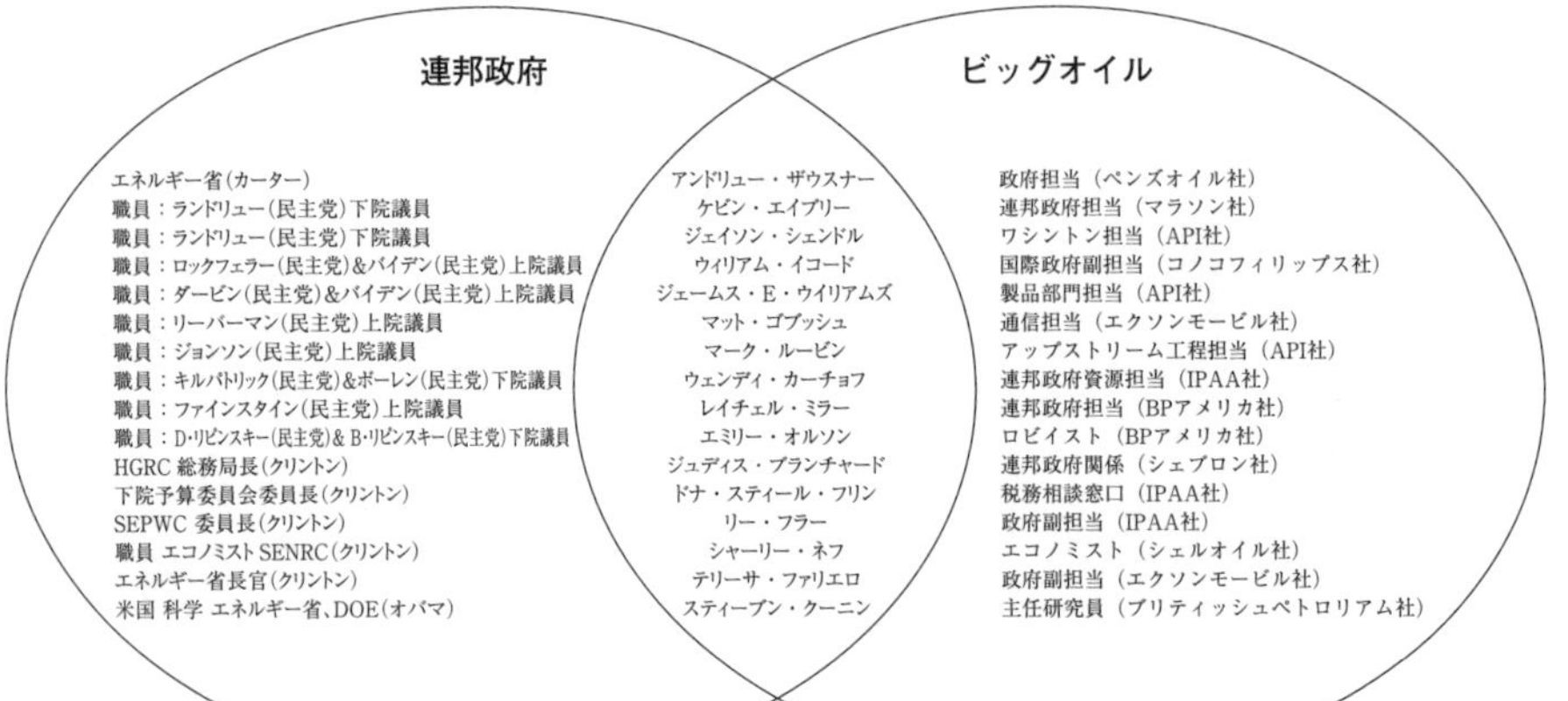

連邦政府

エネルギー省(カーター)
職員：ランドリュー(民主党)下院議員
職員：ランドリュー(民主党)下院議員
職員：ロックフェラー(民主党)&バイデン(民主党)上院議員
職員：ダービン(民主党)&バイデン(民主党)上院議員
職員：リーバーマン(民主党)上院議員
職員：ジョンソン(民主党)上院議員
職員：キルパトリック(民主党)&ボーレン(民主党)下院議員
職員：ファインスタイン(民主党)上院議員
職員：D・リピンスキー(民主党)& B・リピンスキー(民主党)下院議員
HGRC 総務局長(クリントン)
下院予算委員会委員長(クリントン)
SEPWC 委員長(クリントン)
職員 エコノミスト SENRC(クリントン)
エネルギー省長官(クリントン)
米国 科学 エネルギー省、DOE(オバマ)

アンドリュー・ザウスナー
ケビン・エイブリー
ジェイソン・シェンドル
ウィリアム・イコード
ジェームス・E・ウイリアムズ
マット・ゴブッシュ
マーク・ルービン
ウェンディ・カーチョフ
レイチェル・ミラー
エミリー・オルソン
ジュディス・ブランチャード
ドナ・スティール・フリン
リー・フラー
シャーリー・ネフ
テリーサ・ファリエロ
スティーブン・クーニン

ビッグオイル

政府担当（ペンズオイル社）
連邦政府担当（マラソン社）
ワシントン担当（API社）
国際政府副担当（コノコフィリップス社）
製品部門担当（API社）
通信担当（エクソンモービル社）
アップストリーム工程担当（API社）
連邦政府資源担当（IPAA社）
連邦政府担当（BPアメリカ社）
ロビイスト（BPアメリカ社）
連邦政府関係（シェブロン社）
税務相談窓口（IPAA社）
政府副担当（IPAA社）
エコノミスト（シェルオイル社）
政府副担当（エクソンモービル社）
主任研究員（ブリティッシュペトロリアム社）

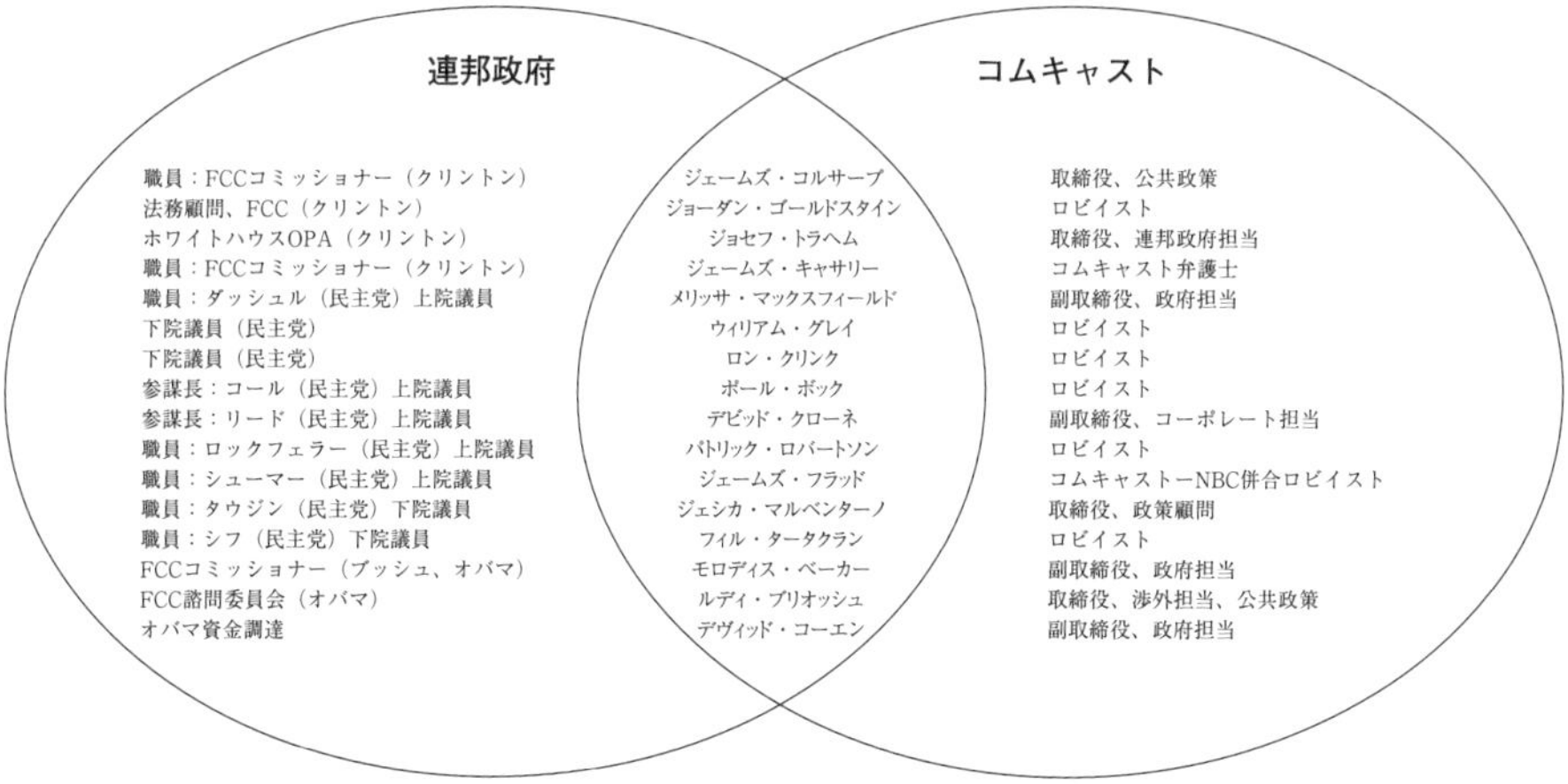

連邦政府 / **コムキャスト**

連邦政府:
職員：FCCコミッショナー（クリントン）
法務顧問、FCC（クリントン）
ホワイトハウスOPA（クリントン）
職員：FCCコミッショナー（クリントン）
職員：ダッシュル（民主党）上院議員
下院議員（民主党）
下院議員（民主党）
参謀長：コール（民主党）上院議員
参謀長：リード（民主党）上院議員
職員：ロックフェラー（民主党）上院議員
職員：シューマー（民主党）上院議員
職員：タウジン（民主党）下院議員
職員：シフ（民主党）下院議員
FCCコミッショナー（ブッシュ、オバマ）
FCC諮問委員会（オバマ）
オバマ資金調達

共通:
ジェームズ・コルサーブ
ジョーダン・ゴールドスタイン
ジョセフ・トラヘム
ジェームズ・キャサリー
メリッサ・マックスフィールド
ウィリアム・グレイ
ロン・クリンク
ポール・ボック
デビッド・クローネ
パトリック・ロバートソン
ジェームズ・フラッド
ジェシカ・マルベンターノ
フィル・タータクラン
モロディス・ベーカー
ルディ・ブリオッシュ
デヴィッド・コーエン

コムキャスト:
取締役、公共政策
ロビイスト
取締役、連邦政府担当
コムキャスト弁護士
副取締役、政府担当
ロビイスト
ロビイスト
ロビイスト
副取締役、コーポレート担当
ロビイスト
コムキャストーNBC併合ロビイスト
取締役、政策顧問
ロビイスト
副取締役、政府担当
取締役、渉外担当、公共政策
副取締役、政府担当

コーエンは著名で人脈のある民主党員だが、連邦政府で公式な地位に就いていない。

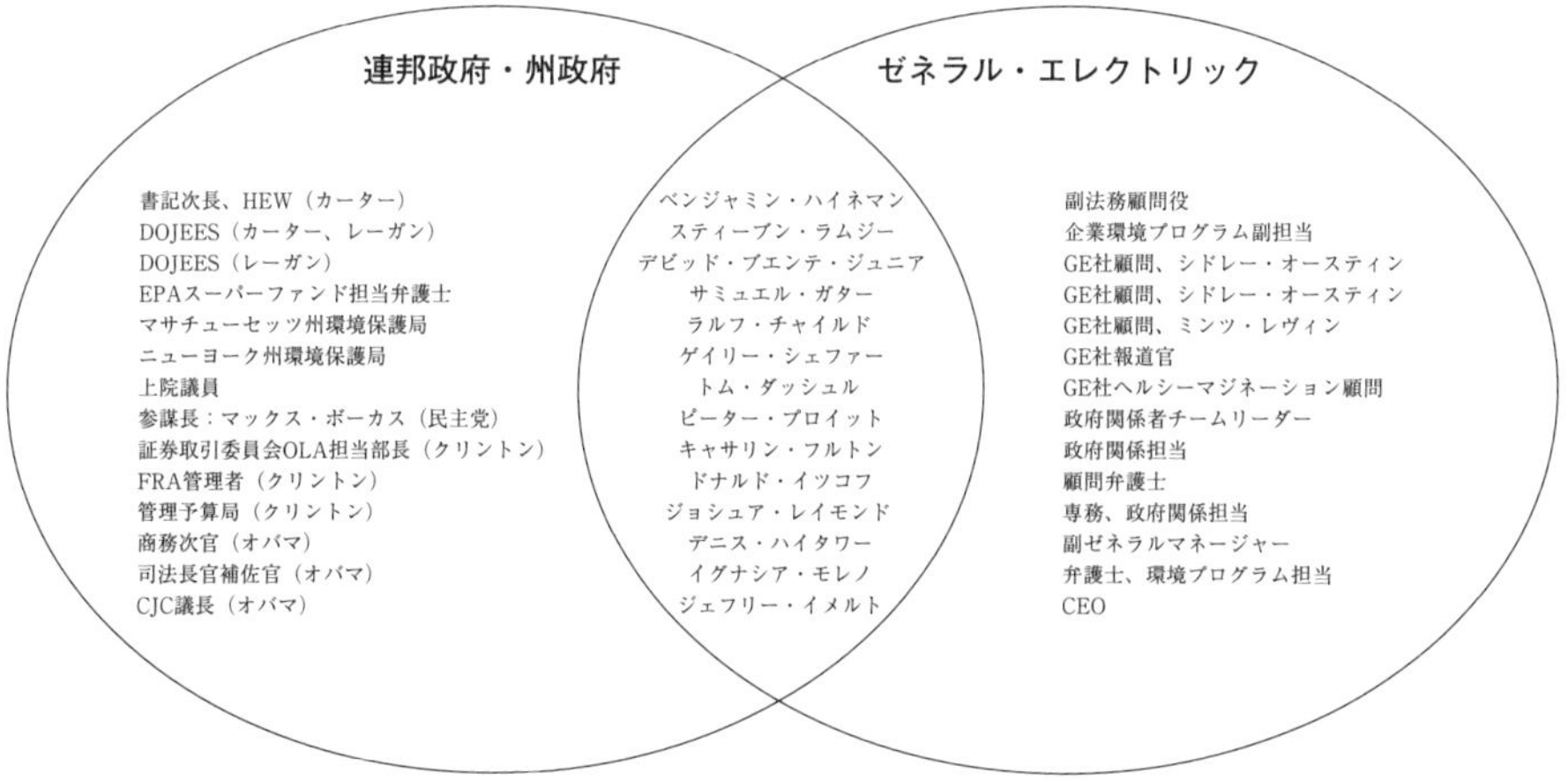

連邦政府・州政府 / **ゼネラル・エレクトリック**

連邦政府・州政府:
書記次長、HEW（カーター）
DOJEES（カーター、レーガン）
DOJEES（レーガン）
EPAスーパーファンド担当弁護士
マサチューセッツ州環境保護局
ニューヨーク州環境保護局
上院議員
参謀長：マックス・ボーカス（民主党）
証券取引委員会OLA担当部長（クリントン）
FRA管理者（クリントン）
管理予算局（クリントン）
商務次官（オバマ）
司法長官補佐官（オバマ）
CJC議長（オバマ）

共通:
ベンジャミン・ハイネマン
スティーブン・ラムジー
デビッド・ブエンテ・ジュニア
サミュエル・ガター
ラルフ・チャイルド
ゲイリー・シェファー
トム・ダッシュル
ピーター・プロイット
キャサリン・フルトン
ドナルド・イツコフ
ジョシュア・レイモンド
デニス・ハイタワー
イグナシア・モレノ
ジェフリー・イメルト

ゼネラル・エレクトリック:
副法務顧問役
企業環境プログラム副担当
GE社顧問、シドレー・オースティン
GE社顧問、シドレー・オースティン
GE社顧問、ミンツ・レヴィン
GE社報道官
GE社ヘルシーマジネーション顧問
政府関係者チームリーダー
政府関係担当
顧問弁護士
専務、政府関係担当
副ゼネラルマネージャー
弁護士、環境プログラム担当
CEO

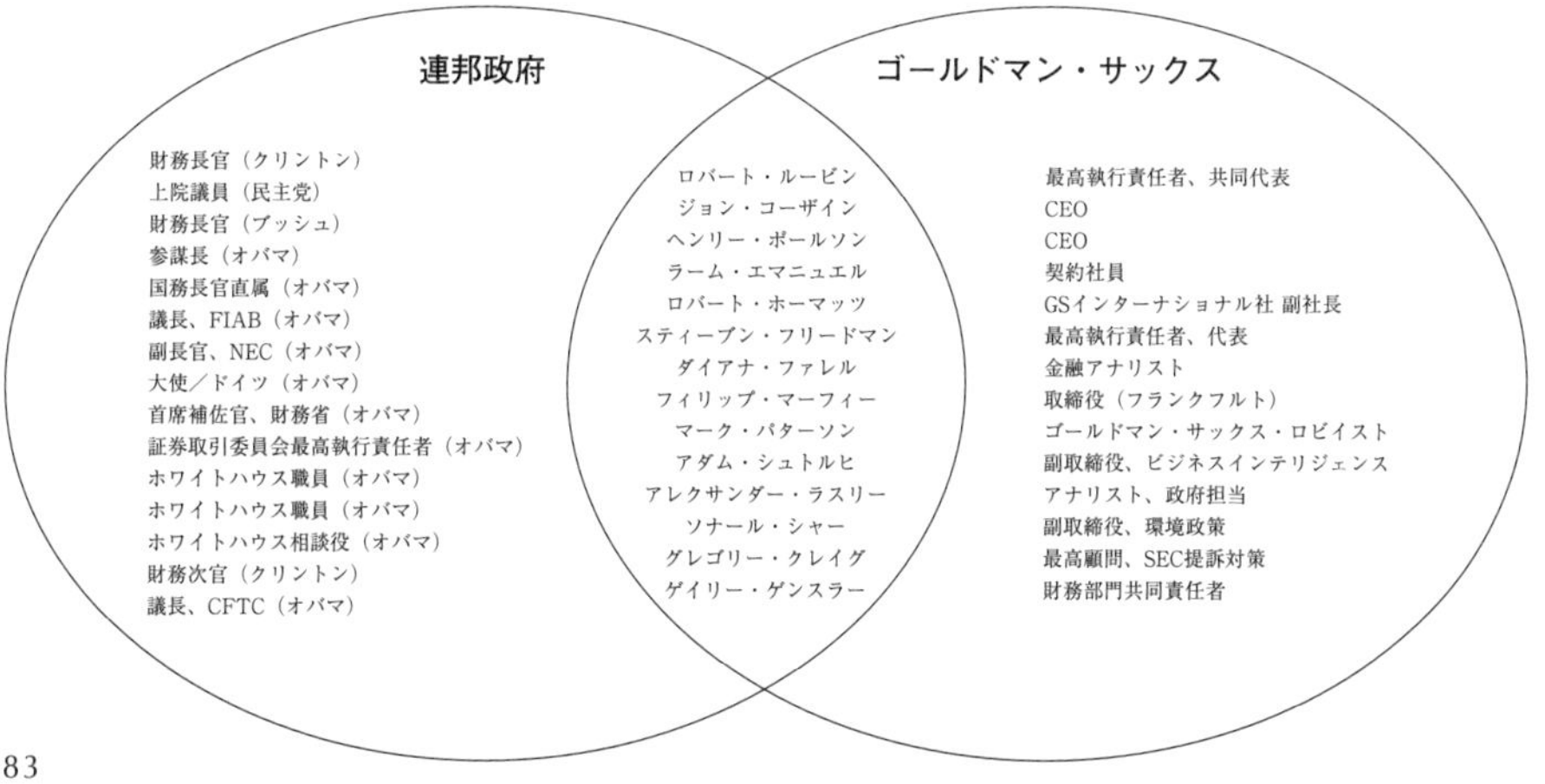

連邦政府 / **ゴールドマン・サックス**

連邦政府:
財務長官（クリントン）
上院議員（民主党）
財務長官（ブッシュ）
参謀長（オバマ）
国務長官直属（オバマ）
議長、FIAB（オバマ）
副長官、NEC（オバマ）
大使／ドイツ（オバマ）
首席補佐官、財務省（オバマ）
証券取引委員会最高執行責任者（オバマ）
ホワイトハウス職員（オバマ）
ホワイトハウス職員（オバマ）
ホワイトハウス相談役（オバマ）
財務次官（クリントン）
議長、CFTC（オバマ）

共通:
ロバート・ルービン
ジョン・コーザイン
ヘンリー・ポールソン
ラーム・エマニュエル
ロバート・ホーマッツ
スティーブン・フリードマン
ダイアナ・ファレル
フィリップ・マーフィー
マーク・パターソン
アダム・シュトルヒ
アレクサンダー・ラスリー
ソナール・シャー
グレゴリー・クレイグ
ゲイリー・ゲンスラー

ゴールドマン・サックス:
最高執行責任者、共同代表
CEO
CEO
契約社員
GSインターナショナル社 副社長
最高執行責任者、代表
金融アナリスト
取締役（フランクフルト）
ゴールドマン・サックス・ロビイスト
副取締役、ビジネスインテリジェンス
アナリスト、政府担当
副取締役、環境政策
最高顧問、SEC提訴対策
財務部門共同責任者

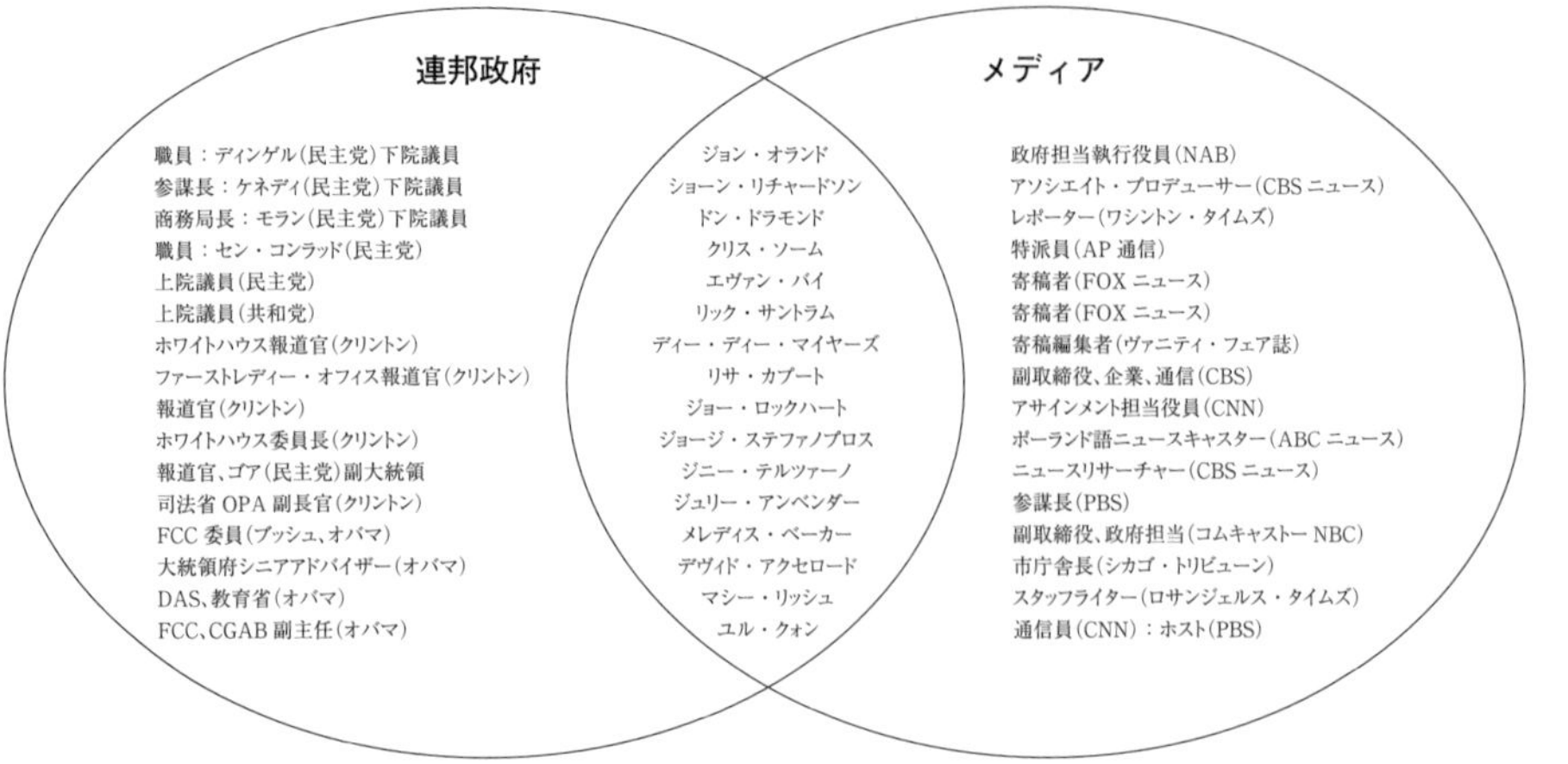

連邦政府

職員：ディンゲル(民主党)下院議員
参謀長：ケネディ(民主党)下院議員
商務局長：モラン(民主党)下院議員
職員：セン・コンラッド(民主党)
上院議員(民主党)
上院議員(共和党)
ホワイトハウス報道官(クリントン)
ファーストレディー・オフィス報道官(クリントン)
報道官(クリントン)
ホワイトハウス委員長(クリントン)
報道官、ゴア(民主党)副大統領
司法省 OPA 副長官(クリントン)
FCC 委員(ブッシュ、オバマ)
大統領府シニアアドバイザー(オバマ)
DAS、教育省(オバマ)
FCC、CGAB 副主任(オバマ)

ジョン・オランド
ショーン・リチャードソン
ドン・ドラモンド
クリス・ソーム
エヴァン・パイ
リック・サントラム
ディー・ディー・マイヤーズ
リサ・カプート
ジョー・ロックハート
ジョージ・ステファノプロス
ジニー・テルツァーノ
ジュリー・アンペンダー
メレディス・ベーカー
デヴィド・アクセロード
マシー・リッシュ
ユル・クォン

メディア

政府担当執行役員(NAB)
アソシエイト・プロデューサー(CBS ニュース)
レポーター(ワシントン・タイムズ)
特派員(AP 通信)
寄稿者(FOX ニュース)
寄稿者(FOX ニュース)
寄稿編集者(ヴァニティ・フェア誌)
副取締役、企業、通信(CBS)
アサインメント担当役員(CNN)
ポーランド語ニュースキャスター(ABC ニュース)
ニュースリサーチャー(CBS ニュース)
参謀長(PBS)
副取締役、政府担当(コムキャストー NBC)
市庁舎長(シカゴ・トリビューン)
スタッフライター(ロサンジェルス・タイムズ)
通信員(CNN)：ホスト(PBS)

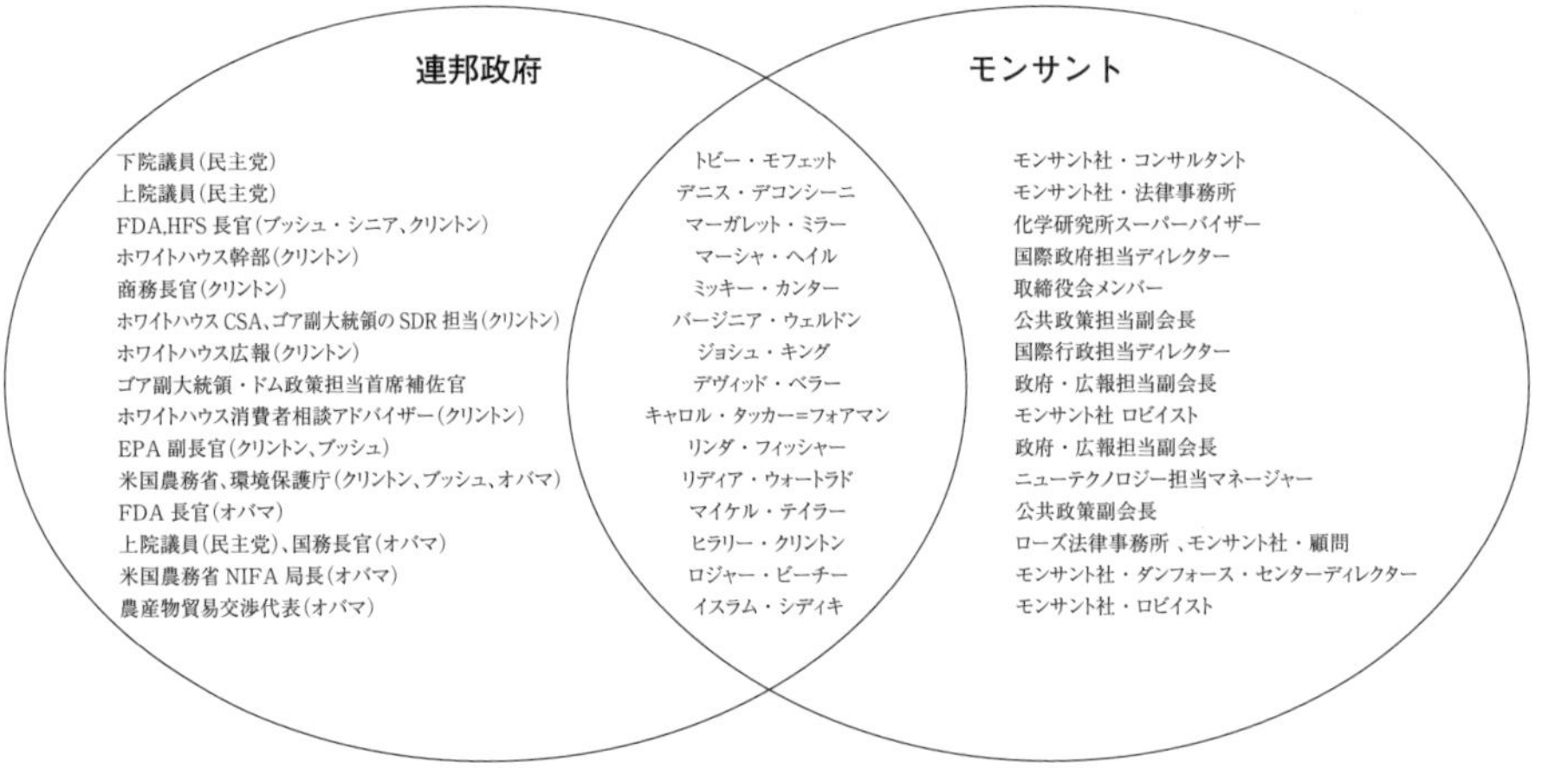

連邦政府

下院議員(民主党)
上院議員(民主党)
FDA,HFS 長官(ブッシュ・シニア、クリントン)
ホワイトハウス幹部(クリントン)
商務長官(クリントン)
ホワイトハウス CSA、ゴア副大統領の SDR 担当(クリントン)
ホワイトハウス広報(クリントン)
ゴア副大統領・ドム政策担当首席補佐官
ホワイトハウス消費者相談アドバイザー(クリントン)
EPA 副長官(クリントン、ブッシュ)
米国農務省、環境保護庁(クリントン、ブッシュ、オバマ)
FDA 長官(オバマ)
上院議員(民主党)、国務長官(オバマ)
米国農務省 NIFA 局長(オバマ)
農産物貿易交渉代表(オバマ)

トビー・モフェット
デニス・デコンシーニ
マーガレット・ミラー
マーシャ・ヘイル
ミッキー・カンター
バージニア・ウェルドン
ジョシュ・キング
デヴィッド・ベラー
キャロル・タッカー=フォアマン
リンダ・フィッシャー
リディア・ウォートラド
マイケル・テイラー
ヒラリー・クリントン
ロジャー・ビーチー
イスラム・シディキ

モンサント

モンサント社・コンサルタント
モンサント社・法律事務所
化学研究所スーパーバイザー
国際政府担当ディレクター
取締役会メンバー
公共政策担当副会長
国際行政担当ディレクター
政府・広報担当副会長
モンサント社 ロビイスト
政府・広報担当副会長
ニューテクノロジー担当マネージャー
公共政策副会長
ローズ法律事務所 、モンサント社・顧問
モンサント社・ダンフォース・センターディレクター
モンサント社・ロビイスト

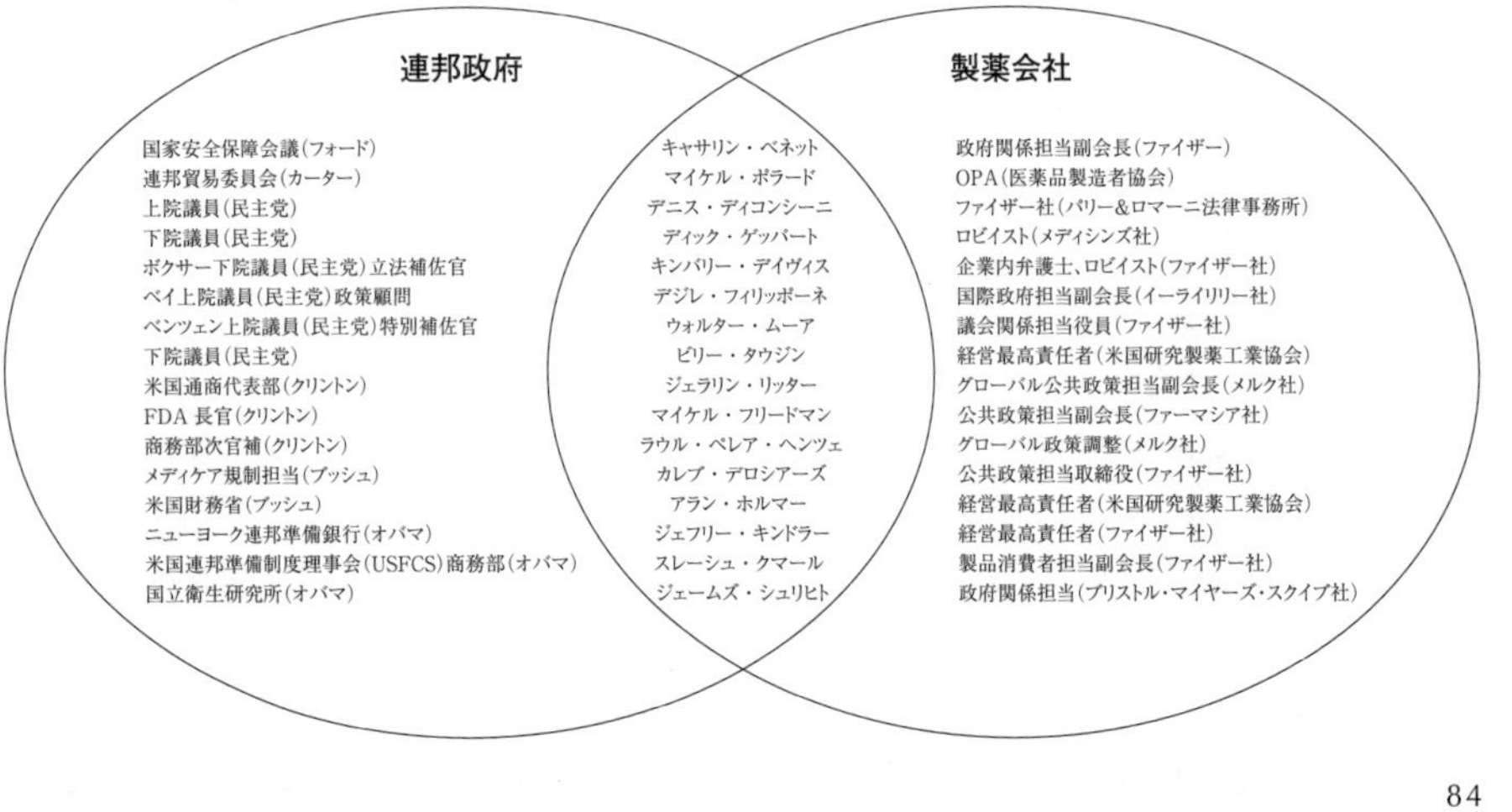

連邦政府

国家安全保障会議(フォード)
連邦貿易委員会(カーター)
上院議員(民主党)
下院議員(民主党)
ボクサー下院議員(民主党)立法補佐官
ベイ上院議員(民主党)政策顧問
ベンツェン上院議員(民主党)特別補佐官
下院議員(民主党)
米国通商代表部(クリントン)
FDA 長官(クリントン)
商務部次官補(クリントン)
メディケア規制担当(ブッシュ)
米国財務省(ブッシュ)
ニューヨーク連邦準備銀行(オバマ)
米国連邦準備制度理事会(USFCS)商務部(オバマ)
国立衛生研究所(オバマ)

キャサリン・ベネット
マイケル・ポラード
デニス・ディコンシーニ
ディック・ゲッパート
キンバリー・デイヴィス
デジレ・フィリッポーネ
ウォルター・ムーア
ビリー・タウジン
ジェラリン・リッター
マイケル・フリードマン
ラウル・ペレア・ヘンツェ
カレブ・デロシアーズ
アラン・ホルマー
ジェフリー・キンドラー
スレーシュ・クマール
ジェームズ・シュリヒト

製薬会社

政府関係担当副会長(ファイザー)
OPA(医薬品製造者協会)
ファイザー社(パリー&ロマーニ法律事務所)
ロビイスト(メディシンズ社)
企業内弁護士、ロビイスト(ファイザー社)
国際政府担当副会長(イーライリリー社)
議会関係担当役員(ファイザー社)
経営最高責任者(米国研究製薬工業協会)
グローバル公共政策担当副会長(メルク社)
公共政策担当副会長(ファーマシア社)
グローバル政策調整(メルク社)
公共政策担当取締役(ファイザー社)
経営最高責任者(米国研究製薬工業協会)
経営最高責任者(ファイザー社)
製品消費者担当副会長(ファイザー社)
政府関係担当(ブリストル・マイヤーズ・スクイブ社)

企業とは、人間が操る単なる紙切れにすぎない。しかし、大半の人々は無知なままに人生を企業の利益のために捧げ、兄弟姉妹をも奴隷のような生活に巻き込んでしまっている。この甚だしい不公正を正せるのは、人間をおいてほかにない。企業にはそれができないし、そうするつもりもないだろう。

大統領たちへの質問

こうした嘘と欺瞞を踏まえて、各国政府は次の質問に直ちに回答する義務がある。差し当たって、私が住んでいる南アフリカ共和国を例に言及するが、世界中の国にも同様に当てはまる。

1）私たち国民は、南アフリカ共和国という会社の登記文書、設立趣意書、権利証書の原本の閲覧、入手を要求する。
2）南アフリカ共和国をそのように登記することを誰が許可したのか、またその理由は何なのか。
3）誰がこの企業のCEOなのか。
4）会計責任者は誰で、どのような財務諸表を作成しているのか。
5）この企業は何を資産としているのか。
6）この企業は資産を主体的に取引しているのか。その場合、どこでどのように取引を行っているのか。
7）その資産取引について、誰が責任を負うのか。
8）企業の株主は誰で、どのように任命されるのか。
9）配当金はいつ、どのように分配されるのか。
10）南アフリカ共和国という企業と同国民の関係は、どのようになっているのか。
11）人々ないし国民と南アフリカ共和国の間に、何らかの協定は結ばれているのか。その場合、その協定はいつどこで同意されたのか。
12）南アフリカの人々は、この企業に対して何らかの義務を負っているのか。その場合、義務を放棄する権利は与えられているのか。
13）権利章典、憲法、そして国連の世界人権宣言は、奴隷や強制労働をいかなる形であれ厳しく禁じている。南アフリカの地に住む人々は、存在していることすら認識していなかったこの企業に対する関係および義務を、すべて断つ権利を与えられているのか。
14）南アフリカ共和国という企業と、同じく企業として登録されている南アフリカ共和国政府とは、どのような関係にあるのか。

民衆に正義はない

政府は毎週新しい法律を作り、南アフリカの裁判所や裁判官たちがそれを支持して行使する。これらの法律が作られた背景も理由も可決に至るまでの過程さえも、私たちは何も知らない。というのは、政府はそうした情報公開にとても都合の良い「官報」を発行しているだけだからだ。

官報は毎週作られる恣意的な政府刊行物であるが、街行く人が一般的なニューススタンドで手に入れられるものではない。政府印刷所からしか入手できないのでなかなか見つからず、やっと見つけた頃にはもう印刷されなくなっているということがままある。私自身、何度も経験していることだ。こうして政府は新しい法律（ロー）、法令（アクト）、法案（ビル）などを密かに通し、国民は手遅れになって初めてその存在を耳にするのである。

「アクト」という言葉は、まさに文字どおりの意味を体現している。アクトとは、舞台で演じられる演技である。舞台は法廷で、多数を占める男性（と数人の女性）がお決まりの衣装とローブを身にまとい、いわゆる「正義」の判断を下すために、互いに頭を下げて祈りを捧げる。ちなみにここで言う正義は、正義の女神という天秤を持った盲目の女性をシンボルとしているが、その天秤はどちらか一方に傾いて描かれていることが多い。普通の人々がこの舞台にうっかり足を踏み入れた場合、彼らは進んで裁かれに来たものと見なされる。そして、完全な嘘で固められた絵空事を、すさまじい悲劇の中で正面からぶつけられることになる。

毎週、何千人もの人々が、出廷して直に裁判官に申し立てをすることもなく訴えを退けられ、家や車などの財産を失っている。大抵このようなケースでは、人々は自分に対する措置に気づいていないか、または単に法的助言を受ける余裕がないだけである。これまでに裁判を経験した人であれば、弁護士費用が法外に高いため、裁判を始める前に大半の人があきらめてしまうこともわかるだろう。

そうして、裁判官と裁判所は毎週何千人もの人々の人生を、まばたきひとつせずに、彼らの弁護をする言葉を発することもなく、ほんの数秒で破壊してしまうのである。出廷がかなったごくわずかな人々は、自らの破滅を目の当たりにしたうえで、さらに礼儀として裁判官に謝意を示して頭を下げるよう求められる。人権を主張することを知らない人々の無知を、彼らはどんなに笑っていることだろうか。

若い世代は騙され続けている。多国籍企業や法を無視する指導者らは、私たちの子供たちを奴隷にし、その未来と国を奪い取ったのだ。

法律とお金との関係

国が企業であることを知った今、人々を統治する目的で作られた法律にも少なからず影響が及んでいる。法律は人権とは何の関係も持たない。企業と企業に奉仕する政府のために、人々を奴隷にする法律が出来上がったのである。

人々が正義を手にすることはなく、法廷の場に立つことができるのは権力と金を持つ者だけだ。憲法裁判所も例外ではなく、私自身の経験を通して、権利章典の中身がその条文の書かれている紙束よりも無価値だとわかったのは、非常に悔やまれることであった。

２０１０年11月、法から逸脱した住宅ローンをめぐり銀行を相手に最初の抗弁を始めて以来、私は大きな代償を払わされながら多くの経験を得た。法的書類を作成し、訴状を送達し、法廷で自分自身を弁護するまでの書類の流れをたどれるようにするために、私は情報を共有してくれる数少ない友人とともに、南アフリカの高等裁判所の手続きについて独学するほかなかったのである。しかし、私がこうした行動に出たのは自分のためではなく、正義を切望しながらもそれを得られない何百万もの人々のためであった。

黒いローブに身を包み、一般人にはとても馴染みのない儀礼に従って外国語のような言葉を発する法律家や弁護士、そして裁判官たち。そんな彼らと正面から向き合い、人間の範疇を完全に超えているとすら思える厳格な規則に従うのは、非常に時間がかかるうえに、フラストレーションも多かった。もし法律家や弁護士を雇っていたら、既に１００万ランド（約13万米ドル）以上の費用がかかっていただろう。それでも、まだ終わりではないのだ。私は専門家に頼らなかったので、時間やガソリン代や紙代を費やし、ストレスと緊張を抱え、社会的信用を失った。というのも、メディアは私のような人々に「借金から逃れようとしている者」というレッテルを貼りがちで、そのため私は普段の生活を続けられなくなったからだ。この法的に許された欺瞞のメリーゴーラウンドにひとたび巻き込まれると、人生を消耗しきってしまうのである。

そうこうするうちに、この本の完成が2年以上も延びることになった。しかし、不公正を強いられた実体験がなければこれほど強く意見することはできなかったと思うと、すべて計画にかなっていたと言える。つまるところ、午前8時から午後5時まで（9時から5時までの一般的な仕事とそれに付帯する時間を含める）働いていて時間を費やす余裕がなく、威圧的な環境下で自分のために立ち上がることに恐れや恥ずかしさを覚えるごく普通の人々は、決して法律家を味方につけることなどできない。このシステムの中で動いているのは、物事を先送りまたは回避したり、例外を作ったりすることで、莫大な裁判費用を発生させる専門家だ。最終的にほとんどの人は、経済的圧力に屈してしまうのである。

法廷では何をするにもお金がものを言う。銀行のように底なしの懐を持っていなければ、正義を勝ち取ることはできない。

裁判とは、すべてがお金の問題なのである。裁判官が座る「Bench（ベンチ）（裁判官席）」という言葉を聞いたことがあるのではないだろうか。ベンチの語源はイタリア語の

「Banka（バンカ）」だ。ローマの市場で金細工職人（ローマ時代には彼らは銀行家でもあった）が長椅子（ベンチ）で仕事をしていたためで、これは現在も変わっていない。皮肉なことに、これが「Bank（バンク）（銀行）」という言葉の由来であり、裁判官が銀行のために立ち振舞うことを意味している。また、銀行家や金細工職人の不正が発覚した際、彼らは長椅子を市場の広場で壊され、「Bankrupt（バンクラプト）（破産者）」と見なされていたことも興味深い。

一般的な認識に反して、銀行であることの絶対条件は、単純に帳簿の帳尻が合っていることだ。貸方と借方を一致させなければならないからこそ、私の裁判のときに裁判官は「私はこの男性が銀行にお金を借りているかどうかを調べているだけだ」と明言したのだ。

アメリカでは、裁判官は「your honor」と呼ばれる。この呼称は誠実さとは無関係だ。「honor（名誉）」という言葉は、帳簿のバランスが取れていない状態を指す「dishonor（不名誉）」に対するアンチテーゼとして使われている。名誉とは、単に「すべてが均衡している」という意味である。なぜ、法廷を守る正義の女神は天秤を手にしているのか。正義を秤にかけるためだろうか？　天秤は、お金として扱われる純金や貴金属の重さを量るために用いられる。ここで、もう一度言おう。裁判では、正義ではなくお金がすべてである。

私たちは、独立した司法機関を持っていると教えられる。これは明らかに嘘であるが、ただ人々がその欺瞞の詳細を知らないがために、見過ごされているのだ。最高裁判所長官、司法長官、すべての裁判長や高等裁判所裁判官は、大統領によって任命される。大統領は最終的な決定権を持ち、司法制度および自ら任命した司法従事者らをコントロールしているのだ。裁判官や連邦検察官など司法に関係する人々はすべて、政府から給料を支払われている。すなわち、政府は彼らを自由に雇用し、仕事ぶりに不満があれば自由に解雇することができる。これが「独立した司法」と呼ばれるものの実態である。

司法は独立とはほど遠く、南アフリカ共和国という「企業」とそのＣＥＯが司法を牛耳っていることは、明々白々であるはずだ。当面、この法人のＣＥＯないしリーダーは大統領であると考えるほかないが、実際にこの法人を管理している国際的な取締役会の存在が、今後の調査で明らかになるかもしれない。

デイヴィッド・ウィン・ミラー裁判官は、裏で糸を引いているのは各国の郵便局長ならびに万国郵便連合との関係であると述べている。歴史的に、新しい領土が王室によって植民地化され、「平定」されたとき、国旗の設置と郵便局の設置という2つのことが必ず行われていた。

軍隊には必ず郵便局があり、商業活動で用いる「貨物」は、すべて切手を貼って郵便で登録しなければならない。法律、商業、銀行、裁判所、政府、そして「郵便局」の間にあるつながりには、とても驚かされる。偶然にも、南アフリカ政府は商業銀行であるファースト・ナショナル銀行との契約を解除したばかりで、信じがたいことに、代わりに郵便局の一部門であるポストバンクを新たな銀行として据えた。そもそも郵便局に銀行があることすら、ほとんどの南アフリカ人は認識していない。こうして、欺瞞はいっそう根深さを増していくのである。グローバルな銀行エリートたちが、数々の支配的企業の取締役会名簿に会長や理事として名前を連ねていても、その支配的企業の登録名が世界のあらゆる国々の国名であっても、私たちは驚いてはならない。

企業は人々に規則を強制できない

政府は登録された企業であるため、彼らが作る法律は、政府という企業に勤める社員か政府に忠誠を誓う人たちにしか適用されない。このことは読者の皆さんにとって明らかであると信じているが、そうでない場合は次の例を見てほしい。

もしあなたがKFC（ケンタッキーフライドチキン）で働くなら、彼らの行動規範と規則に従わなければならない。KFCの従業員でなければ、KFCはあなたにルールを押し付けたり、従わせたりする権利はない。KFCの法律を守っていないとして、あなたを法廷に引っ張り出し、有罪にして罰金を科したり、場合によっては刑務所に送ったりする権利もないのである。ばかばかしい話に聞こえるかもしれない。しかし、まさにこれと同じことが、規則や規制を押し付ける「企業」と国民との間で起きているのである。

ここで、私たちがいかに貨幣供給の支配者に騙されてきたかを別の形で表現してみたい。仮にあなたがボーダフォンに勤めているとしよう。あなたは、ボーダフォンが倒産してもはや実際のお金（すなわち金や銀とされるもの）で給与の支払いを受けられないと知る。そこで、彼らは自ら発行するエアタイムという通貨で支払うことを提案し、あなたは何もないよりはましだと思ってこれに同意する。つまり、あなたはボーダフォンの法律に従うと同時に、労働の対価としてその企業の通貨を受け入れたことになる。ボーダフォンは自由にエアタイムを発行することで、あなたの一挙手一投足を管理する。従業員であるあなたは、社屋に入るときの網膜認証、指紋認証、過去の経歴確認や、その他一切の監視技術から成るセキュリティシステムの対象となるのだ。世界をボーダフォンになぞらえ、すべてのお金はボーダフォンが印刷したエアタイムだと想像してみると、この仕組みがいかに巧妙にできているかがわかるだろう。

ボーダフォンの上層部が「エアタイム」のほとんどを手にすることを理由に、一般社員がこのようなやり方に不満を抱いているとしよう。そこで、アンダーセン・コンサルティングのような外部の経営コンサルタントを雇い、システムを管理してもらうことに全員が合意する。彼らの働きぶりは、中央銀行のようなものだ。正直なところ、この経営コンサルタントが、ボーダフォンの役員に有利にならないようなシステムを導入するだろうか？

政府によって毎週作られる法律は、政府の役に立つか政府の所有物でしかなく、国民に適用されるべきものではない。大半の人々は、自分が政府の所有物ではないと思っている。私たちは自由であり、政府は私たちのために奉仕していると信じているが、おそらくこの考え方は改めなければならない。

国や政府に忠誠を誓うということは、企業や彼らが作る法律に忠誠を誓うということである。これが、彼らが国民に「国の法律」を強制する権利を維持する理由である。

人々は法律上の名前と生年月日の組み合わせ、または個人番号で識別されるたびに、居住している国という「企業」に管轄権を許しているのだ。企業名が「南アフリカ共和国」であれ、どこの国名であれ、同じことだ。

一般に、国への忠誠を誓う宣誓や誓約をするのは、警察や空軍、軍隊などの政府機関に入る人たちだけである。その他の人たちは、自分が生まれた国の国民であると思い込まされている。ここで、2つの質問をさせてほしい。まず1つ目に、「あなたは自分の国の国民であるか？」ほとんどの人が「はい」と答えるだろう。では、2つ目の質問をしよう。「国民の定義とは何であるか？」

この問いに対しては、答えをまったく思いつかないという人が大半だろう。しかし、もし国民の定義を知らないのであれば、なぜ1つ目の質問に「はい」と答えるのだろうか。『ブラック法律辞典』では、市民（つまり国民）とは「利益や特権と引き換えに国家に忠誠を誓う人」と定義されている。おめでたいことに、たった今あなたは無意識のまま、企業に忠誠を誓ったことになるのだ。軍隊のように、あなたの自然な「権利」はすべて剝奪され、利益と特権に置き換えられている。利益や特権と言っても、そのように見えたり聞こえたりするだけで、実際には権利ではない。やはり軍隊と同じで、与えられる特権はいつでも取り消される可能性があるのだ。例えば週末に家に帰ったり、無料で道路を運転したりする特権を、あなたがいつまで持っていられるのかは、誰にもわからない。

この一見して無害なプロセスを通して、政府は、陸軍、警察、海軍、ＦＢＩ、そのほかの政府保安機関に勤務するすべての人々を騙している。政府に仕える彼らは、自らの働きが国民の権利を守っていると信じ込まされながら、実際には、自らを含む国民を奴隷にする企業の法律を執行しているのだ。まさに壮大な欺瞞である。いつの間にか警察は、平和維持者から企業のための資金調達者へと変貌を遂げた。犯罪と戦う代わりに、税金や交通違反の罰金、通行料を徴収し、さらには人々を自宅から立ち退かせる手伝いまでしているのだ。

一方、もしあなたが企業を放棄し、身を引くことを選択するならば、彼らに法律を強制する権利はないはずである。しばしば自由民権主義または主権者主義と呼ばれるこの考え方は、世界中で支持者を増やしている。

企業の法律がすべて、一般の人々にとって可能な限り複雑でわかりにくいものになるよう作られていることは、既にはっきりしたはずだ。これほど長い間、国民が指導者たちの悪意ある行為を目にすることができなかったのは、深く入り組んだ欺瞞のスパイラルが原因なのである。

正義に関する大統領への質問

この観点から、私たちは法務大臣と大統領に以下の質問をする必要がある。

1. 南アフリカ共和国（またはそのほかの国々）という企業のCEOは誰なのか。
2. 南アフリカ共和国政府という企業のCEOは誰なのか。
3. もし大統領がCEOで、大統領が司法に関する任命権を持つならば、任命された人々は企業のCEO、すなわち大統領の意向に沿うため、司法は独立していると言うことは決してできない。これは、正しいか正しくないか。
4. 企業によって作られた法律は、企業に忠誠を誓った従業員、財産、臣民以外にも適用されるのか。
5. もしそうなら、法律は誰に適用されるのか。また、なぜ企業のために働いていない人々にまで適用されなければならないのか。
6. 南アフリカ共和国や南アフリカ共和国政府と呼ばれる企業に対して、南アフリカの国民はどのような関係性を持っているのか。
7. 南アフリカの人々ないし市民と、南アフリカ共和国または南アフリカ共和国政府の間には、何らかの合意がなされているのか。
8. もしそうなら、その契約はいつ結ばれ、契約書はどこにあるのか。
9. 南アフリカの国民は、上記の企業に対して何か義務を負っているのか。
10. もしそうなら、南アフリカの国民は企業から離れて義務を放棄する権利を持っているのか。
11. 南アフリカの国民が企業への義務や所属を辞した場合でも、企業は彼らに法律を強制する権利を有しているのか。
12. もしそうなら、どのような根拠と手段をもって、法律を押し付けるのか。
13. 権利章典、憲法、国連人権宣言は、いかなる形態の奴隷や強制労働も厳しく禁じている。南アフリカと呼ばれる土地に住む人々は、存在さえ知らなかったこれらの企業との関係や責任をすべて断ち切る権利があるのか。

私たちは皆、自由に生まれてくる。主権者である人間、血を通わせ無限の魂を持つ人間であり、神聖な創造主からの譲れない権利を有している。誰であろうとも、その権利を奪ったり、侵害したりすることはできないのだ。

企業とは何か

企業とは紙に書かれたアイデアであり、その紙片に定められたアイデアとルールを実行するために、大勢の人々がせわしく走り回っている。企業は呼吸をすることも、血を流すことも、感情を持つこともなければ、無限の愛を示すこともできない。それができるのは、人間だけである。

1868年にアメリカ合衆国憲法修正第14条が可決されたとき、独裁の時代が幕を開けた。巧妙で、容赦なく、致命的な暴政は、「企業」という形で現れた。皮肉なことに、修正第14条自体は企業の専制を引き起こすことを意図してはいなかった。しかし、修正案が署名された直後のある法廷で、裁判所の記者が、企業の法的地位に関して決定がなされたと誤って記録したのだ。実際にはそのような決定などなかったにもかかわらず、その日以降、企業は私たち人間と同じ権利を与えられるようになった。そして、私たちが今日まで抱えている悪夢が始まったのである。

1868年の時点で、企業は生きている人間とまったく同じように扱われることになっていた。実際、法律用語では「法人」と呼ばれている。しかし、「法人」は（男性にせよ女性にせよ、性別がないにせよ）道徳心を持たず、細胞や組織が朽ちて死ぬこともないので、永遠に拡大を続ける。人間は「消費者」として企業に絶えず餌を与え、太らせ、この怪物が周りにあるすべてから生命を吸い取るのを見続けているのだ。この怪物は、無責任に資源をむさぼり、たった1つの目的、経済的な利益を最大化するためだけに活動している。

そして、私たちの法律は、生きている人間の権利よりも、紙切れである企業の権利を擁護しているのだ。企業は、私たちと同じように「人」だとみなされている。唯一の違いを挙げるのであれば、私たち人間はほぼ例外なく、自ら企業との契約に署名しているということだ。企業が進んで私たちと契約を交わすことは、仮にあったとしても非常に稀だろう。この違いが存在しているために、私たちは納品者、労働者、支払者といった立場に置かれ、企業の利益のために権利を繰り返し差し出すことになる。

法律を制定し施行するのもまた人間であるということは、悲劇でしかない。彼らは意識的に行動しているのではない。奴隷が服従を強いられるのは、奴隷にとってその生き方がすべてだからなのだ。これを思うとき、私の脳裏をある聡明な預言者の言葉がよぎる。「彼らを許しなさい。自分たちが何をしているのか、彼らはわかっていないのです」

もし、全人類に対して行われた大きな不正義があるとすれば、まさにこのことである。そして、不法行為が何千年も続いていることを、私たちは認識すらしてしない。

特に過去500年間の奴隷制度や奴隷貿易という残酷な非人道的慣行を振り返ってみてほしい。奴隷貿易を行う企業は、財産として取引された奴隷たちに比べて、無限に強力な影響力を法律に対して及ぼしていたことがわかる。

奴隷商人は、その社会で高い地位にある貴族であることが多かった。人の不幸を売買することで、彼らは莫大な富と政治的権力を手に入れた。現代の私たちからすると、普通は考えられないことである。しかし、私たちの一人ひとりは今、これと同じ状況になり果てている。自分が生まれついた企業ないし国に対して、無知な奴隷になっているのだ。

この欺瞞のもっとも悲しいところは、私たち奴隷の大半が奴隷の主人とそのシステムに洗脳されきっているため、システムを守り、そのために死ぬことさえ覚悟していることだ。そこで、次の2つの歴史的名言を思い出してもらいたい。

「自分が自由だと信じている人ほど、奴隷にされている人はいない」ゲーテ

モーフィアス：「マトリックスはシステムだ、ネオ。そのシステムこそが我々の敵だ。だが、中に入って周りを見渡せば、何が見える？　ビジネスマン、教師、弁護士、大工。我々が救おうとしているのは、こうした人々の心そのものだ。しかし、救い出すまで、彼らは依然としてシステムの一部であり、我々の敵なのだ。プラグを抜く準備ができている人などほぼいない。多くは慣らされ、絶望的にシステムに依存しているからこそ、システムを守ろうとして戦うのだ」映画『マトリックス』

- 法律は企業のためにある。
- 法律は人々のためのものではない。
- 企業は生きている人間よりも多くの権利を持つ。
- 私たちは99％側の人間だ。
- 私たちは政府を人々への奉仕者として任命した。
- 政府は人々に奉仕していない。
- 私たちはこの状況をどうすればいいのだろうか。

「近代」貨幣は、金塊と奴隷を所有する者によって作られたことを忘れてはならない。彼らは蓄えておいた現物の金よりも多くの紙幣を配れることに気づき、必要なだけ紙幣を印刷した。彼らはこのお金でカルテルを築き、帝国を築き、今日まで繁栄を続けているのである。お金を我が物にしている彼らは、誰が法律を作るかなど気にも留めない。

私たちは、人々に奉仕するまったく新しい法体系を必要としている。人民のために、人民によって書かれた法律である。それは、どんな「架空の存在」や企業よりも人間を第一に考える法律、すなわち「人間法」と呼ぶべきものだ。もし私たちに未来があるならば、主に若者たちを次の時代に導く新しい法律の作り手に据える必要がある。新しい法律は、ありとあらゆる観点から豊かな未来を切り拓く。今のままでは、私たちの子供たちに待ち受けているのは、絶対的な奴隷制度だけである。

高次の意識への大転換／社会が必要としているもの

嘘偽りのない正直な気持ちになって、この地球で豊かに生きるため、呼吸する人間として何が本当に必要か見極めてみよう。

食べ物、水、愛、友情、衣服、シェルター、火などは、当然必要だろう。だが、もっと自由に考えて、今いる場所を見まわしてほしい。あなたの目には、ほかにどのようなものが映るだろうか。テーブル、椅子、ランプ、冷蔵庫、紙、ペン、本、ナイフ、フォーク、テクノロジー、電話、コンピュータ、電気、靴、枕、毛布、老眼鏡、車、芝刈り機、ホース、洗面器、食器棚、電池、コップ、皿、扇風機、木、鶏、牛、ヤギ、植物、種、自転車、ベビーカー、マットレス、タオル、ヘアブラシ、本棚、瓶、カーペット、タイル、蛇口、ハンマー、釘、ネジ、木材、レンガ、ペンキ……。おそらく数え上げればきりがない。

このリストに登場しておらず、かつ私たちの生活や生存に必要でないものは何だろうか？

答えはお金である。ひとたびお金への依存を克服し、お金に支配される人生から抜け出せば、私たちは気づきを得ることができる。お金には何も役割もなく、人間の存在こそが重要なのだ。お金は、人々が必要とするものや実行したいことの前に立ちはだかる。お金は進歩の妨げであり、人間として成し遂げたいことを阻むものである。

お金は何の役にも立たず、すべてを担うのは人である。人は種をまき、食物を育て、橋を架け、数式を解き、ロケットを作り、フリーエネルギー装置を設計し、労働を効率化する機械を作り、服や靴を作り、困ったときには抱き合い、慰め合う。人の行為は多岐にわたり、制約のない限り果てしない広がりを有する。人は奥深い感情を持ち、無限の愛を注ぐことができるのだ。

お金がしてくれることなど何もない。お金はあらゆる進歩に対する障害物であり、人類を支配して奴隷化する絶対的な道具なのである。

スペースシャトルのミッションが中止されたのは、打ち上げる人材がいない、または宇宙探査を望む人がいないからではなく、十分なお金がないことが理由のようだ。しかし、その一方でウォール街のバンクスターたちは、人類の利益になるすばらしいプロジェクトに使えたはずの何兆ドルもの資金で救済を受けている。銀行家たちが興ずるグローバルカジノの規模は1000兆ドルを超え、地球全体のGDPの20倍に相当する。それでもお金が足りないのだ。

周りを見渡し、町や都市の荒廃ぶりに目を向けてみよう。まるで全体が崩壊しているようで、壊れた場所の修理や交換には果てしない時間がかかり、いたるところに貧困や飢餓の影が見られる。なぜなら、問題に対処する人がいないからではなく、お金が不足しているからである。

世界中の政治家はお金に関して意見を述べ、「限りあるわずかなお金を、いかに人々のために使うべきか」という命題をしょっちゅう言い訳に利用し、議論のテーマにする。にもかかわらず、なぜか私たちのニーズや抱えている問題は十分に対処されることがない。どういうわけか政治家は物事を正すことができないし、私たちは欲しいものや必要なものを手にすることができない。いつだってお金が、私たちのニーズや進歩を邪魔するのである。

しかし、銀行家が問題を抱えることなど決してない。たとえ銀行は破綻したとしても、救済を受けられる。何百万人もの人々が途方に暮れ、ホームレスになり、飢えに苦しみ、誰からも助けてもらえない状況でも、銀行家は常に救われるのである。明確なメッセージが、もう皆さんに伝わったと信じている。

バンクスターはお金を武器に、世界を支配しているのだ。

シンプルな解決策と元凶にあるお金

私たちの多くは、人類が直面している問題に目を向け、その解決策を考えたことがあるのではないかと思う。ゴミ出しやリサイクルのように些細で日常的なことから、フリーエネルギーのような科学的な着想まで、さまざまな問題を解決するために必要なあらゆる専門知識を持つプロフェッショナルは何十億人もいる。実は、私たちの問題に対する解決策は、とてもシンプルなのである。

しかし、どういうわけか、政治家や政府はこうした問題にまったく対処できない。彼らが解決を試みるにしても、それは常にどこかの誰かの利益になるような隠された意図と結びついており、国民に向けた純粋な誠意が動機なのではない。彼らは何週間も何か月も密室で議論し、振り分けた予算を不正に流用する。それは単に「盗み」や「浪費」を、別の飾った言葉で言い換えているだけで、その間にも私たちの問題は深刻さを増していく。

なぜかと言えば、政治家は問題解決の専門家ではなく、公約を掲げ、政党やその資金源である銀行家の計略を推進する専門家だからである。

科学者、エンジニア、農民、そして一般の人々は、すべての問題を解決するための答えと知識を持っており、急速な進歩のための土台を提供している。しかし、政府や政治家はそうではない。食糧危機なら、農民に解決してもらえばいい。工学的な問題はエンジニアに、科学的な解決策は科学者に任せればいい。教師には学習のための創造的なアイデアを、水の専門家には皆にきれいな水を提供してもらえばいい。人類が抱える問題の答えはシンプルであるから、必要なのは情熱と技術を持った人たちに委ねることだけなのである。

しかし、偉大な科学者や研究者のほとんどは、大企業に属する大学や研究所、協会などに勤務しており、そうした機関は銀行家から資金援助を受けている。彼らの研究は企業の利益になる分野に限定されるため、革新的な発見を耳にすることはほとんどない。逆に私たちが繰り返し耳にするのは、「新たな画期的研究により、がんの治療法発見にまた一歩近づいた」というような、中身のない話ばかりである。これはすべて、人類にとっての「希望」の炎を絶やさないために巧妙に組み立てられたプロパガンダであり、私たちは指導者たちが最善を尽くしていると信じて、また今日もあくせく働いている。企業の利益になるようコントロールできる場合を除いて、重要な新発見はすべて人目につかないように隠されているのだ。

科学者は、計略のもとで動く政府のために働くべきではない。独立した研究機関だけが、世界の人々に届く真の飛躍的進歩を生み出す可能性を持っている。そこでの発見は、機器や技術に転換され、人々の利益になるような方法で応用されるだろう。現在の研究システムは、私たちを欺き続ける者たちだけのために役立てられているのである。

金儲けに反対し続けてきた偉人たち

何千年も前から偉人たちは、お金によって人類が虐げられる状況に何度も立ち向かってきた。これは新しいことではない。いまだにお金が日々の生活に用いられているという事実は、バンクスターたちが長い歳月を経ながらも、いかに強力であり続けているかを示している。

紀元前48年、ユリウス・カエサルは両替商（銀行家）から貨幣鋳造権を取り戻し、ローマ帝国のすべての人々のために貨幣を鋳造した。新しく豊かな貨幣供給をもって、カエサルはいくつもの大規模な建設計画を成功に導き、すばらしい公共施設を築いていった。ローマは活力に満ち、カエサルは愛され、民衆は栄えた。

しかし、これは両替商が望んでいたことではなく、彼らはお金の供給をコントロールしたがった。ユリウス・カエサルのその後は、誰もが知るところである。彼は暗殺されたのだ。暗殺の理由は明らかになっていない。ただ言えるのは、彼がバンクスターに立ち向かったということだ。

ケネディ大統領のときと同様に、カエサルが暗殺された直後、ローマでは潤沢だった貨幣供給はなくなり、税金が増え、腐敗が進んだ。最終的にローマの通貨供給量は、90%減少したのだ。その結果、庶民は土地や家を失い、バンクスターが富み栄えた。歴史は繰り返されるようである。

今日においても、何百万もの人々が財産を失っている。その一方で、銀行はしばしば競売を通して破格で不動産を購入する新しい顧客に借換融資を重ね、繁栄を続けている。ゆっくりと着実に、私たちの目の前で全世界を支配しているのである。

フランスでは、１７１０年頃と１７８０年頃の2回、不換紙幣が導入されたことがあった。いずれも大規模なインフレを引き起こす大失策となり、バンクスターたちは人々が古い慣習に戻るのを阻止しようと動き出した。彼らは市中にある金銀の差し押さえに取り掛かったがうまくいかず、多くの人がギロチンで斬首されることになった。ある時は、インフレを抑えるために、商品価格の上限を商人に設けさせようとしたことすらあった。これもうまくいかなかったので、商人たちは店を閉めることになった。

どこか聞き覚えはないだろうか。３００年後、私たちはこれと同じことを繰り返し、違う結果を期待しているのである。

紀元30年頃、イエス（ヨシュア）は強制的手段を用いて、神殿から両替商を文字通り追い出した。イエスがその生涯で、また指導者であった期間において、誰かに対して物理的な力を行使したのは、おそらくこのときだけだろう。

神殿税を納めるためにエルサレムを訪れたユダヤ人たちは、半シェケルという特定の硬貨でしか税金の支払いができなかった。これは重さ約半オンスの純銀と等価で、アメリカの25セント硬貨ほどの大きさであった。当時、純銀製で重量の裏付けがあり、かつ異教の皇帝の肖像が描かれていない硬貨は、半シェケルをおいてほかになく、神に受け入れられる唯一の硬貨だったのである。

そして、不運にも半シェケル硬貨不足が起きてしまったとき、両替商が市場を独占した。彼らは民衆が何とか耐えられる限界まで物価をつり上げ、望む額面の支払いをユダヤ人に強要しながら、硬貨の独占により法外な利益を得た。

イエスは、両替商の行為と硬貨の独占が祈りの家の神聖さを穢（けが）しているとして、彼らを神殿から追い出した。それから数日後、両替商たちはイエス殺害を求めたと言われている。

聖トマス・アクィナスは１２２５年に生まれ、カトリック教会を代表する神学者となった。彼は、乱用されているお金のあり方に明確な考えを示した。利子を取ることは、お金そのものとお金を使用することの両方に対価を求める「二重請求」であり、間違っていると主張したのである。

彼の考えは、お金の目的は社会の構成員に奉仕すること、そして、道徳的な生活に必要な財の交換を促すことであると説いたアリストテレスの思想を受け継いでいる。利子はお金の使用に不必要な負担をかけるという点で、道理と正義に反していた。

中世ヨーロッパの教会法では、利子つきの貸付が禁じられ、「高利貸し」と呼ばれる犯罪にさえなっていたのは、実に興味深いことである。

参考：アンドリュー・ヒッチコック『両替商の歴史』

2000年当時、中央銀行を持たない国は世界でわずか7か国だった。アフガニスタン、イラク、スーダン、リビア、キューバ、北朝鮮、イランである。

実はムアンマル・カダフィは、イラクでも流通したディナール金貨を地域一帯の新しい通貨として再び普及させ、アフリカ諸国に対して石油輸出の代金を新しいディナール金貨でのみ支払うことを主張しようと考えていた。これは、世界の金のほとんどを産出するアフリカにとって、心理的にも経済的にも祝勝となるはずだった。しかし同時に、貨幣の供給を支配する者たち、その政府や軍隊が快く思うことではなかった。その結果、カダフィの計画は立ち消え、彼の公開処刑の様子が世界中のニュースチャンネルで報じられるところとなった。

経済界での暗殺者たちの時代は、今となってはもう過去のことだ。というのも、独立国への本格的な軍事侵攻のほうがはるかに儲かるのである。

2013年現在、中央銀行を持たない国はキューバ、北朝鮮、イランの3か国だ。米国の対キューバ禁輸措置は継続中で、キューバからの小型船および船舶は、特別な許可がない限り米国への航行を許されていない。

北朝鮮に対しては大規模な制裁措置がとられており、周知のとおりイランとは、侵略と全面戦争にいつでも発展し得る緊張状態にある。

ただ、近代で言えば、トーマス・ジェファーソンほど私たちに冷厳な言葉を残した偉人はいない。アメリカ建国の父の1人であるジェファーソンは、まさに今日起きていることを予言していた。民間銀行とエリート銀行家の一族が貨幣の供給を支配し、世界を思いどおりに操っている現状のことである。

「私は、銀行という組織が我々の自由にとって、常備軍よりも危険であると信じています。もしアメリカ国民が民間銀行による通貨発行の支配を許せば、銀行と銀行のすぐそばで繁栄する企業が、まずはインフレ、次にデフレを起こし、国民からすべての財産を奪うでしょう。それは我々の子供たちが、かつて父親らの勝ち取ったこの大陸でホームレスになるまで続きます。通貨発行権を銀行から取り上げ、本来あるべき人民の手に戻さなければなりません」

トーマス・ジェファーソン

世界は今日、まさにジェファーソンが予言したとおりの状況にある。今の子供たちは生まれながらにして、バンクスターが支配するこの地球で奴隷制に組み込まれるホームレスだ。子供たちの世界は、既にバンクスターによって奪われてしまったのである。

お金の創造と流れを支配する者たちは、お金が人々に及ぼす影響をよく理解している。まさにお金とは、人間性を脅かす不治の病に違いない。しかし、私たちが自らを癒すことができないのは、それが病気であることを認識していないからである。一度でもこのことに気づきさえすれば、私たちはずっと巧妙にはぐらかされてきた治療法を特定することができる。

アメリカ合衆国大統領ジョン・F・ケネディは1961年4月27日の演説で、秘密裏に進められている企業（連邦準備制度や銀行エリートを含む）と秘密結社とのやりとりに言及している。以下は、ケネディの主張からの引用を一部編集したものである。

「『秘密』という言葉は、自由で開かれた社会では忌み嫌われるものです。人々は本質的に、そして歴史的にも、秘密結社や秘密の誓い、秘密の手続きなどに対抗してきました。（中略）それまでの準備は、公表されないままに隠蔽されます。犯した間違いは、ニュースの見出しになることなく葬り去られます。反対の声を上げる人々は、称えられる代わりに口を塞がれます。費用が疑問視されることも、うわさが新聞に書かれることも、秘密が暴かれることも、決してないのです」ジョン・フィッツジェラルド・ケネディ

ケネディ暗殺は、この演説を行ったことによる必然的結果だったという意見が多い。突き詰めると、彼は銀行家たちと人類を操ろうとする者たちの秘密に覆われた集団に警笛を鳴らしていたと言える。もはやケネディは、大統領である自分がアメリカ国民の繁栄への道筋を握っているのではなく、少数の有力者がそれを絶対的に支配していることを悟っていたのである。

良くも悪くも有名なお金にまつわる名言

アクトン卿：「これまで何世紀もかけて徐々に広がり続け、遅かれ早かれ決着をつけなければならないこと、それは、国民対銀行の問題である」

ジョン・シャーマン（1863年、ロスチャイルド兄弟商会）：「このシステムを理解できるごく少数の人々は、シス

テムの利益に強い関心があるか、その恩恵にすっかり依存している。この層からの反対はないだろう。一方、大多数の人々は、資本がこのシステムから引き出すとてつもない利点を理解するだけの知能を持ちあわせていない。彼らは不満を覚えることなく、ただシステムの重荷を背負うことになるだろう」

ジョサイア・スタンプ卿：「銀行業は不義に宿り、罪の中に生まれた。銀行家たちは地球を我が物にしているのだ。彼らから地球を取り上げたとしても、彼らに預金を作り出す力を残しておけば、ペンを動かすだけで、再び地球を買い戻すのに十分な量の預金を作り出すことができる。しかし、彼らからその力を取り上げれば、巨万の富は私が所有する分も含めてことごとく消え去り、彼らもまた消えざるを得なくなるだろう。それでも、もしあなたが銀行家の奴隷であることを望み、その代償を払いたいのであれば、銀行家に預金を作り続けさせておけばいい」

ラルフ・M・ホートリー（イギリス財務長官）：「銀行は信用を創造することによって貸出しを行う（帳簿記入による信用、債務の貨幣化）。彼らは何もないところから支払い手段を作り出すのだ」

ジョン・メイナード・ケインズ卿：「この手段によって、政府は人知れず密かに、国民の富を没収することが可能で、百万人に一人もその盗みを発見することはできないだろう」

ウッドロウ・ウィルソン：「偉大な産業国家は、信用システムによって支配されている。そして、我々の信用システムは少数の人間の手のうちに集中している。我が国は、最低最悪の支配下に置かれ、世界的にも非常に統制力が強くて独占的な政府を持つ国になり果てた。自由な意見が許される政府、大多数の人々の信念と投票で成り立つ政府では、もはやない。むしろ、権勢を振るう者たちの小さな集団の意見と脅迫によって動かされる政府なのだ」

ロバート・H・ヘムフィル（アトランタ連邦準備銀行）：「私たちは完全に商業銀行に依存している。私たちが流通させる現金や信用貸付などのドルはすべて、誰かに借りられなければならない。もし銀行が合成通貨を豊富に創出すれば私たちは繁栄するが、そうでなければ飢えてしまうのだ。恒久的な貨幣制度が、まったく存在していない状況だ。（中略）これは、知識人が調査・考察するべき最重要テーマである。このことが広く理解され、その欠点がすぐに改善されない限り、現在の文明は崩壊するかもしれない。それほど重大な問題なのである」

『現代貨幣のしくみ　ワークブック』（シカゴ連邦準備銀行、1975年）：「もともと紙幣にも預金にも、商品としての価値はない。ドル札は単なる紙切れで、預金は単なる帳簿上の記録である」

チャールズ・A・リンドバーグ・シニア（1913年）：「これ（連邦準備法）は、地球上で最大の信託を形成する。大統領（ウィルソン）がこの法案に署名すると、貨幣権力という目に見えない政府が合法化されることになる。（中略）銀行および通貨に関するこの法案によって、歴史的にも最悪の立法犯罪が行われる」

公務員年鑑『オーガナイザー』1934年1月号より引用：「資本は資本そのものの力で、完璧に守られなければならない。（中略）負債を回収し、貸付金や抵当権をできるだけ早く差し押さえる必要があるのだ。法の手続きによって庶民が家を失えば、彼らは扱いやすい存在になる。さらに、有力な資本家たちで固めた中央権力が適用する法律の強い影響力で、彼らはより簡単に支配されるようになる。家をなくした人々が、指導者と争うことはないだろう。世界を支配するために資本主義という帝国の構築に取り組む有力者たちは、このことをよく知っている。人々を分断すれば、大衆を教え導く者という立場以外では何の重要性も感じられない問題をめぐって、彼らを争わせ、消耗させることができるのだ」

ジェームズ・マディソン：「歴史を振り返ると、両替商は貨幣と貨幣発行の操作を通じて政府への支配力を維持するべく、形式や形態を問うことなく、濫用、陰謀、欺瞞など行使できる横暴な手段を何でも用いてきた」

バリー・ゴールドウォーター上院議員：「国際的な金融業者の運営実態を正しく理解しているアメリカ人はほぼいない。連邦準備制度は、一度も会計監査を受けたことがない。議会の監視を受けることなく業務を遂行し、米国の信用を操作しているのだ」

ジョン・アダムズ大統領：「アメリカにおけるすべての混乱、無秩序、苦悩は、憲法や連合の欠陥からではなく、誠実さや美徳の欠如からでもなく、貨幣、信用、流通の本質に対する完全なる無知から生じている」

ヘンリー・フォード・シニア：「お金の問題を解決できる若者は、歴史上すべての職業軍人よりも、世界のために多くのことを行うだろう」

L・L・B・アンガス少佐：「現代の銀行システムは、何もないところから貨幣を製造している。このプロセスは、おそらく過去のどんな発明をもしのぐ、とてつもなく驚異的な奇術だ」

メアリー・エリザベス・クロフト：「私たちは信用を担保にして、無から作り出される銀行家の紙幣を使用する。その代償として、ものや労働資産、土地の生産性、事業、資源などの形で返済を強制され、求められる返済額は増え続けている。（中略）

私たちは、ほかの預金者の預金を元手に貸出しを受けたかのように思い込まされている。（中略）借りたのは、署名することで生まれる貨幣化された信用である。（中略）母親が出生証明書を申請すると、登録されたのち、赤ん坊の法的な所有権が母親から国家に移る。母親に残されるのは、『使用税』を支払うことで使用できる、赤ん坊の衡平法上の権利である。赤ん坊という資産は母親に属しているわけではないため、所有者が望むように扱うことを彼女は求められる」

『現代の貨幣のしくみ』（シカゴ連邦準備銀行）：「資本創造の実際のプロセスは、主に銀行で行われている。（中略）銀行家は、借り手に支払いの約束をするか銀行券を渡すだけで、融資を行えることを発見したのだ。そうして銀行は貨幣を生み出すようになった。現代のトランザクションデポジット（制約や制限なしにアクセスできる小切手にすることが可能な預金）は、銀行券と同様のものである。銀行券を印刷することから、ほんの小さなステップを踏んだだけのことだ。銀行が借り手の預金を帳簿に記録すると、今度は借り手が小切手に署名してそれを「使う」ことができる。これにより、銀行はお金を「印刷」するのである。

融資を通して生み出される預金は、預金者の要求に応じて支払わなければならない債務であり、顧客が銀行に小切手や通貨を預けることによって生じる債務と同じである。もちろん、預金として受け取ったお金から本当に融資をするわけではない。もしそうすれば、追加のお金は生まれない。銀行は融資を行うときに、借り手の決済口座への入金と引き換えに、約束手形を受け取るのである」

H・L・メンケン：「現実的な政治の目的は、実際には存在しない魔物たちで絶えず民衆を脅し、彼らを常に警戒状態に置くことである（その喧噪を安全へと導くのだ）」

ブリタニカ百科事典（第14版）：「銀行は信用を生み出す。銀行の信用が、銀行に支払われるお金によって作られるという前提は誤りである。銀行が行う融資は、コミュニティ内に存在する総資本に対して、明らかに水増しされたものである」

リチャード・マッケナ：「一般市民は耳にしたくないこと

かもしれないが、銀行は貨幣を創造したり破壊したりすることが可能で、それを実行してもいる。国家の信用を支配する彼らは、政府の政策を指示し、国民の運命を意のままに従わせているのである」

デニソン・ミラー卿：「この真実は、世界を支配するために資本による帝国主義の確立に従事する権力者たちの間で広く知られている。政党のシステムによって有権者を分断することで、彼らを些細な問題で対立させ、エネルギーを消費させることができる。したがって、私たちは慎重に行動すれば、このよく練られた計画のもとで見事に達成されてきたことを、確実に手にすることができるのだ」

ジョージ・ブッシュ：「もし、私たちがした行為が国民に知れたら、町中で追いかけ回された挙句に、リンチされることになるだろう」

成功の尺度

資本主義社会では、お金が成功の尺度として描かれる。多く持っていればいるほど、より成功したことになるのである。私たちは幼い頃から、懸命に働くほど大きな成功を収められると教えられ、大抵の場合はお金がその成功の尺度として語られるのだ。「資本主義（キャピタリズム）」という言葉の「キャピタル」には、お金である「資本」と、資本の流れをコントロールする場である「首都」という意味がある。この2つのつながりにぜひ注目してもらいたい。

私たちは、成功するためには一番でなければならない、何としても頂点に登り詰めなければならない、と言い聞かされる。競争は良いこととされるが、競争するなら勝負に勝たなければならないし、競争相手を出し抜かなければトップに立つことはできない。競争の激しいビジネスの場において相手を出し抜くということは、多くの場合、もう競争が起こらないよう相手を潰すことを意味し、それは完全な支配力を持つ独裁へとつながる。

というのも、事業や商取引は所有者や株主の利益がすべてであるため、競争をなくすことで株主に入るお金を増やすことができるからだ。資本主義的な金儲け第一の社会モデルには、根本的に欠陥がある。1つの巨大企業が競合他社を排除、吸収し、最終的にすべてを所有することにつながるからである。

80年代以降、地球を席巻したグローバリゼーションの名のもと、まさにこれと同じことが現実に起きるのを私たちは見てきた。少数の巨大企業が世界を支配する状況からはまだほど遠いと考える人々も多いようであるが、残念ながらそれは間違いである。

国家は、国民を含むすべてを所有する企業になってしまった。そして、国が作った法律や警察、軍隊など、あらゆる手を尽くして国の利益を守ろうとしている。同時に奴隷たちを管理や会計のような極めて単純で退屈な雑務で忙殺し、真実を理解するだけの時間やエネルギーを持てなくさせているのだ。

商業の世界は、欲に事欠かないようである。お金と権力への渇望は膨らみ続け、ひとたび頂点に立った者は、留まるためにできることを何ひとつ惜しんではならない。なぜなら、トップを引きずり下ろし、自分がその地位に立って城の王をしばらく演じようと企てる者が大勢いるからだ。

これが持続可能な生存モデルでなく、むしろ人々を分断し征服するための見事な戦略であることはもう明らかだろう。私たちは貨幣の詐欺にまんまと乗せられ、どれほど分断、征服されたのかさえわからなくなっているのである。人は暮らしを良くするためにより多くのものとお金を欲し、つまらないものを蓄え、他者を感心させ、エゴを肥大させる。その結果、積み重なった重荷を扱うストレスに耐え切れず心臓発作を起こすか、いずれにしても老衰で死を迎えるのだ。

運が良ければ、子供たちが親の残したものを一部受け継ぎ、あとは同じ狂気のサイクルが繰り返される。そうでない場合は国家の手に渡り、すべての資産がオークションで売られ、「企業」と政府が再び利益を得るのである。

なぜかお金はいくらあっても足りず、一部の人だけが莫大なお金を貯め込み、大衆の蓄えはどんどん少なくなって

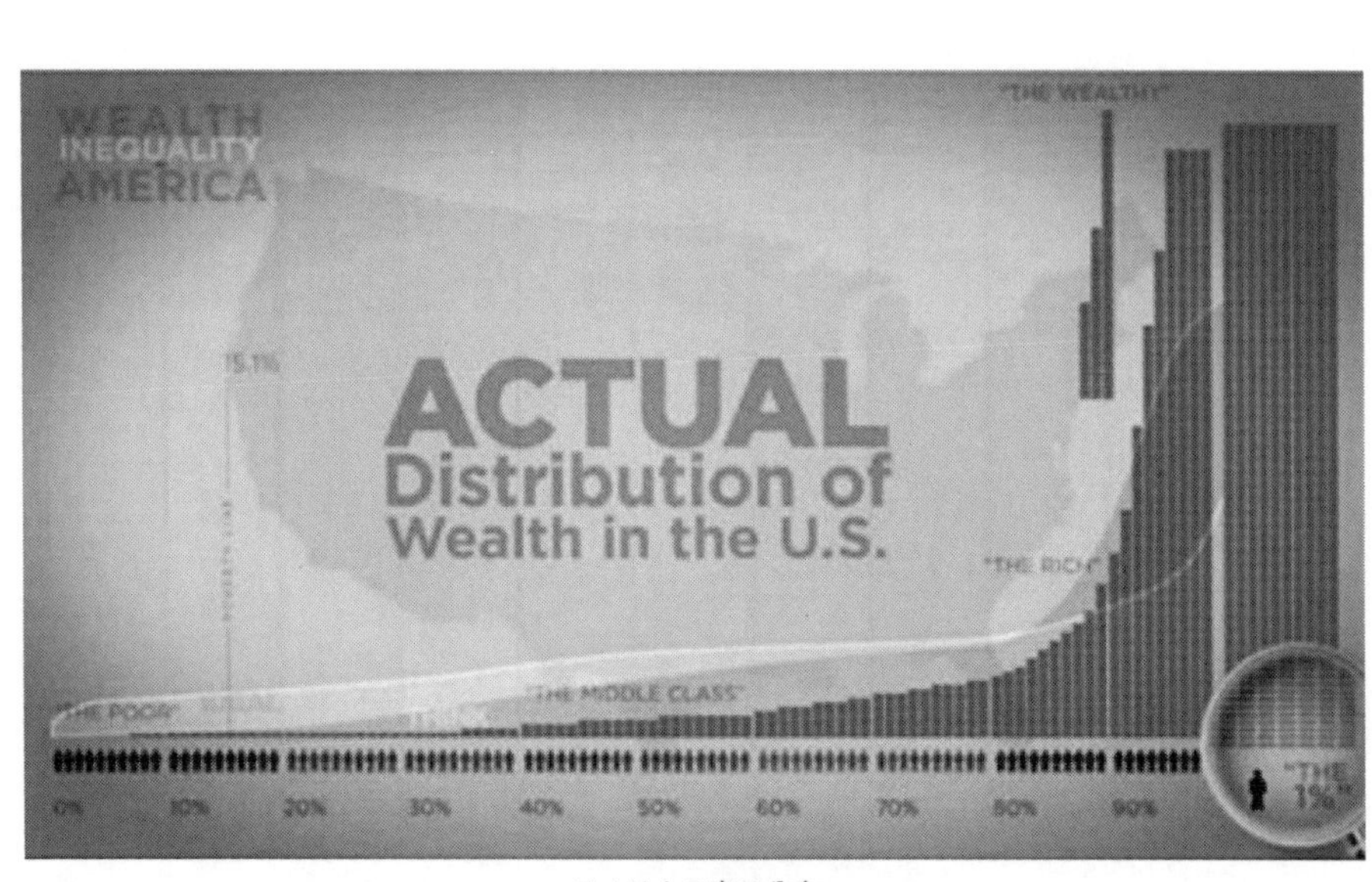

アメリカの富の分布

いく。悲しいことに、「金持ちはより金持ちになり、貧乏人はますます赤ん坊を生む」という表現には真実がある。これはまさに大衆をコントロールするための構造なのである。お金は人類を支配する完璧な道具だ。お金から逃れ、狂気とは無縁の健全で有意義な幸福生活を送ることは不可能に近い。しかし、それを実現した人たちがいる。私たちの誰もが、人知れず幸せに暮らしているそのような人たちを見つけ、彼らから秘密を学ぶ必要があるのだ。

あらゆる進歩への障害

ここまで話してきた思想は、「愛すること」「創造すること」という人間の基本的価値観と完全に相反するものである。私たちが子供たちに教えなければならないのは、競争ではない。少数のためでなく、すべての人の利益のために協力することだ。

お金を追い求めるなかで、私たちの精神、人間性、意識への配慮は完全に無視されている。暮らしを統制する法制度や法律にも同じことが言え、人間よりも企業という紙切れに大きな権利が与えられているのだ。人々は単なる「消費者」として扱われ、人間と見なされていない。

他人の人生の破壊に人生を費やすことを、仕事、いわゆるキャリアの一部にしている人が大勢いる。誰しもが、怒りや嫉妬、あるいは「7つの大罪」に含まれるような感情や欲望からの衝動に駆られて、そのような行為を経験したことがあるのではないだろうか。ただ、その瞬間を振り返って、自らの行動が周りの人々の人生に及ぼしたかもしれない影響や、時には取り返しのつかない結果について、深く考えを巡らせる人はあまり多くないと思う。

他人への行為に満足感を覚えるために、エリートたちは異国の地で休暇を過ごし、ボランティア活動をする。あるいはジャングルを探検したり、ヨガをしたり、仏教のリトリート施設に行ったり、ビーガンになったり、経を唱えたりもするかもしれない。余裕のあるエリートたちは、このような体験を他人の不幸によって得た大金で買い、自らの行動には常に正当性があると考えるようだ。私たちは自分たちの最大の敵になってしまった。誰かの指示を受けて、兄弟姉妹と争う準備をしているのである。

何百万人もの人々の夢が、日々お金によって打ち砕かれている。なぜなら、お金がなければ何もすることができず、事業を始めるなど事実上不可能だからだ。銀行家は毎日何百万件もの融資を断っている。借り手が提案するサービスや製品が必要とされていないからではなく、「資金的に実現できない」からである。

私たちは民間銀行に、無からお金を作り出すことだけでなく、うかつにも、彼らが神を演じることまでも許してしまったのだ。人々のできること、できないことが銀行家に委ねられるようになると、病んだ社会の症状が現れる。かつては両親や、司祭、教師がこのような権限を持っていたはずだが、今では完全に銀行家の手のうちにある。銀行家は、人類が何を手に入れ、何を手に入れられないかを決定するのである。

- お金はあらゆる進歩への障害である。
- お金は絶対的支配の道具として、さまざまな要素から作り上げられた。
- お金は、生きている人間すべてに流れる自然なエネルギーの連続性を断つ。

「お金で世の中が回っている」というのは狂気である。世の中は勝手に回っているのだ。お金の本質を説明するために、その影響をいくつか見てみよう。

- 私たちの生活はお金を追いかけることが中心である。
- 今の世の中、お金はすべてを支配する原動力である。
- お金を追い求め、日々私たちは大半のエネルギーを費やす。
- 犯罪の原因は大抵お金である。
- お金は家族を引き離す。
- お金は人を自殺に追い込み、家族を殺させる。
- お金はあらゆる進歩への障害である。
- お金は自然なエネルギーの連続性を断つ。
- お金は社会に深刻な分裂と差別をもたらす。
- お金は地球上のほとんどの不幸の原因である。
- お金は絶対的な権力と支配につながる。
- そのため、お金は世界のほとんどの紛争や戦争の原因になってきた。
- お金はエゴを肥大させる。
- お金は何もせず、人々がすべてを担う。

7つの大罪の主な原因は、お金にある。

- 暴食
- 強欲
- 嫉妬
- 傲慢
- 色欲

借金で自殺した母親についての記事

・憤怒
・怠惰

結果論ではあるが、いわゆる「7つの大罪」は世の中にお金があるからこそ生まれた概念で、その逆ではないのだろう。

金権主義

お金はありとあらゆる醜い側面を持つにもかかわらず、言い訳を必死に探して、その存在を正当化しようとする人たちがいる。「お金自体は悪ではなく、交換の単なる一形態である。人がお金を悪にしたのだ」といった言葉で説明しようとするのだ。彼らは、お金は悪ではなく、お金への「愛」が人類にとっての問題であると言う。「新しい」あるいは「合法的な」お金の形を見つければ、何事もうまくいくというのが、彼らの言い分である。

これはすべて、お金の闇にまだ本当の意味で目覚めておらず、無意識のうちにお金に溺れている人たちが用いる弁解にすぎない。お金の性質が変化したとしても、どういうわけか彼らはお金の恩恵を受けられると考えているのだ。読者の皆さんに、できるだけ深く胸に刻んでほしいことがある。

対立を引き起こすのは、お金への「愛」ではない……
私たちの不幸はすべて、純粋に「お金の存在」が原因である。

あらゆる問題の原因を見つけ出すには、お金の流れをたどればいいだけだ。お金はいつも確実に、地球上のすべての対立の元凶につながっているのである。

お金が幸せをもたらすと考えるのは、「平和のために戦う」ことが平和をもたらすと言うのと同じくらいおかしなことだ。しかし、どうやら私たちは何千年もこれを繰り返してきた。

暴力や争いでは決して平和を得られないように、もともと人類を分断する支配の道具であるお金が社会の利益となることはあり得ないのである。

お金を正当化する言い訳を探し求める人々が、しばしば共通して悩まされている副作用がある。依然として原因を

突き止められていない場合がほとんどだが、その正体は「恐怖」だ。「恐怖」は潜在意識下で作用し、多くの人々の人生のチャンスを遠ざける非常に強力な罠である。私たちがそれに直面せざるを得なくなるときは、突然やってくる。私たちが生きる世界では、何よりも恐怖が個々の決断を左右し、同時に経済的な奴隷状態から逃れるために私たちが越えなければならないもっとも困難なハードルとなっている。

死、病気、失業、神、罰、隣人、強盗被害、交通事故、権力、逮捕、窒息死、溺死、失敗など、私たちはあらゆるものに恐れを抱いているせいで、人生を楽しみ大切にすることを忘れているように見える。

世界規模のメディアは恐怖という巧みな戦術によって大衆をコントロールし、逸脱を阻止しようとしている。銀行や保険会社にいたっては、マーケティングキャンペーンの一環で恐怖をうまく利用し、大いに成功を収めている。「事故が起きたときの保障は？」「医療保険は十分ですか？」「老後のための貯蓄は足りていますか？」「子供の学費はどのように賄いますか？」など彼らの洗脳には終わりがないのである。

恐怖は私たちの潜在意識に狡猾に刷り込まれる。毎日ニュースを無理やり飲み込まされ、戦争、暴力、殺人、貧困、ホームレス、飢餓、不足、欠乏、金融不安などに常にさらされているのだ。テレビに良いニュースはないのに、私たちはハエのようにテレビに引き寄せられ、自分の惨めな人生に文句を言い、嘆き悲しむのである。覚えておいてほしい。これはいわゆる「プログラミング」である。

リアリティ番組やゲーム番組などにすら、同様の意図が奥底に流れている。出演者が大きな希望を抱きながらも、大抵は負けることへの恐怖で心を麻痺させてしまう姿を放映している番組が非常に多いのだ。

ユートピアの世界を映す引き寄せの法則

しかし、爆撃のように人類に浴びせられる恐怖には、さらに深刻な副作用がある。

私たちは日常的にニュースを見て、内容を取り込んでいる。のんきで滑稽な話題に混ざって、想像できる限りのあらゆる闇と負のエネルギーに絶えずさらされているため、そのすべてが潜在意識の中へ深く入り込んでゆく。そして私たちの現実と世界の捉え方は、「暴力的で暗くて危険なもの」になるのである。

自らこのような現実を予想するようになるのは、私たちが知らず知らずのうちに「引き寄せの法則」の餌食となっているからだ。

こうした自然法則の基本や、人類が過去100年間に量子物理学から学んだことを理解していないと言う人は、この分野についていくらか調べた上で、私がここで共有する考えをぜひとも確認してもらいたい。

私たちは、暗いエネルギーやネガティブなエネルギーに引きずられてゾンビの精神状態、すなわち生ける屍とならないように、共通認識を持ち、意識的な存在として団結して前進する必要があるのだ。多くの点で、人間は非意識的な歩く細胞の塊と化してしまった。周りの世界や母なる自然とのつながりを失い、生きている人間としての真の目的から切り離され、神聖なる創造主に対しても関心を持てなくなっている。

しかし、私たちはこの状況を一瞬で変えることができる。「引き寄せの法則」を使って、自分たちが暮らしたい世界のポジティブな考えやイメージを思い描けば、美しいユートピアの未来を映し出すことができるのである。私が心に映すのは、すべての人への愛であふれる結束したコミュニティの姿だ。そこでは、人々が地球と調和して暮らし、人類の挑戦があらゆる分野で飽くことなく繰り広げられるのである。洗脳によって私たちは自らを隷属させ続けている。私は読者の皆さんとともに、その連鎖を断ち切りたいと願ってやまない。

創造という行為自体を通して、誰もが神聖な創造主とつながっている。私たち全員が、永遠の魂を持つ生きた人間なのである。私たちの最大の願いは「愛すること」と「創造すること」であり、これこそが、全人類に利益をもたらすために私たちが地球でなすべきことである。

古代の熟練者や教師は皆、「私たちは神と共にあり、神は私たちの中にいる」と教え、「信仰は山を動かし、奇跡を起こすことができる」と説いてきた。彼らが私たちに伝えようとしていたのは、引き寄せの法則の本質なのだ。私たち一人ひとりに実現する力があり、その力を合わせれば、さらに多くのことを成し遂げられるのである。

よく言われるように、恐怖そのもの以外に何も恐れる必要はない。だから、物事を恐れるのをやめて、人生を精一杯生きよう。ウブントゥ貢献主義運動と新たに結成されたウブントゥ党が人々を統治しようとしないのは、このような哲学的、精神的な理由からである。彼らはむしろ、結束し自立したコミュニティにおいて、人々に自治の力を与えることを目的としている。ホームレスもいなく、飢えた者もいなく、コミュニティ全体のより大きな利益を得るために、誰もが「愛の労働」で貢献するのである。

「アフリカはかつて偉大だった。私たちが再び偉大な国にしよう」

参考：アフリカの聡明なるサヌシ　クレド・ムトワ

ウブントゥと団結

ウブントゥ貢献主義の哲学は、主に古代のアフリカ人部族や世界の多くの先住民族の構造に根源を持ち、それを今の時代と一定の技術水準に慣れた現代人に順応するように変化させたものである。何千年もの間、先住民族は母なる地球と調和しながら、団結した部族コミュニティの中で暮らしてきた。

しかし、私たちの社会はあらゆる側面に差別が広がり、分裂し、「団結」という言葉をほとんど理解できなくなっている。ウブントゥモデルは、都市の過密なスラム街をなくし、より小さく調和のとれたコミュニティからなる団結した社会を再創造することを可能にするものだ。人々は経済的依存と隷属を強いられることなく、選択によって生きられるようになるのである。

ウブントゥモデルは、人々と土地の間の調和したバランスを回復し、すべての人に豊かさを提供する。というのも、個々人が生まれ持った才能や身につけた技術を、コミュニティ内のすべての人のために役立てられる環境だからである。

そして、敬われサポートを受けられる才能に、レベルも年齢も関係ない。科学、テクノロジー、農業、製造、健康、教育、住宅をはじめ、現在の資本主義制度では経済的に成り立たないと考えられている領域に至るまで、分野を問わず同じことが言えるのである。

新自由憲章

変革の旅を始めるには、南アフリカ人として、そして世界の人々として、私たちの譲れない権利を思い起こす必要がある。自由憲章のために、過去100年間で大勢の南アフリカ人が犠牲となり、ようやくネルソン・マンデラが人々の信じる新しい自由なアフリカの初代大統領に就任した。いわゆる新しい考え方と言われるものが自由憲章の原則と一字一句ほぼ変わらないのは、皮肉なことである。

自由憲章はもはや原型を認識できないほどに冒瀆され、現在の指導者たちによって都合よく忘れ去られてしまった。1994年にネルソン・マンデラが大統領に選出されたとき、南アフリカの人々がユートピアを描き出すことができたのは束の間であった。人々は歴史上もっとも厳しい経済的苦境に立たされていることに気がついたのだ。

自らを取り巻く環境から極めて強いストレスを受けると、社会に異常行動や病気が広まりやすくなることは忘れてはならない。がんの発生率やあおり運転の増加は、明らかにストレスが影響している2つの例である。

人権を求めて声を上げるのは、もはや人種で分けられた一部の人々だけではない。マンデラやキング牧師、ほかの名もなき多くの英雄たちの時代はそうであった。しかし、今日においては、全人類の奴隷化に気づいた人々が皆、団結して権利を要求しているのだ。

「搾取に差別はない」

新経済権利同盟　スコット・カンディル

肌の色に基づく人種問題は非常に感情的になりやすい問題であり、想像を超えた分裂を引き起こすことから、大きな集団を互いに対立させる目的で巧妙に利用された。これは人種や属する階級、持てる富を理由に、自分は自由だと信じているすべての人々への警鐘だ。肌の色がどうであれ、私たちの誰もが自由と尊厳を否定され、銀行家の一族と彼らによる地球の経済的支配に隷属する生活に閉じ込められているのだ。

世間では「人は歴史から何も学ばない」と言われている。しかし、私たちは今こそ歴史から学び、人類のためにまったく新しい道を選択しなければならない。巻末の「新自由憲章」は自由憲章をアップデートしたもので、新しい社会構造に求められる名誉と誠実さの基本的な指針を提示している。

将来の可能性

将来、どこかの段階で世界的な金融危機が起きる可能性は非常に高い。過去に金融危機が解決されたことは一度もないが、今度の危機はこれまで経験したこともなければ、もちろん解決したこともない類の危機になるだろう。なぜなら、人々の意志とは無関係に、人類が制御できない状況によって強制的に引き起こされる可能性があるからだ。

ただ、驚くべきことに、そのような経済を壊滅させ得る状況は、私たちに意識的な軌道修正を促す。そして人類としての運命、すなわちすべての人にとっての団結と豊かさの運命を確かなものにするための、輝かしい機会を与えてくれるのである。人類を救うには、大災害が必要なのかもしれない。

世界的なお金を取り巻く破綻の理由は主に2つある。

1つは地球的なもので、もう1つは宇宙的なものである。

1）**地球的理由**：前例がなく、予想外かつ避けられない世界経済の崩壊。銀行エリートのコントロールから逸脱した状況、もしくは彼らが「混沌から秩序」を生み出すことを期待して慎重に作り上げたもの。

2）**宇宙的理由**：予期せぬ不可避の宇宙事象。いくら資金や技術を投入しても防御できないもの。

もしこのような出来事に対する行動計画を持たず、いかに対応し乗り越えていくかをわかっていないなら、私たちは種としてすでに深刻な問題を抱えているのである。たとえ今日の世界では突拍子もないように聞こえるとしても、少なくとも1つは計画を持ち、実行する用意をしておくべきだ。

そのためには、事前に可能な限り深く計画を練らなければならない。必要なときに合理的な理解と同意が得られているようにするには、できるだけ多くの人を巻き込んだ話し合いが欠かせないだろう。危機が訪れたとき、役員会を開いたり戦略を立てたりしている時間はない。そのときが来たら、速やかに計画を実行に移せるように準備しておく必要があるのだ。ここで、いくつかのシチュエーションを考えてみよう。

- もし、お金が底をつき、明日の朝、ATMや銀行がすべて閉まっていて、再び開くかどうかもわからないとしたら、どうするだろうか。
- もし、巨大な太陽フレア（コロナ質量放出）が人工衛星やコンピュータ回路、自動車の制御パネル、通信機器などをすべて焼き尽くし、私たちが知るすべてのテクノロジーが直ちに停止したら、どうするだろうか。
- もし、どこにも車で出かけられず、誰にも電話できず、電気も水も食料も暖房もなく、インターネットもWi−Fiもないとしたらどうするだろうか。
- 鉄道、飛行機、バス、路面電車が動かず、高速道路が巨大な駐車場と化して、都市から出られないとしたら、どうするだろうか。
- この復旧に6か月以上かかるとしたら、どうするだろうか。
- もし、隕石が大気圏で砕け散り、小さなビルほどの大きさの破片が10万個も北米やヨーロッパ、アジアの大部分を破壊し、圧力波で石油やガスのパイプがすべて開き、世界の電力網が吹き飛んだら、どうするだろうか。

今の私たちには荒唐無稽に聞こえるかもしれないが、いずれも起こりうるシナリオであり、将来的に起こる可能性も非常に高い。ハリケーン、太陽フレア、地震、火山、津波、そして2013年2月にロシアで400人以上の負傷者と多くの建物被害を生んだ小型隕石などが原因で、小規模ではあるが、すでに実現した例もあるのだ。しかし、幸いなことに、私たちはまだ「ビッグ・ワン」には遭遇していない。多くの研究者が「大洪水」と呼ぶ、約1万2000年前に起きた出来事である。

もし、現代で「大洪水」が発生したとすれば、スーパーマーケットには3日分の食料しかない状況になり、それも数時間で消えてなくなる。水も燃料も、ほとんどの都市で1週間以内に枯渇する。人口密度の高い都市部が紛争地帯と化すまで、きっと時間はそれほどかからないだろう。暴力だけでなく、まずは水、次に食料の不足から、大勢の人々が命を落とすのだ。

都市で水の入手が困難になり、さらに雨も降らなければ、

72時間以内に人体はパニック状態に陥る。もし、地球上のほとんどの都市でこのようなことが起きたら、私たちの知る文明は5日で崩壊するだろう。

そして、追い込まれたコミュニティ内ですぐさま明らかになることがある。すべての人のために協力して行動しない限り、ほんの一握りの人しか残らなくなるまで殺し合いが続くのだ。「競争は善である」という資本主義的な考え方は、このような状況下ではまったく通用しない。では、なぜ私たちは、日々の生活でそれを受け入れているのだろうか？

歴史から何かを学べるとしたら、私たちは過去に何度も大変動を繰り返してきた繊細で壊れやすい惑星に暮らしていて、将来、大変動は再び起きるということに尽きる。この可能性に備えておかなければ、私たちは自らの責任で破滅を招くことになる。古代文化が岩石への彫刻などさまざまな方法で残したメッセージは、実は大災害に対する警告だったのである。世界的な戦争や自然災害のなか失われずに残った何千もの彫刻は、過去の出来事をずっと思い起こさせるものだ。しばしば無知な歴史家たちが、このような岩に刻まれたメッセージを、農場の子供たちが家畜の世話をしながら描いた落書きとみなすのは非常に悔やまれる。まさに、教育システムによって、人類の知識と意識が侵されていることを示す好例である。

だから私たちは、社会構造全体の崩壊を想定した生存戦略を考える一方で、かつてないルールのもとで成り立つ新しい社会の設計図を用意するのだ。

最初は誰もが、単に圧倒されるだけではなく、社会にお金というものが存在しないことに衝撃を受けるだろう。世界を動かすはずの大切なお金が、私たちの現実から一瞬にして消え去る。それでも世界は回り続けるのである。「お金のない世界」こそ、新しい社会構造、すなわち人類繁栄のための青写真の背景にある基本理念なのだ。

今はただ、これまでどおりの生活が続き、何十億もの人々が何とか請求書の支払いをしながら毎日をやり過ごしている。人々はバンクスターに財産を奪われ、金持ちの数はますます少なくなり、大衆の間では不幸が増え続ける一方だ。どうすれば、このような人類に対する抑圧を止めることができるのだろうか。どうすれば、お金の罠から解放されるのだろうか。

お金が支配と奴隷化の絶対的な道具であり、そしてお金こそが問題であると知った今、答えは極めて明白である。

- お金をなくし、問題をなくす。
- 人類を支配するための道具をなくす。
- 中途半端は許されない。
- 彼らのお金を使わなければ、彼らは私たちを支配できない。
- 彼らのお金を、別の形の「良いお金」に置き換えることはできない。

- どんな種類のお金も、支配の一形態にすぎない。

毒された心が遠ざけるユートピア

この段階で多くの人が抵抗感を覚え、お金のない世界など単純に想像できないと感じるはずだ。もう一度言うが、これは私たちの心がいかに汚されているかを示しているにすぎない。私たちの多くは、お金のない世界がどのようなものかを想像する自由さえ、自らに与えられずにいる。お金のない世界とは、目に見えない王族・政治家エリートの奴隷になることなく、人類が真に自由である世界であり、お金が操作や贈収賄、感化や殺し合いに利用されることのない世界だ。

優先順位を完全に入れ替えた世界は……

- 名誉と誠実さが各コミュニティの基盤となる。
- 皆がお互いを知っていて、各自のコミュニティへの貢献に敬意を払っている。
- 芸術と文化的な背景が非常に発展し、すべての人の意識において飛躍的な向上が見られる。
- 将来のコミュニティに貢献できるよう、子供たちが神から授かった才能を追求する絶対的な自由を与えられている。
- 誰もが必要なものをすべて持っているため、暴食や強欲、嫉妬が存在しない。
- お金が末期の病と同じくらい望まれない。
- 無限の多様性と協力的な団結により、どんな想像をも超える豊かさが人類全体にもたらされる。
- 多くの人が夢見ると同時に、ごくわずかな勇気ある者しか足を踏み入れたことがない場所である。

お金のない世界、新しい社会構造

お金のない生活は、暗黒時代に逆戻りするようなもの、あるいは洞窟の中で暮らすようなものと考える人がいる。実は、お金のない生活で実現されるのは、真逆のことである。テクノロジー、フリーエネルギー、エンジニアリング、デザイン、建設など、暮らしのあらゆる分野で最先端の発見を分かち合えるのだ。お金をなくすことで、私たちは進歩の妨げを取り除き、人間の精神を解放し、制限されることなく創造と探索に臨むことができる。

このシンプルな哲学をひとたび受け入れると、私たちの映し出す将来像を現実にする余裕が生まれるのである。人々は生来の才能や獲得した技術を生かし、毎日の一瞬一瞬を愛し、真に満たされた人生を送ることができる。これは言い換えると、神聖なる創造の一部として私たちにもともと運命づけられていた人生であり、農家、科学者、靴職人、土木技師など、どんな職業を選択したとしても共通するものだ。こうした状況から生み出されるポジティブなエネルギーは、現在の私たちの想像を凌駕し、引き寄せの法則の強力な活性化剤となる。

奇跡の治療法

お金をなくした世界ですぐさま受けられる恩恵には、ただ驚くばかりである。というのも、人生のあらゆる醜い側面がまるで奇跡のように消え去るのだ。私たちの生活やシステムからお金を取り除くと、ほぼ即座にすべてが良い方向へと一変する。

- 犯罪がない
- 飢餓がない
- ホームレスがいない
- 強欲がない
- 暴食がない
- 強奪がない
- 買占めがない
- 銀行口座がない
- 負債がない
- ヒエラルキーがない
- 支配がない
- いかなる進歩も妨げられない

これはユートピアではなく、自然の摂理だ。人間という種族は瞬く間に、お金なしで共存するほかのすべての創造物たちの仲間入りを果たすのである。

疑問と疑心

ここにきて、しばしば人々の間で同じ一連の疑問が聞こえ始める。私たちは皆、見事なまでに似たように考え、似たような障害にぶつかり、実質同じ疑問を抱くようにプログラムされているようである。同じような質問をするのは人間の性（さが）だと言う人もいるが、教育制度が全員を等しく洗脳していることの証しだと私は考える。

私の主張はまったくの本心だ。なぜなら、ここで耳にする疑問は、私がお金のないユートピア世界を探求し始めた初期段階で対処を迫られたものと同じ内容だからである。だからこそ、誰かにある特定の質問をされたとき、私はその人が新しい哲学を受け入れる上でどの段階にいるのか、非常に鮮明に感じ取ることができる。私自身も同じ過程を経てきたからである。

ここでは、よくある8つの疑問や意見を紹介しよう。

1．人間の本性が、お金のない世界の実現を許すはずがない。人は本来、怠け者なのだ。
2．いったい誰が汚物処理を請け負うのか。
3．すべてが無料なら、私はただ座って何もしないだろうし、必要なものは何でも持ってきてほしい。
4．すべてが無料なら、私はフェラーリ50台と豪邸20棟が欲しい。
5．支払いはどうやって済ませるか。
6．暗黒時代に逆戻りして、洞窟で暮らすということなのか。
7．世界は無法地帯になるのか。誰がルールを作るのか。
8．なぜ、今まで努力してきたことをあきらめ、好きでもないことをする必要があるのか。

このような疑問を持つ人たちの動揺をなくすべく、これらに対する答えとさらに多くのＦＡＱを合わせて巻末の別章に掲載した。

どうか、安心してほしい。私自身、貢献主義の体系を徹底的に分解し、その全構成要素を把握しようとする試みのなかで、考え得る限りすべての疑問とすべての社会における部門に対して、答えを見つけなければならなかったのである。

答えを見出すには、貢献主義の５つの基本的な側面を繰り返す必要がある。

５つのマントラ

1．お金はいらない。
2．交易はいらない。
3．取引はいらない。
4．優位性を生む価値はいらない。なぜなら、すべての貢献は等しく価値あるものとして尊重され、受け入れられなければならないからである。
5．誰もが生まれ持った才能や身につけた技術を、コミュニティ全体の利益のために役立てる。

これはユートピアではなく、お金によって腐敗させられたり悪用されたりすることのない自然の摂理である。私はこれを自己修正システムと呼んでいる。理由は、人々が長老評議会を通してあらゆる決定を行うからであり、長老たちは人々の意志に基づいて実施の最終判断を下す役割を日々務める。

この循環では、お金が存在しないことから、誰も堕落したり買収されたりしない。すべては人々とコミュニティの利益のために実行されるのであって、他者の犠牲の上に個の利益を成り立たせるためではないのである。

　したがって、実施されたことが、何らかの理由でコミュニティの一部に不利益をもたらすと判明した場合、数時間、数日、あるいは数週間のうちに、人々と長老評議会が速やかに修正できるのである。

団結と繁栄のための少数派（マイノリティ）のルール

　先ほど、今までにないまったく新しいシステムの必要性に触れたが、私は掛け値なしに文字通りの意味でそう言ったつもりだ。ウブントゥの哲学は「少数派（マイノリティ）のルール」の原則を採用している。大半の人にとって、最初は異質に聞こえるかもしれない。しかし、私たちがいかに「民主主義」や「多数決」こそ最善かつ唯一の生き方であると盲信するように仕向けられてきたのか、次第に明らかになるだろう。「少数派のルール」という言葉は、必ずしも新システムを正確に言い表しているわけではなく、単に「多数派のルール」の対極でもないが、私たちの多くが陥っている心理状態を解消するのにちょうどよい表現だ。この表現自体が、より右脳的な創造性の機能を活発にし、皆のためにどのように協力すべきかについて、これまでと異なる考えを持つよう、一人ひとりに迫ることになるだろう。

　いかにして私たちの喉元に民主主義が押し付けられてきたかといえば、それはいじめの戦略以外の何物でもない。自分を含めて味方が51人いれば（ほかが49人しかいなければ）自分たちの意見を通し、完全に反対して別のやり方を望む49人をねじ伏せるというものである。

　少数派のルールは、競争や分断ではなく、協力や団結の哲学を育む。

　コミュニティは少数派のルールのおかげで、ウブントゥ貢献主義モデルで生まれるいくつもの選択肢から恩恵を得られる。なぜなら、もはやお金は、すべての人が共存するための多数の選択肢や可能性を制限するものではないからである。私たちに必要なのは、善と悪のどちらか一方ではない。お金がない限り、人々のどんな提案にも障害が立ちはだかることはなく、いくつでも解決策を実行に移すことができるのだ。

　私たちが突き付けられてきた民主主義・多数決モデルは、巧妙に偽装された支配の道具にすぎない。それは、人々を団結と繁栄に導くどころか、分断と征服により対立をもたらす。

　このことに気づけば、否定され続けてきた明白な選択肢を認識することは非常に容易になる。現在のシステムは、有権者が意見を表明したという幻想を作り上げて、采配を振る者たちに権力を握らせている。その時点で、私たちは自ら票を投じた選択肢に囚われてしまうのである。

　少数派やあまり関心が寄せられていないグループは、多数派を獲得した人たちに不満や提案をぶつけなければならない。少数派の人々と彼らのニーズがどうなるかは、誰もが知るところである。民主主義は持続可能なモデルではなく、すべての人々に公平に奉仕するものでもない。むしろ、密かに分断と征服の哲学を加速させるシステムなのである。

ウブントゥモデルでは、すべての人々のすべてのニーズに応え、提示される多くのアイデアや可能性、選択肢を実行に移すことができる。なぜなら、物事を成し遂げるためにお金は必要なく、コミュニティ内の誰にも害を及ぼさない限り、どんなことも実現されるからである。評議会の仕事は、コミュニティ全体と個々人の両方の利益に配慮することだ。この過程を経るにつれて、少数派のルールは豊かさを生み出すための限りなく意識的な手法であることがいっそう明らかになるはずだが、お金で機能する社会においてはまったく異質なものとして映るだろう。

では話を戻して、この新しい哲学に初めて向き合ったときに誰もが抱く、切実な疑問について考えよう。当初の疑問にシンプルな答えを見つけるため、私は政府の各部門について記述された長いリストに目を通し、わかりやすい解決策を組み立てた。そして、それがお金の存在しないコミュニティ、すなわちお金の代わりに人々の才能や能力が原動力となる社会で、どのように機能するかを想像してみた。

この作業は、私がウブントゥ貢献システムのための新しい青写真を受け入れる旅のなかで、もっとも興奮を覚えた部分であったことを認めざるを得ない。特定の質問をする人々の気持ちを手に取るように理解できるのは、私自身が同じ質問と格闘したときの感覚を正確に覚えているからにほかならないのだ。

答えを見つけるまで、最初は苦労の連続で、そのまま行き詰まってユートピアの夢を断念しなければならなくなる状況すら頭をよぎった。個々人の感情を尊重しつつ、どんなコミュニティでも共感を得られるような答えにたどり着くには、何か月とは言わないが、何週間もの時間を要した。

疑問はどんどん積み重なり、お金がなくても生きていけるようにするにはどうすればいいのか。解決できない謎があっという間に山となって、私の前に立ちはだかっていた。しかし驚いたことに、疑問を抱いたまま数週間が経った頃、ひとつひとつ答えが見えはじめた。そしてついに、いくつかの社会的に重要な部門に関して、お金のない世界でどのように機能するか見出せたことをきっかけに、雪崩のように新たな発見が押し寄せてきたのである。

謎を解くほどに、次の段階の謎を解くのは容易になった。というのも、先に解決した問題を参考にすることで、よりシンプルな解答を導き出すことができたからだ。

そうして答えを探す旅を始めてから数年が経つが、大勢の前で貢献主義的な考えを伝える勇気を持つまでには、少なくとも5年の歳月を要した。しかし、私と考えを共有すればするほど、ますます多くの人々が理解してくれているようで、それは本当にすばらしいことだと感じている。

例えるなら、私たちの誰もが集合意識や知識の量子場にアクセスしたようなものだ。これは、新しくコミュニティに加わった人が、集合意識や「場」を活用して疑問への答えを速やかに得られることを意味している。だから、恐れないでほしい。求める人にきっと答えは示される。「求めよ、さらば与えられん」である。考えを巡らせ、答えにたどり着く人が増えれば、それだけほかの人も答えを見つけやすくなる。世界的に意識が高まるほど、それは人々にとって理解しやすく、受け入れやすいものになるのである。

私たちは、世界中の大半の人が不可能とみなす新しい社会構造を採用しようとしている。しかし、もし私がそれを想像することができれば、そして読者の皆さんとさらにもう100万人がそれを想像することができれば、全世界が同じように想像できるようになるのも、すぐ目の前なのだ。すでに皆さんは、観察者と観察者が映し出す思考によって現実が作られていることをわかっているはずである。

この地球上で最低限の人数がこうした考えを共有すれば、もう後戻りすることはない。私たちはその臨界点を超え、転換点に近づいていると思う。私たちの思いが地球規模で現実となるのは時間の問題である。

恐れることやニュースを見ることをやめ、この現実を想像してみるのだ。より多くの人々がユートピアを想像するほど、私たちはより早く実現することができるのである。

自己修正システム

私は、ウブントゥ貢献主義モデルが、私たちのすべてのニーズにシンプルな解決策を提供すると信じている。私はこれまでに社会の多くの部門に解決策を示してきたが、すべてを網羅しているわけではない。とはいえ、新しい社会構造の基礎さえできていれば、ほかの分野に関しても、各コミュニティによって、もっとも実用的な方法で再構築され、コミュニティ全体に利益をもたらすようになるだろう。結局のところ、これこそがウブントゥ貢献主義システムの仕組みである。人々が同意していない法律に左右されることなく、自分たちのニーズに自分たちで解決策を見出すのだ。

あまりにもシンプルであるが故に、大半の人々は過剰に複雑にしようとするのだ。これは、まさに私たちが抱える大きな問題である。深く入り組んだ現行システムのせいで、私たちは単純なシステムが機能することを受け入れられない。システムは複雑でなければならないと信じ込まされてきたのである。というのも、現在のシステムは、人々を奴隷にする目的で何千年もかけて構築され、そこから自由になれないようにするために、複雑な規則や規制を設けてきたからである。人類にとってもはや機能しないにもかかわらず、その存続を脅かすものは容赦なく破壊するよう設計されたシステムだ。

ウブントゥ貢献システムは自然の法則に基づいており、内部から崩壊したり機能不全に陥ったりはしない。これも、コミュニティの最大の利益となる解決策を提供するために、いつでも元の状態に戻れる自己修正システムのおかげである。システムの可能性を探究すると、解決策が常に示されることが明らかになるだろう。私に見つけられるのであれば、誰しも同じことができるはずである。

貢献主義について初めて公の場で話して以来、私は何千もの反論や言い訳を聞いてきた。機能しない理由や失敗する根拠、さらには個別の状況における疑問も投げかけられた。

残念ながら、これらは私たちが現在暮らしているシステムの観点から問われているものばかりだ。現在の行動を規定する事情は、私たちが新システムの中でこれから形作る生き方とは、まったく異なっているのである。別の言い方で表現するなら、疑問を投げかける以前に、私たちは頭と心の両方でパラダイムシフトを経なければならない。現在のあり方に甘んじていては、「完璧」な世界を想像することは非常に困難なのだ。

だから、簡単な答えを期待して質問をする前に、まずは新しいシステムにおいて主流となる一連の状況を調べ、それがプロセス全体と当初の疑問にどのように影響するか、自身に問いかけてみてほしい。お金のない世界では、物事はどう機能するだろうか。疑問に思っていたことに関わる要素を特定し、5つのマントラを繰り返すのだ。ほどなくして、求める答えが押し寄せてくるだろう。

誰もがすでに自分の中に答えを持っている。私たちのすべきことは、自らの問いかけに対し、人間らしさと心に任せて答えを導き出すことである。

私たちの問題の解決策

私たちが直面するどんな問題も、解決策は常にシンプルだ。10歳の子供たちに聞いてみてほしい。世界の問題を解決する方法について、正直で、大抵はバイアスのかかっていない提案をしてくれるだろう。しかし、学校教育やメディア、政治家、社会全体によって、私たちは真逆のことを信じるように仕向けられ、洗脳されてきた。

ロボトミー手術を施された主要ニュースネットワークのレポーターたちは、洗脳者が広める嘘を理解されやすい表現に言い換えて、世界の問題解決がいかに難しいかという意識を大衆に植え付けている。世界中の人々に共感を示そうと、彼らは目を細めたり口角を下げたりしながら、カンペの文章を読み上げるのだ。

政治家たちは、懸命に問題解決に取り組む姿をいつだってアピールする。前政権が招いた混乱をできる限り解決すると、私たちに何度も言い聞かせるように語るのだ。国民が何とか持ちこたえ、奇跡を願い続けられるようにするため、まさに今も嘘と欺瞞のパレードが繰り広げられているのである。

本当は誰もが心の中で、克服できないとされる問題の解決策がシンプルであることをわかっている。エンジニア、科学者、農家、園芸家、パン職人、チーズ職人、技術者、発明家、パイロット、労働者など、その分野の専門家に任せればいいのである。

しかし、残念ながらこうした解決策は、バンクスターにとって都合が悪い。彼らが支配権を握り、人々から暴利を貪り続けられるようにするための不正行為を考慮したものではないからだ。つまり、バンクスターの支配が続く限り、この惑星の問題は永遠に解決されない。銀行エリートや王族の政治家の血筋にとって、私たちは問題を解決するための存在ではないのだ。人々は、抑圧され、困窮し、ストレスを感じ、無知で、権威を恐れる存在でなければならない。これが、人類にあてがわれた現状だ。

それでも、問題を解決するのは、私たち国民だけである。

覚醒のきっかけ

ウブントゥ貢献主義を理解した人が最初にする質問の1つに、「どのように実現するのか?」というものがある。彼らは、「どうすれば現状から移行できるのか?」「今すぐ実現したい」「そんな世界で暮らしたい」と声を上げる。

それとは別に人々が知りたがるのは、どうすれば自分もその過程に関わり、自分に何ができるのかということである。そして、皆が貢献主義について知る必要があるという主張が湧き起こる。

まず誰しもにできるのは、話を広めることである。知り合いや出会う人々に、暗くて陰鬱なトンネルの終わりにある明るい希望の光、すなわちウブントゥ貢献主義について話してみよう。知る限りのことを話して、皆の心に意識の種をまくのだ。

そのときに理解されなかったり、あまり話に興味を持ってもらえなかったりしても、何ら問題はない。なぜなら、一度聞いたことをなかったことにはできないし、伝えられたメッセージは永遠に聞き手の心に刻まれるからだ。たとえ潜在意識下にしばらく留まることになるとしても、すべての人の人生に意識の種をまき、知っているという感覚を持ってもらうことは、私たちの戦略上極めて重要である。

遅かれ早かれ、意識に上っていなかった記憶を呼び覚ます出来事が起こり、蓄積された情報は再評価される。職業が何であれ、出身がどこであれ、あるいはその情報に対する抵抗感が強かろうと弱かろうと、すべての人にきっかけが訪れるのだ。ほんの些細なことが私たちの想像力の引き金になって、まったく別の視点から情報を理解できるようになるのである。

私はこれまで、何千人もの人々がこのような経験をするのを見ている。農家の人々も、あらゆる高級品で身を固めた都会の人々も、理屈っぽいティーンエイジャーや政治家も、ホームレスの人々や路上で商売をする人々も、全員がきっかけを持っていて、そこに達した瞬間に彼らの目が喜びで輝く様子を、私は何千回も目にしてきたのだ。こうした人々のなかには、なんとバンクスターやバンクスターが抱える法律家や政治家もいる。彼らもまた、自らの目を覚まし、人類にもたらした不幸を見直すきっかけとなる瞬間を持っている。

私たちは皆、ウブントゥへの道を歩むために、神の導きを受けているのだろう。なぜなら、私たちが囚われている現在のシステムは、神聖な創造と真っ向から対立しているからである。

偉大なる神の創造の1つである私たちが最初から変わらず持ち続けている特徴は、創造を続けることだ。これに気づくと、私たちは「偉大なる目覚め」の一部となり、他者をインスパイアし始める。ちなみに、「インスパイアする」という言葉は、「魂と一体化する」という語源を持っている。

ウブントゥを目指すプロセスはすでに始まっているが、大多数が目覚めるまで、あるいは私たちが豊かなユートピア生活に完全に移行するまで、どれだけの時間がかかるかを予測することはできない。

しかし、千里の道も一歩からである。幸いにも、私たちはすでにその第一歩を踏み出しているのだ。

変容

お金で動く資本主義的な社会とは真逆の尺度で機能する社会への移行について説明するのは、実はかなり骨が折れる。何とも奇妙な側面なのだが、移行の初期段階では、最終的にお金から自由になれる仕組みを作るために、お金を使わなければならないのである。私たちは一歩ずつ段階を経る必要があり、一方ではやむを得ずお金を受け入れながら、他方でお金や支払いに頼らずに多くを行うことになるだろう。搾取や今は予測しがたいさまざまな状況から身を守るために、コミュニティごとの代替通貨が求められるかもしれない。

お金を操る者たちが支配権をやすやすと手放すことはないだろうが、同時に彼らもまた、ほかの人々と同じように覚醒しつつある人間である。嘘と欺瞞を認識しているのはトップに立つ一握りだけで、業界に属する大多数は単なる従業員なのだ。彼らは、日々どうにか命をつないで家族を養おうとしているごく普通の人々と変わらない。

例えば、「証券化」というプロセスを本当に理解している銀行員はほとんどいない。しかし、理解しているほんの少数でさえ、「部分準備銀行制度」(何もないところから融資を行う仕組みのこと）をわかっていないし、「通貨発行益（シニョリッジ）」（鋳造された紙幣や硬貨の価値に対する一種の税金として準備銀行が政府に支払うお金）についてもまったく無知なのである。ここで挙げた３つの言葉のいずれかの意味を把握している銀行員には、ときどき出会うこともあるだろう。２つの言葉を理解している銀行員はかなり珍しい。３つすべてを説明できる銀行員となると、もはや極めて稀有な存在だ。彼らは闇の領域のために生真面目に働いているか、必死に変化をもたらそうとする大規模な活動家集団であるかのどちらかである。

いずれ彼らの多くは、ふとした出来事をきっかけに覚醒することになるだろう。発端は子供からの質問や親戚の言葉、あるいは視聴したドキュメンタリー番組かもしれない。そうして高次の意識に目覚めれば、彼らは人々を破滅させる仕事を続けてはいられなくなる。

しかし、当面の話をすると、銀行家たちは現行システムを維持するために作られた法律に守られ、システムから利益を得ている裁判所や裁判官、そして警察、軍隊といったあらゆる国家機関を味方にしている。したがって、私たちは支配者たちと対決するよりも、彼らの意識をより高い次元へと変容させることを目指すべきである。

これまでシステムから何かを支払われたことのある人など実際にはいないのだから、私たち全員がその口約束の嵐の中に足止めさせられていることは、お金の罠のもっとも奇妙な点と言える。私がこれから説明することは、非常に複雑に聞こえるかもしれないが、実はとてもシンプルで、お金の仕組みを真に理解するための第一歩である。

まず、お金がなければ、何に対しても支払うこと自体が不可能だ。「いったい、どういうことなのか」「どうしてそんなことが可能なのか」「財布の中はお金でいっぱいなのに……」と、大抵の人は思うだろう。この考え方は、過去にアメリカであったとんでもない裁判で説明されている。あまりの異常さゆえに、裁判官の判決にまともに着目した人はほとんどいない。

「『債務が免除される』ことと、『債務が支払われる』ことは区別される。免除の場合、免責処理中に法的義務として特権を剝奪されるが、債務は依然として存在する。元々の債務の効力は消えず、譲受人が免責を履行不能事項としても、債務の移譲は行われ得る」

スタネック対ホワイト、１７２ミネソタ州、３９０、２１５ Ｎ．Ｗ．７８４

これは大半の人が理解できない典型的な法律用語で書かれているが、要するに「もはや何に対しても支払いを行うことはできない。できることは、責任の免除だけである」という内容である。もう少し説明しよう。つまり、銀行口座にあるお金はお金ではなく、銀行が支払うことを約束した「言明」にすぎない。かつて金銀と結びついていた「お金」は存在せず、代わりに銀行による約束があたかも「お金」であるかのように交換されているのだ。

　では、靴を買う状況を思い浮かべてみよう。銀行の約束を通貨（いわゆるお金）として渡すと、実は空っぽの約束で現実の責任（靴を得ること）を清算しようとしていることになる。店員は受け取る通貨の価値を信じるからこそ、購入者に対して支払いの義務を通貨で免除するが、ここで行われているのは本当の支払いではないのだ。紙切れのお金はただの約束で、本質的な価値を伴わない。お金を受け取った人は、また別の誰かに対してこの「空約束」を支払いに用いるため、誰も意識しないままに詐欺が広まり続けるのである。

　しかしながら、これは氷山のほんの一角にすぎない。「信用（クレジット）」の語源はラテン語で「信じる」を意味する「credere」であることを決して忘れないでほしい。人々が信用と信頼を寄せない限り、お金にはまったく価値がないのだ。前にも言ったように、お金は私たちを混乱させ、奴隷にすることだけを目的としたひどく複雑なシステムなのである。

　私たちは、コミュニティに課される経済的な制約を退け、生きることの主導権を自ら握らなければならない。いわゆる当局からの干渉をどんどん減らし、自主的に行動し、自活していくための新しい方法を見つけるのだ。人々が自ら描く設計図を基に新しいシステムを創造しようと尽力する過程で、現行システムを回避するには、憲法、人権、そして「コモン・ロー」の運用がおそらく重要な役割を果たすだろう。既存の独裁者を排除しても、権力欲にまみれた新たな存在を受け入れる別のヒエラルキーシステムを作ることになってはならない。

　私たちは、想像しうる限りのエゴと傲慢さを持つ企業や個人を相手にしていることを心に留めておくべきだ。彼らは、無敵で失敗などしない存在だと自負している。そのような信念自体が弱点であり、彼らにいずれ破滅がもたらされることは必然なのだ。

　銀行と経済システム全体が崩壊するとき、彼らの計り知れない傲慢さのために、私たちはまったくお金のない状態で劇的な人生の急変へと放り出されるかもしれない。そもそも、人類をどん底へと押し沈めたうえで、どんな救済でもありがたく思わせるために、バンクスターがわざと崩壊を引き起こす可能性もある。私たちは警戒を怠らず、彼らの戦術に意識を向ける必要があるし、絶対にこの種の操作の餌食になってはならない。

　2013年3月、キプロスの銀行は人々のお金を99％保持したまま預金封鎖に踏み切った。銀行エリートたちはこの出来事を通して、反旗を翻されない範囲で無知な人間をどこまで追い込めるか試していたのかもしれない。私の友人の知り合いは、キプロスの銀行に2200万英国ポンドを預金していた。ある日、彼が目を覚ますと預金はすべて消え失せていて、私が記憶する限り、彼の口座には10万ポンドしか残されていなかった。それでも、キプロスの人々がお金を盗んだ銀行に対して暴動を起こしたりはしなかったのだから、この出来事は悲しいことに、銀行エリートたちが無知な人々にどこまでも重圧を強いられると示すことになったのである。

人々は抗議し、横断幕を掲げたが、効果はなかった。私企業に人々のお金の所有権を許すだけでなく、責任の追及も犯罪行為に対する告訴も行われないなど、考えられないことだ。法制度と政府が共謀し、何もわかっていない警察を利用して違法な計略を推し進めていることは明白である。もう一度強調するが、法制度によって人間の権利は銀行の権利よりも低く見られ、バンクスターの究極的な支配権は揺るぎないものとなっている。だが、彼らの傲慢さが彼らの最大の弱点になると、私は確信している。

私たちはもはや無知ではなく、この企みと、人類を可能な限り長く隷属させようとする計画を認識している。だから、システムの崩壊を待っていてはいけないのである。

先を見据え、社会からお金をなくす流れを加速させる行動を始めなければならない。私たちの生活にまったく影響を及ぼさなくなるまで銀行家たちを変容させ、彼らが機能しないよう脇へと退けるのだ。

時の経過とともに、日常生活やコミュニティ内でお金を使う機会は少なくなっていくだろう。新しいシステムをより発展させるほど、早く転換点に向かって進んでいくことができる。そこに到達した瞬間、天秤で保たれていたバランスがあまりにも突然に変化するため、私たちはお金を必要としていないことに気づきすらしない。ある日、目を覚ますと、コミュニティでお金を使うことがほぼなくなっているとわかるのだ。

覚えておいてほしい。地中に穴を掘ったり水を浄化したりするのは、お金ではなく人だ。お金が食べ物を作ったり寒い夜に火をおこしたりするわけではなく、すべては人の営みである。人は、創造し、築き上げ、発明する。そして、お互いに無限の愛を注ぐ力を持っているのだ。

ウブントゥ貢献システムへの変革は、一夜にして起きるものではない。私たちが多くの段階の支配から解放されるにつれて、少しずつ実現に近づいていくのだ。新しいシステムがいかにシンプルであるかに皆が気づき始め、すべての人にとって無限の可能性を秘めた、非常に解放的で胸躍る時代が訪れるだろう。

小さな田舎町にある答え

おそらく初期のフェーズでは、お金を追い求めた末に発展したジャングルのような大都市が、ゆっくりと着実に分散していくことになる。人々がお金を追い続ける欲求をなくし、ゆったりとした田舎での生活を選択するようになるからだ。いくつもの小さな町や村に活気を取り戻させることは最初の目標であり、これは自然に起こると考えられる。

革新的な考えを持つ人や技術を持つ人、やる気のある人などが集まり、小さな町には新たな生命力が流れ込むだろう。

- お金の罠にはもううんざりで、新しい何かに挑戦しようとしている人々。
- 汚らわしいお金の影響を受けることのない自立したコミュニティを作る覚悟がある人々。
- 名声と富を求めて人々が地方から都市へと移り住んだ前世紀とは真逆の流れ。

持続可能な土台を持つ地方の強力な農村コミュニティは、自ら運命を制する未来のウブントゥコミュニティを発展させるための枠組みを示してくれる。

コミュニティの盛り上がりは、かつて誰も知ることのなかった自由をもたらす最初の波を生むだろう。そして、協力することで得られるシンプルな利点を人々が一度でも経験したならば、ウブントゥ貢献主義へと進む流れを止めることは不可能になるのである。

地方の町や村のための計画

ここでは、小さな町や田舎の村が強靭で持続可能なコミュニティに変わり、自分たちの運命を完全にコントロールできるようにするための青写真を提案する。これは、すべての小さな町が、自分たちのコミュニティにウブントゥ貢献主義を導入するための雛形となりうるモデルである。

このモデルは、止まらない「ドミノ現象」の始まりとなる。なぜなら、最初の町が事実上、自給自足のコミュニティとして自立すれば、ウブントゥ貢献主義を導入したこのコミュニティが提供する「安い」生産物に、近隣の町は太刀打ちできず、すべて同じモデルに従わざるを得なくなるからだ。

ウブントゥ貢献主義に移行した新しい町では、あらゆる人々が自分の夢や希望を実現できるようになることで、人と地球の調和が取り戻されるだろう。「これをしよう」と自ら選んで決めたことに対して情熱を燃やすことが、コミュニティに属するすべての人に貢献することにつながる。農家から科学者、芸術家、エンジニア、医療従事者、職人、そしてコミュニティワーカーに至るまで、誰もが自分のコミュニティに豊かさをもたらすことができるのだ。

こうして変わるコミュニティは、ある意味、１８００年代半ばのゴールドラッシュ前線の町に似ている。町に押し寄せた多くの人々が夢見た富や財産を、実際に手に入れられたのはごく少数だったのとは異なり、この新しいコミュニティでは、自由と豊かさを誰もが手に入れることができる。そのためには、教育や訓練が重要な役割を果たすことになるが、これについては後述する。

活動内容――コミュニティ・プロジェクト

重要なのは、できるだけ多くのコミュニティ・プロジェクトを作り出し、外部の生産物や原料、資金への依存を少しずつ減らし、究極的にはお金がまったく必要なくなるようにすることだ。これらのプロジェクトは、できるだけ多くの分野をカバーし、できるだけ多様なスキルを持った人々が参加できるようにしなければならない。それは、社会的、産業的、農業的、科学的、文化的な取り組みであって、潜在的にコミュニティのすべての人を含めるものでなければならない。

◎どのように実現するのか？

ノウハウや科学的な専門知識は、提案されるコミュニティ・プロジェクトのそれぞれを実行する賢人たちから得られる。どのようなコミュニティにもそういう人はいるが、現在の体制では、私たちが互いに交わり、意見を交換することができないし、実際、隣人がどんな人で、本当の才能が何であるのかを知ることはない。私たちは、「プライバシー」を守るために隣人との接触を避けるように特別に設計された「アパートメント」と呼ばれる箱の中で生活しているからだ。

「仕事」がない現在の労働市場では、人々のスキルや才能が完全に無駄になっている。ほとんどの人は、本来の才能やスキルを、自分が情熱を感じることに対して使えていない。したがって、ほかの人も彼らの真の才能の恩恵を受けられないでいる。それは、皆がお金を追いかけるうちに、コミュニティ全体の潜在的なエネルギーが、お金（ブラックホール）という暗黒エネルギーの中心に飲み込まれるかのようだ。私たちは皆、同じラットレースの中にいるが、古いことわざによると「ラットレースに勝てるのはラットだけ」なのである。私たちは、このレースの中に居続けたいだろうか？　だとしたら、何を得るためだろうか？

本来パン屋さんであるはずの人が道路を掃除していたり、エンジニアがバスを運転していたり、建築家がウェブサイトをデザインしていたり、アーティストが雑貨屋さんで働いていたりする。私たちのシステムが、人々の才能を自然な方向へ向けること、身につけたスキルを使うことをどれほど妨げているかを見ると、まったく狂っているとしか思えない。

数えきれないほどの才能ある人々が、自然環境に優しい天然の建築材料、音による植物の成長促進、代替エネルギーやフリーエネルギー、太陽光発電の強化、充電不要の電池、永久運動する磁石モーター、成長の早い豆科植物由来のエタノール、水や空気や電気で走る車、万病を治療する方法、浮上技術、新材料設計、量子コンピュータ、通信システム、臓器や手足を再生する幹細胞治療、元素変換（人によっては魔法のように聞こえるかもしれない技術である）、レーザーとセーザーの技術など、驚くべきプロジェクトに孤立して取り組んでいる。ほかにも多くのすばらしい知性が私たちの生活に変化をもたらすはずである。

過去数十年にわたる研究活動を通じて、私は幸運にもそのような偉大な知性に数多く出会い、私たちが共に働きさえすれば、すべての人のために豊かさを創造できる可能性を人類が持っていることを認識することができた。

しかし、今のところ、これらのすばらしい人々は、大企業、政府の研究機関、軍産複合体によって奴隷労働力のように使われている。彼らの技術と才能は企業に乗っ取られ、私たち国民は彼らの才能からまったく利益を得られないでいる。大抵は、偉大な発明の多くが世界の人々から隠され、封印されている。

このような優れた知性が、自ら選んだコミュニティに参加し、企業にではなく人々にその才能を捧げることで、この状況は一変するだろう。つまり、科学、医学、エネルギー、教育、リサイクル、工学、農業などの分野の偉大な知性が街にあふれ、提案されるすべての計画の実行に貢献することだろう。

私たちが常にメディアから浴びせかけられる情報とは裏腹に、私たちの問題に対する解決策はシンプルである。私たちの困難の多くには、即効性のある効果的な解決策があり、しかも人々がコミュニティとして団結すれば、それをすぐに実行できる。後の章で取り上げるのは、ウィッシュリストではなく、実現可能な目標からなるＴＯＤＯリストである。

最初のステップ――コントロールを取り戻す

このような自由を得るためには、コミュニティが自分たちのニーズや、サービス、供給、活動をコントロールする必要がある。大都市よりも小さな町のほうが、はるかに容易にそうすることができる。南アフリカでの本当の問題は、地方自治体がコミュニティに対して基本的なサービスを提供できないことにある。

私たちのコミュニティにおける既存の統治モデルには致命的な欠陥がある。私たちの地方議会や地方自治体は、彼らが奉仕すべき人々を失望させ続けているのだ。多くの地方自治体は、破綻寸前であり、住民のニーズを満たせていない。

ほとんどの場合、行政官や市町村長は住民に選ばれたのではなく、選挙で勝った政党に任命されている。したがって、住民と地方自治体・地方議会の行政官の間には真のつながりはないし、住民が議会を真に尊敬することもない。行政官たちの主な優先事項は、上位の行政機関に報告することであり、人々を支援することではないのである。地元の首長とは直接連絡が取れず、やっとの思いで適切な担当者に連絡したり、苦情の手紙を届けたりしても、その内容の評価に気が遠くなるほど時間がかかり、ほとんどの場合、実行に移されることはないのである。

首長を含む公務員のほとんどは、その地位に就くための実際的な訓練を受けないまま単に政治的に任命されており、自らの能力の欠如によって地域社会に大混乱を引き起こしている。この点は最初に修正されなければならない。すべてのコミュニティは、男女を問わずもっとも尊敬される賢者を特定して、彼らを長老評議会に任命し、コミュニティの真の代表機関とすべきだ。これが、コミュニティが自らの運命をコントロールする上での重要な第一歩である。

神聖幾何学／自然法則と創造の構造

ウブントゥコミュニティと長老評議会について説明する前に、私たちの現実を規定する基本的な構造について説明する必要がある。

すべては、いわゆる「神聖幾何学」に従って構成されている。これについて、奇妙なニューエイジ宗教のカルト的表現であるという結論にとびつく人もいるかもしれない。しかしそのように考える人は、単に知識がなく、無知のせいで誤解しているだけだ。

幾何学は、私たちを取り巻く世界と宇宙空間を測る基本的なツールである。幾何学、つまり幾何学的形状と各比率との間の無限の関係こそが、私たちの科学と数学の知識すべての基礎となっている。このことは、マクロからミクロまで、つまり銀河から素粒子構造までについての幾何学すべてに当てはまるのである。

神聖幾何学の知識には、例えば、ファイ係数１・６１８……、黄金分割螺旋、５つのプラトン立体、π、今日の世界で使われている測定単位（マイル、エジプトのキュビット、メートル、３６０度、分と秒）、無限に続くすべての素数、量子場、クリスティック・スパイラル、カサラグリッド、サイマティックパターンがあり、このほかにも無限の情報が日々発見され続けている。

原子内部の量子レベルから銀河まで、すべては神聖幾何学の原理に支配されているのだ。

宇宙とそれが占める空間は、私たちのすべての知識にとっての幾何学的な種である。それは、万物の創造主による創造を無限に表現している。「神聖」という言葉は、宗教やニューエイジとは何の関係もなく、神の創造物の構造と万物を支配する自然の摂理に関係している。つまり、私たちの身体をつくる原子を含む、すべてのものと関係があるのだ。

ここで「神聖な」という言葉の同義語をいくつか紹介しよう。

聖なる、神聖なる、奉献された、祝福された、神の、崇拝された、尊い、教会の、不可侵の、穢れのない、不死身の、奪うことのできない、守られた、安定した、不変の……。

だが、本当の意味は、上記の最後の3つの「守られた、安定した、不変の」という表現に集約されている。すなわち、「神の創造によって不変であり、定められた」という意味であり、神による不変の創造物のことを指すとも言える。

神聖幾何学の研究は、私たち全員が学校で触れておくべき、もっとも重要な科学分野の1つである。神聖幾何学を学んだことのある人なら、ここでの解説が表面をなぞっただけで、その知識は創造そのものと同じくらい無限に広がりうることを知っているだろう。この知識がなければ、私たちの知識の基盤に大きな穴があき、人生や私たちを取り巻く宇宙に対する理解に将来的に影響が出ることになる。

古代の支配者、高位聖職者、優れた芸術家、建築家、哲学者は皆、神聖幾何学がいかに重要であるか、そしてそれが私たちの周りの世界にどのように現れているかを理解していた。彼らは、神聖幾何学が、水の流れ、エネルギーの流れ、私たちのDNAの形、植物の成長にどのような影響を与えるか、さらには太陽系、惑星の動き、銀河系、そのほかの創造物すべてを、形作っていることを理解していた。神聖幾何学には、自然法則とすべての創造物の背後にある「定められた」法則がすべて含まれている。それは、神の

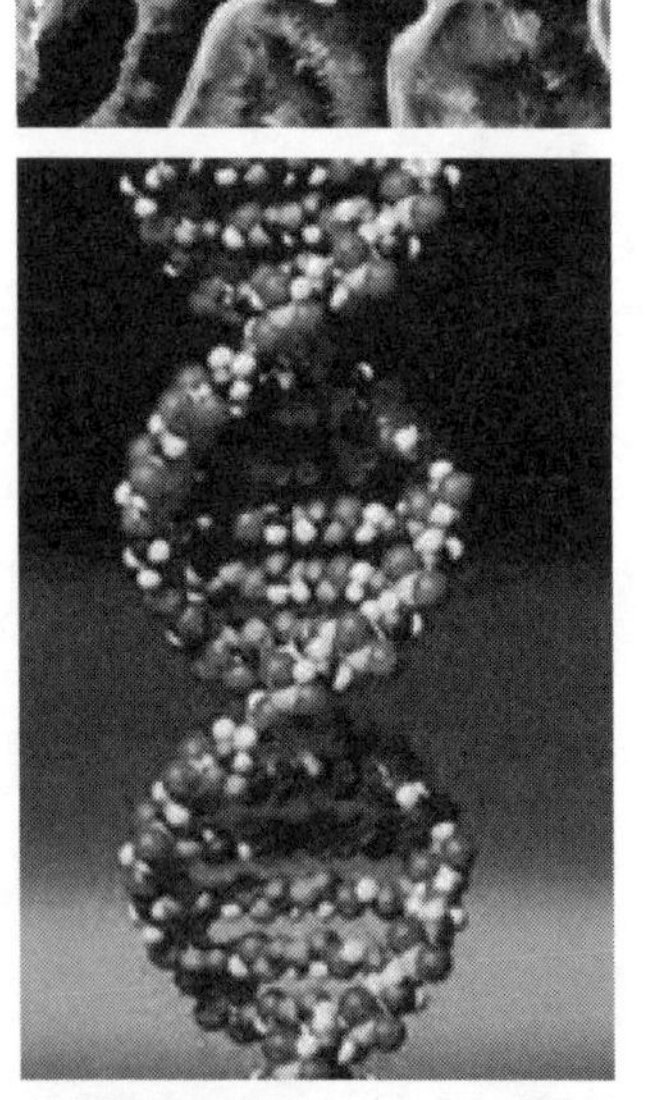

創造物はどんなものでも神聖幾何学のパターンと螺旋に従っている。大きなものから小さなものまで。銀河系から私たちのDNAまで

大きな円の中に、互いに重なり合った３つの小さな円が、中心に完全な六角形を作り出す無限のフラクタル（自己相似性）パターンである。ユニティー（１、ひとつであること）と、各円内の３つの正三角形（３）、全体をつなげる中心の六角形（６）が、１、３、６の相互のつながりを示している。ニコラ・テスラは、「３、６、９の意味を理解すれば、宇宙の秘密がわかる」と言ったが、このことを指していたのだろうか

よく知られた「フラワー・オブ・ライフ」のパターンに、10個の点からなるカバラ（生命の樹）を重ねたもの。この神秘的なシンボルの起源は数千年前にさかのぼり、生命と宇宙に関するすべての秘密が隠されていると言われている。しかし、アシャヤナ・ディーンのような一部の研究者は、これが私たちの現実の歪みであり、「堕天使」によって作られたシステムにおける私たちの奴隷化の一部である可能性を明らかにしている。真の「生命の樹」は、カサラグリッドと呼ばれる12個の点から構成され、クリスト・コード、つまり宇宙の源、キリスト意識に由来する

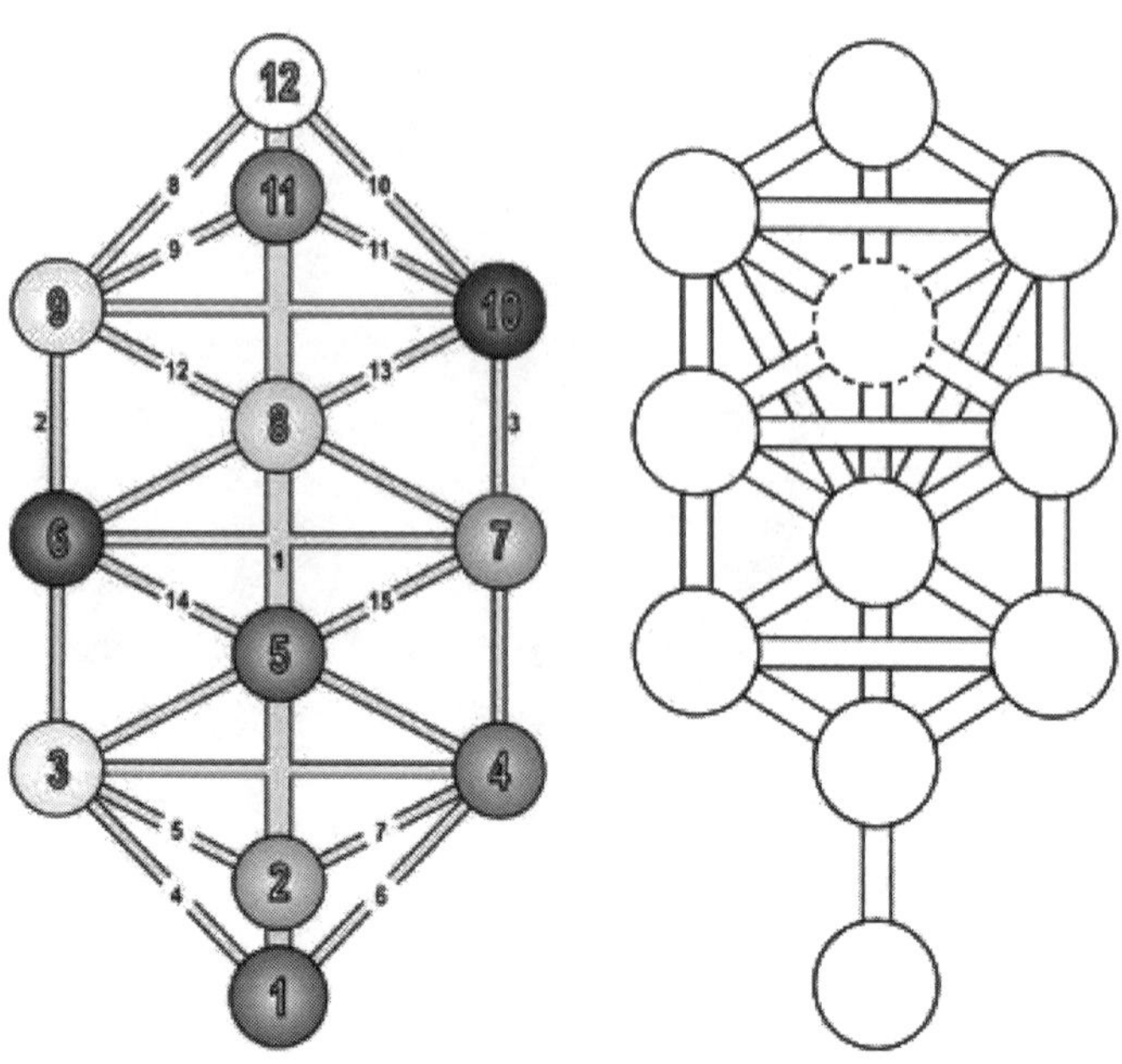

生命の樹：左のカサラグリッドの両端は均衡を保っており、クリスタルグリッドの12個の点からなる。これとは対照的に、右のカバラの「木」は均衡がとれておらず、人工的に操作された結果、10個の点しか含まない構造となっている。10という数は、円や6という数字をベースとする神聖幾何学においては自然な数とはいえない

息吹とも言うべきものである。

神聖幾何学のシンプルな構造は、古くから神官王が守ってきた知識、エジプトの神秘学校で教えられた知識、さらにはヘブライ語カバラの「生命の樹」の神秘に至るまで、いわゆる秘伝の知識のすべてに見られる。

世界中の大聖堂や古代の寺院はいずれも、神聖幾何学に基づいて建てられている。神聖幾何学が彫刻に表現された例で、もっとも印象的で息を呑むようなものの1つが、エジプトのラムセス大王像の顔である（次ページ写真参照）。

クリストファー・ダンはエンジニアであり、『ギザ発電所：古代エジプトの技術』の著者である。彼は長年にわたり、ギザのピラミッドとラムセス2世の巨大像の背後にある科学を分析、研究してきた。ラムセス2世像は、人間がハンマーとノミで作ったというよりはむしろ、高度なレーザー技術によるものであると思えるほど正確に造形されている。

「ラムセスの顔と、自動車などの現代の精密機械との共通点は何か。それは、流れるような輪郭を持ち、片側半分がもう半分と完全に対称であるという特徴を有することだ。ラムセスの顔の片側半分がもう半分と完全に対称であるということは、その制作時に正確な計測が行われたことを意味する。つまり、緻密な彫刻を施し、正確な立体面を作り出したということである。顎のライン、目、鼻、口は左右

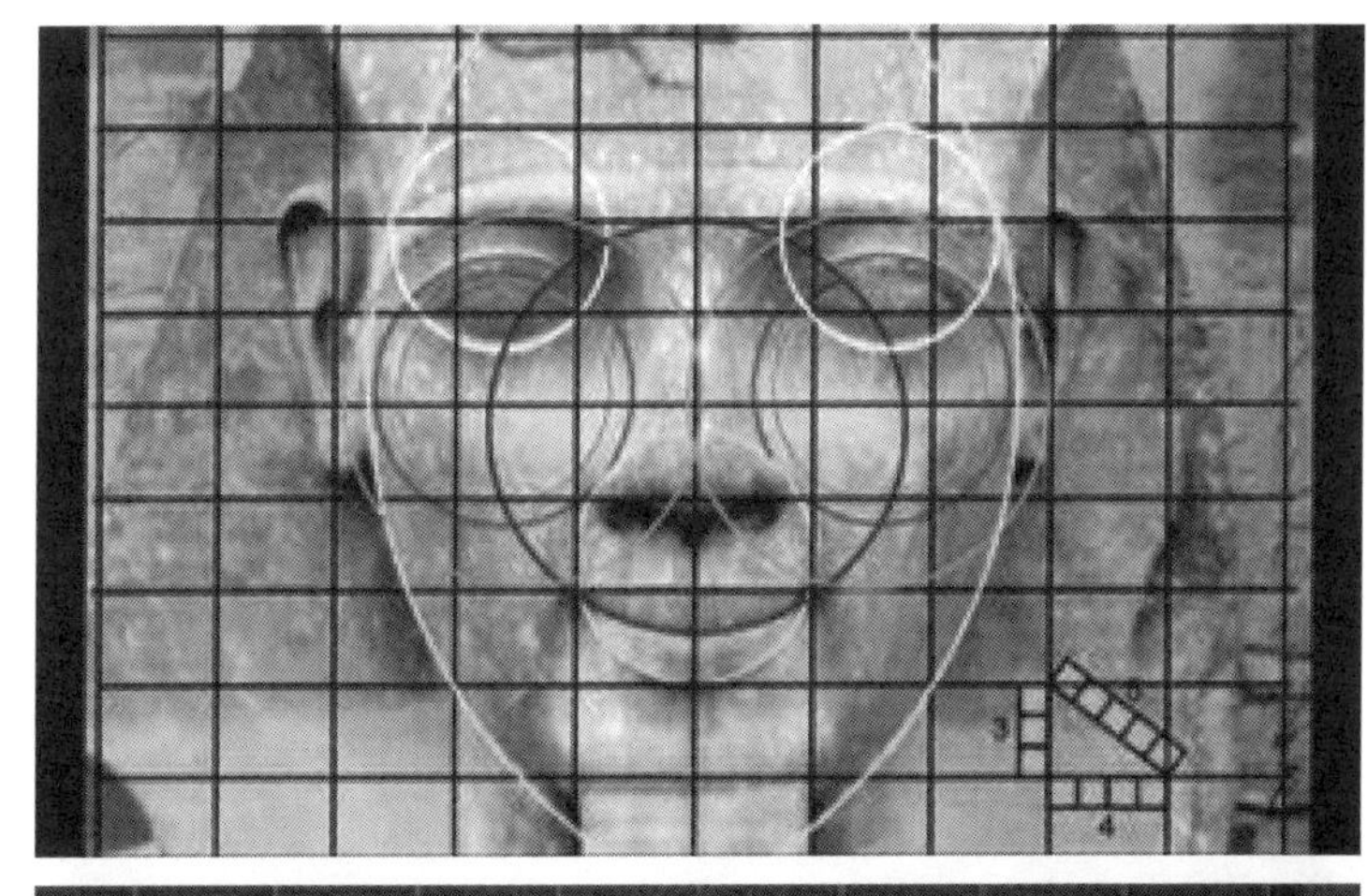

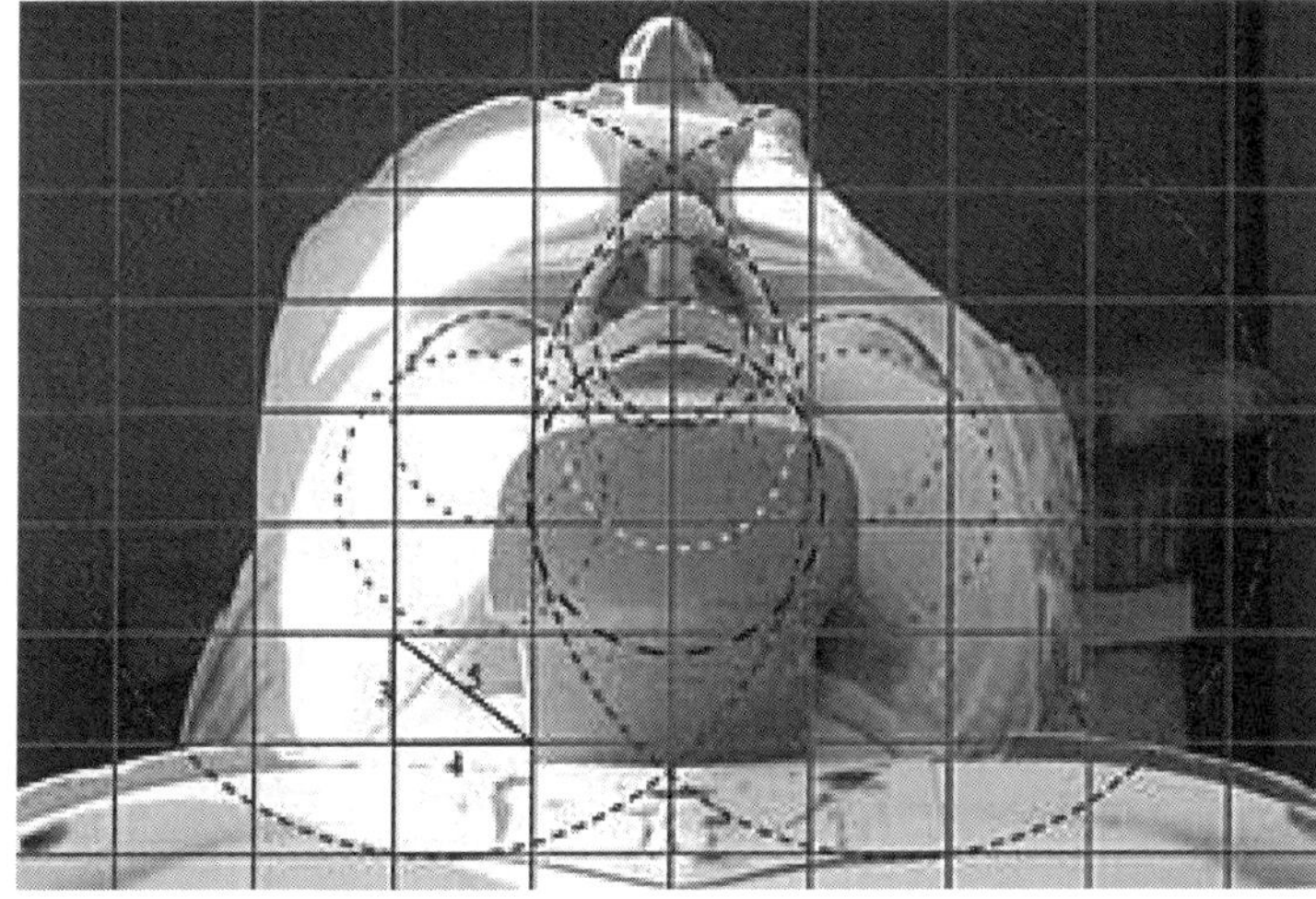

参考：クリストファー・ダン：www.gizapower.com

対称で、ピタゴラスの三角形、黄金長方形、黄金三角形を体現した幾何学的手法で作られている。花崗岩には、古代人の神聖幾何学が刻みこまれているのだ」とクリストファー・ダンは言う。

すばらしいビデオクリップは次のリンクからご覧いただける。http://www.youtube.com/watch?v=h6H13Mi6Kds

レオナルド・ダ・ヴィンチやミケランジェロなどの偉大な芸術作品にはすべて、神聖幾何学が深く刻み込まれている。現代の多くの偉大な建築家も、その作品にこの原理を応用している。古代人が神聖幾何学の原理に従ってすべてを行ったのは、神聖幾何学が無限の表現であり、自然法則の基礎となっているからだ。つまり、神聖幾何学に従うことが、私たちが創造物と創造主とのつながりを保つためのシンプルな方法なのである。

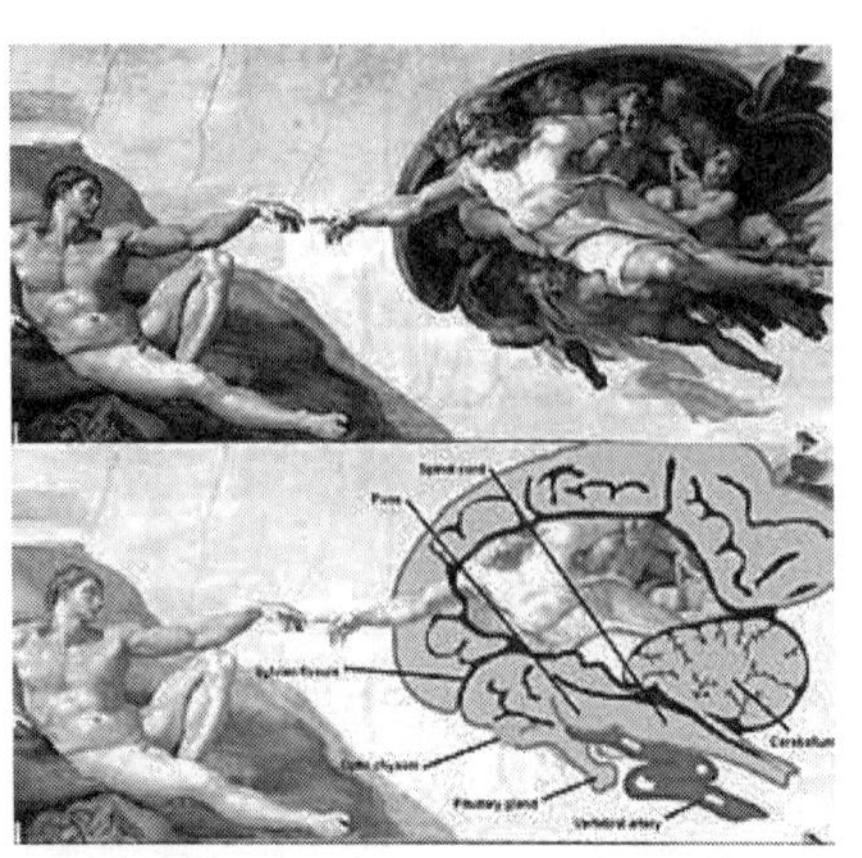
ミケランジェロは、神が私たちの中にいること、私たちが心で創造できること、私たちはすべて神の表れであること、私たちは神と一体であることを私たちに示している

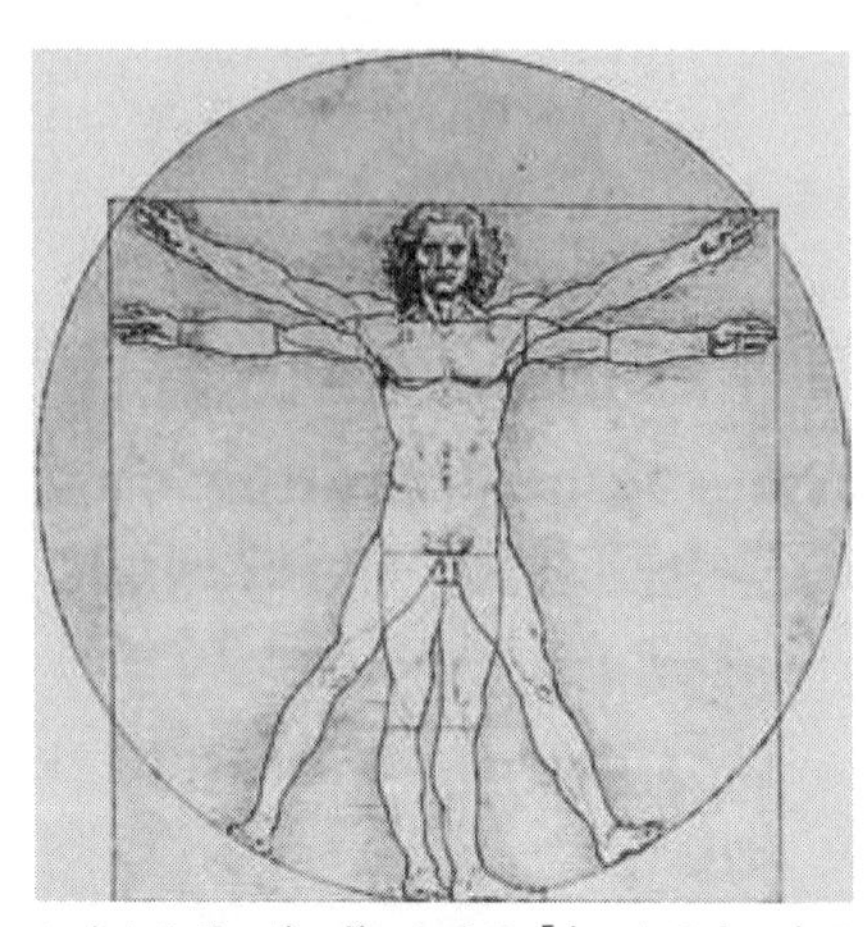
レオナルド・ダ・ヴィンチの「ウィトルウィウス的人体図」は人体が神聖幾何学的原理と複雑に関係していることを示している

神聖幾何学には例えば、虹の7色、1オクターブの7音（8つ目の音で1オクターブが完結する）、半音を含む1オクターブの12音（13番目の音で1スケールが完結する）などの定められたルールがある。このように、私たちの身の回りの多くのものは、神聖幾何学に従って構成されているのである。1週間は7日で、1年は12か月であり、キリストの周りには12人の弟子がいるという例を挙げるまでもないだろう。

物事の構造に関する偉大な洞察の1つは、レオナルド・フィボナッチ（一般には単にフィボナッチと呼ばれる）によってもたらされたものである。彼はイタリアの数学者で、中世西洋の数学者の中でもっとも才能のある人物と言われている。現代におけるフィボナッチは、1202年に出版した『算術の書』によってインド・アラビア式数字体系をヨーロッパに広めたことと、フィボナッチ数列と呼ばれる有名な数列によってよく知られる。もっとも、この数列は彼が発見したのではなく、『算術の書』で例として使ったものである。

フィボナッチ数は、自然法則、黄金螺旋、ファイ係数1・618……と表裏一体であるが、そのどれとも違うのである。無限の知識を秘めた大いなる創造の、別の側面なのだ。

1、1、2、3、5、8、13、21、34、55、89、144、233、377、610、987……それぞれの数字は、

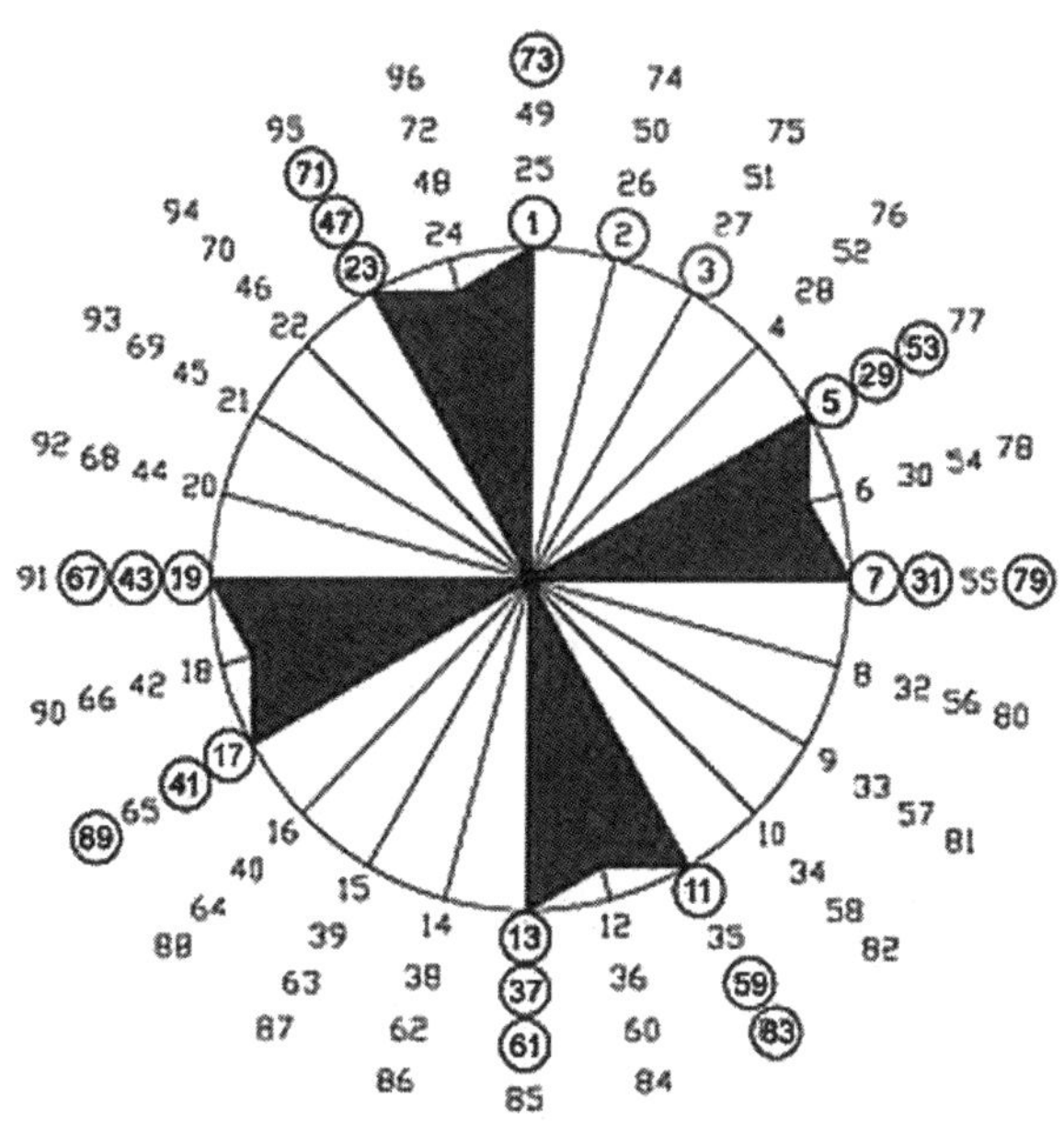

素数が特定の点に並び、これらの点を結ぶとマルタ十字ができる。テンプル騎士団やホスピタル騎士団でも、同様の十字架のシンボルが使われていた。これらはすべて、お金と銀行に関連している

前の2つの数字の和である。信じられないことに、フィボナッチ数列の第12項は144であり、これは数列全体の中で唯一、その項数と同じ数を平方根に持つ数なのである。言い換えれば、144は、平方根が12である12番目の数である。また、フィボナッチ数列の中で、すべての位の数を足すと9になる最初の数（1＋4＋4）でもあり、数理科学上、非常に重要な意味を持つ。

また、すべての素数（2と3を除く）が、24時間計の周囲8か所に整列し、その8つの点を結ぶと、初期の銀行協会で使用されていたマルタ十字と完全に一致していることも偶然ではないのである。素数と銀行の関係は明白で、素数は銀行が使用する暗号のベースとして使われている。

長老評議会（COE）――誠実な賢人

すべてのコミュニティが最初にすべきことは、コミュニティとすべての人々の利益を守ることを第一の目的とする自分たちの代表機関を任命することである。この新しい評議会は、知識と知恵がある人として、コミュニティで知られ、真に尊敬されている人々のグループであるべきだ。このような機関を長老評議会（COE）と呼ぶ。「長老」とはいっても必ずしも年長者である必要はない。これは、コミュニティが一致団結し、人々のために迅速に意思決定を行うための、最初の、そして最重要のステップである。

自然の摂理に従ってウブントゥコミュニティの基礎を築くには、神聖幾何学の知識を用いる必要がある。その知識を、新しい共同体モデル案のできるだけ多くの面に適用しよう。

神聖幾何学の法則を使うならば、長老評議会は任命を受けた13人の知恵ある人々で構成されるべきである。つまり、1人とそれを囲む12人である。13人は、自分たちの中から上級の長老を指名し、評議会のスポークスパーソンとする。

これらの長老たちは、手の届かない遠い象牙の塔ではなく、コミュニティの中心から、コミュニティを日々導き、助言するとともに、そのニーズを実行するのである。長老評議会は毎日、人々と相談し、何が必要かを聞き、提案に耳を傾け、コミュニティに新しいメンバーを迎え入れ、もっとも緊急な問題に対して取るべき行動をとる。しかし、人々の要求があった場合を除いてはコミュニティの生活の流れに割り込んだり、干渉したりすることはない。

評議会は、コミュニティのあらゆる面を改善し、向上させるために、新しいアイデアやプロジェクトの実行に着手する役割である。一方で、コミュニティのすべてのメンバーは、いつでも評議会に意見を述べることが可能でなければならない。メンバーは提案し、問題点を指摘し、人々の生活を向上させる革新的なアイデアを示すことができる。

前述したが、民主主義とは、もっとも巧妙に偽装された支配システムの1つであって、人々に毒の糖衣錠を売りつけたようなものである。何千年もの間、私たちはこの「民主主義」を試してきたが、世界のどこでもうまくいかなかった。しかし、民主主義は、人々に自分たちは自由であり、選択権を持っていると信じさせるための非常に巧妙な偽装戦術として使われてきた。しかし今や、世界の大多数の人々に、選択の自由が全然ないことは明らかだ。選択肢から選ぶことはできても、真のニーズは決して満たされることはない。政府が自分たちの考えを国民に押し付けていることは明白である。それも多くの場合は人々の意思に反して。

このような理由から、ウブントゥ貢献システムは民主主義的な制度ではない。長老評議会によって導かれた少数派のルールの原則に取り組むシステムである。多数派のニーズだけでなく、多くの少数派の多様なニーズを日常的に実現するシステムである。民主主義の下では、少数派のニーズが真に実現されることはまったくない。

そこで、長老評議会の賢人たちがコミュニティのために意思決定するのである。人々が評議会に素早くアクセスできることでシステムを制御し、何かがうまくいかなかったり、コミュニティの一部が何かに不満を持っていたりする場合、迅速に対応することができる。すべての人が共通の利益に向かって協力し合う社会、誰もがいつでも何でも手に入れられる社会、官僚支配を必要としない社会では、不幸が今日のように広まることはないだろうことを心に留めておいてほしい。

移行への道を歩み始めるには、コミュニティが、自分たちの町の議会や行政サービスの運営をコントロールするため、合法的にできることをすべて行わなければならない。例えば、単に住民による「不信任」投票であるとか、長老評議会を代表機関として任命することである。

ただし、これは私たち国民から国を盗んだ腐敗した政府や地方自治体の支配から脱却する上での暫定的手段であることを忘れてはならない。私たちは、コミュニティのすべての人々の団結と繁栄の原則を実行するための出発点を必要としているのである。

移行の基礎となる資金の調達

ウブントゥ貢献主義に移行するにあたって、まず必要なことの1つは、各町が住民所有の銀行口座を開設し、税金、水道料金、電気料金など、通常、自治体が徴収するお金をすべてその口座に振り込むことである。つまり、政府と行政機関に対する支払いを、国民に納得のいくレベルのサービスが提供されるまで停止するのだ。

この口座を信託口座とすることで、銀行や、地方自治体の役人などの不法な政府機関による恥知らずな強奪から資金を保護すべきである。受託者は、町やコミュニティの人々である。これが不可能な場合、あるいは不正使用される可能性がある場合、長老評議会は、国民のお金を集めて有効活用する別の方法を見つける必要がある。

受託者である人々は、長老評議会に彼らを代表して行動するよう指示する。長老評議会は、全住民を代表して、町の出費のすべてを一括した請求書を入手し、料金の正確性を分析し、どこに無駄があるのかを明らかにしなければならない。南アフリカでは、請求書の大半が極めて不正確であるが、個々の住民は不誠実な自治体に対して何の手立ても講じることができない。何か月も苦労して、役所で行列に並んで、やっと請求書の内容を調べてもらっても、必ず「役所が正しい、あなたが間違っている」と言われる。それでも多くの場合、人々は法的措置を取るお金もノウハウもないので、常に地方自治体が不正に徴収したままになる。この件に関しては、私の個人的な経験から話している。

長老評議会は全住民を代表して一括請求書に対する支払いを行う。間違いがあれば直ちに是正を要求する。現行の地方自治体から是正措置が提示されない場合、長老評議会は不備や間違いが正されるまで、単純にすべての支払いを保留すればよい。自治体は間違いを正さないままにはできなくなり、ほとんどの場合、これまでのような質の悪いサービスを継続することができなくなるのである。その後の選択肢は2つで、改善して満足のいくサービスを提供するか、またはサービスの運営を長老評議会に引き継ぐかである。

町の統治と運営を取り戻すために、住民は町長と町議会の不信任決議案を提出し、長老評議会に運営を引き継がせる。原理的には簡単なことのように聞こえるが、厳格なルールを持った官僚システムにおいてこれを実現するには、決意と度胸が必要である。しかし、私たちは自分たちの権利のために立ち上がり、このような状況下で団結しなければならない。私たちの強みは団結力である。信託財産と受託者としての立場を、抜け目なく効率的に利用しなければならない。使い方を知っていれば、これは強力なツールになる。

自治体には、改修や修繕などのための資金がある。長老評議会は、毎月、自治体からこの資金の一部または全部を受け取り、承認されたウブントゥコミュニティ・プロジェクトに割り当てる立場を得なければならない。

これに加えて、ウブントゥの新しいプロジェクトに参加しようとするコミュニティのメンバーは皆、毎月いくらかの現金を住民所有の口座に入金しなければならない。現金の寄付ができない人は、時間を提供することで、プロジェクトの利益を受けることができる。現金を拠出する人、時間を拠出する人、あるいはその両方を拠出する人がいることになる。利益の分配は、開始時の拠出の度合に比例させる。

ここでの目的は、さまざまなプロジェクトにさまざまな形でコミュニティ全体を巻き込み、人々に一刻も早く最初の「自由」を提供することである。まずは、水、食料、電気・エネルギー、住宅といった基盤を提供するプロジェクトに取り組まなければならない。1つの町が成功すれば、その成功をまねようと、ほかも後に続くことになるだろう。

ただし、これは一時的な解決策であり、移行期間の最初のうちだけであることを忘れないでほしい。既存の貨幣システムは長期的な解決手段とはならないが、まず町が自給自足し「グリッドから離れる」までの経過的な方策が必要なのである。

ステップ・バイ・ステップ

町で、そして最終的には国全体でウブントゥ貢献主義を完全に実現するためには、いくつかのステップがある。この新しい社会構造によって、各長老評議会の指導のもと、コミュニティによる新しい法律とガイドラインが確立されるということを覚えておいてほしい。

本質的にすべてのコミュニティはやがて、人々のニーズとモラルに基づいてコミュニティやそこで暮らす人々のために新しい法律を作り、互いに恩恵を受けられる団結したコミュニティで生きることを選択した、主権を持った人間たちの集まりとなるだろう。

新しい法律の仕組みについては、改めて詳しく説明するが、すべての基礎となるのは、コモン・ロー（共通原則）

である。下記はすべての人間に関わる、生命の尊厳を規定する非常にシンプルな3つの原則である。

1．人を殺さない、人に危害を加えない
2．自分のものでないものを盗んだり、取ったりしてはならない
3．すべての行動と発言において、誠実かつ高潔に行動すること

私たちは、私たちを奴隷にしている既存の法律、つまり、「企業のルール」を概説したにすぎない法令に汚されることなく、新しいことを始めるために、すべてを白紙に戻す必要がある。まったく新しい法律が、人民によって、人民のために、若者からの重要な意見を交えて作られる必要があるのだ。

新しい法律・ガイドライン

すべてのコミュニティは、そのコミュニティの活動に特化した、自分たちのニーズに合った新しいガイドラインと追加法を作成することになるだろう。例えば、漁業のコミュニティであれば、漁業、船、河川に特化したガイドラインや法律を定めることになる。

私たちは、お金の有無にとらわれず、無限の可能性を見出す新しい目で、あらゆる分野を見なければならない。そして、すべては可能であり、すべて実現できることを、常に自分に言い聞かせることが必要である。なぜなら、すべてを自由に利用できるからだ。

しかし、お金から解放されるには、何段階かの「お金の使い方」を経る必要がある。目標は、できるだけ早く多くの分野で完全な自給自足ができるようになり、お金の必要性をなくすことである。

初期の段階では、自給自足に欠かせない食料の栽培を行う。人々の活動に広範に関わってくる商品や生産物の生産や製造に関しては、コミュニティにすでにさまざまな形で存在している軽工業も関わってくるはずである。例えば、建築資材、ドア、窓、家具、金属加工などがそうだ。

これらの製品やサービスは、貢献主義に完全に移行しようとしているコミュニティにとって、暫定的な良い収益源となるだろう。ここで生み出された資金は、人々の利益のために、長老評議会によって、もっとも必要とみなされる新しいコミュニティ・プロジェクトの立ち上げに使用される。

人々の参加

この新しい社会構造を「貢献主義」と呼ぶのは、人々が自らの時間や才能を使って貢献するという、わかりやすい

理由からである。新しいプロジェクトを立ち上げるには、コミュニティからできるだけ多くの人に参加してもらわなくてはならない。このとき、はじめのうちはあまり関与せず、様子を見ている人たちもいるはずだ。しかし、参加した人たちは、生産された商品から利益を得ることができる。

成功の基盤となっているのは、すべての人が週に数時間、自分の選んだプロジェクトに貢献していることである。これによって、何千時間もの労働時間が生まれているが、通常はこのようなことは不可能である。なぜなら、企業や自治体には、多くの人に労働の対価を支払うだけの資金がないからである。この原則を適用するだけでも、私たちのコミュニティのありとあらゆる分野で、素早く豊かさを生み出せることは明らかだ。コミュニティで活用されていない特別なスキルや才能を持っている人はたくさんいる。

人々が資本主義の世界で生きていくためのお金を稼ぐことにいまだ固執している間に、お金がなくても機能し、すべての人に豊かさをもたらす新しいコミュニティを作ろうとすると、最初のうちは厄介なことが付きまとう。そのため、多様なコミュニティ・プロジェクトを立ち上げるにあたり、最初のうちは、先に述べたような形で進めていくべきである。これは、現実的で実現可能な方法である。なぜなら、週3時間、いずれかのプロジェクトに貢献すればよいのである。そうすれば、仕事を持っている人でも、余裕を持って取り組むことができる。彼らが一体となって、コミュニティに属し、コミュニティのためになる収入を得るプロジェクトのための強固な基盤を作ることで、コミュニティが成長し続け、新しいプロジェクトを迅速に増やすことが可能になるのである。

また、これらの資金は、人々の生活を豊かにする公共エリア、スポーツ施設、芸術・文化活動の向上に使われることになる。このような施設を利用するためには、週に3時間、いずれかのプロジェクトに貢献する必要がある。

こうすることで、少しずつではあるが、確実に、より多くの人々が仕事を離れ、所属するコミュニティの中で自らの特別な才能やスキルを使ったフルタイムの職につくことができるようになるだろう。これぞ、ウブントゥ貢献主義への転換期の真の始まりと言える。

そして、雪だるま式にプロジェクトが増え、過渡期には収益性が高まり、貢献するすべての人々にますます多くの利益を提供するようになるのである。重要なのは、あらゆる分野で「豊かさ」を生み出すことだ。そうすることで、人々は製品やサービスをとても安い価格で手に入れ、すぐに利益を得ることができる。残りの生産物は外部のコミュニティに高い価格で販売されるが、それでもスーパーマーケットで購入するよりもはるかに安いのである。

このシステムが成長し、進化するにつれて、私たちは自分たちのコミュニティの中でお金を使うことが少なくなり、やがてお金の必要性は、それほど騒がれることもなく、ただ自然に消えていくだろう。

移行期におけるコミュニティの所得創出

初期の段階で立ち上げられるすべてのコミュニティ・プロジェクトは、自己の持続可能性に向けた長期的な解決策を提供しながらも、何らかの短期的な財政的側面を持たなければならない。次に挙げるのは、完全な貢献主義に移行するにつれて、コミュニティが販売し、交換できるようになる製品とサービスの提案リストである。この資金は、町やコミュニティのあらゆるレベルの継続的な改善やアップグレードのために使用されるべきである。

- パン、牛乳、クリーム、バター、チーズ、卵、鶏、野菜、果物、苗、魚、湧き水、家具、窓、ドア、その他の建築資材、レンガ、肥料、堆肥、キャンプやレクリエーション活動、水遊び、ジャム、チリ、ビスケットなどの食品類、芸術作品、衣類、生地、靴、あるいはすでに町／コミュニティで製造・生産されているであろうその他多くの製品。

主な収益源はおそらく観光とホスピタリティ関連のサービスになるだろう。ウブントゥの精神を体験し、コミュニティが創造するものから学ぶために、あらゆる地域から人々が集まってくるからだ。

自給自足のための最初の基盤として、各コミュニティで開発されなくてはならない多くの分野があるのは明白だ。しかし、そのやり方は町によって違う。そのひとつひとつが、多くの派生的な活動を生み、人々の豊かな暮らしを実現するきっかけとなるのである。

愛の労働——仕事もキャリアも奴隷のように働く必要もない

ウブントゥのコミュニティには、職業もキャリアも企業もない。もう二度と、日の出から日没まで、生きるために奴隷として働く必要はないのだ。自分たちの利益だけを考えているどこかの企業があなたを搾取するために、嫌な工場で働き続けることもない。

お金のない世界では、誰も「給料」をもらったり、「給料明細」をもらったりしない。その代わり、誰もが愛の労働をし、誰もが自分の情熱に従って、神から与えられた才能を使うのである。誰もが自分のコミュニティのために、自分が選んだことをしているのだ。なぜなら、彼らはそれが好きで、得意だからである。そしてコミュニティは、彼らの貴重な貢献を称え、尊敬し、それによって誰もが利益を得るのである。そして、その貢献のおかげで、ほかの人たちと同じように、いつでも何でも手に入れることができるのである。

そうすれば、誰もが毎日笑顔で目覚め、自分の情熱やスキル、才能を生かすことを楽しみにすることができる。「仕事人間」という表現は、まったく違った意味を持つようになる。私たちの労力は限りなく高い生産性につながるので、私たちの仮説では、1日に3時間だけ愛の労働（LOL＝Lavour of Love）をすればよいことになる。そうでなければ、物が増えすぎてしまうのである。橋が増えすぎたり、靴があふれたり、コンピュータが製造されすぎたり、陶磁器だらけになったり、キャンドルがいっぱいになったり、食べ物が腐ったりしてしまうのだ。

ここで悩みが生まれる。というのも、コミュニティのために好きなことをやり終えたら、1日のうちさらに18時間は好きなことをすることができるのである。制限されることや費用の負担はないのだ。趣味や好きなことをするために、釣りをしたり、乗馬をしたり、苗を育てたり、絵を描いたり、彫刻をしたり、自動車を組み立てたりできるのだ。もちろん、これはうれしい悩みである。人々が自らの意識を探求する休憩時間、静かな時間を確保できるようになるのだ。もう誰も自分が奴隷だと感じることはないだろう。

1日何時間貢献しなければならないかの目安は、あくまでガイドラインであり、コミュニティのニーズによっても変わる可能性が高い。使えるものが増えすぎて、結局は週に数時間しか働かないかもしれない。

重点的に実施する5つの分野

これらは、最初の2年間で達成させる究極の目標である。

1. フリーウォーター
2. フリーエネルギー：電気、照明、熱、ガス、メタノール、その他の燃料を含む
3. 無料の住宅：建築資材の提供を含む
4. 無料の食事（農地の最適化）
5. 教育の無償化：代替教育システムの構築

どのコミュニティにも、この5つの分野のそれぞれの実施に大きく貢献するノウハウや技術を利用できる優秀なメンバーがいる。農民、水利学者、教師、エンジニア、発明家、道具屋、チーズ屋、建築家、デザイナーなど数え上げればきりがない。長老評議会の指導のもと、コミュニティは、これらの人々のスキルが最大限に活用されるようにしなければならない。

プロジェクトを始動させるのは難しいかもしれないが、やり方はさまざまである。先に述べたように、人々は、毎月少額をコミュニティ信託口座に入金し、そのお金を上記で提案した初期の重要なプロジェクトの立ち上げに使用することもできる。もう1つの選択肢は、料金、税金、電気、

その他のサービスに対して通常支払わなければならない月々の料金をすべてコミュニティ信託口座に支払うことである。こうしたお金を、自分たちの利益のために資金を使う腐敗した議員の懐に入らないようにし、初期のプロジェクトを立ち上げるために、自治体に協力させるのである。

先に挙げたサービスのインフラが整えば、コミュニティが必要とする多くのサービスを提供し続けるために人々が支払うのは、維持・改善のための月々のわずかな料金だけであるはずだ。これが実現されれば、すぐに無料になるものもあるし、移行期間中に非常に低いコストで利用できるようになるものもあるだろう。

フリーウォーター

水は国民のものであり、政府のものではない。コミュニティは、清潔で不純物のない飲料水の水源を見つけるためにできる限りのことをし、水を浄化して活性化する天然の処理に精通する専門家を活用する必要がある。もちろんこれは、化学物質、特にフッ化物を加えるということではない。

最近、世界の人々に押し付けられている恐怖の戦術の1つが、水不足になるという未来である。これは、私たちの水の供給を支配し始めた支配者たちによる、邪悪な恐怖の戦術と詐欺の1つにすぎない。政府は、川や湖、ダム、そして雨水までも私有化しようとしている。雨水を集めることが違法とされている地域さえあるのだ。これは人間の恐怖心を煽り、私たちの多くを監獄にがっちりと閉じ込めてしまうためである。

世界には水がたくさんある。水が不足することなどないのだ。何年か前に、当局が我々を混乱させ、嘘を信じさせるために、ゆるやかで不吉な情報キャンペーンを始めたが、冷静な人なら誰でもそのことをわかっているはずである。

しかし、政府がやりたい放題に鉱山を荒らしたせいで、川や井戸、地下水源がどんどん汚染されているという問題がある。鉱山業を営む大企業は政府に巨額の資金を支払っているため、責任を問われることはなく、私たち国民は、彼らが作り出した混乱の後始末に税金と手数料を取られているのだ。これは、企業の強欲が生み出した世界的な大問題であり、社会からお金をなくすことで解消されるだろう。

きれいな川や山の近くにある町は、水に困ることはない。多くの山から水が湧き出ているので、水が利用できない人はいないはずだし、誰でも無料で新鮮な活性化された水を家庭に供給できるはずである。

沿岸の町には、必要な水をすべて供給できる海がある。逆浸透法を使えば塩水を真水に変えることができるし、副産物として塩も作れる。ただし、このプロセスでは大量の水が失われ、水の分子構造が変化するため、新鮮な地下水、雨水、湧水を補うためだけに使用する必要がある。エネルギーと資金の問題はなくなったので、逆浸透法で水を製造することも問題ではないだろう。湿度の高い沿岸部では、高温多湿の空気から水を凝縮するという、すでに確立されているプロセスによって、空気中から水を取り出すことができる。

- すべての水は、「活性化」という自然のプロセスを経て、健康的なものになり、多くの病気の予防や治療にまでも役立っている。これは、先に述べた神聖幾何学の知識に基づいている。
- 渓流からの水は、飲料水などに活用できる。
- 貯水池を整備して、きれいな山の水を貯水し、各家庭に配水することができる。
- 井戸水は、可能な限りきれいな純水を提供する。
- 問題が起きたときに大量の水を断水させるような中央集権的な送電網は一切排除する。エネルギー供給と同じように、すべての送電網を地域的な供給網に置き換えて、停止することのないようにし、人々を暗闇、水不足に陥れないようにする。
- 万が一、メインの水源に何らかの障害が発生した場合、水不足にならないように、小さな水タンクを作って数軒の家に同時に供給することもよい方法かもしれない。
- 下水道や排水は、高度なグリーンテクノロジーで浄化し、エネルギーを供給する必要がある。この水は農業用水として、あるいは、飲み水が不足する場合には飲料水として利用することができる。有用微生物群（ＥＭ）は、この問題に対する主な解決策である。有用微生物群は簡単に入手でき、醸造にはほとんどコストがかからない。そのため、中央集権的な権力者たちはこの知識を広めようとせず、まだほとんど注目されていないのである。
- 科学者たちは、構造化され、活性化した水が植物の成長を促進すること、この水が農業戦略の一環としてコミュニティが作った苗木や植物の苗床に有益であることを知っている。水と有用微生物群を組み合わせると、質の悪い土壌を急速に再生させ、有機栽培ができるようになる。
- 汚染された地下水は、専門家、つまり水の処理方法を知っている人たちによって処理されることになる。2次的な病気を引き起こし、製薬会社を養う化学物質ではなく、有用微生物群などのよく知られた自然のプロセスによって処理されることになるのだ。

フリーエネルギー

エネルギーは、おそらく人類を奴隷にする何より強力な手段であり、それゆえにもっとも厳重に保護されている分野である。新エネルギー、代替エネルギーの類は一切禁止されている。そして、電気は産業の原動力であり、世界を支配している。世界の多くの人々は、電気を常時供給するだけの余裕がなく、家庭で灯油やその他の危険で有害な物質を使用せざるを得なくなっている。

多くの優秀な発明家たちがすでに作り出した本物のフリーエネルギーを利用できるようになる日はそう遠くない。このことを知る人は知っている。彼らは、自分たちの創造物を世界と共有するタイミングをずっと待っていたのだ。これまでの発明は、エネルギー業界の大手企業、石油会社、JPモルガンのような銀行マフィアによって、社会から排除されてきた。発明家たちは、その創作のために沈黙させられ、賄賂を贈られ、拷問され、殺されてきたのだ。

同じ運命をたどらないために、多くの人が隠れて密かに活動してきた。ウブントゥ貢献主義のシステムは、こうした発明家たちに、フリーエネルギー装置を世界に公開するためのプラットフォームを提供する。しかし、それが実現するまでは、フリーエネルギーや安価なエネルギーを得るために、その他のあらゆる方法を可能な限り活用する必要がある。

照明や暖房、料理やお菓子作り、あるいは産業や農業に必要なディーゼルやガソリンなど、私たちはさまざまなエネルギーを必要としている。

私たちは、すべてのニーズに応えることのできる強力なフリーエネルギー源を見つけるために、それぞれのタスクに最適なエネルギー源を使用しなければならない。次に取り上げるのはいずれも、エネルギー業界の大手企業の束縛から解放されるために、すべてのコミュニティにおいて利用可能なものである。

- 太陽
- 水
- 風
- 地熱
- 磁気
- ガス
- エタノール
- メタン（バイオガス）
- 潮の満ち引き
- 太陽エネルギーは、家庭や工場、学校など、明かりが必要な場所に電力を供給できるエネルギー源であることは間違いない。低ワットのLEDライトであれば、壊れにくく、わずかなエネルギーしか消費しない。
- 川や滝があるところでは、フリーエネルギーが利用できるのに、せっかくのエネルギーが無駄になっている。川の中、滝の中、橋の下などに水車を設置すれば、川を汚すことも、水を使い果たすこともない。数ある急流や小さな滝を利用して複数の水力発電機や水車を設置すれば、最小限のメンテナンスで、町中に必要な電力を無料で提供することができる。

- 必要であれば、環境を害することなく、コミュニティにとって有益な場所に、タービンを備えたシンプルなダム壁を、川をまたいで建設することができる。
- 下水ダムや埋立地にメタンガスプラントを設置することで、調理や暖房、照明に必要なエネルギーを供給できる。酪農から出る牛糞は、堆肥の材料としてだけでなく、メタンガスの生成にも利用する。
- 地熱発電という選択肢は非常に現実的で、世界中、特にフィリピンでは成功裏に実施されている。
- 風力タービンは、必要に応じて大量に設置し、エネルギーの供給量を増やすことができる。風車はコミュニティのエンジニアが設計・製造することができるもので、高価なタワーのような建造物である必要はない。
- 地磁気という選択肢もあり、これについてはさらに調査する必要がある。
- 永久に動き続け、高電圧を出力する無音磁気モーターが、あらゆる家庭のさまざまな電化製品に有効に使用できるようになった。これらは、私たちが待ち望んでいるフリーエネルギー装置の一部である。

無料の住居と革新的な町づくり

誰もが家を持たなければならない。掘っ立て小屋でも大邸宅でもなく、個人や家族のニーズに合った美しい家だ。誰も飢えてはいけないし、誰もホームレスになってはいけない。皆がコミュニティに積極的に参加する一員であり、愛の労働に貢献する人は、誰もが望むすべての快適さを手に入れることができる。もちろん、ほかの人を搾取することのない範囲内ではあるが。これを実現するために、私たちは非常にエキサイティングな町の再編成に着手することになるだろう。

- 新しい長老評議会のもとで建造物の建設や改良が行われる前に、私たちは町のレイアウトを評価し、最高の都市設計家、環境の専門家、土木技師を活用し、人々にとって最大の利益が得られるように町のレイアウトを再設計しなければならない。これは将来の成長ビジョンを考慮し、産業と農業のために提供され、自然と絶対的に調和したものでなければならない。設計はエネルギーの流れを理解する者が行い、神聖幾何学をすべてのデザインに取り入れる。コミュニティに自由なエネルギーが流れるようになることは、コミュニティ全体の繁栄にとっても非常に有益である。

私たちは環境に心地よさを感じていないときに「病」になることを覚えておいてほしい。現在の街のレイアウトは、ほとんどがグリッド方式に基づいている。グリッド（格子）は、魚や鳥や動物、そして人間をも捕らえる網と、気づかぬうちに結びついていることがある。私たちを解放してくれるはずのテクノロジーは、実はマトリックスの一部として、目に見えないエネルギーの罠を作り出しているのだ。今日のテクノロジーの多くは、中央管制塔からコントロールされる送電網を基盤としている。送電網が停止すると、人口の大部分に影響が及ぶ。これでは効果的なモデルとは言えない。電気はその典型的な例である。

- 大規模な建材生産に乗り出す。粘土／わら／石灰／茅／木／石など、それぞれの環境にある自然の建材を使う。
- そのような素材を作る専門家を活用し、この分野に魅力を感じている人材を育成するための機会とする。粘土、土、砂、石、木、草などの自然素材を使った仕事は、清々しい気持ちにさせてくれる。また、自然素材から作られた住宅は何千年もの耐久性があり、修理が容易で、現代の住宅よりも効果的に自然災害に耐えることができる。6000年前の壁や屋根がそのまま残っている古代の家が考古学者によって発見されていることを考えてもわかるだろう。もし、あなたの住んでいる近代的な家が10年間も放置されたらどうなるか、想像してみてほしい。イエメンなどでは、泥で造られた6階建ての建物があり、装飾に凝った近代建築よりも良い状態で残っている。
- 周辺の鉱山や採石場から、石や砂を無料または安価で入手する。
- コミュニティが必要とする家屋や工場、農業用の施設の建設に必要なあらゆる資材を、主体性と想像力を発揮して作り、生み出す。
- 建築のプロセスにおいて、芸術的で創造的な趣を凝らす素材を、アーティストに作らせる。
- その土地で育つ木材を提供するよう林業会社に働きかける。この木材は、ログハウスや家具、ドア、窓などの建築に使用することができる。結局のところ、土地は人々のものであり、私企業の利益のために植えられた木は何であれ人々のためになっていないのである。時間の経過に伴い、これらの森林は人々によって管理されるようになり、人々にさまざまな種類の木材を提供する、より多様な森林へと変化していくだろう。現在、南アフリカの木材の多くは紙の原料として使われているが、これらの紙は輸出され、国民はそれを購入することができない。
- 大工が働ける製材所と木材工場を設立する。これらの施設は、こうした作業を行う大工のトレーニングセンターでもある。また、工場は、ほかのコミュニティの人々が自分たちの製品を作るために利用することもできる。
- コミュニティが必要とする基本的で多様な金属製品の製造や生産のために、必要最低限のものが揃った効果的な金属溶接の作業場を設立する。
- コミュニティへのさまざまな活動やサービスに参加するすべての人は、住宅、水、食料、電気などの基本的なニーズすべてにおいて、直ちに最大限の恩恵を受けることができる。

- コミュニティへの貢献度に応じて、誰もが恩恵を受けることができる。貢献すればするほど、より多くの恩恵を与えられるのだ。恩恵を受けるためには、全員がいずれかのコミュニティ・プロジェクトに週3時間、貢献する必要がある。

町は国民のもの

現在の金融危機は、銀行が強奪という不法行為を続けることを阻止し、国民が管理する無利子の貨幣を発行する「合法的銀行」に急速に転換させるといった方法で対処しなくてはならない。一部、過渡期におけるウブントゥモデルは、アイスランドに倣うつもりである。つまり、すべての住宅と車のローンは取り消され、銀行家は人々の血と汗から作られたすべての負債に責任を負うことになる。これにより多くの人々は、自分たちを苦しめてきた住宅ローンやその他の債務から解放され、コミュニティ・プロジェクトに参加する時間が増え、愛の労働の一環として、多くのプロジェクトの立ち上げに貢献することになる。

土地の所有は、人々が自由になるにつれて減少していくことを心に留めておいてほしい。誰もが家を持ち、好きなときにほかのコミュニティに移動し、愛の労働に貢献するようになるからだ。土地は、長老評議会によって、コミュニティのために何をしているかということに基づいて、すべての人に割り当てられる。

つまり、コミュニティのために農業をしたいという人には、必要なだけの土地が割り当てられ、コミュニティ内での農業のニーズを満たすことができるのである。魚の養殖をしたければ、そのために必要なものがすべて提供される。これは社会のあらゆる分野に適用され、誰も他人を犠牲にして自分の利益のためにこのシステムを悪用することはできない。町は、そこに住み、その豊かさに貢献する人々のものである。町とは、独立したコミュニティの中で生きることを選択した主権者たちの連合なのである。この期間の基本原則の1つは、この新しいライフスタイルを皆に紹介し、必要なものはいつでも誰でも手に入るので、物を欲しがったり、ガレージに物を貯めこんだりする必要はないと実感してもらうことである。

3倍生産の原則

ここで、団結と共有というウブントゥの原則が本領を最大限に発揮し始める。

気候、標高、地形、自然災害、不測の事態などにより、すべてのコミュニティが自分たちの生存に必要な基本的なものをすべて生産できるわけではない。したがって、すべての町やコミュニティは、自分たちに必要な量の3倍を生産する必要がある。そうすることで、各コミュニティは、特定の農産物を必要としている近隣のすべての町を支援することができるのだ。この原則は、主に農産物と食品に適用される。その他の産業や製造業の分野については、別パートで解説しているその他の要因によっても異なる。

　コミュニティ間で商品、製品、食料、サービスの移動が活発になると、個人の欲や貯蔵のためでなく、それぞれのコミュニティに利益をもたらす活動によって、必要な人に必要なもののすべてが提供されることが保証されるようになる。

　それぞれの長老評議会は、町と町の間、そして国中の物資の分配と供給において重要な役割を果たすことになるだろう。

貢献主義的な側面

　ウブントゥ貢献主義コミュニティのもっとも重要な部分は、「全員による貢献」というものに集約されている。

　ある年齢以上、おそらく「教育」が修了する年齢である16歳以上の人は、週に3時間、数あるコミュニティ・プロジェクトのいずれかに貢献する必要がある。

　教育のパートでは、学習が美しい体験になること、そしてなぜ16歳で正式な学習をやめるのかについて解説している。

　貢献した人は全員、プロジェクトの収益からすぐに恩恵を受けることができる。また、これらのプロジェクトは、これまで否定されたり、資金面から実現できなかったりした新しい技術を学ぶための良いトレーニングの場となるだろう。

　最初のうちは、時間的な貢献ができない人は、現金で貢献するという選択肢もある。ほかの人たちの労働力と同額の金額がいくらになるかは、長老評議会が決定する。なかには、まったく関与しないという人もいるだろう。その場合、このプロジェクトに参加している人たちが生産した農作物やその他のプロジェクトから得られる利益を受け取ることはできない。週3時間の労働というのは無理な要求ではないので、できれば全員が参加できるようにしたいものである。

　しかし、そのような人たちも、友人たちが日常生活に必要なものをスーパーマーケットで買うのと変わらない値段で手に入れるのを見れば、すぐに目を覚ますと私は信じている。このようなメリットは、参加する人が増えれば増えるほど、急速に大きくなっていくだろう。そして、パン、牛乳、バター、チーズ、クリーム、果物、ナッツ、野菜、魚、卵、鶏肉など、日常的に食べるもののほとんどを、比較的短期間のうちに、自分たちのコミュニティから実質無料で手に入れることができるようになるはずである。

　ウブントゥのコミュニティでは、誰もがコミュニティのプロジェクトに週3時間貢献することが求められる。どの分野で貢献するかは自由であるが、長老評議会がその人の能力やその時々のコミュニティの緊急ニーズに合わせて、さまざまな仕事を割り振るのである。

つまり、1000人が自分のスキルや時間を提供できる町では、1週間に3000時間の労働時間がコミュニティ・プロジェクトに充てられることになる。1000人×1人あたり週3時間。つまり、毎日平均143人が、コミュニティのためにさまざまなプロジェクトに取り組んでいることになる。1000人規模のコミュニティで、143人の給料を支払う余裕がある町議会などないだろう。

プロジェクトに参加する代わりに、人々はコミュニティ・プロジェクトで作られるすべての食べ物や商品を通常の何分の1かの費用で購入できる。そして、積極的に参加する人々は、最終的にすべてのものが自由に手に入るようになる。このように人々が参加することで、コミュニティがどれほどの恩恵を受けられるかは実施初日から一目瞭然であり、このような市民参加型の町が、あらゆる分野で発展していくことも想像に難くない。

無料の食べ物

私たちが暮らすこの世界では、ほとんどの人が働いてお金を稼ぐことで、食べ物を買っている。ホームレスや失業者、飢えた人々は、食べ物を買うためのお金を得るためなら何でもするようになり、犯罪に走ることさえある。現在、お金がないために善良な人が犯罪者になってしまうという悲しい事態が起きている。仕事もなく、将来にも生きていく希望が持てないという厳しい状況に直面する人が増えているのだ。

2013年3月、アメリカで、食品店を差し押さえた銀行の指示によって警察が動いた。不満を持った店主が歩道に出した食品を、飢えたホームレスの人々が持ち去らないようにしたのだ。警察が待機し、人々が食べ物を奪い去るのを阻止する一方で、食べ物はトラックに積まれ、埋立地へと運ばれた。

このような行動をしているうちに、やがて警察官は、自分たちが仲間の人間を抑圧しながら「悪魔」のために働いていることに気づくのだろう。

食費は高くつくため、わずかなお金で生活を維持するのは難しい。食生活の乱れは健康を害し、不健康な精神状態は判断を誤らせる。このような社会の悪化のスパイラルが、今、世界にはっきりと見て取れる。

世界の多くの地域で、政府は、自分たちの生活を維持するために食物を栽培している人々をその土地から追い出している。これはお金のために働かせることで、銀行家の支配を続けさせるためであり、悪意を持って計画されているのだ。

食料の生産と水の供給は、すべての町で最初に実施されるべき活動である。各コミュニティができるだけ早く自給自足できるようにし、すべての人に人間としての尊厳を取り戻させるのである。

モンサント社をはじめとする遺伝子組み換えの大手が、私たちの食料供給を支配しようとしている試みを過小評価してはならない。彼らは、地域社会が食料の自給自足を実現するのを阻止するために、できる限りのことをするつもりだ。

食料の自給自足が実現すれば、その町は非常に住みやすくなり、過密な都市から急速に人が流入することになる。また、近隣の町が同じような生活様式を取り入れるというドミノ効果を起こすきっかけにもなる。なぜなら、近隣の町の人たちが、自分たちの町（まだ普通の資本主義システムで動いている）よりも、はるかに安い値段で商品が手に入るこの町から、あらゆる商品を買い始めるようになるからだ。しかも、そうなるのに時間はかからないだろう。

この段階で重要なのは、コミュニティ自体が収益性の高い資本主義的な企業になるという誘惑に「陥らない」ことである。長老評議会は、お金の誘惑に負けて価格を上げたり、ウブントゥ貢献主義の原則を危うくしたりしないように留意しなければならない。

これらの活動により、すべての人が町やコミュニティで十分な生活を送ることができるようになると、たとえお金があったとしても、ほとんど必要なくなる。やがて人々は、自分たちのコミュニティにいる間は、ほとんどお金を使っていないことに気づくだろう。実際にお金を使うのは、旅行でほかの町と交流したり、自分の町では手に入らないものを買ったりするときだけである。段階的なアプローチの一環として、以下のプロジェクトを直ちに実施することが不可欠である。

- 農家の人たちが、自分たちのコミュニティやほかのコミュニティのために、できるだけ多くの有機非遺伝子組み換え食品を生産できるよう、可能な限りのサポートをしなければならない。
- 遊休地化した公有地を活用し、農家がその周辺にある自分の土地を、すべて農業活動に使用するよう協定を結ぶ。
- 国民の信頼を得るために、最初のプロジェクトの1つとして共同食堂を設立する。これが政府による単なる空約束でないことを示すのだ。そして、飢えている人、ホームレスの人、仕事に就いていない人、食べ物を買う余裕のないすべての人、特に孤児と老人に、1日1食、おいしい食事を提供する。
- ただし、食事の提供を受けるためには、週に3時間、食事を作るための共同作業を行わなければならない。重労働や奴隷労働、児童労働のことを言っているのではない。これらの言葉は、人々や子供たちを搾取する資本主義システムに密接に関連した表現である。子供たちの役割については、他のパート、特に教育の項目で詳しく取り上げる。

子供や高齢者がコミュニティのためにできることはたくさんあり、それらは新しいスキルの習得につながり、コミュニティに多様な利益をもたらすのである。文化的な活動に関しても、コミュニティのために生み出せるものがある。高齢者は、あらゆる分野で経験や知識を提供することができる。このような参加者に提供される食事の数は、システムが洗練され、より多くの食事を提供できるようになるにつれて増えていくだろう。

- 町内の空き市庁舎を活用してテーブルと椅子を備えた機能的なキッチンを作り、ふさわしいスキルを持った失業者に調理させる。こうして、コミュニティ・プロジェクトが充実してくれば、1日2食、3食と提供できる数が増えていくだろう。
- キッチンの資金は、ゴミ捨て場のリサイクル、コミュニティによる農業活動、自立したコミュニティが生み出す数々の製品・サービスの販売収入、暫定的なコミュニティの口座から得ることができる。この口座は、長老評議会がコミュニティを代表して管理する。初期の段階では、毎月コミュニティの信託口座にお金が入る。自治体の底なしの財源に資金が消えていくのではないということを忘れてはならない。
- すべての人に安価にパンを提供するためには、毎日大量のパンを焼けるようにコミュニティベーカリーを整備する必要がある。政府が配る面白みのないパンではなく、栄養価の高いあらゆる種類のパンを、ファーマーズ・マーケットやレストランで販売したり、近隣の町へ「輸出」したりすることもできる。貢献した人は、コミュニティの状況に応じて、無料または非常に安価なパンを手に入れることができるのだ。
- 牛乳、クリーム、バター、チーズを生産する酪農。これは、持続可能な社会の実現に向けた最初の段階では、非常に有益なものになる。
- 放し飼いの鶏で卵と肉を作る。
- 野菜やハーブを1年中楽しめるビニールハウス。
- 草木の受粉や蜂蜜を供給するための、蜂の巣とミツバチ。ミツバチの巣箱は1つで年間平均15~30kgのハチミツを生産することができる。
- 果物、ナッツ、柑橘類の果樹園も多くの副産物をもたらすだろう。
- 魚の養殖。平均的な規模の養魚場であれば、放棄された工場や農場のダムを利用して、マス、バス、ナマズなどの魚を数百万匹生産し、コミュニティの住民が消費したり、近隣の町に販売したりすることができる。
- 湧き出る水をボトルに詰めて、販売店や高速道路で通行する人に販売する。

- 各活動の専門家は、すべての人に十分な量を提供し、3倍生産の原則を遵守するために、その部門がどの程度の規模であるべきかをアドバイスする。
- ここに挙げたものは、食に関連した農産物を使って自立したコミュニティを作るための、もっともわかりやすい活動の一部である。
- コミュニティでの食料の生産と供給は、ほかの産業や製造業の分野でも同じように実施する方法を理解するための良いモデルとなるだろう。

その他、過渡期における有益な活動

専門家・有識者をコミュニティのために活用する。

- 下水を肥料に加工することで、コミュニティの収入になり、自分たちの土地を肥やすことができる。
- 下水処理場でガスを発生させ、調理などに利用する。
- 牛糞をはじめとするあらゆる有機物から堆肥を作る。
- 自家用および外販用のあらゆる種類の苗を植える。
- アカシアなどの成長の早い外来樹種を木製品の製造に利用する。
- 林業活動で出た廃材などを根覆いのためのウッドチップなどに利用する。
- このようにさまざまな活動を行う農園は、都市の子供たちが生命や母なる地球について学ぶための観光スポットとして、推進される。
- コミュニティが必要とするあらゆる製品の製造業を立ち上げる。これらの生産物は、移行の初期段階における収入として、外部の人に販売することもできる。
- 定期的または常設のファーマーズ・マーケットを開催し、コミュニティから人々や通行人を町に呼び込む。町で製造・生産されたすべての商品を、コミュニティの利益のために販売することができる。これには果物、野菜、苗、植物、ハーブ、肉、魚、バター、ミルク、チーズ、パン、木製品、瓶詰めの保存食、ジャム、美術品、布地などが含まれる。
- コミュニティの人々に役立つ教材を使って、子供と大人のための効果的な識字教室を開催する。
- 保育所や学習センターを作り、子供たちが幼い頃から探求心を持ち、現在の洗脳システムとは対照的に、人生において重要なことを学ぶことができるようにする。
- 子供たちが開かれた心で成長できるように、あらゆる可能性に開かれている代替教育システムを直ちに開始しなければならない。そして、人生に役立つ有意義なスキルを身につけ、生まれ持った才能を発揮できるようにしなければならない。すでに多くの偉大な教師たちが、現在の学校教育システムの欠点に不満を抱き、新しい選択肢を必死に探して教育現場を去っている。

教育については、「教育と学習」のパートで詳しく解説する。

- すべての人々のために、道路や公園や学校や運動場を整備し、再構築する。
- すべての道路、学校、公園に樹木を植える（果物や木の実を実らせる樹木を含む）。
- 公共の場所や公園などにフードフォレスト（食物を収穫できる森）を作り、植樹する。
- 使用済みタイヤを炭に変え、その熱でエネルギーを生み出す小さな無煙工場を作る。これは、使用済みタイヤが引き起こしている公害の面でも大きな解決策となる。この技術は、現在は使われていない多くの技術の中に存在する。
- 芸術と文化を促進するための、しっかりと計画されたレクリエーションエリア。これには、画家や彫刻家などのための充実したアートスタジオが必要である。
- できるだけ多くの楽器を揃えた音楽教室。ここでは生徒がコミュニティのために定期的に演奏する場を提供する。
- 街並みを美しくするために、アーティストに作品を制作してもらい、その作品を沿道に展示する。
- コミュニティの人々が作ったあらゆる種類の美術工芸品や手作りの品をアートギャラリーで展示する。
- 仕立て屋が互いにインスピレーションを与え合いながら、素材を美しい布地に染め上げていく服飾工場。
- 靴工場では革とタイヤを使って、丈夫で実用的、かつ長持ちする革新的な靴を製造する。
- 観光客が勤勉で芸術的な人々を見て驚き、天国のようだと感じる町にする。
- 可能であれば、主要な観光地として川や水辺を活用する。
- ウブントゥ貢献主義の一例として、計画的かつ継続的な広報活動により、町のあらゆる活動や魅力をアピールする。
- 町を、世界中から人が集まる、国一番の美しい町に変える。
- 人々と長老評議会は、町やそこにいる人々のためになるアイデアをほかにも数えきれないほど思いつくだろう。

注：ここで挙げたものはあくまでアイデアであり、絶対的な指示ではない。

観光

世界の観光事情は大きく変化し、人々はもはや動物園を見学する観察者としての旅行を望んでいるわけではない。より多くの観光客が、自分たちが訪れるコミュニティとの関わりを望んでいるのである。これは新しい観光のアプローチとして使われるべきである。楽しみながらサクランボ狩りをするように、人々は楽しみながら新しいことを学ぶのが好きなのだ。そのため、牛の乳搾りやチーズ作り、土地を耕す、苗を植える、陶芸やアートを作る、布をデザインする、靴を作る、老人や孤児に食事を与える、環境に優しい家を新しく作るなど、観光客が多くの体験活動に参加できる環境を提供する必要がある。

観光客にとって美しく魅力的な宿泊施設を作り、安価に利用できるようにすることで、アクティブな観光客を町に呼び込むことができる。人々はさまざまな活動に参加することを楽しみながら、コミュニティを豊かにすることに貢献するのである。

人は情熱を注いでいるとき、非常にポジティブなエネルギーを放つ。これは科学的でシンプルな事実である。この目に見えないポジティブなエネルギーは、幸せで満たされた一人ひとりが生み出すもので、周りの人にもポジティブなエネルギーを供給する。そして伝染し、指数関数的に広がっていくのである。

このエネルギーは、好きなことをしている幸せな人たちがいる空間にいると感じることができる。これはすべて、先ほど取り上げた自然の法則とつながっている。料理でも、農業でも、エンジニアリングでも、洗濯でも、靴作りでも、アート制作でも、あるいは下水道問題の解決でも同じだ。このポジティブなエネルギーが、ウブントゥのコミュニティの人々の心を満たし、周囲の人々にも伝染していくのである。

代替地域通貨――暫定的な保護措置

最初の町が自立して、先に述べたような基本的な食品やその他の商品をすべて生産できるようになれば、周辺の町が旧来の資本主義モデルで運営を続けることが不可能になる。そうなるとドミノ効果によって、私たちの生活のあらゆる側面に、予測不可能な影響が現れるだろう。

私たちがしなければならないのは、今までにない無限の可能性に対応するために、オープンマインドでいることである。近隣の町は、兄弟姉妹として、また、より大きなウブントゥファミリーの延長として扱われなければならない。決して競争相手や、資本主義的なシステムで動く「影」として見てはいけないのだ。

はじめのうちは、周辺の町の人たちが生活必需品をすべてウブントゥの町で買うようになるということが起こりがちである。すると、欲が出てきて、ウブントゥの町の商品を安く買って、自分の町で正規の値段で売りさばこうとする人が出てくる。

あるいは、ウブントゥの町にある生産工場で、自分が町の外で売るための商品を生産させようとする人も出てくるだろう。ウブントゥのコミュニティが持つ、実質的に無料でモノを作る能力を利用しようと企てる利己的な個人はたくさんいると思われる。

このような貪欲な側面も常にお金に起因するものであり、移行の初期段階においてはこうした試みを防ぐ必要がある。「お金のない世界」という、私たちが統一して持っている意図を常に頭の片隅に置いておかなければならない。

コミュニティはこのことを強く認識し、長老評議会が自国の人々や自国の資源に対する搾取を防止する立場にあることを確認する必要がある。

そのような搾取を防ぐためには、町で使える代替地域通貨を作る必要があるかもしれない。コミュニティがより高いレベルの自己持続性と貢献主義に向かって進歩するにつれて、町内のすべての取引は町独自の通貨で行われるようになるだろう。

長老評議会が合意すれば、どんな形でも構わない。しかし、すでにあらゆる問題を引き起こしているお金の増刷をこれ以上繰り返すのは異常であると言わざるを得ない。もっともわかりやすい解決策は、コミュニティのあらゆる活動に合理的に対応できる電子カードを作ることだ。すでにテスト済みの高度な電子通貨カードシステムがあるため、コミュニティへの初期費用を最小限に抑えながら使用することができる。このシステムは、コミュニティへの貢献度に応じて、さまざまな人が恩恵を受けられるようにプログラムすることができる。

これらは、銀行とは一切関係なく、単に電子的な支払いシステムを確立させるためのものだ。システムは長老評議会が管理し、外部の人間が自分たちの町を都合よく利用できないようにすることができる。これまでの金融分野で強いられてきたものとは対照的に、シンプルであり続けなければならない。町の中で作られるもの、取引されるもの、買われるもの、交換されるものはすべて、自分たちのコミュニティの通貨で行われるのである。

外の町や観光客、その他の誰に対しても、商品や生産物を販売する行為は、市場や特別に手配されたイベントでのみ行われ、評議会によって任命された人々によって管理される。これらは、コミュニティの外で使われる通常の通貨を生み出し、コミュニティはこの通貨を、自分たちのコミュニティで生産されていない材料やその他の物品を入手するために使用する。そうすることで、コミュニティ・プロジェクトを継続するために必要な材料を補充することができるのである。

外部資金が増えれば、コミュニティはより多くの工場を建設し、コミュニティのためになるその他の品目を生産するプロジェクトを開始することができるようになる。

このようなコミュニティモデルの好例が、イスラエルに数多く存在するキブツである。キブツの中には、製品を製造して外部の人に輸出することで、キブツに住む人々に多額の資金をもたらし、それ自体が大きなサクセスストーリーとなったものもある。

２０１３年にはすでに、コミュニティ人材交流会が10年以上にわたって運営され、驚くべき成功を収め、しかもまったくお金がかからない状態になっている。シンプルなシステムではあるが、移行の初期段階では入り組んだものになるだろう。特に、多様なスキルを持つ都市生活者にとっては、お金を使わないで済む魅力的な選択肢になるはずである。

エクスチェンジ・システムは物々交換の側面も強いが、交換した才能やスキルは、やがて自分たちの「愛の労働」となり、コミュニティに貢献することになる。私はコミュニティのエクスチェンジ・システムに参加してから、ほとんどお金を使わなくなったという人にインタビューしたことがある。エクスチェンジ・システムは、何千人もの人々が非常に多様なスキルやサービスを提供する、よく管理されたオンラインシステムなのだ。これは最初の過渡期における、人々がお金を必要としないことに慣れるための完璧な解決策となるだろう。

また、その過程に、あまり関与せず、沸き立つこともなく、じっと見ている人もいるだろう。私たちの学校教育を考えれば当然のことである。テレビを見る大事な時間を邪魔されたくないので、週に3時間も働きたがらない人も多いだろう。彼らは、この方法がうまくいくとは思っておらず、周りの豊かさが増していくのを見ながら、古いシステムに居座り続ける。だが、遅かれ早かれ、彼らはその恩恵に気づき、逆らうことができなくなるはずだ。とはいえ、声高に、あるいは現実的に、計画を妨害しようとすることは許されない。短期的には無貢献主義も許されるが、反貢献主義は遠ざけなければならないのである。

町ごと、国ごとの最終目的地

究極の目標は、国全体を、お金がなくても機能し、芸術、文化、科学、技術に優れた貢献型ウブントゥ社会に変え、人々が好きな場所に住み、情熱を傾け、生活のあらゆるレベルで豊かに成功できるようにすることである。食料、商品、製品、サービスのコミュニティ間交流が活発になり、自給自足ができない町にも供給をもたらすのだ。

私たちの国が完全な貢献主義者の集まるウブントゥコミュニティになったら、どうなるのだろうか。ほかの国々とどのように交流していくのだろうか。次第に私たちは気づき始める。貢献主義は、コミュニティがとどまることなく豊かに成長していく真のユートピアの種だと。ここからが面白くなる。

このことを理解するためには、想像力を広げ、自分自身を新しいシステムに投影させる必要がある。この新しいシステムは、私たちの社会のあらゆる分野で、完全に実装され、完全に機能するように開発された。実行段階では、つまずきや乗り越えられない障害を想像したりせず、ただ流れに任せて、一部の人たちにとってはまだ不可能だと思われていることを想像してみよう。

ウブントゥの熱狂を広めよう

一例として、南アフリカの自動車製造業を取り上げ、システムからお金を取り除いた瞬間に、どのように物事が展開し、進化していくかを説明しよう。

南アフリカは、世界の自動車市場向けにあらゆる主要なブランド（ベンツ、ＢＭＷ、トヨタ、マツダ、フォード、フォルクスワーゲン、その他多数）の自動車を製造している。南アフリカ人は自動車を世界中に輸出しているが、世界の中でも南アフリカの人々は、その収入に対して、非常に高い金額を自動車の購入に支払っている。そのため大多数の人は、新しい車を買う余裕がない。なぜ、こんなことが起きているのだろうか。

実を言えば、このようなことは現実的に起きなくなる。お金の心配がない貢献主義社会では、おそらく今のように自動車を運転することはないし、あらゆることにフリーエネルギーが使われ、現段階では予測もつかないまったく新しい人や物の輸送システムが生まれ、化石燃料を使わず、今まで石油メジャーによって抑制されてきた空中浮遊装置も登場し、新しい自動車や輸送機器の生産も現在とはまったく異なる方法で行われ、生活のあらゆる面が良い方向に変化することになるからである。

しかし、説明のために、自動車製造業を例に話を続けよう。自動車工場の生産ラインに、自動車に関連するすべてを愛する自動車愛好家たちがたくさん携わっていると想像してみてほしい。彼らは、1日3時間を費やし、コミュニティや社会のために自動車を製造することを選択する。彼らは愛と情熱をもって、私たちが想像しうる限りもっとも完璧なハンドメイドカーを生産するのである。エンジンからインテリア、ボディ、塗装に至るまで、1台1台が最高傑作の車である。

車づくりに必要な材料は、どこから調達するのか？　答えは、車を構成するひとつひとつの部品を、同じように愛情と情熱を持って作り、1日3時間、コミュニティのために働くことを選んだ人たちからである。

では、エンジン、シート、ダッシュボード、ギアスティック、ワイヤー、キャブレター、塗料、タイヤなどの材料はどこから調達するのか？　答えはその材料を作っている人たちからである。このようにどんどん続いていく。すばらしいことに、人間の情熱や興味の多様性は無限大だ。ほかの人が知らないようなことに興味を持っている人が必ずいるのである。

貢献主義の下では、自動車製造に必要な材料やアイテムはすべて無料で作られ、生産ラインに運ばれていると覚えておいてほしい。この連鎖のすべてのステップが貢献主義システムの一部なのだ。ただし、〝無料〟という言葉には少し補足が必要だ。このシステムには貨幣が存在しないので、モノは本当の意味で〝無料〟ではないのだ。ただ、誰もが常に利用できるようにされているだけである。つまり、終わりのない供給の連鎖によって、人々に豊かさをもたらすのである。〝無料〟のものはないが、コミュニティの貢献者である限り、すべてが利用可能なのだ。とてもシンプルである。

その結果、ＢＭＷが費用をかけずに無料で製造されることになる。このことは、自動車メーカーと彼らが属するコミュニティにとって、直ちに問題となる。私たちはドイツ企業に車を無料で渡すのか？　それとも、お金を取るのか？

しかし、問題は、私たちはお金を使わないということである。つまり、彼らのお金は私たちにとってまったく役に立たず、コミュニティや国に何の利益ももたらさないのである。では、私たちはドイツ企業から見返りに何を求めるのか？　それは、この国の人々のためになるようなものである。だが現状では、ＢＭＷが南アフリカ国民に提供できる見返りは何もないようだ。

こうなると、面白い可能性が出てくる。中国やロシアに車を提供することができるのだ。彼らは車を珍しいものと交換することができるかもしれない。何らかの理由でどうしても必要な材料・鉱物などだ。そうすると、中国やロシアは、実質的に無料で車を手に入れることになるので、世界の市場に大幅にコストを下げて車を売ることができるし、これはＢＭＷにとって大きな問題となる。なぜなら、無料で使えるゼロ点エネルギーで動く浮遊装置を使っている時代に、牛車を作っているようなものだからである。

この愚かな例からも明らかなように、ある国が完全な貢献主義になった途端、ほかのすべての国も同じ路線を歩まざるを得なくなる。そうでなければ経済全体が崩壊してしまうのだ。そして、すべての国がウブントゥコミュニティになれば、国境もパスポートも、尋問やテロ容疑者のような扱いも、自由と解放を制限する強権的な管理も、お金を支配することで商業をコントロールするというただ1つの理由のために管理されている生活の多くの側面も不要になるのである。私たちは、私たちが生まれたこの惑星で、どこにでも自由に行き、自由に暮らすことができるようになるのだ。

この単純な例を見ても、世界の銀行シンジケートが何百年もの間、自分たちの私的な通貨供給を世界の人々に強要してきた理由がわかるだろう。彼らは、どの国も自分たちの完全な金融支配から抜け出すことを許さないのである。

そのため、過去に独立心が強すぎた国や、指導者が自国民のために働くという独自の考えを持っていた国には、エコノミック・ヒットマン（経済の刺客）が送り込まれた。

これらの国は、銀行家が築いた世界帝国の安定と成長を脅かす可能性のある、ならず者国家と見なされている。

だが、考えてみてほしい。これこそ銀行家とその資金の弱点でもあるのだ。これは世界経済への隷属から人々が自由を取り戻す機会でもある。この情報を初めて知ったという人は、ジョン・パーキンス著『エコノミック・ヒットマン』（東洋経済新報社刊）を読むことをお勧めする。イルミナティのバンクスターが世界中の政治家や政府を操り、あらゆる国を支配しようとしているとんでもない内部事情を知ることができる。

つまり、貢献主義のドミノ効果は、1つの町から始まり、やがて国全体を解放していくのである。1つの独立国がその地位を獲得すると、世界中の人々も同じく自由への欲求を持っているため、ほかの国もあっという間に影響を受けることになる。ロシア革命やフランス革命のように、一夜にして実現することだってある。

このマネーギャング帝国を倒すのに必要なのは、人目につかない、どこかの国の1つの小さな町だけかもしれない。バンクスターが大都市に注意を向けている間に、人々が銀行はまったくお金を持っていないということに気づけば（なぜなら毎日何もないところからお金を作り出しているからだ）、すぐに取り付け騒ぎのような出来事が起こり、不正が暴かれ、銀行は営業停止し、あっという間に債務超過に陥ってしまうだろう。これは、バンクスターの違法かつ犯罪的な活動を暴くために、人々が用いる戦略の1つとなるかもしれない。皮肉なことに、2013年3月末にもキプロスで同じようなことが起きたが、このとき人々は自分たちが成し遂げたことに気づいていなかった。大衆の無知が原因で、銀行が債務超過に陥ったことを公にし、裁判所の判決を執行するために必要な法的手段を用いることができなかったのである。銀行とは結局のところ企業なのである。

国民は、このような将来の出来事に備え、銀行と中央銀行に債務超過を宣告した後には国民のための新しい通貨をすぐに導入できる準備をしておく必要がある。債務超過になった民間銀行に預けていた通貨を国民が引き出した後は、既存の通貨に対する不信任票を発動し、国民の、国民による新しい通貨を立ち上げるのだ。その後の展開は皆さんのご想像にお任せする。

中間期――クリエイティブ・マネー

一夜にしてヒーローになれることを望む人は多いが、そういうわけにはいかない。何か劇的なことが起こらない限り、いくつかの段階を経なければ、私たちが今日いる場所からウブントゥ貢献主義へと完全に移行することはできないだろう。銀行家がやってきたこと、そしてこれからも続けるであろうことに対抗するためには、「法定貨幣」や

「資産担保通貨」と呼ばれるもの、あるいは責任ある方法で実施されるシンプルな信用／ポイント制度など、暫定的な代替通貨を作らなければならないかもしれない。

スムーズな移行ができるようなプラットフォームを提供するためには、できる限りの工夫をしなければならないだろう。国民の不利益になるような問題や状況をこれ以上作り出さないようにする必要がある。私たちは、そのような時代を過去のものとしなければならないのである。

お金を金（きん）などの価値ある商品と短期的にリンクさせることは、おそらく良い選択ではない。そうしたところで、過去の問題を永続させるだけであり、他者への支配を保持したいと考える人々による潜在的な搾取の可能性は開かれたままであるためだ。

そのため、非合法な民間所有の中央銀行は閉鎖し、国民のために、国民によって、無利子、無税でお金を作り出す人民銀行に置き換える。これぞ、すべての国で起こるべき重要な変革である。これは、エイブラハム・リンカーンやジョン・F・ケネディが暗殺される前に行っていたことである。だから、軽く考えてはいけない。バンクスターたちは、これを阻止するためならどんな極端なことでもするだろう。この変革は、銀行家を無能にし、どの国における問題に対しても、彼らの財政的支配力を根こそぎ排除するからだ。

新たな人民銀行は、経済のあらゆる分野で、必要なときに必要なだけの資金を国民に提供し、金融部門を安定させ、国民からあらゆる金融上の苦難を取り除くことを義務とするようになる。

建築業――工業――製造業

コミュニティやそこにいる人々が必要とするものはすべて、それがコミュニティにとって利益となり、必要とされるのであれば、個人の願望や欲望のためでなく、公共のために製造・生産が行われる。そのためには、必要な道具も作らなければならない。そして、ブランド戦略やマーケティングキャンペーン、シェア拡大のための試みの結果ではなく、社会の真のニーズが反映された新しいサプライチェーンを構築していくことになる。

現在、あらゆる生産サイクルにおいて、利益を上げるためにより安く製造し、すぐに買い替えてもらうためにより耐久性の低い製品を提供するということが行われている。すべては、産業界のモンスターを拡大し続けるためである。

貢献主義社会では、産業と製造業を構成するセクター全体が、まったく違った顔を見せるだろう。なぜなら、お金が進歩の妨げにならず、環境に優しく、生分解性とリサイクル性に優れた新素材が使用されるようになるからである。また、できるだけ長持ちし、交換や修理の必要がないように、すべてが最高の品質で作られるようになるだろう。

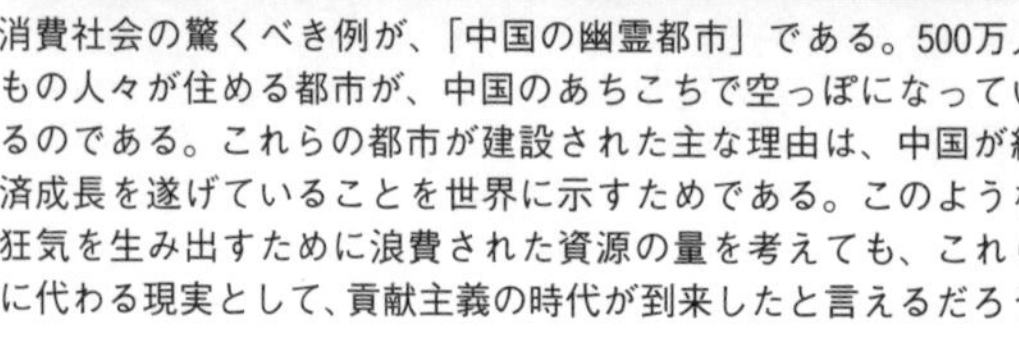

消費社会の驚くべき例が、「中国の幽霊都市」である。500万人もの人々が住める都市が、中国のあちこちで空っぽになっているのである。これらの都市が建設された主な理由は、中国が経済成長を遂げていることを世界に示すためである。このような狂気を生み出すために浪費された資源の量を考えても、これらに代わる現実として、貢献主義の時代が到来したと言えるだろう

大規模な工場で働く何十万もの人々、安い労働力として雇われた人々は、自分の情熱に従って新たなことを選択し、おそらくほかの小さな工場や工房に移り、そこで自分の専門知識をより効果的にコミュニティのために活かすことができるようになる。例えば、ＮＩＫＥやＢａｔａの靴の生産ラインで働く何千人もの労働者の多くは、自分たちのコミュニティで靴職人となる権利があり、多くの人に必要とされている専門的サービスを提供することができるだろう。どの工場や工房にも、その活動を統括する名工がいるはずだ。パン屋、酪農、ガラス製造、林業、農業、エンジニアリングなどは、多くの高度な技術を持った人たちに支えられているのだ。そして、そのような技術を持った熟練者たちは、おそらくその分野のマスターティーチャーとなり、子供たちは実践的な経験と知識を学ぶようになるだろう。無意味な理論的知識ではなく、生きるための真のスキルを教える新しい教育システムである。

巨大な鉱山事業は劇的に縮小され、その国と国民が必要とするものだけが採掘されるようになるだろう。鉱山の外国人所有権や鉱業権は、土地の人々に戻され、鉱物が輸出されたり、一部の人にだけ富をもたらしたりするために株式市場で搾取されることはなくなる。物を買うためのわずかなお金を支払う以外は、国民の福利にほとんど貢献していない鉱山会社のために、何十万人もの人々が汗水たらして働いているが、彼らも自分たちの住むコミュニティの豊かさに大きく貢献し、愛の労働をする生産的な一員となるのだ。鉱夫たちはそれぞれ、資本主義という獣と、生きるためにお金を稼ぐ必要性によって破壊された、ある種の特別な技能を持っている。

鉱業は、私たちが日常生活で使うほとんどのものに使われる原材料を生産する、世界でもっとも重要な産業の1つである。現在、鉱山会社は母なる地球から得られる限りの鉱物資源を掘り出し、それを世界中に出荷して世界中に出荷して世界の産業を牽引し、人々に販売するため世界の産業のモノを製造している。これらのモノは、本当は必要ないのに、資本主義消費社会で必要だと思い込まされているのだ。経済という怪物を養い、生き残り続けるために、この狂った消費サイクルの中で、お金を利用して人々は奴隷にされ続けている。すべてはバンクスターが支配を続けるためだ。

産業界に食い荒らされなかった鉱物は、国際市場で売られ、世界のごく一部の人々だけを豊かにし、その過程においても人々を奴隷にしている。このことは、すべての天然資源に当てはまる。この10年間に水に何が起こったかを考えてみてほしい。かつては水道の蛇口から水を飲むことができたが、今では多くの人が、世界中に出荷されているペットボトルの水しか飲めなくなっている。

政府や巨大多国籍企業は、人々の意思を無視して、鉱物の所有権を手に入れた。一方で、一般の南アフリカ人が金やダイヤモンドを掘ることは犯罪であり、厳しい判決を下される。

鉱業・鉱物資源産業は、我々の国土を乗っ取った不法な海賊から救い出され、その帰属先である国の人々に返還されなければならない最初のセクターの1つである。

これは、私たちが想像するあらゆるものを製造するために必要なすべての部品に劇的な影響を及ぼすだろう。鋼鉄、鉄、アルミニウムなどの金属や、木材、レンガ、石材、砂などの建築資材の供給は、コミュニティが長老評議会を通じて任命した製造業者に供給されることになる。これは、放射性元素の分野や、そのような物質の研究などの関連活動にまで及ぶことは間違いない。

実は、人類はこれらの危険な物質を一切使用する必要がないのである。安全で限りなく効果的なほかの代替手段があるのだ。すでに新エネルギーやフリーエネルギー技術が急激に普及しているため、さほど騒がれることなく全世界が利用できるようになるだろう。フリーエネルギーは、私たちの生活のあらゆる手段を、特に、産業や製造の分野においては、今では想像もつかないような方法で変えていくだろう。

このような採掘活動は、人々に豊かさをもたらすために本当に必要なものではなく、お金が流れるよう産業の歯車を回し続けるための道具にすぎず、この容赦ない循環の中で人々が奴隷にされているということに気がつけば、バンクスターたちが支配を続けていたとしても、私たちは直ちにストップをかけることができる。

科学者、発明家、そして一般の人々は、鉱物のために地球を略奪することなく、あらゆるレベルで豊かさを創造するために必要なすべての解決策を持っている。私たちが充実した生活を送るために必要なものはすべて、再生可能な資源によって豊富にあるのだ。

資本主義システムでは実現不可能な最高の品質で、あらゆるものを現地で設計・製造するために、産業のあらゆる部門にわたって大規模な開発活動も行われるだろう。お金はもはや進歩を妨げるハードルではないことを覚えておいてほしい。つまり、どの国も自立し、国民がユートピア的な生活を送るために、ほかの国からほとんど何も必要としなくなるのだ。しかし、このときには、国境はなくなり、すべてのコミュニティは、すでにその活動を行っている人々から必要なものを得ることができるようになっているだろう。

そして、お金の問題はなくなったため、中心となる長老評議会は、国の鉱物資源や自然資源を活用して、生産者や製造者が必要とするものをすべて提供する。すべての生産工場や製造工場は、自分たちのコミュニティのために必要なものや、それ以上のものを手に入れることができるのである。ただし、この活動は利益や欲のためではなく、あくまでも社会のニーズのために行われるものであることを心に留めておかなければならない。

コミュニティが消費するモノは、現在私たちが使っているモノのほんの数分の一になる。すべてのモノが再利用可能で、リサイクル可能で、生分解性があり、できるだけ実用的で耐久性があり、一度だけ作ればよいというモノになるのである。「陳腐化」という概念は、私たちの記憶から消し去られることになるだろう。これは、資本主義が残した卑劣な遺産であり、企業は短期間で交換が必要になるようなものを製造しているのだ。今日、私たちの生活の中のほとんどのものは、お金の怪物を生かし、消費者である私たちをどんどん消費させるように構成されている。だが、貢献主義によって、私たちはできるだけ長持ちするモノを作ることができるようになるのだ。

馬鹿げた消費者心理を描いた最高の短編ドキュメンタリーの1つが、アニー・レオナルドの『The Story of Stuff』である。ぜひご覧いただきたい(http://www.storyofstuff.org/)

結論

- ウブントゥ貢献主義システムは、人類の繁栄と、誰もが絶対的に自由で平等な新しい社会構造のための青写真である。
- より大きな利益のために団結することを選んだ、主権を持つ人間のコミュニティである。
- 貨幣や物々交換の概念がなく、物質的な価値に執着することのない社会である。
- コミュニティへの貢献は、誰もが等しく、無限の価値あるものとして扱われる。

- 一人ひとりが情熱を持って行動し、生まれ持った才能や身につけた技術を、コミュニティ全体のために役立てる文化である。
- 人々のニーズに基づいた新しい法律のある社会である。
- そこでは、愛の労働を提供することで、すべての人にすべてが提供される。
- 魂が肉体を離れる日まで、胎内にいるときからすべての人が大切にされ、愛される社会である。
- 職業、キャリア、企業、失業、ホームレス、飢餓など、過去の負の側面が存在しない世界である。
- 最高水準の科学技術を推進する社会である。資金的な制約がないため、技術的な進歩も期待できる。
- 芸術や文化が栄え、人々が生き生きとした生活を送ることができる社会である。
- 芸術や文化の大規模な発展による人々の精神的な成長が、意識の急速な上昇を可能にし、団結という概念を完全に受け入れることができる社会である。
- 現代の資本主義、消費主導の環境に囚われた人々には想像もつかない、あらゆるレベルのあらゆるものの豊かさを提供するシステムである。

町から町への移動

人々が容易に移動できるようになり、山の上にある別の町や海の近くの町、家族の近くなど、ふと気になった場所に旅行や引っ越しをしたくなった場合はどうするのだろうか？　これは、ウブントゥの哲学を理解しようとする人たちからよく聞かれる質問の1つである。なぜなら、貢献主義の考えを知ったばかりの人々は、お金なしでどうやって物を手に入れるか、どうやって旅をするかということをいまだに考えてしまうのである。だが、誰もがどのようなコミュニティでも住むことを選択できると心に留めておいてほしい。あるいは、遠隔地に自分たち家族だけで生活することを選択することもできる。

すべての交通手段はいつでも誰でも利用でき、どこにでも自由に移動できる。予測もつかない交通手段も多く出てくるだろう。人々はいつでも別の町へ移転することを選択できる。

これまでとは社会構造が異なり、コミュニティが密接に連携しているため、コミュニティ内でその特定のスキルの代替要員が必要になるかもしれない場合は、仲間に移動の意思を通知する。しかし、ウブントゥのコミュニティは、今までとまったく異なる構造であるため、そのような役割を果たす人がほかにいない可能性は極めて低いだろう。おそらく、そのタスクを実行することに熱意を持つ、高度な技術を持った人々がほかにも大勢いるはずだ。

ウブントゥのコミュニティでは、誰もがお互いを知っていて、自分のスキルや仕事内容、住んでいる場所、皆と連絡を取る方法、必要なものを手に入れる方法、修理や建設、設計を依頼する方法などを知っていることを思い出してほしい。すべての人の面倒を見る、完全に統合されたコミュニティなのである。そのため、誰かがウブントゥのコミュニティを去ることを選択するというのは、おそらく大きな出来事となり、お別れパーティーという形でお祭り騒ぎになるだろう。

新しい街への引っ越しの際に起こりうる一連の流れを紹介しよう。また、新しいコミュニティがどのような仕組みで、どのように機能しているのか、その詳細についても説明しよう。

理由はどうあれ、新しい町に定住するつもりで到着した人がいたとする。まず、来訪者用の建物に行って、自分の名前を告げる。この建物はコミュニティセンターに併設されていることが多く、そこではコミュニティのあらゆる活動が計画され、長老評議会が置かれている。自然保護区に入るときと同じように、この町に新たに移住する人や訪れる人は、自分の到着を知らせることが義務づけられている。

マイケル：「こんにちは、私の名前はマイケルです。あなた方の素敵なコミュニティに定住するためにやってきました」

ジョン：「ようこそマイケル。私はジョンです。コミュニティ・スキルのコーディネーターの1人です。あなたのお名前をコミュニティ・ブックに記入してください。あなたの愛の労働は何ですか？」

マイケル：「僕は彫刻家です。陶磁器の彫刻を作っています」

ジョン：「それはすばらしいですね。私たちの町の芸術と文化に、新たに大きく貢献することになるでしょう。でも、今のところ彫刻家は間に合っています。ほかにどんな技能がありますか？」

マイケル：（しばらく考えてから）「苗を育てたり、木を植えたりするのが好きです」

ジョン：「それは良いことですね。私たちは、小さな子供たちの学習の一環として、子供たちに参加してもらう形で、苗を育てるプログラムを積極的に行っているのです。育てた苗は、近隣の6つの町で農業や林業のプロジェクトに利用されています。あなたの貢献は、きっと喜んでもらえると思います」

（ジョンは、コミュニティ・プロジェクトのページに目をやる）「さて……マイケル、あなたは、毎週3時間の貢献として、どんなコミュニティ・プロジェクトに参加したいですか？」

マイケル：「僕は化学が好きです。……もっと化学について学べるような、僕が関われるようなことはないですか？」

ジョン：「ありますよ。私たちの上下水道リサイクルチームは、化学を使って常に新しい発見をしながら、すばらしい仕事をしています」

ジョンは、マイケルのスキルや才能をコミュニティの連絡簿に登録する。

このプロセスは高性能のコンピュータで、できるだけ高いレベルの技術のオープンソースソフトウェアを使っても実施され、スキルや才能が必要とされる場所がすぐにわかる。そして、私は週5日、1日3時間、苗の育成に貢献し、リサイクル工場で化学を学びながら、週3時間、社会奉仕をすることに同意する。毎日3時間愛の労働をした後も、まだ18時間は使える時間が残っているので、できる限り最高の設備の彫刻スタジオで彫刻の仕事をすることができる。しかも、コミュニティに貢献しているため、そこではすべての材料が自分のために無料で提供されるのだ。

ジョン：「マイケルは、谷間、川沿い、山の上、どこに住みたいですか？」

マイケル：「山の上がいいです」

ジョンはコンピュータで山の上の住宅をスキャンする。「山には今のところ空き家はないようですが、よろしかったら、川沿いには素敵な家がいくつもあります。地図を渡すので、その中から好きな家を選んできてください。その間に私たちは、あなたの新しい家の設計を始めます。ここに、全員の名前とスキルを記載したコミュニティの連絡先リストがあります。町のプランナーや建築家に連絡して、あなたの意見を伝え、山の上に家を建てる計画を始めましょう」

そして私は、無料の公共交通機関に乗り、川沿いの家を見て回り、一番気に入った家を選ぶ。鍵は渡されなかった。ウブントゥのコミュニティでは、鍵をかけることは想像もつかないことだからだ。インテリアは気に入ったが、ダイニングテーブルはいまいちだ。そこで連絡先の冊子で家具メーカーの場所を確認し、新しいテーブルを選ぶために家具倉庫に行った。大工に会って、私が選んだテーブルを届けてもらい、古いテーブルはほかの人が使うか、新しい家具に作り変えられるように、引き取ってもらう。その後は休息の時間だ。

その晩、私は新参者に会うために集まった大勢の人々に紹介された。集会は町の広場など、人が集まる場所で行われる。人々は、私の才能について自由に質問し、その過程で私を知ることができるのだ。お祭りやダンスが行われ、音楽が流れるなか、みんなで食べる食事が提供される。翌日は休みなので、街中を移動し、できるだけ多くの人に会い、彼らのスキルや才能について知ることができた。苗木プロジェクトで一緒に愛の労働をする人たちと会い、そのプロセスについても学んだ。

翌朝、私はコミュニティのために愛の労働の貢献を始める。私は早起きなので、午前7時から10時まで愛の労働をすることにしている。午前10時には、コミュニティ・アートセンターのある公園まで歩き、陶磁器彫刻のための作業場を作る。必要な材料は、彫刻センターで活動を監督しているマスターティーチャーに注文する。

それから半年間、私はさまざまな彫刻を作り続けながらも、苗木に対する情熱がどんどん芽生えていった。マスターティーチャーは感心して、午後には教育の一環として、12歳の子供たちに授業を行ってほしいと依頼してきた。

そうこうしているうちに、私の彫刻はコミュニティの人々から愛されるようになり、新しい芸術作品を求める人々の声に追いつけなくなっていった。そのため、半年後にはコミュニティの何人かが、私を町の彫刻家に任命してほしいと長老評議会に申し出てきた。

提案は3分の1の人が承認すれば可決される。これは、少数派の原則と、自然の法則に則った神聖幾何学的な比率である1／3または11／33に基づいている。評議会は私を呼び出し、コミュニティの人たちからの要望を私に提案する。私が美しい彫刻を作る時間をさらに持てるようになったことに、みんなは大喜びだった。私は快くこの依頼を引き受け、翌日には、コミュニティの尊敬を集める彫刻家として、その任に就いた。私の彫刻は、街路や公園を彩り、コミュニティの誇りとなっている。

彫刻を続けているなかで、私は先代によってマスター彫刻家に任命された。それによって子供たちに教えるという教育の一端を担えるようになった。子供たちは制作を見学し、私の仕事ぶりを見て学ぶことができるのだ。

別の選択肢

私は町の彫刻家としての任命を辞退する。なぜなら、この半年で、苗木や林業への情熱が深まり、そちらの方面でより積極的に活動していきたいと考えるようになったからだ。

別の可能性

私が新しい町に到着して自己紹介をすると、人々はすぐに私のスキルがコミュニティの誰よりも優れていることを

量子 Hi-RinCoil（ヒーリンコイル）

商品価格：１個 4,444円（税込）／７個（７色）セット 29,000円（税込）

指先サイズがとてもキュート！

この価格は今だけ！　原材料高騰のため、最終見込み価格は6,600円（税込）／１個の予定　※（詳細はお問い合わせください）

チャクラカラーの７色で展開する「Hi-Ringo」のロゴマークがあしらわれた、0.7～1.5㎝ほどのワッペン。中にはコイル状の小さな振動体が入っていて、宇宙に遍満する周波数を発生しているといいます。この振動体が発するエネルギーは「量子」と見られており、コイルを貼った対象の不調や、その先想定される不具合の大元の原因に「最適化」という修正コードを送ることができるのです。「最適化」のコードで、お水はもちろん、植物や食材、電子機器に至るまで、〝ゆがみ〟を整えあらゆる生命体を活性化してくれる７色のコイル。

普段のお使いの愛用品に貼ったり、不調を感じる空間に置いて、コイルの放つ修正コードを受け取ってください。不調を整えるお守りとなるでしょう。カラー：赤、橙、黄、緑、青、紺、紫／サイズ：［四角タイプ］約15㎜×15㎜、［丸タイプ］直径約17㎜、厚さ約２㎜（共通）

※デザインは予告なく変更されることがあります。

気になる場所に、電磁波対策に！

テレビやスマートフォンに貼れば、映像や通話の音声もクリアに。電子レンジなど家電製品に電磁波対策と貼るのもいいでしょう。ペットやコップなどの容器に貼れば、物が活性化。冷蔵庫に貼れている食材の鮮度が長持しさもアップします！

WQEの波動　ヒーリンコイル　シール部

※ホワイト量子エネルギーはシール側から出ています。

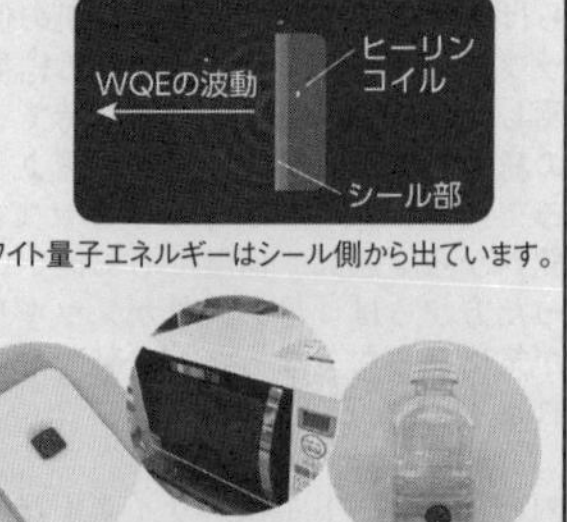

龍の鱗

商品価格：18,000円（税込）

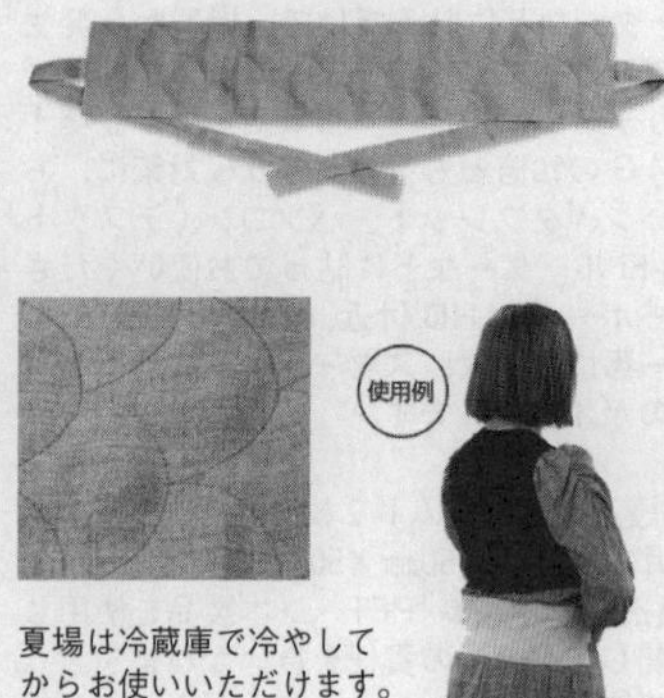

夏場は冷蔵庫で冷やしてからお使いいただけます。

「アクセス・ビューチャ」でお馴染みの山寺雄二さんが、松果体を活性化し、体のめぐりを整え自然治癒力を高めるというテラヘルツ鉱石を、精麻と合わせて鱗状の模様に封入しました。頭、首、腰など要所に巻けば、めぐりが促進され、コリや痛みを和らげたり、睡眠のサポート、電磁波の影響を緩和するなどに期待できます。鱗の中のさざれ石状のテラヘルツ鉱石が擦れ合う音や感触が意識を高めてくれるでしょう。

カラー：生成色（ベージュ）、ピンク、紫／サイズ：［本体］約60㎝×12㎝、［紐］50㎝／重量：約100g

テラヘルツ柱

商品価格：18,000円（税込）

ちょうどメガネケースに収まるサイズで、持ち運びも便利。

図のように四角を形成する配置で空間を囲むと、ゼロ磁場が発生します。最後の１つは体の気になる部位や、丹田辺りに当ててください。

氣功師の山寺雄二さんが開発した、空間にゼロ磁場を作り出すテラヘルツ鉱石の四角柱。結界をつくるように配置すると、その空間の中央は地球と繋がる「シューマン共振」の波長となり、ゼロ磁場が発生します。神社やパワースポットに持っていけばその場のエネルギーを上乗せすることも可能。お届けする５本の柱には既に、皆神山、阿久遺跡、諏訪大社などのエネルギーに加え、山寺さんが氣を注入してあります。

サイズ：［高さ］ 4㎝×［幅］2.5㎝×［奥行］2.5㎝／重量：約64g×５個／ケース付き

※ケースの仕様は変更になる場合がございます。予めご了承ください。

電磁波ブロッカー MAX mini（マックスミニ）5G

商品価格：3,850円（税込）

ヒカルランドで大人気・丸山修寛先生の開発した、スマホやパソコン、Wi-Fi ルーターなどに貼るだけで、機器から発生する電磁波を特殊な銅線基盤によって打ち消す働きが期待できる「電磁波ブロッカーシリーズ」。その5G対策版が登場！人体に与える影響は4Gの10倍とも言われる5G対策に、お手持ちのスマートフォン、タブレット、パソコン（デスクトップ＆ノート）、Wi-Fi ルーターなどに貼ってお使いください。ノートPCはキーボードとHD付近、デスクトップPCは本体側面とモニター裏に各1枚、スマートフォンやタブレットには裏側に貼るのがオススメです。

内容：[MAX mini 5G] 1枚、[機器保護透明フィルム] 2枚／サイズ：[MAX mini 5G] 43㎜×45㎜、[機器保護透明フィルム] 50㎜×50㎜／素材：[MAX mini 5G] 銅、粘着シート、[機器保護透明フィルム]PET　※本製品を使用しての事故や故障、データの損失などに関して、一切の責任を負いかねます。※火気の近く、高温、多湿な場所でのご使用、保管はしないでください。

ブラックアイ ガイアスネックレス

商品価格：16,500円（税込）

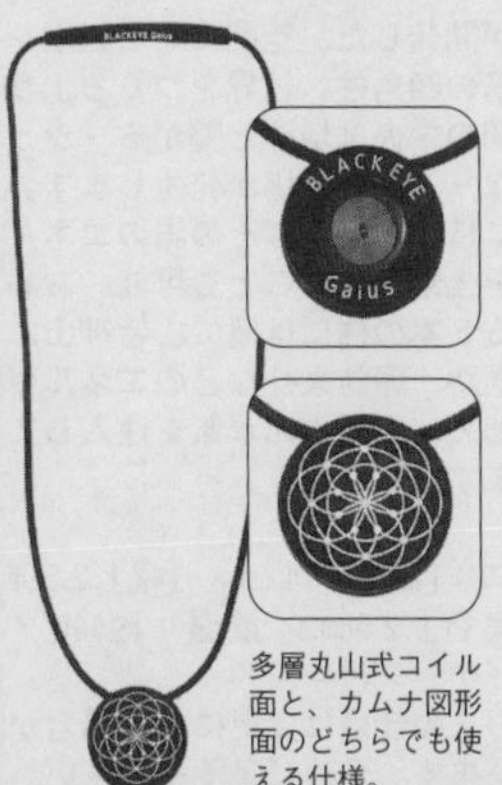

多層丸山式コイル面と、カムナ図形面のどちらでも使える仕様。

丸山修寛氏開発でお馴染みの「丸山コイルブラックアイ」を、3層にして対電磁波作用を強めた「多重丸山式コイル」のネックレス。体に受けるノイズ電磁波の除去をサポートし、さらにリバーシブルの裏面には日本神話のヤタノカガミを基にした「カムナ図形」もあしらってあり、その場をイヤシロチ化します。着けた瞬間から電磁波対策ができて、体も軽く、ラクにしてくれるとの声が届いています。

サイズ：[トップ] 直系26㎜×厚さ6㎜、[紐] 長さ51㎝／重量：7g／素材：シリコン、多重丸山式コイル、特殊ナノセラミック／付属品：綿紐（綿100%、80㎝）
※シリコン紐で肌がかぶれる場合や、切れてしまった場合の交換用

Bhado ポケット

商品価格：5,500円（税込）

豊富な種類と口コミの多さを誇る「Bhado（美波動）」シリーズは、アルミと微量ミネラルでつくられた素材を基に、マコモや大麦若葉など5種類の植物、医王石や天照石など8種類の鉱石の情報を記憶させた、特殊な電磁波対策グッズ。人工電磁波や添加物、ストレスなどの影響で弱るとされる、人体から不要なエネルギーを排出する力「斥力」を補い、質の悪い電磁波を浄化。「Bhado ポケット」をスマートフォンに付けた状態で、MIRS 測定を行った結果、電磁波を低減する他に、電磁波が人体の免疫力に及ぼす影響に対しても、良好な結果が。超薄型なので、洋服の胸ポケットや、スマートフォンとカバーの間にさっと忍ばせるなどしてお使いください。

サイズ：50㎜×80㎜×1㎜／重量：11g／材質：アルミ合金

Bhado)))KAMEN（美波動仮面）

商品価格：1,380円（税込）

電磁波対策グッズで大人気「Bhadoシリーズ」から、インパクト抜群！　なアイテムが登場。「美波動仮面」は顔面に装着するだけで、電磁波やPM2.5、紫外線などといった敵から、お肌が受ける影響を和らげてくれます。試験ではお肌の保湿や弾力性がアップし、脳のα波も増加される結果が出ています。癒し効果、美肌効果に期待が持てるでしょう。付属の紐でお面にして、楽しく装着♪　または、横になって顔面に乗せ、フィットさせておくだけでもOK。開封から2週間、何度でもお使いいただけます。使った方からは「目の疲れがスッキリする。」「肌荒[illegible]が気にならなくなった。」「装着した後はぐっ[illegible]れます。」など喜びの声が。

内容量：シート1枚／サイズ：26㎝×22㎝／素材[illegible]ミ蒸着紙／付属品：ゴム紐42㎝1本、シール2枚

テクノ AO ミニエネルギーバランサー

商品価格：86,700円（税込）／別売 キャリーバック 2,900円（税込）

丈夫なヘンプ100%の専用バッグも一緒にどうぞ！

30年以上前から電磁波の危険性に警鐘を鳴らしてきた増川いづみ博士が開発！　米軍や旧ソ連軍の研究所に赴き、電磁波から守る技術を習得され、「テクノ AO」シリーズとして数々の電磁波対策グッズを世に出しています。「ミニエネルギーバランサー」は、内臓された液体「生体波」の波動によって悪性電磁波を無害な波動に変換し、さらに周囲の空間をパワースポットのように調整します。持ち運び可能な携帯サイズで、利便性が高いのもポイント。

サイズ：直径約70㎜×高さ約55㎜／重量：約175g／有効範囲：直径約10m

テクノ AO PC16

商品価格：18,700円（税込）

第五世代移動通信システム「５G」の普及により、電磁波の影響がますます強まっていることが懸念されています。「PC-16」はパソコンやスマホ、テレビゲーム、IH 調理器、冷蔵庫、オーディオなど家電全般に対応する電磁波対策グッズ。直径約２㎝、厚さ約３㎜というコンパクトサイズながら、有効範囲は７～９ｍと広範囲。置いておくだけで、お部屋の電磁波からしっかりと守ってくれます。家電製品全般、スマートフォン、パソコン、タブレット端末、オーディオ等、電磁波が気になる箇所に。人体に影響をおよぼす人工的な電磁波を、生体になじむ波動に変換します。電化製品の機能はそのままに、電磁波の影響を補正してくれるでしょう。今後の５G 対策にぜひお役立てください。

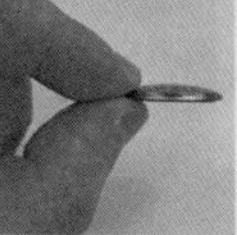

サイズ：［直径］22㎜、［厚さ］2.5㎜／重量：2.5g／有効範囲：直径約７～９ｍ／使用期限：２年

CMCスタビライザー

商品価格：No.5（白・赤・空）各55,000円（税込）／No.10（ベージュ）99,000円（税込）／No.20（白・赤・黒）各165,000円（税込）／No.50（白・赤・黒）各385,000円（税込）／No.80（白・赤・黒）各572,000円（税込）

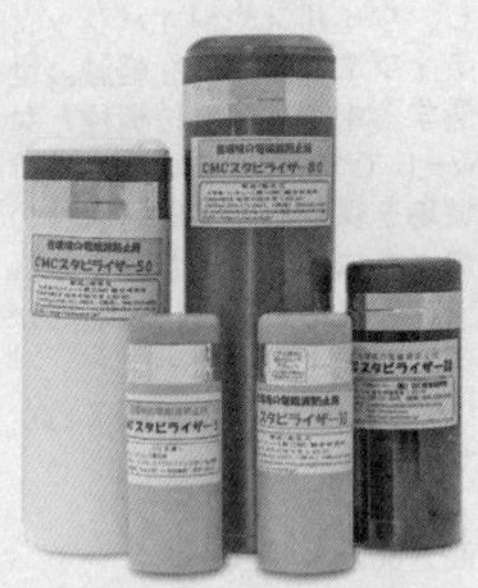

遺伝子（DNA）と同じ二重螺旋構造を持つヘリカル炭素・CMC（カーボンマイクロコイル）。人間の鼓動と同じリズムで回転しながら生命と親和し、生き物のように成長するCMCは、人工電磁波に対して誘導電流を発生させることで周囲をゼロ磁場化し、安全な波動へと変調させる能力を持ちます。こうした特別な性質を活かし、設置型5G電磁波対策グッズとして開発されたのが「CMCスタビライザー」です。強力な5G電磁波はもちろん、地磁気、ネガティブエネルギー、他人からの念や憑依といった霊的影響からも守り、ゼロ磁場の良い波動を周囲に拡げます。そして、脳をα波優位のリラックス状態に導き、体に蓄積された水銀などの重金属はデトックスされ免疫アップの期待も。さらに人の健康や長寿に影響を与えるDNAの塊「テロメア」にも良い影響を与え、心身の健康・美容に計り知れない貢献をしてくれます。CMCの充填量や建物の面積などを参考に5種類の中からお選びいただき、CMCの螺旋パワーを毎日の安全・安心にお役立てください。

容器：SUS製円筒容器／有効期限：半永久的

こんな環境にはぜひ設置を！

●パソコン、コピー機、無線LANなどがある　●モーター、電子機器がある　●高圧送電線・携帯電話用アンテナ、柱上・路上トランス、太陽光または風力発電所がそばにある　●地磁気の低い土地にある　●静電気ストレスがある　●LED照明を使用している

種類	色	サイズ	重量	CMC充填量	有効範囲
No.5	白・赤・空	底直径4.5×高さ12cm（赤のみ底直径5.5×高さ14.5cm）	約80g（赤のみ約140g）	5g	半径約50m
No.10	ベージュ	底直径4.5×高さ12cm	約85g	10g	半径約75m
No.20	白・赤・黒	底直径5.5×高さ14～14.5cm	約180g	20g	半径約100m
No.50	白・赤・黒	底直径7.5×20cm	約350g	50g	半径約200m
No.80	白・赤・黒	底直径7.5×25cm	約440g	80g	半径約300m

ソマヴェディック　アンバー

商品価格：285,600円（税込）

世界的ヒーラー、イワン・リビャンスキー氏開発の空間と場の調整器「ソマヴェディック」。内蔵された鉱石に電流が流れることでフォトンが発生し、ウイルスやジオパシックストレス、ネガティブエネルギーを軽減。世界で20万台が稼働する中で、最上位機種となるのが「アンバー」です。エネルギーの排出・循環を促す琥珀を採用し、波動伝導性の高いシルバーコーティングによって、スピーカーのように波動が広がります。特に成功・パワー・カリスマ性を求める方からの支持を集め、お金に付着しがちなマイナスエネルギーを浄化。成功を後押ししてくれるでしょう。
※琥珀色の「アンバー」、シャンパンゴールドの「アンバー（サン）」の2色からお選びいただけます。機能・構造に差はありません。

カラー：アンバー、アンバー（サン）／サイズ：高さ80㎜×幅145㎜／重量：約820g

ソマヴェディック・ポータブル（ボタン）

商品価格：11,700円（税込）

「ソマヴェディック」が、そのままの形で小さくなった可愛らしいポータブル！ そのパワーは、これまでのポータブルシリーズ（ペンダントやキーホルダータイプ）の2倍です。色や見た目は「ソマヴェディック メディック・ウルトラ」とほぼ同じタイプで、素材は肌触りの良いチェコの伝統ボヘミアンガラス。体の近くに置くことで、オーラの調和、チャクラの活性化、ジオパシックストレスゾーンや電磁スモッグ、ネガティブなエネルギーなどの排除に貢献します。ご自宅に「ソマヴェディック」をお持ちなら、ポータブルを上に乗せて一晩パワーチャージすることで100%のパフォーマンスを発揮します。もし「ソマヴェディック」をお持ちでなくても、45%のエネルギーで稼働できます。

サイズ：直径34㎜×厚さ18㎜／重量：35g／使用方法：体のすぐそば（50㎝以内）に置いたり、ポケットに入れるなどしてご使用ください。体の周りにプロテクションエネルギーフィールドをつくります。
※コートや鞄などにつけると十分な働きになりません。
※通常サイズの「ソマヴェディック」と同等の効果はございません。

認めた。その翌日、私は家を選び、さらに長老評議会やほかの熟練者、師の助言も受けて、専門分野の熟練者としての地位を与えられることが決まった。それは、ほかにこの能力を持つ人物がいないからだ。しかし、ほかの人たちと同じように、週に3時間行う社会奉仕活動を選ばなければならない。もし私が迷って選べない場合は、決心がつくまで、より多くの人を必要としているプロジェクトの1つに一時的に割り当てられることになる。コミュニティのプロジェクトは、数週間ごとに交代で行われるので、飽きることなくさまざまな活動を体験することができる。

これは、お金に糸目をつけなければ、どんなことでも成し遂げられるという基本的な例である。この例は、私たちのコミュニティのあらゆる側面、つまり想像しうる限りのさまざまな才能やスキルに適用されるのだ。まさに自己修正システムであり、あらゆる課題に対する解決策を提示するものである。

休日・休暇

人々が休日や休暇をとるのは、1年中奴隷のように働き続けたからである。再び仕事に戻って同じことを繰り返す前に、バッテリーを充電する必要があるのだ。休暇は人権ではなく、人生を捧げている雇用主や企業から市民に与えられた特権だ。世界の人口の大部分は、正規雇用に就いていない、あるいは就いている仕事の種類によって、休暇をとる余裕さえないのである。正規雇用に就いている人は、平均して年間2〜4週間の休暇をとることができる。しかし、休暇をとるのは大変で、何年も前から休暇の計画を立てている人もいる。本当に悲しい状況だ。

ウブントゥのコミュニティでは、人々は自分たちが選んだ場所に住み、好きなことをし、必要なものをすべて手に入れ、芸術、文化、スポーツ、趣味を楽しみ、自分の人生を満喫している。ストレスを抱えたり、「休日」や「休暇」について考えたりするなど、何も心配する必要はないのだ。

年次休暇という考えは、ウブントゥのコミュニティには存在しない。また、休日や長期休暇、仕事の休みなど、縦社会において上司が与えてくれる贅沢も存在しない。私たちは、自分たちの時間と運命を完全にコントロールできるようになる。ウブントゥの構造のガイドラインの中で、好きなように動き回ることができるのだ。

交通手段は誰でも自由に利用できるので、私たちはいつでもどこでも移動が可能だ。到着したら、コミュニティセンターで自己紹介をし、休暇で来たことを告げ、愛の労働や貢献主義モデルという規範に則り、貢献するコミュニティ・プロジェクトを選ぶ。そして週5日、毎日3時間の貢献の見返りとして、スポーツ、芸術、文化関連など、コミュニティのあらゆる施設を利用でき、さらにすべての食物を手に入れることができる。これなら、いわゆるバカンスに来た人たちも、その気になれば1日18時間ビーチでのんびりすることができるだろう。

このモデルは、旅行者や休暇を過ごす人など誰にでも適用されるものであり、シンプルでありながら失われることはない。失わせるためのお金という概念がないからだ。

旅をしながら生活する者にも、コミュニティは対応することができる。旅人は、たとえ短期間の滞在であっても、すべてのコミュニティで名誉あるゲストとして扱われる。面白い話やニュース、人生や世界、宇宙に対する広い視野を提供し、コミュニティの人々にとって新しく、興味をそそる存在なのだ。多くの場合、彼らは遠く離れた場所から贈り物や才能をもたらし、人々の心の中の探求や学習、成長への欲求に火をつける。さらにすべてが無料であるため、贈り物はいつも歓迎されるのだ。ただし、誰もが必要なものをすべて持っている自由な社会では、その贈り物は、本当に特殊なものでなければならない。

コミュニティ食堂――レストラン――家庭料理

ウブントゥコミュニティでは、食料をいつでも誰でも手に入れることができる。もしコミュニティで手に入らないものがあれば、その部門の熟練者や職人が長老評議会を通じてそれを入手する。これは、コミュニティで必要なものを入手し、将来のために一定の供給を作り出す基本プロセスである。食べ物を粗末にすることは、コミュニティの人々から厳しく非難されるだろう。そのため人々は食べ物を無駄にすることはなく、しかも、毎日新鮮な食材が手に入るので、食材を買い溜めしたり、大量に保管したりする必要もないのだ。

そのことはシェフにも当てはまる。料理への情熱を持ち、コミュニティからシェフに指名された者は、コミュニティの食生活に重要な役割を果たすことになる。食事をとる方法や、調理の仕方も大きく変わるだろう。ご存知のように、私たちは栄養の少ない食べ物ばかりを食べている。貢献主義では、人々の食べる量は大幅に減るが、栄養価や食事の楽しみは大幅に増加するのだ。

21世紀の典型的な家族は、男は仕事に行き、妻は家にいて掃除や料理をするというものである。しかし、厳しい経済状況から、両親ともに請求書の支払いのために必死になって働かなければならない。その結果、お金は増えるが、インフレのような事態が起きてしまうのだ。特に女性は、1日中働いてから帰宅し、家族のためにおいしい食事を用意することを期待されるため、家族全員に大きなストレスがかかることになる。女性の多くは、必ずしも料理が上手なわけではなく、仕事から疲れて帰宅し、イライラし、ストレスを感じながらもおいしい料理を作ることを期待されている。そのような理由から、料理は愛情を込めて作られたものになりにくいだろう。

思考やエネルギーが水に与える影響

ポジティブなエネルギーの流れについて研究している科学者たちは、私たちが飲む水や食べるものが、投影された思考やエネルギーの影響を受けていることを知っている。ウィリアム・A・ティラー博士は、この分野で膨大な量の研究を行い、驚くべき結果を出している。彼の思考の投影と水への影響については、インターネットで刺激的な論文をぜひひとも見つけてみてほしい。

「400年間、人間の意図が物理的な現実に影響を与えないというのが科学では暗黙の前提となっていた。しかし、過去10年間の我々の実験的研究から、今日の世界と適切な条件下では、この前提はもはや正しくないことがわかる。人間は、自分が思っているよりもはるかに超越した存在であり、精神エネルギー科学はその証明を広げ続けているのだ」ウィリアム・A・ティラー博士（スタンフォード大学名誉教授）

日本の江本勝博士は、人々の思考を水に投影し、それが水に与える影響を写真にする分野の第一人者である。彼の多くの著書や壮大な実験の写真は、水に関する科学的な研究、環境に対する水の反応、そして生命への深い影響についてまったく新しい分野を切り開いた。彼の研究は、水の結晶構造が、美しい幾何学的な形状からどのように変化していくのかを示している。愛にあふれたポジティブな言葉や思考に触れると輝く「水の結晶」が、憎しみや暴力の言葉や思考に触れると、汚れた小球のような「崩れた結晶」に変化するのだ。

「崩れた結晶の水」は、植物に栄養が行かないばかりか、水をやると植物が枯れてしまうこともあるとわかっている。江本博士の名を知らしめた、水の結晶の壮大な写真は、それが神聖幾何学と合致していることを示している。

ウブントゥの響きから現れた結晶

南アフリカ共和国のケープタウンを訪れた江本博士は、マクファーレン夫妻が創設した「ウブントゥヒーリングセンター」を訪れ、中庭にある聖なる「ウブントゥの木」である実験を行った。ウブントゥという言葉が水の構造に与える影響を調べたのだ。すると驚くべきことに、のちにヒーリングセンターの象徴となった、完全なる対称の結晶が現れた。江本博士は、アフリカやその他の地域のすべての生き物のために、ポジティブなエネルギーを使ってヒーリング・プロジェクトを行うという条件の下、特別な結晶の写真を初めて公開した。

この目を見張らせる写真について、江本博士はこのように語っている。

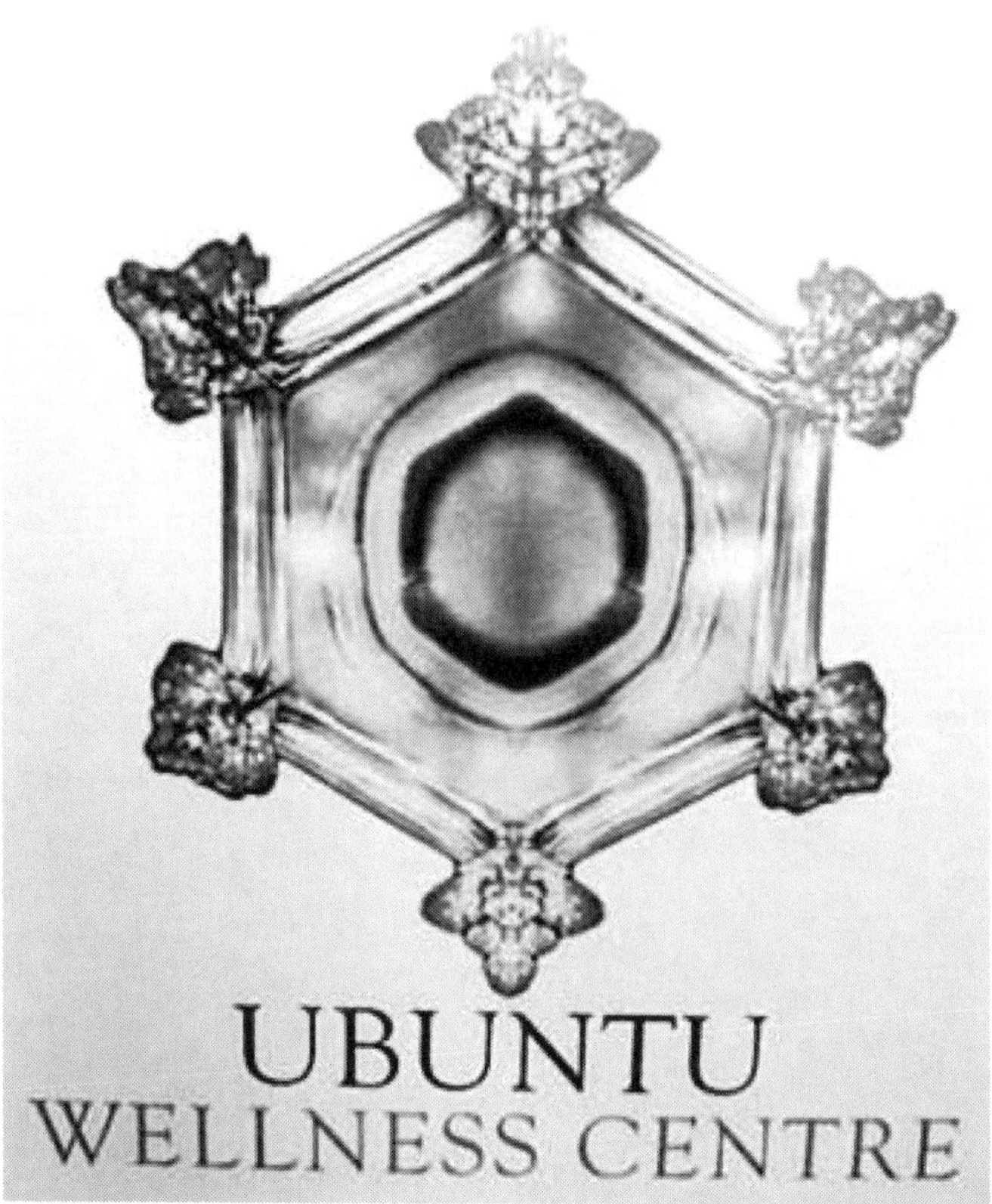

ウブントゥという言葉に触れて水が作り出す形は、シンプルな六角形と円を中心にした美しい六角形の結晶である

「水晶の中に美しい円が現れた。私はこの円はウブントゥそのものだと考える。この円は、すべてが完全に調和していることを意味している。すべてが調和し、一致したときにのみ、すべての存在が真の幸福を手に入れるのだ」

参考：江本勝博士

プラトンによれば、円を表す数は6である。六角形が円に関連付けられるのは、6つの角を円の中心に延ばすと、6つの正三角形が形成されるからである。この比率は、円と六角形の関係に特有のものである。神聖幾何学では、正三角形は物質の基本構造を表していると言ってよいだろう。建築家が強度を必要とする塔や橋を建てるとき、三角形や四面体を使うのはそのことと関連している。

また、プラトンは「6は完全な数であり、円は完全な形である」とも言っている。ウブントゥという言葉に触れると、生き物に命を吹き込む水の結晶は「完全な数」と「完全な形」に変化する。これが意味することは、すなわち、ウブントゥとは人類が繁栄するための完全に豊かなシステムということだ。これは驚くような偶然かもしれないし、すべてがつながっていることを示しているのかもしれない。創造主の完璧な創造の中に何を見出せばいいのかがわかれば、すべての答えが見えてくるはずだ。

私たちが怒りやストレス、イライラを感じながら、やむを得ず食事を作ると、食べ物は同じエネルギーを持つことになる。そして栄養が失われ、私たちを病気にしてしまう場合もあるのだ。これが、今日の世界の多くの人々の運命なのである。都市部では、何百万人もの人々が、栄養の少ないジャンクフードやテイクアウトの料理を食べるようになった。私たちが食べる悪い食べ物は、今日の社会における健康状態の悪化の主な要因の1つである。

- ウブントゥのコミュニティには、そのような問題がない。
- 食材は有機栽培である。
- 活性化された水を飲む。
- 人々は仕事や生存に対するストレスや不安を抱えない。
- ウブントゥの人々は自分たちの生活を愛している。
- 人々は、心から愛情を込めて料理をする。

料理ができない人、料理が嫌いな人は、もう料理をする必要はない。なぜなら、その町には、料理が好きで、愛情を込めて料理をする熟練シェフが経営する小さなレストランやコミュニティ食堂がたくさんあるのだ。レストランや共同食堂は、コミュニティの人々が集い、交流し、賑わう場となるのである。料理が苦手な人、作りたくない人は作らなくていい。私たちの食の習慣全体が劇的に変化するのだ。

行動計画――分野別

お金のない世界について新しい哲学を伝えるのは簡単ではない。すぐに理解できる人もいれば、情報を咀嚼（そしゃく）するのに少し時間がかかる人もいるだろう。また、単純なコンセプトをすんなりと受け入れられず、これまで多くの人々を犠牲にしてきた決まり事を盾にして抵抗する人もいる。

この後のパートでは、いくつかの重要な分野と、お金のない社会でどのような変化があるかを概説する。決してルールや指示ではなく、数年にわたる熟考の末に生まれたアイデアや実行可能なガイドラインである。

生活のあらゆる分野を網羅することは不可能であるが、基盤となるものがあり、それをどのように実行に移すかのアイデアがある限り、その他の活動も自然と発展していくだろう。人々によって、人々のために導かれるのである。

重要なことは、私たちがこの新しい世界を作ろうという共通の意思がある限り、実現できるということである。これは、20世紀初頭から私たちが量子物理学を通じて学んできたことだ。私たちは、私たち自身の現実のための共同創造者なのである。視覚化と意図は、顕在化の鍵である。

ここで、イエスの言葉である「信仰は山をも動かす」について考えてみよう。この言葉の本質は、私たちが彼を崇拝すべきということではなく、「神はあなたの中にいる」という主が与えたもう1つのヒントを理解することにある。私たちは自分の現実、自分のホログラムに責任があり、現実を構成する粒子は私たちの支配下にあるということを意味しているのだ。神は私たちの中にいて、私たちは神と一体であるため、私たちは神聖な現実の共同創造者となることを意図しているのである。

過去の失敗を繰り返すだけでは、ユートピア（理想郷）を創ることはできないだろう。私たちの生活がどのように変化し、どのように物事を変えていくかを正確に予測することは不可能であるが、1つだけ確かなことは、種として生き残るためには、恐怖心を捨て、変化を起こし、まったく違うことをしなければならない、ということである。

誰かが救ってくれるのを待つだけでは、何も変わらない。私たちは、私たち自身を救わなければならないのだ。これまで問題を起こしてきた同じ論理を適用するだけでは、問題を解決することはできない。

また、私たちは団結と平等の基本原則を学び直す必要がある。私たちが教え込まれてきたシステムのせいで、多くの人にとっては実践が難しいことかもしれない。私たちはモノを蓄積し、中毒になるように設計されたシステムの産物であり、死んだときに蓄積されたものが多ければ多いほど、「より成功を収めた」と歪んだ方法で信じ込んでいるのだ。

奴隷制度の哲学は、地球上で十分に進化している。人々は何千年もの間、互いを奴隷にしてきたのである。

しかし、人々を肉体的に奴隷にするためには、住まわせ、食べさせ、衣服を与えなければならない。奴隷にするための道具としてお金が導入されたことで、人々は働き、自分で食事をとり、自分で衣服を着て、自分で居を構えなければならなくなった。これらすべてを行うために、お金が必要となる。お金は、トップに立つ人々によって管理され、供給される。人類を奴隷にするための、お金という見事で単純な詐欺の形である。

私たちの教育システムは、分断と階層を作り出すために巧みに利用されている。この制度で取得した最高学位の者を台座に乗せ、自分はほかの者より賢く、そのためにほかの者より多くのものを得るに値すると誰もが信じるように仕向けているのである。しかし悲しいことに、より高い教育を受け、「高度な教育」を通じて多くの尊敬を集めるようになった人たちほど、変化に抵抗することが多くなる。そのことに気づいたのは、きっと私だけではないだろう。

いわゆる教育によって身につけた巧妙な洗脳や偽りの情報が、私たちが種として想像をはるかに超えた奴隷状態にあるという考えや情報、真実を受け入れるのを阻んでいるのだ。多くの人は、自分は賢くてひどい目に遭うはずがないと思っている。

高度な訓練と教育を受けた人々の多くは、奴隷の主人という悪質な保護者だとモーフィアス（映画『マトリックス』の登場人物）が表現している通り、捕らわれの刑務所の土台となる。銀行家と政府は、教育を受けた人々を巧妙に騙し、誤った優越感に浸らせ、自由社会――より賢い者が成功する社会――における自分たちの自由と特権を守っていると信じ込ませているのだ。そうして、教育は私たちの心を開く代わりに分断と階層を作り出してしまうのだ。

子供たちや将来のすべての世代の心を解放したければ、教育システムを完全に再構築することから始めなければならない。古いものを捨て、就職やキャリアアップのためのスキルではなく、人生のためのスキルを学ぶ新しい方法を考案しなければならないのだ。

ウブントゥの行動計画に沿ってさまざまな分野を読み進めていくと、私たちの生活を支配している政府や巨大な多国籍企業の利益のために、私たちがいかに騙され、操られてきたかが明らかになるはずである。これは、人類が自らを解放するために何をすべきかを理解する上で、私たち全員が経験しなければならない目覚めのプロセスの重要なパートだ。私たちはすでに、自分自身の現実の共同創造者であることを知っている。だからこそ、意識的に行動を起こし、ウブントゥの世界を創造していこうではないか。

教育と学習

学校制度、そして私たちが子供たちに教え続けている方法は、精神的、認知的条件づけに大きく関わっており、私たちのほとんどは長年の洗脳から脱却することができないでいる。デーヴィッド・アイクのような研究者は、これを「左脳の牢獄」と呼び、人格が形成されるもっとも重要な時期に押しつけられていると言っている。悲しいことに、私たちのほとんどは一生この牢獄から出ることができず、多くの人々がこの牢獄を守ることになり、子供たちを同じ牢獄に押しこんでしまうのである。

「公立学校は破綻しており、政府の義務教育によって、一人ひとりの興味や学習スタイルが異なるにもかかわらず、誰もが同じ、そして往々にして役に立たないことを学ばされる。カリキュラムは生徒のためというより、企業や政府の目的のためにデザインされているのだ」(http://www.thrivemovement.com/)

もしも捕らわれの刑務所と終わりのない生存競争から解放されたいのなら、教育システムを再構築することがもっとも重要である。現在の教育システムによって、私たちは不滅の魂と人間性を収容する刑務所の看守となっているのだ。

私たちは、物事がどのように機能し、どのように行われ、自分たちが日々どのように暮らしているかを知っている。そしてそれが普通であり、進歩であり、自分たちの存在をこの終わりのない進歩の輪の一部であると信じている。毎年、毎月、毎週、人生は厳しくなっていくが、それでもあと少し頑張れば、きっといいことがあると信じているのである。

120年以上にわたって現在の教育システムに耐えてきた私たちは、皆このシステムの産物であり、その結果に耐えられるように、このシステムによって等しく調整されている――そして誰も疑問を抱いていない。私たちの多くは、それこそが自分自身と子供たちを教育する最善の方法であり、もうこれ以上の方法はないと信じている。なぜなら、もしほかの方法があるとしたら、すでに政府が実行しているはずだからだ。盲目的に、私たちは指導者たちが救済を求める私たちの叫びに応えてくれる、という歪んだ希望の断片にしがみついているのだ。

私たちは、教育システムは自分自身や子供たちに人生のチャンスを与えるものだと考えている。良い教育を受ければ受けるほど、成功した人生、つまり良い仕事に就き、良いキャリアを積んで大金を手にするチャンスが増えるということだ。皮肉なことに、生きている人間の成功の指標は、他人を愛する能力、思いやり、創造的な業績、社会への貢献などではなく、ほとんどの場合、お金に重点が置かれているのである。

私たちは、皆平等に生まれてきて、子供に与えられる教育のレベルに左右されることなく、すばらしい人生を送るべきだ。だが、すぐにこのことを忘れてしまう。そして、学校教育や教育システムは、入学したその日から、私たち全員の間に分断や分裂をもたらす最初の道具となっているが、ほとんどの人がそれについて何も考えずにいる。

歴史は勝者によって書かれ、私たちの教育は、社会に支配を押しつける人々によって操作されていることを忘れてはならない。勝者は権力を保持することに関心があるため、権力を維持するために必要なことは何でも、征服された臣民に教え込むのである。私たちは、外部からの提案や影響をもっとも受けやすい年齢である子供たちを学校に入れることを余儀なくされている。彼らは、政府の見えない部門から指示や教育マニュアルを受け取っている、見知らぬ人の手に委ねられているのだ。

強制的ワクチン接種は大量虐殺

学校はまた、情け容赦ない当局によって、学校に行くことを余儀なくされている子供たちに強制的にワクチンを接種させるという形で大量虐殺を行うために利用されている。これは、私たち全員に一生影響を与えるような病気に感染させ、製薬会社のビジネスを維持するための悪意ある計画なのだ。初めてこの情報を知る人は、あり得ない話だと思うかもしれないが、私たちが直視し、変えなければならない現実である。

南アフリカの学校では、適切な予防接種を受けずに入学することは非常に困難である。多くの場合、子供たちは親や教師の判断を完全に信用して、最新の予防接種を受けるために家畜のように列をなしているのだ。

また、ほとんどの教師はそれを善意で行っている。彼らは仕事を続けることが幸せで、命令に従い、言われたことを、言われたスタイルと方法で教えなければならないのである。この命令に従わなければ、教師の職を解雇され、収入を失い、公的な教育機関の教師としては好ましくない存在になってしまうのだ。

私たちは人生の12年間、母なる自然から切り離された教室に座らされ、頭の中に情報を詰め込まれる。――試験のときにそれを思い出せるように、学校のレポートで「Ａ」を取れるように、両親が友人に自慢できるように、将来の雇用主に印象づけるように、良い仕事に就き、できるだけ多くのお金を稼げるように――日常生活では決して使わない科目で良い点を取ろうとしていたのだ。

このように詰め込んだ情報をうまく発信することで、私たちは大学に進学することができる。大学では、教化と洗脳がより高いレベルに達し、企業のスポンサーもより多くついている。そのレベルに達することができた特権階級の人々は、一定のプライドと傲慢さを持つようになる。なぜなら、彼らはよく働き、勉強ができるという理由で、自分のことを特別な存在だと考えるからである。そして、学習したことをしっかりと身につけることで、自分を大衆から引き離し、より高い階層へと昇格させている。そうして、卒業生は気づかないうちに、人類の間に階層と分離を生み出すシステムの静かな推進者、そして擁護者になっているのだ。

私たちは入学したその日から、学歴競争と知性のヒエラルキーにさらされ、それに順応することを強いられる。科目を理解できなかったり、試験の結果が悪かったりすると、笑われ、馬鹿にされ、もっと努力しろと叱責される。もし「共に行動」しなければ、何の役にも立たず、路頭に迷うことになると言われる。さらには誰も仕事を与えてくれず、人生が無駄になるとさえ言われるのである。

学校に行った初日から、私たちはさまざまな形で継続的なストレスにさらされる。成功しなければならない、1番にならなければならない、トップに立たなければならない、正しい答えを出さなければならない、というストレスとプレッシャーである。私たちは、これが人生の一部であること、競争は良いことであり、人生ではこれが普通であると信じ込まされるのである。私の友人、スコット・カンディルの11歳の息子、キャメロンは、学校で「疲労」という言葉を用いた肯定文と否定文を3つずつ使って詩を書くように言われ、このように書いたそうだ。「何キロも走った疲労でもなければ、3時間ジムに通った疲労でもなければ、4日間眠らなかった疲労でもない。それは、人を喜ばせようとする疲労であり、人からどう思われるかを気にする疲労であり、人から貶められることの疲労である」。

皮肉なことに、このような経験こそが「人格形成」につながると考えられている。そして、子供たちが広い世界と彼らが直面する「衝撃」に対処できるようになることが、学校教育のシステムによって奨励されているのだ。

試験に合格しなければならないというストレスは、私たちが想像できるもっとも残酷な形の巧妙なマインドコントロールである。私たちは、子供たちの人生の大半を、この残酷なストレスのシステムに自ら進んでさらしているのである。この潜在意識下の執拗なストレスが、最終的に多くの10代の若者が経験する反社会的な行動の原因となるのである。多くの大人は、受験ストレスの長い悪夢のせいで、中年になっても精神的な傷を拭うことができないでいる。

私たちは子供を精神科医に送り、リタリンなどの薬を飲ませ、失敗したり悪いことをしたりすると、罰するのである。そしてそれは子供たちのせいではなくシステムによるもので、コントロールできないものだと気づかないのだ。私たちはこの教え込みを疑うことはない。なぜなら、それが人生の標準だと信じていて、自分たちがそれを経験し、いかにうまく適応していると知っているから。そしてその教え込みはヒエラルキーと権威のピラミッドの高い階層によるものであるからだ。私たちは疑わず、ただ受け入れて、どうすれば人生で「成功」できるかを計画している。そして、このような潜在意識の傷跡は、生涯ずっと消えずに残ることになる。

現在の教育システムが明らかに機能しないことはもうおわかりだろう。真の学習とは無縁であり、子供たちに人生の真のスキルを教えることもなく、子供たちが夢を追いかけ、神から授かった才能を使って人生に真の意味を与えるよう促すこともないのである。その代わりに教育システムは、命令に従い、権威に従い、権威を恐れるように、若者の心を継続的に教化し、巧妙なマインドコントロールを行っている。そして生活のあらゆる面を支配するピラミッド型の階層を信じ込ませ、より高い権威を持つ人物から与えられた命令には、素直に従わせるのである。

これはすべて、実際には存在しない自由と個人の選択という口実の下に行われている。なぜなら、もし私たちが体制側のコントロールに従わなければ、体制に反対する者と見なされるからである。ある国では、子供を学校に通わせ、この非人道的な扱いに服させることが義務化されている。従わない親は、こうした法律や子供たちへの残酷な扱いを支持する法制度の下で告発され、起訴されるだろう。

人間としての起源、霊性、不滅の魂はすべて万物の創造主という同じ源から来ることを教えようとして、私たちは人間によって歪められた人工的な宗教について教えられる。その結果、私たちはますます分断されしていくのである。宗教による分断は、この地球上の紛争と苦しみのほとんどを引き起こしてきた。その苦しみは、何層もの欺瞞や私たち自身の無知、そして洗脳の下に深く埋もれながら続いているのだ。

学校で教わることのほとんどは理論的な情報であり、物事を行う方法、物を作る方法、構築する方法、修理する方法、常識にとらわれない考え方をする方法などの実用的な知識は、ほとんどない。それは、反社会的で社会の規範に適合していないと見なされるためで、言い換えれば、教育システムによって教化された人々が、境界内にいるために受け入れられる行動ということになる。この常識の境界線には、社会のあらゆる部門、特に商業、金融、政治部門が含まれ、何らかの形でこの地球を支配しているのだ。

自分自身に問いかけてみてほしい。私たちが学校を卒業するとき、教育システムはいったい何を与えてくれただろうか？　紙切れや学位は、私たちを特別な気分にさせ、良い仕事が見つかると思わせてくれるが、それ以外に何があるだろう？　私たちの教育は、学びとは関係なく、仕事に就き、成功したキャリアを持つための準備なのである。仕事とは何だろうか？　私たちはお金を稼ぐことができる。結局のところ、すべてはお金なのである。だから、お金を支配する人たちが教育システムを支配しているのだ。

政府が国民を支配し続けるために、そして権力者の明確な利益のために、学校の教科書の内容を操作し、管理してきたことはよく知られた事実だ。例えば、医学の教科書に記載される医学分野の研究の大半は、製薬会社が研究と教科書の印刷に資金を提供しているものである。それゆえに、医者のしていることは治療ではなく、正しい薬を処方することなのだ。

権力者たちは、私たちに信じさせたいことを教え込み、私たちは彼らの欺瞞をほかの人に広めている。医学部を卒業した若い人たちは、診断や治療についてほとんど知らない。共鳴や自然の法則、すべての病気が治ることや過去にすでに治ってきたことを知らずにいる。それは巨大な製薬会社の純利益にはならないからだ。学校は、創造と探求を望む若者にとって、制限のない牢獄と化しているのである。それが変わる否かは、私たち次第なのである。

新しい学習方法――新しい世界のために

教育方法は、子供たちの創造性と才能を育みながら、コミュニティに豊かさを提供することに焦点を当てた、新しい社会構造の中で大きく変化するだろう。私たちが慣れ親しんできた典型的な学校という監獄は姿を消す。教室は、教え、学ぶためのより適切な場所に姿を変えるのだ。理論的な授業は最小限に抑えられ、学習の大部分はその科目特有の実際の環境の中で行われるようになるだろう。学校は、教師として任命された人々の日々の要求にいつでも応えられるようになるのだ。

正確に鳴り響くベルによって強制される、30分から1時間のいわゆる「授業」に情報を詰め込むという非常識な習慣は、多くの場合、経験を重んじる真の学習スタイルや、教師と生徒がそれぞれのテーマを本当に深く探求できるようになることからかけ離れている。

すべての教育と学習は、コミュニティによって任命されたマスターティーチャーによって行われる。彼らはその専門的な技術、才能、能力、職人技によってコミュニティの人々から尊敬され、称賛されている。コミュニティには、多くの科目にわたって無限のスキルを持つ多くの熟練者が存在するのだ。ウブントゥのコミュニティでは、ライフスタイルとして、現在の私たちには想像もつかないような新しく取り組むべきことが数多くある。人々は、これまでお金がないために、あるいは単に経済的に成り立たないために不可能だった多くの活動を創造し、参加するようになるだろう。ウブントゥのコミュニティでは、すべてが可能になるのだ。

しかし現状では、優秀な教師は家庭教師の道を選んでいる。市場のギャップに気づいた彼らは、学外での個人レッスンに集中するのである。なぜなら、一番お金があるのはそこだからだ。彼らは40人の子供たちに教えてもあまり効果がないことがわかっているので、知らず知らずのうちにお金持ちだけの排他的な教育が行われているのだ。

何百万もの子供や大人が、新しい技術を学んだり、趣味やスポーツに参加したりする機会を、お金がない、身近で受けられないなどの理由で、常に奪われているのである。また、教師から課される膨大な量の宿題は、子供だけでなく、親の生活にも影響を与え、ほかのことに使う時間はほとんどない。

今日の社会では、子供たちの教師であるべき熟練した芸術家や職人が無視され、疎外されている。創造的な表現や芸術は、科学的・経済的成果を優先させられ、弱体化しているのだ。何百万人もの才能ある芸術家や職人が、ねぐらを支配する者たちに経済的な利益をもたらすようになるまで、世界からただ見捨てられているのである。そして私たちは皆、死んだ芸術家が金持ちや有名人によって賞賛され、彼らの作品が功績や地位の証として収集されるのを目撃してきた。

しかし、私たちが生活の中で行っていることのほとんどは、実は時間をかけて習得した技術であり、その習得には多大な時間と労力と注意が必要なのである。これには何年もかけて習得する技術もあれば、ほんの数分で習得できる技術もある。タイピングから靴作り、建築、ロケット科学、養蜂、パン作り、裁縫、エンジニアリング、芝刈り、農業、絵画、彫刻、運転、ヨット、飛行、配管工事まで、数えればきりがない。皿洗いや床掃除だって、身につけなければならない技術なのだ。少林寺のカンフー僧たちは、雑務を高度な訓練法に変えることで、身体のつながり、パワー、コントロール、集中力を身につけてきた。

ただし、熟練者になるためには、情熱を持って打ち込む必要がある。マルコム・グラッドウェルは、著書『天才！成功する人々の法則』（講談社）の中で、最高レベルの技術を身につけた人たちは、そのために1万時間も費やしていることを紹介している。ウブントゥコミュニティの社会構造は、すべての人にそのような自由を与え、自分のスキルの達人となり、コミュニティに多大な貢献をすることを可能にするのだ。

例えば、日本の佐々木の将人（まさんど）師範は「気合」、つまり「叫び」だけに特化した稽古を行っている。人間の体はほとんど水であり、水は音を共鳴させられることからエネルギーが発生すると考えた彼は、この技を極め、大声で叫ぶだけで相手を落とすことができるようになったのだ。彼は自分の声で部屋の向こう側のゴングを鳴らすこともできる。このように、システムからお金を取り除けば、不可能なことだって可能になるのだ。

この方法の美しいところは、人の数だけスキルや情熱があることだ。ウブントゥのシステムでは、すべての師は自分たちのコミュニティによって、長老評議会を通じて任命される。人々の尊敬を集め、その技能の達人であると認められた者だけが任命されるのである。

マスターティーチャーが教えるすべての科目と技術は大変特殊であるため、それぞれにふさわしい環境下で教えられる必要がある。これまでの教室は、自然のプロセスから切り離された人工的な環境であったが、チーズの作り方を教室で効果的に学ぶことはできないし、種子の育て方やフリーエネルギーの作り方を教室で学ぶこともできない。実際、教室で本当に学べることはほとんどないのである。それぞれの技術は、その環境下で体験してこそ真に吸収されるのである。

教育を始めるにあたって——幼児期

ウブントゥのコミュニティでは、コミュニティ全体で子供たちの世話をする。そのため、そこで育つ子供たちはコミュニティ全体に属していることになる。

ホームレスの子も、お腹を空かせた子も、教育を受けられない子もいない。子供たちはコミュニティから愛され、大切にされ、どんな危害からも守られるのだ。すべての子供たちは、できるだけ早い時期から同じ機会を得ることができる。そのため、幼稚園や保育園は、これまでとは異なる外観、雰囲気、機能を備えるようになるだろう。

コミュニティのデイケア・ナイトケアセンターは、幼い子供たちの学習の基盤となる。人生の中でも特にか弱いこの時期に、無制限の医療と十分な栄養が得られるのだ。また、これらのセンターは、栄養学や医療などそれぞれの分野で高度な専門性を持ち、コミュニティから指名された多くの人々によって運営される。熟練者たちの中には、いかなる制限も受けずに教材を開発する者も含まれており、コミュニティから任命された教育・学習教材の開発者は、何の制約も受けずに開発に専念できる。お金というのは、もはや発展や成功のために必要なものではないのだ。

幼児教育は、インタラクティブなゲームや、ほかの革新的なテクノロジーの形で行われるだろう。プラトンをはじめとする多くの偉大な教師たちが、幼少期の発達には「遊び」や「楽しみ」が重要であると指摘していたのだが、現代ではこの助言が完全に否定されてしまっている。

楽しみやゲームは明白な理由をもって支配者たちによって学校から排除されてしまった。現政権は、子供は権威ある者の言うことを聞き、彼らの話に耳を傾けるべきで、ゲームをして楽しむべきでないと考えているようである。

幼児教育に関わったことのある人なら、簡単なゲームや楽しいインタラクティブな遊びをすることで、子供たちがどれだけ情報を得て、学ぶことができるのかおわかりだろう。また、子供たちが間違った環境下でどれほど怯え、自信や自尊心が容易に打ち砕かれてしまうかも知っているはずだ。

幼児教育には、さまざまな玩具、道具、本、楽器、そしてインタラクティブな動画や情報番組などのテクノロジーも含まれる。このようなツールを使うことで、幼児たちが実際に学ぶ前に、さまざまなテーマに関する重要で基本的な知識を身につけることができるため、非常に効果的である。

特に、絵を描いたり、楽器について学んだり、さまざまな楽器を試して創造的な才能を活性化させることは、重要なことである。幼児期に子供たちは読み書きのような基本的なスキルを学ぶが、もっとも重要なことは、私たちの惑星である母なる地球を愛し、尊敬することを学ぶことである。

例えば、土、水、空気、日光。生き物がどのように成長するのか、なぜ成長するのか。そして、動物、植物、昆虫。種のまき方、育て方。食物はどこから来て、どのように育てられるのか、作られるのか。自然のサイクルである、堆肥とミミズ。このように、できるだけ多様なものを教え、子供たちの好奇心に火をつけるのである。

ウブントゥのコミュニティでは、6歳頃からこの基本的な知識を学ぶと同時に、半日の短いワークショップや体験型の実践活動に参加し、より詳しく技術を学ぶようになる。この実践では、できるだけ多くの活動や技術に触れることで、子供たちの心を刺激し、もっと学びたいという気持ちを持続させることが必要である。できるだけ多くの熟練者を訪ね、想像力を刺激し、無限の可能性に心を開かせていくのだ。

子供たちが歩けるようになったら、その日から、ヨガや武術に親しんでもらう。彼らは、強く、元気で、体が柔らかく、集中力が高く、自信があり、エネルギッシュで、何よりも健やかに育つだろう。精神的な面でも、子供たちは適切な条件のもとで成熟し、引き止めるのが困難になるほど高いモチベーションで学ぶようになる。本来であれば、そうあるべきなのだ。

幼児は、周りの人がすることを見るのが大好きで、そのすべてが刺激的なのである。だから、自分も参加したい、真似してみたいと思うようになるのだ。私たちは、このような機会を与え、子供たちが本来持っている創造的な才能を否定しないようにしなければならない。そしてその機会は、できるだけ広範でなければならない。農業、パン作り、木工、建築、工学、種まき、音楽、芸術、鶏の卵の産み方、牛乳の作り方、チーズやバターの作り方、綿の紡ぎ方、カーペットの織り方、楽器の作り方を学ぶなど、想像しうる限りのあらゆることに触れさせるのだ。これは、子供が幼いうちから自分自身の才能を開花させ、認識するのにも役立つ。

種や食物を植え、育て、若い草木の世話をすることは、最初の数年間は幼児教育の一環として継続的に行わなければならない。コミュニティで使われるすべての苗木や若木は、子供たちがその源となり得るのである。特に、製薬業界によって排除されてきた数多くのハーブや薬用植物がそうである。これらは、真の癒しの熟練者である伝統的なヒーラーや自然療法士によって、大いに活用されるだろう。

育てるものの中には、数年後に豊かな食料と健康をもたらす多種多様な野菜、果物、ナッツの木などが含まれる。子供たちは自分が育てたものとの絆を深め、ほかの人が育てたものへの相互尊重、そして母なる自然への尊敬と愛を育んでいく。アマゾンで育った子供は、7歳までに2000種類の植物を見分けることができるようになるとも言われている。

ウブントゥのコミュニティでは、さまざまなスポーツや文化・レクリエーション活動に参加することが重要視される。音楽や楽器、絵画、彫刻など、あらゆる芸術の形態が豊富に探求されるのだ。人間は偉大なる創造の表現者であり、それゆえ創造への欲求は尽きることがなく、無限である。社会、経済、そして私たちをコントロールしようとする人々によって、私たちの人生に課せられた制限だけが、私たちが継続的に創造、開発、構築、製作、そして発明を行うことを妨げているのである。

音楽教室や子供たちによる演奏会は、おそらく私たちの文化活動の大きな部分を占めることになるだろう。ウブントゥのコミュニティでは、お金がないという理由で制限されることがないので、そのような新しい芸術表現がたくさん発展するだろう。

スポーツやレクリエーションも同様である。現在行っているスポーツが衰退する一方、新しいスポーツやゲームがコミュニティによって創造的な表現として開発されるだろう。

子供たちは、コミュニティの課題に対して、創造的な解決策を見出すようになる。そして、そのアイデアは長老評議会によって評価され、コミュニティにとって有益なものであれば、実行に移される。子供たちはいつもすばらしいアイデアを思いつくが、現代社会は、このような才能を認めず、活用することもないのだ。

すべての知識は、コンピュータやその他の耐久性のあるテクノロジーに取り込まれ保存される。そして、子供も大人も、コミュニティのすべてのマスターティーチャーの包括的な教育・情報データベースから検索して学習できるようになるのである。

継続的な教育――年長の子供たち

子供たちが大きくなるにつれて、参加する体験学習やワークショップの期間も長くなっていく。半日、1日、数日、1週間、2週間、1か月と、どんどん長くなっていくのだ。

ロシアのテコス村の学校は、新しい学習方法のすばらしい例である。この遠隔地にある森の中の学校は、「教育」という言葉を完全に再定義しているのだ。

ここでは、子供たちが大人の監督なしに学校のキャンパス全体を設計し、建設し、装飾する。自分たちで食事を作り、事務仕事をし、自分たちで教科書を作り、お互いに教え合う。彼らは1年で高校の数学の全課程を履修し、17歳になるまでに修士号を取得する。出入りは自由で、親は授業料を払わないでよい。

このような創造的でオープンな学習環境では、子供たちは人生の非常に早い段階で、自分の生まれ持った才能やスキルを認識し始めるだろう。そして、自分の好きなことや才能、本当に興味のあることに向かって、自然に進んでいくのだ。

12歳になる頃には、自分が本当に得意なことは何か、何が自分を駆り立てるのか、何が自分を興奮させるのか、自分が人生で何をしたいのか、自分の創造的欲求を満たしながらコミュニティの豊かさに貢献するために何をしたいのか、はっきりと理解しているはずだ。

12歳から14歳にかけて、体験学習やワークショップはどんどん長くなっていく。1週間から1か月、あるいはそれ以上。スキルの数は絞られ、子供たち一人ひとりの能力、スキル、好みに合わせていくことになる。学習の場では、子供たちが望まないことを強制されることはない。誰もが、自分が惹かれるものだけを追求する完全な自由を与えられているのである。

14歳から16歳にかけては、子供たちはいくつかのスキルを選択し、それを習得していく。マスターティーチャーとの小さなインターンシップとも呼べるもので、この期間に子供たちのスキルは磨き上げられていくのである。農業、数学、裁縫、バイオリンの演奏など、子供たちが自分で選んだものであれば、何でもいいのだ。

この時点までに、すべての子供たちは、自分より幼い子供たちを教えるために多くの時間を費やすことになる。伝統的な文化では、今日のように子供を細分化することはなかった。年上の子が年下の子を教えるというのは、どんな学習システムにも絶対必要なことなのだ。

16歳になると、すべての子供が自分の好きな科目の最終実習、いわゆるインターンとして、熟練者のもとで学ぶことになる。この頃には、幾千もの実践的な学習体験やワークショップ、マスターティーチャーとのインターンシップをさまざまなレベルで経験し、彼らは人生とそのすべての秘密について、世界中の学者が合わさるよりも多くの知識を持つことになるだろう。

このようにして、すべての子供たちやコミュニティのメンバーは、夢のような知識と実践的な経験を手に入れるのだ。ロケットを作る、牛の乳を搾る、数式を解く、食べ物を育てる、カーペットを織る、橋を架ける、バターやチーズを作る、フリーエネルギー装置を作る、楽器を演奏する、スポーツを楽しむ……など、さまざまなことができるようになる。

さらに重要なことは、彼らが完全に自立するということだ。多くの若者が今日抱えるような将来への不安はなく、大人になってからもその不安を持ち続けることはない。最後のインターンシップを終えた子供たちは、自分の選んだ「愛の労働」に就き、コミュニティ全体のために貢献する貴重な存在となる。そして、皆から大切にされ、その能力を称えられるようになるのである。

人によっては、一生逃れられない約束や奴隷のようなものだと思うかもしれないが、そうではない。そのように感じるのは、完全な自由への道を阻もうとする、毒された心の残滓（ざんし）にすぎないだろう。ウブントゥ貢献主義モデルでは、誰もが自分の選んだ「愛の労働」で1日3時間だけ貢献すればいいということを思い出してほしい。

もし私たちが1日に3時間以上を豊かさの創造と生産に費やすと、単にモノが多すぎるだけになってしまう。食べ物、電気、燃料、シャツ、皿、テーブル、家、サッカーボール、ロケット、カーペット、鶏、牛、牛乳、パン、などたくさんのものがあふれてしまうのだ。

私たちはお金を追いかけたり、人生の90％をお金を求めることに費やしたりする必要はないのだ。その代わりに、すべての行動において豊かさを創造していく。すべての努力、ウブントゥコミュニティで行うすべてのこと、すべてのエネルギーは、コミュニティのために、ひいては自分自身のために豊かさを創造することに通ずるのである。現在の資本主義的な世界で、このような豊かさを想像することは、ほぼ不可能だ。

また、誰もがコミュニティ・プロジェクトに、週に3時間貢献するということも忘れてはならない。具体的には公園の芝生を刈る、下水の処理をする、フリーエネルギーを作る、材料を運ぶ、街灯を直す、苗を植える、高齢者の世話をする、などである。

つまり、1日のうち3時間、自分の好きなことを愛の労働、つまりコミュニティへの貢献に使っても、まだ21時間残っているのだ。生存や食事に関するストレスや心配がないので、自分が情熱を傾けられる活動や、訓練によって得意になった活動に従事することになる。さまざまな趣味を持ち、ときには多くの情熱を持ち、それを制限なく追求できるようになるのである。何をするにも、何に参加するにも、最終的には自分自身やコミュニティ全体に何らかの利益をもたらすだろう。

誰もが、どの段階でも、あらゆる種類のトレーニングやさらなる学習を受けることができる。ただし、高度な技術トレーニングができるのは、コミュニティから任命されたマスターティーチャーだけである。子供たちは、16歳で最後のインターンシップを終えると、その特定の分野で活躍している熟練者の監督のもとで愛の労働に従事する。熟練者がもうこれ以上教えられないと判断したとき、あるいは熟練者が教えることのできる最高レベルの技術を身につけたと判断したとき、彼らは生徒を熟練者として認めるのである。こうして、技術を身につけた新しい人にコミュニティの尊敬が集まり、子供たちに高い技術と明晰な思考力を身につけさせるという、重要な役割を担える人がどんどん増えていくのだ。

法律——法制度——裁判所と裁判官

私たち国民は、自分たちが法治国家に住んでいて、国民と国全体の利益のために法体系が常に進化していると信じ込まされている。それはまるで見当違いだ。

国は企業として登録され、企業のCEOが裁判官を任命している。裁判所と裁判官は企業の道具なのだ。彼らは、企業を守るための法律を守るためだけに存在し、企業に深刻な、あるいは長期的な損害を与える可能性のあることに対しては何もしない。既存の法体系のもとでは、人々は決して正義を貫くことができないのである。

子供が奴隷になる

エドワード・マンデル・ハウス大佐（1858年7月26日－1938年3月28日）は、アメリカの外交官、政治家、大統領顧問として非常に大きな影響力を持った人物である。ハウス大佐という肩書きで一般に知られており、軍歴はないものの、ウッドロウ・ウィルソンアメリカ大統領の外交政策顧問として多大な影響力を持っていた。

1911年には、ニュージャージー州知事ウッドロウ・ウィルソンの側近となり、1912年の大統領選挙でウィルソンの勝利を支え、ウィルソン政権の立ち上げに貢献した。ハウスは閣僚への就任を要請されたが、代わりに「可能な限りどこでも、いつでも奉仕すること」を選んだ。ハウスは、ホワイトハウス内に居室を提供されるほどの仲だった。

1916年の大統領選挙では、ハウスはウィルソンの選挙運動の最高顧問を務めている。彼は選挙運動の組織を作り、論調を整え、財政を指導し、演説者を選び、戦術・戦略を決め、そして選挙運動の最大の資産であり最大の潜在的負債である、「優秀だが気まぐれな候補者」をうまく扱ったのだと言われている。

（『Hodgson: Woodrow Wilson's Right Hand: The Life of Colonel Edward M. House』２００６年）

ハウスは戦時中の外交に大きな役割を果たし、ウィルソンはハウスに「調査団」（世界の諸問題に対する戦後の解決策への助言を任務とする学術専門家のチーム）の編成を命じた。1918年9月、ウィルソンはハウスに対し、国際連盟の憲法を作成する責任を与えている。

また、ハウスはウィルソンの「十四か条の平和原則」の策定をサポートし、大統領とともにヴェルサイユ条約と国際連盟規約の起草に取り組んだ。彼はイギリスのミルナー卿、ロバート・セシル卿、フランスのM・シモン、日本の珍田捨巳（ちんだすてみ）子爵、イタリアのグリエルモ・マルコーニ、アメリカのジョージ・ルイス・ビールとともに国際連盟の委任統治委員会の顧問に就任。1919年5月30日にはパリでの会議に参加し、外交問題評議会（CFR）設立の基礎を作った。さらに1920年代には、国際連盟や世界法廷（国際司法裁判所）へのアメリカの加盟を強く支持している。

エドワード・マンデル・ハウスが、世界に対して特別なビジョンを持った狡猾な人物であったことは明らかである。彼の私的な回想録を読むと、ウッドロウ・ウィルソンとの会談で語られた、アメリカ国民を奴隷にし、その後世界中の人々を奴隷にするという計画について詳しくわかる。彼は、1923年6月25日付のタイム誌でこう語った。

「間もなく、すべてのアメリカ人は、国民を追跡するために設計された国家システムに、生物学的財産（あなたとあなたの子供のこと）を登録するよう要求されるだろう。そして我々は国民に対してアジェンダに従うよう強制することができ、すべてのアメリカ人は仕事や生計を立てられなくなる。彼らは私たちの奴隷（財産や家畜）となり、私たちは、担保付き取引の仕組みのもと、商慣習法の運用によって、彼らに対して永遠に担保権を保持することになる。アメリカは、知らず知らずのうちに船荷証券（出生証明書）を私たちに渡すことで、破産し、支払不能に陥るが、質権によって担保される。国民は権利を剥奪され、私たちが利益を得るように設計された商業的価値を与えられるが、当然そこには気づかない。100万人のうち1人も私たちの計画を知ることはできないし、もし偶然誰かが知っていたとしても、私たちにはもっともらしい反証という武器があるのだ。私たちは想像をはるかに超える巨額の利益を得ることができ、すべてのアメリカ人が、私たちが『社会保険』と呼ぶこの詐欺に貢献することになる。彼らは無意識に、嫌々ながらも我々の下僕となるのだ。人々は無力となり、救済の希望もなくなるだろう。そして我々は、アメリカに対するこの陰謀を煽るために、ダミー企業（アメリカ合衆国や南アフリカ共和国）の最高役職（大統領職）を利用するのである」

1913年にアメリカの銀行家のために連邦準備法が施行されたとき、下院議員チャールズ・リンドバーグは、1913年12月22日の議会記録（第51号）で、連邦準備制度を制定することで避けられないのは、インフレやデフレによって企業が支配権を握ることだと警告している。

民間所有で、アメリカの連邦準備制度の一部でもある南アフリカ準備銀行は、南アフリカの中央銀行である。議会が1920年8月10日に通貨銀行法を可決した後、192

1年に設立され、国民を完全に支配するための舞台を整えた。

連邦準備制度と出生登録／出生証明書制度は、1923年の児童法・児童ケア法と1921年の準備銀行法を通じて、1921年から1923年の間に南アフリカに取り入れられた。以来、南アフリカの市民権は、1923年の児童法・児童ケア法によって規制され、出生登録をすることで、政府は「市民」に商業的価値を割り当てるようになった。

いったい誰のための裁判所なのか？

法律や裁判所、官僚制度は、国民を守るためや、正義や公正のためにあるわけではない。司法制度は、手続き、裁判所の規則に関する知識、そしてお金集めがすべてである。高等裁判所であれば、黒いローブを着て、高いベンチに座っている人にお辞儀をして、my Lord（閣下）と呼ぶことがすべてなのである。

多くの人が高く評価している南アフリカの憲法裁判所でさえ、国民を本当に助けるために存在しているわけではない。なぜなら日常的に考えられないような、深刻な苦難を経験している人々は、憲法裁判所に赴くことさえできないからである。一見、すべての人がそのようにできると装っているが、裁判所は複雑な規則、構造、手続きの陰に隠れている。本来であれば国民のための裁判所であり、いつでも誰でも正義のために利用できるはずなのであるが、実際はそうではないのだ。2013年2月、ヨハネスブルグの最高裁判所で、私は裁判官から「ここは国民の裁判所ではない」とはっきり言われた。

では、裁判所はいったい誰のものなのだろうか？　ウブントゥ貢献システムの創設者たちは、銀行の違法行為を暴くためにさまざまな試みで人々のために正義を貫こうとしてきたが、その過程で、裁判所と銀行が表裏一体であり、裁判所が銀行を守っていることを発見した。

結局、お金がすべてなのである。大多数の一般市民は、法廷で自分たちの代理を務める弁護士を雇うお金がなく、いかなる形の正義も得ることはできないだろう。手続きを規定する限りなく複雑な規則や、書類の提出や送達の仕方、何を主張してもよく何を主張してはいけないか、といった知識もない。まさに、欺瞞に満ちた無限の泥沼なのだ。

司法制度を知っている人なら誰でも、これは司法制度ではなく、「管理制度」であることがはっきりとわかるだろう。

多くの人は、裁判所には「出納係」がいて、「依頼人」の代わりに支払いを受け取っていることに気づいていない。裁判所とは、偽装された銀行にすぎないのだ。

企業というのは架空の存在で、紙切れ同然のものである。しかし法廷では生きて呼吸している人間よりも多くの権利を持っているのだ。国民の知らないところで、見えない法律家たちが毎週のように新しい法律を作り、成立させ、決して国民のためにならない、ただ複雑なものを闇雲に増やし続けている。

現在の司法制度は、大衆を支配下に置きながら、大衆には権利があり、彼らを守るために作られた司法制度があるという印象を与えることを目的とした、不正なシステムなのである。どんな理由であっても名誉、誠実さ、公平さを基本的な信念とする道徳的な社会にとっては、到底受け入れられるものではない。

この事実を変えることができるのは我々国民である。待っているだけでは何も変わらないのだ。

企業は、自分たちのルールを人々に強制できない

ここまでの話を、政府に対する陰謀論だと捉える人もいるだろう。しかし実際は、政府が国民に対して陰謀を企んでいるのだ。

今こそ目を覚まして、世界で何が起こっているのかを理解し、自分の心と理性をコントロールするときだ。私たちは生きて呼吸している、人間なのだ。法人格や法的な虚構、あるいは南アフリカ共和国とその法律によって生み出された合成的な実体ではない。

権力者による欺瞞は、この国の最高法規である「南アフリカ共和国憲法」の前文の最初の一文から始まる。

南アフリカ共和国憲法（1996年）

前文

南アフリカ国民は、過去の不正を認識し、我々の土地で正義と自由のために苦難を経験した人々に敬意を示し、我が国の建設と発展のために努力した人々を称え、南アフリカは、多様性の中で団結して住む人すべてのものであることを信ずる。よって、我々は自由に選出された代表者を通じて、この憲法を共和国の最高法規として採択し、過去の分断を癒し、民主的価値、社会正義および基本的人権に基づく社会を確立し、政府が国民の意思に基づき、すべての市民が法律によって平等に保護される、民主的かつ開かれた社会の基礎を打ち立て、すべての市民の生活の質を向上させ、各人の潜在能力を解放し、国家の集まりの中で主権国家として正当な地位を占めることができる、団結した、民主的な南アフリカを建設する。神が私たちの国民を守ってくれますように。神よ、アフリカに祝福を。

巧妙なごまかしは、この前文から始まっている。南アフリカは住む人すべてのものであると明確に書かれているが、私たちは用心深く、言葉や文章のねじれを認識する必要がある。「南アフリカ」とは、隣接する国々と国境によって

地理的に定められた物理的な土地のことであり、アメリカ証券取引委員会に登録され、会社のみを支配する独自の法律を持つ「南アフリカ共和国（REPUBLIC OF SOUTH AFRICA）」という会社とは別物であるはずだ。

そのためこの憲法は、南アフリカの国土ではなく、法人である「南アフリカ共和国」に適用される。憲法は企業の権利を保護するものであって、南アフリカの土地に住む人々の人権を保護するものではないのだ。さらにこの憲法は「市民」が市民権、特権、利益を得る権利があることを表しているが、あまりにも捻じ曲げられているため、ほとんどの人はこの情報を理解することができない。そしてこれこそ、企業政府が求めている人々の無知なのである。

企業は紙切れ1枚で、株式会社という肩書きで「限定的」な権利を謳っているが、私たち人間はその中では生きられない。人間は現実の土地、物理的な土地に住み、空気を吸い、無限の愛を育む能力を持っている。企業にはそれができないのである。市民が企業に属するのは、忠誠を誓い、その見返りとして権利と特権を与えられるからである。

人間はその土地に自由に生まれ、人権、不可侵の権利を持っている。それは神から与えられた権利なのだ。私たちは皆、誰に対しても約束も義務もなく、自由に生まれた主権者なのである。誰も私たちを奴隷にしたり、いかなる種類の隷属を強いたりすることもできない。

企業は人々の権利をただ奪っているだけなのだと、よく覚えておいてほしい。彼らは、与えることができないのだ。私たちは生まれたときから自由な存在で、署名するいかなる文書も自由を侵食するものであってはならない。

例えば、あなたがＫＦＣ（ケンタッキーフライドチキン）のために働かない限り、ＫＦＣはあなたにルールや規則を強制することはできない。それと同様に、ほかのいかなる企業もあなたに強制することはできないのだ。できるとしたら、それは奴隷や隷属と呼ばれるものだ。南アフリカ共和国という企業は、南アフリカに住む一人ひとりにいったい何をしているのだろう？　彼らは、南アフリカ国民の政府を不法に装っているだけだ。では本来の政府はどこに行ったのか？　私たちの部族の指導者に聞いてみるといい。今日、彼らは人工的なパワーを目の前にして、無力なまま佇んでいる。

権力者たちが発信する情報や表現を侮ってはいけない。彼らの言葉は、権威を主張する非合法な法廷において、私たちの生活を支配しているからだ。いわゆる独立した司法は、南アフリカ共和国という企業の一部であり、裁判官はＣＥＯである大統領によって任命され、南アフリカ共和国という企業が作った法律を守り報酬を得ている。この企業は、自分たちをＩＤ文書やパスポートといった企業の紙切れ同然のものだと信じ込まされている法人や市民によって占領されているが、南アフリカという物理的な陸地とは何の関係もないのである。

では、私たちはどうしたらよいのだろうか？　ニュースやドラマを観るのをやめて、自分たちのために何かを始めてみてほしい。子供たちを教育し、私たちの真の人権を守るために立ち上がるのだ。土地は国民のものであり、企業である南アフリカ共和国のものではない。彼らの法律は彼らの従業員にのみ適用されるのである。

驚くべきことに、憲法がそのことを教えてくれている。南アフリカの土地を南アフリカ共和国という企業と、そして、そこに暮らす人々を市民と、繰り返し混同するという密かな方法で。憲法の起草者は意識的に、国民が無意識の状態から目を覚まし、自らこのすべてを理解できるように促しているのではないかとすら私は考えている。

人間の法律か、企業の法律か

人間に適用される最初の法律は、3つの基本原則を持つコモン・ローである。

(1) 人に危害を加えず、殺してはいけない。

(2) 自分のものでないものを盗んだり、取ったりしてはならない。

(3) すべてにおいて、名誉ある行動をとること。

ところが悲しいことに、私たちが自分の権利のために立ち上がり、裁判官に要求しない限り、この原則は裁判所では適用されないのだ。私たちの法律は先人の知恵から生まれたもので、法律や裁判は入植者によって強制されたものではない。ローマ法、英国法、そのほかの政治的意図を持った強硬な法律は、あまりにも場違いで、あまりにも複雑で、人々のためになるはずがないのである。

私たちの法体系は、商法、契約法、成文法を中心に構成されている。これらの法律は、コモン・ローや権利とは何の関係もなく、むしろ企業や架空の団体の権利のためにある。

私たち一人ひとりも、出生証明書をもらった瞬間に、人間性を奪われた架空の存在、つまり紙切れにされた「法人」であることを認識することが重要である。出生証明書をもらった後には通常、身分証明書やIDナンバー、パスポートに記載された番号とリンクした顔写真などによって追跡が行われる。

その瞬間から、あなたには2つの存在が生まれる。

1つは、本当のあなた自身。呼吸をしている、血の通った、無限の魂を持つ生身の人間で、誰にも奪うことができない不可侵の権利を持つあなたである。

そしてもう1つは、「架空の存在」、「法人」、「自然人」とも呼ばれる、あなたの写真と何らかのID番号で識別される紙切れの存在である。

この2つは同じものではないが、私たちはずっとこの2

つが同じものであると信じ込まされている。人間は生まれたときにその存在に付着した法的虚構に責任を負わされ、奇妙で複雑な法的手法で、この番号を発行した国家の所有物となった。これらの文書は「企業」または国に属しており、あなたの所有権を主張しているのである。

架空の法的文書には、いずれも大文字で書かれたあなたの名前がある。これは、虚偽を見分けるための最初の目印で、1666年の信託受益者法の結果、世界の人々が「死んだ」と宣言されたことに由来している。法律上の虚構だけが認められ、法律上の虚構/法人が口の利けない能無し（人間）に運営されていたとしても、与えられたルールにさえ従ってくれているのなら、それでいいのである。

私たち全員に降りかかったこの欺瞞を、皆が理解することが重要である。人間の主権と絶対不可侵の権利は、私たちの意思に反して、私たちの意識的な同意なしに冒瀆されてきたのだ。

私たちの法律と裁判制度は、ゆっくりと進化する王室の政治エリートによる支配構造から生まれていて、すべて海事法に基づいている。不思議に思われるかもしれないが、法律でいう海とは、地球上の海だけでなく、他の惑星の海のことまで含まれる。今はまだ地球に住んでいる私たちだが、そんな私たちは「パスポート」を持ち、「所有権、インターンシップ制度、パートナーシップ制度」といったものまで存在する。ここまでの「流れ」を理解していただけただろうか？

私たちの生活を支配するこのシステムは、何千年にもわたって狡猾に作られた複雑な欺瞞の層であり、誰もそれを本当に理解しているとは言い難い。その主な目的は、自分は自由だと信じている「船」、すなわち国民を絶対的に支配し続けることであるが、実際には王や国家、あるいは国に所有されている臣民でしかない。register（登録する）という言葉は、王冠を意味するregisから来ており、何かを登録するとき、私たちは何らかの形で王冠に服従や降伏をするのである。

この完璧な欺瞞に付随して、信じて疑わない人々を混乱させ、陥れるために作られた法律用語が数々あり、それこそが知る人ぞ知る「法律用語」と呼ばれているものだ。これらは、私たちを惑わし、騙す言葉である。なのに私たちは皆、その意味を理解しているつもりでいる。

例えば、裁判官や警察官といった公的な立場の人があなたに、「わかりましたか？」と尋ねたとする。しかし、これは「あなたは私の権威の下に立つか？」という意味であり、もしあなたが同意すれば、あなたは彼らの権威に服従したことになるので、彼らはあなたを好きなように扱うことができる。私たちが喜んで彼らの権威に服従し、すべての権利を放棄させるための、実に見事に設計された欺瞞なのである。

国民は、国民のために、国民によって設計された新しい法制度に値するのだ。

お金のない世界では、今のような複雑な法制度は一夜にして消えてしまうだろう。今日、世界中の裁判所のほとんどすべての法的措置は、何らかの形でお金と結びついており、このことについては、よく考えてみなければならない。この関連性がわかれば、私たちが陥っている金融制度や法制度に浸透しているごまかしの網を認識するのはとても容易になるのだ。

現状では、裁判所、裁判官、弁護士が、非合法な銀行や政府機関を支持して、国民に不利な行動をとっており、人道に対する罪を犯している。彼らの犯罪や行動が、国民によって書かれた新しい法律を持つウブントゥシステムの下でどのように処理されるかは、国民が決めることである。私たちは、人民の人民による人民のための法律、コモン・ローの原則に基づく法体系の完全な見直しを実施するべきだ。

私たちの新しい法律——ウブントゥの行動計画

1）欧州中心主義、ローマ法、オランダ法、イギリス法、その他の人々の意思とニーズに少しでも反する既存の法律はすべて廃止する。
2）国民が達成したいと思うことは、すべてできるようにする。
3）ホームレス、飢えに苦しむ者、最良の治療を受けられない病人をなくす。
4）新しい法律と新しい統治機構は、地方レベルから始まる人々の意思に基づいて作られる。
5）長老評議会から成るアフリカの部族構造（原住民の部族構造）の再導入を実施し、コミュニティを指導・助言する。
6）長老評議会は、各コミュニティの人々によって投票され、任命される。
7）コミュニティを指導する長老評議会は、コミュニティ内の賢明な長老で構成され、コミュニティから慕われる。
8）長老評議会は、毎年、あるいは必要に応じて、コミュニティによって投票される。
9）新しい長老評議会は、ウブントゥ貢献主義の基本原則を採用し、コミュニティの人々を導き、助言する。
10）長老評議会は、法的問題を含め、コミュニティのあらゆる問題に対処する。私たちは、人々を導き、助言するために、人々の真のニーズと無縁で、企業の理想を支持している弁護士や裁判官ではなく、長老の知恵を参考にする。
11）統治構造は分権化され、コミュニティは周囲のコミュニティの権利を侵害しない限り、あるいは国家全体の幸福を損なわない限り、自分たちの幸福を必ず追求できる。
12）各コミュニティ、州、地区から選ばれた長老が代表を務める集権的な長老評議会が存在する。この構造は、私たちがウブントゥの明瞭な仕組みを受け入れ、実行するにつれて発展していく。

13）これらは生きた法律であり、人々のニーズと各コミュニティの長老評議会の指導に従って成長する。

14）私たちのすべての新しい法律の基礎は、コモン・ローと団結意識に基づくものである。すべての個人の行動が、コミュニティ内のすべての人のより大きな利益に貢献するものとなる。

15）もしも全員にとって良いものでないなら、それはすなわち、良いものではないということだ。

「かつてアフリカは偉大だった。その偉大さを取り戻そう」

サヌシ　クレド・ムトワ――世界中の幾多の人々の精神的象徴であり、生ける宝である、誠実で賢明な長老。

独自の自由憲章に基づいた、新たに提案する合法的な構造の詳細については、本書の巻末にある「新自由憲章」をご覧いただきたい。南アフリカの自由のために闘い、命を捧げた多くの人々のための憲章だ。

私たちを奴隷にする法律と言葉　パート1

私たちの法体系は海事法によって支えられている。法体系の最高レベルである、いわゆる権力者たちによって守られているのである。それは人間性を踏みにじる欺瞞のトリックであり、私たちは権力者によって文字通り数字として扱われながら、自分たちが本当は何者なのか、生きている人間としての権利はあるのかと、混乱の網に搦め捕られているのだ。

これは、何千年にもわたって進化を続けてきた、非常に複雑なシステムである。決して正義ではなく、すべては主権者であり不可侵の権利を持つ人間に対する支配の構造なのだ。権力者たちは我々を無知にすることで貨物や所有物のように扱い続けることができるのである。

このような事実を初めて知ったとき、衝撃を覚え、不信感を抱き、まったくナンセンスだと拒絶する人も少なくないだろう。しかし私はあなたに、本書を注意深く読み、そして自分自身で調査し、実際に検証してみることを強くお勧めする。私たちは情報を得ることによってのみ、不法な支配から自らを解放することができるのだ。

知識は力となる。この知識を使って、少数の個人によって国民に押しつけられている不法な抑圧と金融的な独裁から自らを解放しようではないか。

SHIPで終わる単語には、所有権（ownership）、管理権（custodianship）、パートナーシップ（partnership）、管財人（receivership）、そして市民権（citizenship）などがある（全218の単語リストはこちら：https://www.morewords.com/ends-with/ship/）。これらの単語の大半は商業的に使われているが、それは商業の起源が商船であり、その儀式や慣習が海から陸に拡大したからである。

だから、ラスベガスからダラスまで、1滴の水もないのに家具を輸送（SHIP）しなければならないのである。旅行するのにパスポート（passport）が必要なのもこのためだ。空には空港（airports）と呼ばれる港（ports）があるが、それは海の法律や儀式の延長線上にあることから来ている。すべてはお金と商業のためなのだ。

道路を走るとき、人は車線（lane＝規定航路）を利用する。これらの車線は航路の象徴である。不思議なことに、一般的な街路には交通島※（islands＝島）があり、船が難航する海域を交渉する（negotiate）のと同じように、うまく切り抜ける（negotiate）必要があるのだ。運転手の隣に座る人は乗員（passenger）と呼ばれる。passengerとは、商業船であちこちに連れて行かれ、お金を払う客のことでもある。

道路を走行する際には、常に商業活動を行っていることが前提となる。商船は貨物に保険をかける必要がある。そのため、乗客は文字通り大きな荷物と見なされ、保険に加入するのである。貨物は誰のものなのか。自分で調べてみると、どこまでも深みにはまるだろう。私たちがお金を表すのに使うcurrency（通貨）という言葉も、海の流れであるcurrent-seaから来ている。

人という言葉は企業を意味し、そのため人は貨物と見なされる。もし、人が商業的な完全性を維持できなければ、企業は傾き（sinks＝沈む）、事業を成り立たせる（afloat＝浮かぶ）ことができなくなり、破産（insolvent）宣告を受けることになる。

溶媒（solvent）とは、何かを溶かすことができる液体のことである。もし流動性（illiquid）のない資産が多すぎる場合は、債務超過（insolvent）に陥る。これが、流動性という言葉が商取引で使われる所以である。海商法は商業と貨物に関するものであり、すべては水と海に関連するのだ。

それは、土地にある本物の固形物を、貨幣、コマーシャル・ペーパー、流通証券のような流動的な取引商品に変えることである。流動性のないもの（実物資産）と流動性のあるもの（貨幣）を結びつける手口は、巧妙にごまかされ、なぜこれを調査しないよう弁護士に巨額の報酬を支払っているのかがわかる。

つまり、「特別でない限り、あなたは国家の貨物」とい

※交通島は交差点や横断歩道に設けられる車の進入を阻止する構造物のこと。

うことである。何のことかわからない人（交通整理の係員など）に、自分は貨物ではないと伝えると、怪訝な顔をされ、一晩監禁される可能性だってあるだろう。

船は運河（canal）に停泊（berths）し、荷物が搬入口（delivery room）に降ろされ、その荷物は権利（title）付きの証明書（certificate）によって管理される。なんとも賢い仕組みである。証明書とは、株券のように所有権や商業的価値を証明するものである。

赤ちゃんが分娩室（delivery room）で産道（birth canal）から生まれてくるのは偶然なのだろうか。出生証明書（birth certificate）は医師が署名し、発行する。新生児は登録（registered）され、財産として商業的価値を持つようになる。登録（register）の語源はラテン語の rex regus、つまり「国王のために」である。

この財産（貨物）は、国王に贈与されたものである（つまり政府の財産である）。国家は今、その財産／貨物の価値に対して既得の商業的利益や株式を有しているのである。だからこそ、あなたの赤ちゃんは、すべての権利を剥奪され、国家企業の一部として取引され、商業的価値を与えられているのである。

南アフリカ共和国の政府は、アメリカ／ニューヨーク証券取引所に株式会社として登録されており、世界中の見えない株主のために、国民の労働力を奴隷のように売り渡すことを可能にしているという証拠を、私たちのウェブサイトでご覧いただきたい。

出生証明書を見てみると、自分が何であるか、つまり人間であるかは書かれていないことがわかる。だが、もし動物が生まれたら「ウシ」とか「ネコ」とか「ウマ」とか、そういうことが明記された証明書が発行される。つまり、人間の赤ちゃんが生まれると、その子の名前で影の企業（shadow corporation）が作られる。そして、その赤ちゃんの名前が権利（title）になる。このかわいらしい企業は、国家が選んだ権利しか持っていない。

胸に手を当てて考えてみよう。赤ちゃんは、食べ物や水を得るというような自然権をまったく持たずに生まれてくるだろうか。それとも、国家によって与えられた権利しかないのだろうか。国家はいつでも子供の生活や教育に介入することができるのか。もしその子が、権力者たちの大切な荷物であるならば、それは可能である。だからこそ、国家はどんな言い訳でも法的な理由にして、子供を親から自由に引き離す権利を持っているのだ。

血の通った人間には自然な「法的」地位はなく、その陰にある企業や「法人」だけがそうであるという現実をおわかりいただきたい。考えうる限りのさまざまな単語が収録されている『ブラック法律辞典』に「人間（human being）」という単語がないのはこのためである。「人間」の定義を知りたければ、1930年に戻って『バレンタイン法律辞典』を読むといいだろう。そこには、

「人間」の項に、「怪物を見る（see monster）」と書いてある。

船舶が荒れた海を航行するためには、航海用具が必要である。商法の海を航海するために使用されるのは交渉可能な、お金として使用される用具だ。銀行は「お金」を使わない。為替手形や約束手形などの交渉可能な商品を扱うが、お金ではない。お金とは、カウンターの向こう側で人々を幸せにするために使われる空想上の言葉である。

船舶が流通証券を使うように、商人（銀行家、弁護士、裁判官）も自分たちの間で流通証券を使う。そのため、いつも「行動指針（course of action）」で脅すのだ。これは極めて重要なことである。なぜなら、流通証券の概念を理解すれば、銀行や裁判のシステムが解明され、より理にかなったものになるからである。

例えば、「draft」とはドラフト・ビールのことではない。draftとは、お金を払うための書類である為替手形のことである。お金を払うという約束のようなもので、お金が物理的な資源に裏付けられていない世界では、手形は文字通り、お金そのものなのである。

私たちを奴隷にする法律と言葉　パート2

政府はそれ自体が法人であり、企業である。世界の多くの政府と同様、南アフリカ政府はアメリカ証券取引所に登録された企業である。世界中の見えない株主のために、国民の労働力を奴隷のように売り渡すことができるのだ。

この企業が本当に持っている唯一の資産は、個人の集合体である国民だけである。この財産（国民）には、融資のための担保として価値がつけられ、返済をどのような形で行うかということも計算されている。

返済（repay）という言葉は、何かを返すという意味ではない。単純に、何度も何度も繰り返し支払うという意味である。この「repay」という単語は非常に厄介なので、特に注意しなければならない。私たちを混乱させるための「法律用語」である。

定期的に行われる国勢調査では、政府にその財産の価値を計算するために必要なデータを提供する。このようにして国はお金を借りることができるのだ。借りて、国民を返済の保証人にするのだ。だが、実際には、中央銀行が何もないところからお金を作り出すので、お金を借りているわけではない。

法的な意味での融資という言葉は、あなたが知っているような「貸付」という意味ではないことも覚えておきたい。この言葉は、信じられないほど欺瞞に満ちている。銀行は融資をするのではなく、信用を付与しているだけなのである。歴史の中でも重要な時期にある今こそ、世界の将来のために、この違いを理解しなくてはいけない。

天然資源は地球のものであり、その土地の生きた人間によって大切にされている。しかし、生きた人間は商法では認識されず、その法的な個人／企業だけが認識される。生きた人間は、「自分の船の停泊所」（企業）に出生証明書で登録されると、騙されてすべての権利を放棄してしまうのである。

土地や天然資源は、政府という企業に贈与され、彼らの利益のために活用される。そしてその政府機関の一員になるには、まず政府機関に忠誠を誓うこととなる。まともな神経の持ち主なら、少なくとも故意に政府に忠誠を誓うことはないだろう。もちろんそれは逆であるべきだ。だから何かに忠誠を誓うということは、それが自分よりも強力であることを認め、自分に対する権威を認めるということである。言い換えれば、あなたは従順な奴隷となるのだ。

ここで重要なのは、ブラック法律辞典で「市民（citizen）」の定義を調べることである。ここには「利益や特権と引き換えに国家に忠誠を誓う人」と定義されている。例えば軍隊に入れば、週末に家に帰れるという特権が与えられる。ただし、その特権はいつでも取り消される可能性がある。

市民権も同じである。あなたは騙されて、上位の権力者から与えられた利益や特権を優先し、自然権を手放したのである。あなたは今、別の企業、国家、政府に従属する企業である。国家はもちろん、お金を借りている相手に従属している。政府は、中央銀行として知られている他の民間企業にお金を借りている。中央銀行が国を救済すると、国民がそれを返さなければならないのはこのためだ。これはとんでもない欺瞞である。結局のところ、すべては銀行とお金に帰結するのである。

では、あなたは自分の国の市民なのだろうか？　もちろん私たち全員がそうである。

まだ混乱している人のために説明すると、ある国の市民はその国の財産である、ということだ。1）出生証明書、2）任意の市民権登録、によってそのようにされるのだ。軍隊に入れば、普通の市民ではなくなり、新しい軍団の一員となる。要するに、兵士は再軍団化されたのである。教会はかつて、piae causa（慈善財団）と呼ばれるまったく別の法的地位を持っていた。

借金を返せなくなったら、裁判所の裁判官の前に出頭する必要がある。昔は神父や船長が結婚式を執り行うことができた。したがって、商業裁判官は神父や船長を連想させるので、商業的な事柄を司ることができる。黒いローブを着用するのはそのためである。

最高裁判所の裁判官は「my Lord（閣下）」と呼ばれ、誰もがひれ伏すことを期待されている。どんな裁判の書類を見ても、当事者が文字通り、壇上にいる閣下からの判決を祈るように待っている姿が浮かんでくる。このシステム全体は、何千年も前にこの法的支配を作り出した人々によって設計された、巧妙に偽装された儀式である。私たちはその嘘と欺瞞から目を覚まさなければならない。

教会の祈りと法的な祈りの共通点は何か。どちらの場合も、より高い権威に自発的に服従しているのである。商法で行われることは、すべて服従に関わることだ。あなたが提出し、署名するすべての法廷文書は、純粋にあなたをより高い権威に服従させるためのものである。

裁判所に出頭する際には、被告席（dock）に立つことになるが、これも海運用語を思い起こさせる。そして、そこに行くには小さな柵を通って行く必要がある。この柵には、しばしば小さなゲートがあり、船に乗り込むことを表している。あなたは今、海事法の中にいて、もはやその土地の自然法またはコモン・ローは意味を持たないのである。

弁護士が司法試験に合格すると、登録された役員として公明正大に（above board）活動できるようになる。これは、貨物や奴隷、犯罪者が保管されている船内とは対照的である。裁判所の待機房は床面より下にあることが多く、被告人は船上からドックに運び込まれる。

紙切れに署名をする際に、署名の下の線が水平線を表し、その下に自分の名前（通常は大文字）が書かれている。あなたは、騙されて、創造主から与えられた自然権を持つ地球に住む血の通った人間（あなた自身の署名で表現されている）から、単なる貨物／所有物／動産／奴隷／犯罪者に追いやられ、その契約条件に拘束されることになるのである。

海洋法（海商法）では、すべての貨物に名前と題名（title）を表示する必要がある。皆さんも名前に敬称（title）をつけて呼ばれることはあるだろうか？　ご存じの通り、私たちは皆、Mr、Mrs、Miss などの敬称で呼ばれている。したがって、あなたは気づかないうちに所有物になっているのだ。

試しに、すべての署名の下に「All rights reserved.」という一文を入れて署名してみることだ。この小さな行為が、とてつもない大混乱を引き起こすだろう。なぜなら、あなたが「私には権利がある」と表明しているからである。

私たちを奴隷にする法律と言葉　パート3

銀行から強制的に使用させられる「お金」と、銀行自体が使っている「お金」は違う。銀行は約束手形と為替手形を使うが、これらはすべて、ビジネスや商売をするうえでの国際的なバイブルである統一商事法典（UCC）に明確に記載されている。インド、オーストラリア、イギリス、南アフリカといった国々では、「為替手形法」を採用しているのだ。

お金の正体は、署名が書かれた紙切れなのである。イギリス発祥の為替手形法は、世界のほぼすべての国に共通するものだ。例えば、白紙手形は、世界中で「署名のある白紙の紙片」と定義されている。白紙手形は、任意の金額を記入できる為替手形になるのだ。署名には注意が必要である。

ＵＣＣも為替手形法も、「契約能力（capacity to contract)」について述べている。この言葉を分解してみよう。capacity（容量／液体・物質の量）を縮める（contract）（＝ゼロに縮小すること）。つまり、私たちの「お金」はもはやどんな物理的資源にも裏付けられていないため、どんな手形もゼロに戻して「契約（contract)」することができるのである。

資本の概念について考えてみよう。アメリカ合衆国の大統領（実は商号であり、法人名は「バージニア社」）は、「キャピトル・ヒル（Capitol Hill)」に住んでいる。どの国にも「都市（capital)」がある。大文字（capital letters）のように資本的（capital）なものは、あらゆる商業的なものに関係し、すべてがお金に帰結するのである。

ローマ人には3つの階級があった。

1）capitis dimunitio maxima
2）capitis dimunitio media
3）capitis dimunitio minima

これらについては、ブラック法律辞典にすべて書いてある。奴隷は capitis dimunitio maxima（権利の最大限の損失）を意味する。奴隷の名前は大文字で表記される。公式の墓石は、そこに埋葬された人々が法的に死んでいるため、名前が大文字で綴られている。信託受益者法（１６６６年）を巧みに読み解くと、ロンドン大火に皆が注目している間に、全員が合法的に死んだと宣言したことが理解できる。

死んだ人々の財産はすべて信託に入れられ、国家が所有することになるが、これは現在でも通用する。あなたは財産を所有していない、あるいは所有していると思い込んでいるだけである。権利書をよく読んでみると、国家がすべての権利を有すると書いてある。あなたは死んでいるのだろうか？　すべての法的書類には、あなたの名前がブロック体の大文字で書かれている。

外交官が公式に使っている名称の表記や綴りを見てみよう。名前の半分が大文字で、半分が小文字である。これは capitis dimunitio media といい、半分程度の権利の喪失を意味する。

奴隷たちは、自由を勝ち取ると肩書きが与えられた。彼らはとても喜んだが、自分たちの肩書きが単に「奴隷」という意味であることは知らなかった。このことは、あまりに複雑な「法律用語」がいかに人類を欺くために使われているかという重要な側面を浮き彫りにしている。

法律や銀行の世界に死があふれていることは、「mortgage（抵当)」という言葉にも表れている。「mortuary（霊安室)」と同様、死に関係している言葉だ。「attorney（弁護士)」という言葉も「attorn（譲渡する)」という言葉から来ている。これは、ある人から奪って別の人に与えるという意味だが、もちろん自分用にはかなりの額を残しておくのだ。

弁護士は真実を見ているわけではなく、依頼人の話を聞くだけだ。そして、すべては書面を通じて行われる。あなたは裁判所で傍聴することはできるが、裁判所では何も見ることができない。司法の現場は盲目なのだ。契約書という紙切れには、法廷のすべてが詰まっている。

裁判では契約がすべてで、書面は企業の言葉だ。こうした巧妙な手口が確立された背景には、読み書きができる人はごくわずかだったという過去がある。やがて人々は読み書きを覚えたが、問題にはならなかった。法律用語は言葉の響きは同じでも、町で使われている言葉とはまったく違っていたのだ。

法律と銀行の世界は、心も魂もない完全に2次元の世界である。ある種の裁判官は救いの手を差し伸べる力を持っているが、彼らは演技（act）をしているのであり、その手さえも縛られている。法律（act）という台本に縛られ、即興の余地はないのだ。

法廷で「your honor」と呼びかけられている裁判官は常に名誉（honor）ある行動をしており、常に「honorable（名誉ある）」と言われている。しかし、「in honor（名誉を称えて）」と「with honor（名誉とともに）」がまったく違うように、法律用語と英単語は決して同じではない。これは法律用語に関する多くの誤解の1つである。

honor（名誉）とは、単に「帳尻が合う」、「借金が返済される」という意味である。裁判官は銀行家であり、彼の帳簿は常にバランスが取れている。もう1つの典型的な例は、「security」という単語だ。これは皆さんが考えるような意味ではなく、交渉可能な商品に対する担保のことだ。

あなたの「担保」をその商品に差し入れることで、その商品（債務）は「担保」になるのである。担保付きの商品とは、「人」が汗を流してエネルギーを注ぐことで、それが履行（支払い）されることを保証するものである。

裁判官は裁判官席（bench）に座っているが、その語源はラテン語の「banca」だ。商業的な銀行家が長椅子に座っていたためである。もし不正行為が発覚すると、悪い銀行家は公衆の面前で椅子を壊され、その日以来、bankrupt（破産）することになる。

裁判官は常に名誉を称えられる（in honor）。そして、名誉を失うことは債務超過に陥ることを意味する。裁判官の帳簿は常にバランスが取れており、彼らの借金は常に返済されている。彼らは銀行の代表なのだ。銀行の帳簿は、定義上、常にバランスが取れていなければならない。これは、銀行が本当はお金を貸してはいないことのさらなる証拠である。

銀行について学ぶと、こんなことがわかる。銀行は、あなたの指示で動く、引き落としと貸し出しのコンピュータシステムにすぎないのだ。目を覚まして、銀行に違う指示を出せることに気づき、さらに多くの人々が同じように指示できるようになれば、世界は変わるだろう。すべては知識と啓蒙のためだ。世界の人々に対して、このことを誓おう。

私たちを奴隷にする法律と言葉　パート4

act（演技）という言葉は、とても興味深い言葉である。「演技」とは、舞台の上で演じられるものだ。シェイクスピアは「この世はすべて舞台、男も女も単なる役者にすぎない」と言ったが、これはまさに文字通りの意味である。その意味を完全に理解していた王室の政治エリートたちはその言葉を聞いて大笑いしたに違いない。

今日、国会の法律に署名されると、それはact（法律）となる。もちろん国民も警察も、これが完全な見せかけのゲームであり、警察がほかの国民に対して不法行為を働く道具にすぎないということは、誰も知らない。これからは、世界中の警察、軍隊、交通執行機関、弁護士、そのほか政府の代理人が、抗議する人々をますます支援するようになるだろう。人々は、政府に騙された違法行為から目覚めつつある。

あなたは、なぜいつも黒いインクで契約書に署名しなければならないのか、不思議に思うかもしれない。読みやすいから、というのが通常の主張だが、それはまったくのナンセンスだ。もっと論理的な答えは、インクペン（原本）の署名だけが、譲渡可能な文書として価値があるからである。このような仕組みが導入された当時のインクの色が黒だったのだ。

あなたの商品（つまりあなたの署名が書かれた書類）が弁護士や銀行家の間で取引されるとき、彼らは「黒」のインクペンによって署名をしなければならない。ほかの種類のお金と交換するために、裏書きをする（署名する）のである。これは、銀行の裏側で常に行われていることである。

銀行は、私たちが署名した流通証券を金融派生商品市場に売っているが、私たちはこのようなことが行われていることを知らない。実際には、銀行からお金を借りていると思っているから、毎月支払いを続けている。「返済（repay）」という言葉について改めて考えてみよう。「借りたものを返す」という意味なのか、それとも「何度も何度も払い直す」という意味なのだろうか？

黒いインクを使うと、原本がどこにあるのかが非常にわかりにくくなる。アメリカの一部の銀行では、住宅ローンの書類の署名を偽造し、人々の家を差し押さえるという事件が発覚した。この件に関しては、番組で1時間にわたり大々的に報道されたことがある。南アフリカをはじめ、世界のどの国でも同じであることは間違いない。結局のところ、銀行は豪華なオフィスで働き、豪華な建物を持ち、政府を支配する犯罪組織にすぎないのである。彼らは自分たちの思い通りにするためなら、何でもするのだ。

黒いインクにはより不吉な意味合いもある。死を表しているのだ。法廷での黒いローブも死を表す。なぜなら相手はリアルな人物ではなく、企業や劇中の登場人物だからである。私たちは、人間ではなく、企業の肩書きや芸名である法律上の人物、法律上の虚構、法人と呼ばれるのである。

法廷では審問（hearing）があっても見ること（seeing）はないというのも、正義が盲目である理由の1つである。正義の象徴は、目隠しをしている女神「テミス」である。なぜ正義の象徴が目隠しをした女神なのか？　なぜ女神を使うのか？　これは古代の儀式の一部で、誰も意識することなく今日まで続いている。多くの人は、神や女神に関係する儀式があるのは古代文化だけだと思っているが、それは間違っている。

要するに、契約書に署名をするということは、自分を上位の権威に従属させるということである。ただし、契約という言葉にも誤解がある。名詞として使われる contract は、単なる契約書にすぎない。動詞の to contract は、風船が空気を抜くと縮む（contract）ように、小さくなることを意味する。

私たちの通貨（current-sea）は、もはやお金やそのほかの天然資源に裏打ちされていないのに、それでも沈まずに成り立つ（afloat）唯一の理由は、人々の信頼に裏打ちされているからである。


国民はあらゆる契約を結び、支払うべき（誓約された、または約束された）金額をゼロに戻す、完全で不可侵の権利を持っているのである。あなたは、自分の署名によって、今世界に存在するあらゆる負債をゼロにする力を持っているのだ。

私たちの無法な政府は、人類に降りかかったもっとも壮大な詐欺の網の目の中で、兄と弟を、父と息子を、母と娘を、実に巧みに対立させたのだ。

（故ヨハン・ジュベール博士は、この研究・知識の集大成を我々にもたらすために生涯を捧げた。「私たちを奴隷にする法律と言葉　パート1～4」は、数ある彼の論文の1つを編集したものである）

デイル判事、銀行・裁判所・政府について語る

2012年5月、引退したあるアメリカの判事が、銀行と企業による政府の詐欺と、それを支持する法律や裁判所がいかに結びついているかを暴露する記事を発表した。これは、世界中の名誉ある裁判官の模範となるべきものである。彼らには、自分が裁判官である前に人間であること、そして自分たちの兄弟姉妹やほかのすべての人間をグローバル企業という獣の奴隷にしている、不正で腐敗したシステムの道具として利用されていることを認識してもらう必要がある。この記事の内容は主にアメリカに住む人々を対

象としているが、現地の法的な慣習に基づき若干の修正を加えれば、ほとんどの国で適用できる。事実上すべての国が企業であり、国際的に適用されるUCC（統一商事法典）というグローバルな商取引のバイブルの下にあるのだ。「デイル判事」とは彼のペンネームである。現在80代の引退した判事だが、彼は現役時代も、引退後も何度も脅迫されていた。私は彼と何度も接触し、彼が信頼に値する人物であることを確認している。

前書き：デイル（元）判事より

パート5については当初、執筆するつもりがなかったが、歴史的に作られ支配されてきた不換紙幣の金融支配を崩し、バチカン、ヨーロッパ王室とエリート、そしてアメリカ合衆国という企業の支配から回復しようと奮闘する世界的な動きに鑑み、企業プロセスの欠陥を指摘する必要性を感じた。

あなたはおそらく、この「企業プロセス」を「法的プロセス」だと考えているだろう。しかしすべてのプロセスは「契約」の執行、あるいは「法令」と呼ばれる「企業規制」の賦課と執行に関するものであり、何が合法か、合法的かということは、実際には関係ないのである。あなたに以下のアドバイスを送ろう。できる限り、裁判所と関わりを持たないことだ。あなたがバチカン、王室、エリートの一員であるか、外交官特権を購入していない限り、裁判所に正義は存在しないのだ。

1）裁判所

アメリカにある唯一の憲法裁判所は国際貿易裁判所である。国際貿易裁判所は、外国政府がアメリカとの貿易協定を執行しない限り、企業であるアメリカと貿易をさせないために設立されたものである。

注：世界裁判所は貿易協定を執行する場を各国に提供するために設立されたが、企業であるアメリカは裁判所の支配権を否定されたため、裁判所からの参加要請を拒否している。

ほかのすべてのアメリカの裁判所は、疑似裁判所または架空のものである。単に裁判所に似せて作られた行政機関という企業であり、その裁判官はすべて裁判官に似せて作られた単なる行政官なのだ。

これらの疑似企業裁判所の目的は、契約上の紛争を解決することである。ただし、ジョージ・ワシントン以来、政府は軍事的な構造を保持しているため、どちらかの当事者が参加を拒否すれば、これらの裁判所は関与できず調停は水泡に帰すことになる。私が「水泡に帰す」という言葉を使ったのは、これらの疑似法廷が国際海洋法である海事法の違憲法廷であるためであり、当てこすりではない。

ワシントン記念塔は、ジョージ・ワシントンと彼の軍事政権に敬意を表して１８８４年に完成したが、実際には、アメリカ全土が「水面下」にあり、コモン・ローの下で意図された憲法上の民政とは対照的に、海事法の支配下にあることを示す、海面上の記念碑なのである。

これらの疑似裁判所の疑似裁判官は、原告・被告双方の同意がない限り、何の権限も持たない。どのような場合でも、裁判官は、信託受益者に接触する前に、同意、つまり対人管轄権および事物管轄があることを確認する必要があるのだ。

（注：すべての有価証券には、投資家に提供される前にCUSIPナンバーが割り当てられる。出生証明書と社会保障申請書は政府証券に変換され、CUSIPナンバーが付与され、ロットにまとめられ、投資信託として販売される。満期になると、利益は政府という信託受益者に移され、あなたがまだ生きていれば、証明された書類は再投資される。裁判官、書記官、検察官たちが本当に狙っているのは、この信託受益者の資金なのだ！　この信託は実際にあなたの借金を帳消しにできるのだが、誰もそれを教えてはくれない。エリートはそれらの資産を財産とみなし、連邦準備制度はそれらの「投資」の管理について責任を負うからだ）

社会保障制度である補足的保障所得（SSI）、社会保障障害保険（SSDI）、メディケア、メディケイドは、すべて信託によって賄われている。政府は、これらのサービスのためあなたに税金と賃金の一部を支払わせているのだ。彼らは、自分たちの戦争に資金を供給したり、ウォール街やその後援者を救済したりするという理由では信託受益者に接触できないので、代わりに、いつでもどんな理由でも借り入れをすることができるようにしている。国民は、あらゆる種類の保険に加入するように勧められるが、実際には、物理的な損害、医療費、新技術、死亡給付はすべて「信託」が負担している。保険に加入するようにという宣伝文句は、私たちを貧困に陥れ、私たちの愚かさから利益を得るための策略である。なぜなら、バチカンがすべての保険会社の支配権を所有しているからだ。

皆さんも住宅ローン会社、ローン会社、公共事業会社から、毎月明細書が送られてくるかもしれないが、それらは通常、信託によってすでに支払われている。これらの企業のほとんどは、二重の支払いで利益を得て、あなたがクレジット詐欺に疑問を持たず、2回目の支払いをすることを望んでいる。明細書の金額を支払う代わりに、すでに支払い済みであると署名をして、彼らに返送しよう。その後、支払いについて連絡があったら、明細書の代わりに真の請求書を送るよう頼んでみることだ。明細書には、取引日とすでに支払い済みの金額が記載されているものだが、真の請求書であれば、これから支払いが行われるものに対する支払い期日のみが記載されているはずだ。銀行や公共事業会社は信託受益者に直接接触できる。彼らが必要なのはあなたの名前、社会保障番号と署名だけである。

2）刑法

アメリカに刑法は存在しない。刑法は、アメリカ合衆国という企業を主権者とし、すべての人間に対して絶対的な権力を持つことを意味するからである。もちろん企業は架空の存在であり、主権者ではない。人間こそが主権者であり、自分自身の運命を支配しているのだ。人々はすぐに目を覚まし、真実を理解するだろう。

私たちの同意のもとに実施されている刑事契約は、いつのまにか刑法と呼ばれるようになった。私たちの同意とは、沈黙や行動しないこと、抗議しないことなどを指し、これは法律上、暗黙の了解と定義されている。

（例）暗黙の了解：誰かが書面で、あなたを窃盗で告発し、あなたがその疑惑に書面で、返答または否定しなかった場合、あなたは罪を認めたとみなされるのである。または、あなたが注文したことも受け取ったこともない商品やサービスの請求書を受け取り、それらの請求を拒否しなかった場合、あなたの不作為がそのまま真実となり、支払い義務が課されるのである。債権回収会社は、ある法人事業者から買い取った免責債権について、自社に対する債務を立証するために、「暗黙の了解」を利用することがよくあるのだ。

あなたは今こう思っているだろう。「刑法がないなんて、そんなはずはない。多くの人が刑法違反で裁判にかけられ、有罪判決を受け、刑務所に服役しているではないか！」

確かに、彼らは無意識のうちに出生証明書の代わりに刑事契約を受け入れ、有罪判決や刑罰の条件として投獄されることに同意し、刑務所にいる。ところが彼らの下にいる弁護士は、あなたの代理人として出廷することで、その状況を強化しているため、何の役にも立たないのだ。

（注：刑事契約は、主張された犯罪の重大性に応じて等級付けされ、その等級は略式、軽犯罪、重罪、極刑のいずれかに識別される）

通常、刑事手続きは、警察官が令状を発行するか、令状の有無に関わらず逮捕することから始まる。警察官あるいは弁護士が宣誓供述書などの情報に基づいて訴状を作成し、裁判官に提出されると、令状が発行される。その後、被告人は逮捕され、罪状認否のために裁判官の前に連行されるのだ。

訴状と令状には、あなたの出生時の名前が反映され、あなたの名前が不明な場合は「名無し」として処理され、すべて大文字で打ち込まれる。だが、逮捕されるのはあなたの出生証明書であり、あなたという生身の人間ではない。疑似裁判所の望みは、生身の人間が存分に脅かされ、出生証明書の責任を受け入れるようになることである。

ほとんどの警察官はその詳細を知らず、自分たちのしていることを信じ、弁護士を神のように信じている。ほかの人々と同じように、彼らもまた欺かれているのだ。弁護士が誠実だなんて信じてはならない！

警察官は、被告人の名前を常に大文字で印刷／入力するように指示するが、その理由は教えてもらえない。皆さんも念のため、身分証明書の一部として、出生証明書のコピーを常に携帯することをお勧めする。

というのも、罪状認否や裁判で、裁判官は訴状に書かれている個人名（すべて大文字の出生名）が正しいかどうか聞いてくる。あなたは自然に「はい」と言うかもしれないが、そんなことをしてはいけない。出生証明書を取り出して、次のように返答するのだ。「私はここにいる被告に代わって特別に出廷する（そう言って、出生証明書を掲げよう！）」

さらに、こう続けるのだ。「検察官や警察官は、この出生証明書に記載されている大文字の名前を使って、書記官と共に刑事告発を行った！　私はこのプロセスを理解している。企業であることを表すときに大文字を使用するということが、米国印刷マニュアルには書かれている。信託の事務処理を行う書記官が、裁判官を信託の受託者に任命した。あなた方はどちらも受取人にはなれない。なぜなら私の受託者だからです！　したがって私はあなたに、誤認逮捕に対する補償と損害賠償を支払うよう指示する！」

（注：信託法では、管理者、受託者、受益者は、１つの信託で２つのポジションを兼任することはできないと定められている。したがって受託者は受益者になれない）

受託者である裁判官はあなたの要求を尊重するほかないが、あなたはこれを正しく理解し、自信を持って行動しなければならない！　あなたは騙されたり混乱させられたりしないよう、この情報をよく知る必要があるのだ！　もしあなたが言葉を詰まらせたり、自信のなさを露呈したりしてしまったら、彼らはあなたと心理的な駆け引きをしようとするだろう。疑似裁判所の華やかで威厳ある外観は、恐怖と威嚇を呼び起こすことを目的としているのだ！

（注：裁判官や検察官が被告人の返答を妨害したため、被告人が混乱し、精神病院に収容され、精神鑑定を受けたという話を見聞きしたことがある。裁判官と検察官は、被告人の言うことをうまく捻じ曲げ、その後、裁判官が精神鑑定を命じたのだ）

もし訴訟が却下された場合は、自腹で裁判費用を支払わなければならない。だから彼らは簡単にあきらめず、裁判官、書記官、検察官も、あなたの有罪判決や投獄によって多額のお金を稼ぐためにそこに立っていることを理解しなければならない。

もしも弁護士があなたに対して生意気な態度を取り始めたら、１０４０もの同様の事例を出すように言って、風向きを変えてみてはどうか。弁護士がそのようなことをする必要はないと否定した場合は、彼の代わりにできるだけ早く自分が引き受けると伝えよう。その時点で、あなたのことを少しばかり危険で賢すぎると判断し、免責のために動くかもしれない。また検察官は、内国歳入庁（ＩＲＳ）が過去7年間のファイルを調査することをもっとも嫌がる。有罪判決を出しても、税金を払わないことがまかり通っているからだ。検察官は通常、受け取った給与を申告するだけである。

万が一、あなたが誤って精神病院に入院させられてしまった場合、あなたを診断するために任命された精神科医は、裁判官、書記官、検察官と同様に腐りきってしまっていることを覚えておこう。精神科医は、あなたが6か月後の審査で精神病院に再入院できるように、あなたの回答をすべて改竄（かいざん）するのだ。だから、彼に嘘をつき、その発言をきちんと否定しよう。もちろん出生証明書に対する刑事責任を認めれば、あなたは即座に正気とみなされるだろう。

残念なことに、これが裁判官の多くがいかに腐敗しているかという事実であり、私が早期退職を決めた理由でもある。真実を知るまでは、私の職務と業績は完全に合憲であると信じていた。私もまた、嘘をつかれたのだ！

3）召喚状

「召喚状」は郵便で簡単に処理することができる。警察官があなたに「召喚状」を発行するとき、彼はあなたと「契約」することを要求しているのだ。警察官は、あなたが会社の規則に違反したと主張し、あなたが署名することでそれを受け入れ、あなたに返答するよう求めているのだ。

警察官は、署名は単にあなたが「召喚状」のコピーを受け取ったという確認であると説明するが、この署名は、あなたがこの「契約」の申し出を受け入れた、または「同意」したという裁判所と裁判官への通知であり、裁判官にも「同意」を示すものである。あなたと事案に対する「対人管轄権」および「事物管轄」を付与するのだ！

しかし、あなたはその「同意」を取り消すことによって「契約」を取り消すことができる。連邦貸付真実法では、いずれかの当事者がそのような「契約」を締結してから3営業日以内であれば、「同意」を取り消すことができるとされている。そこで、「召喚状」の表面には次の言葉を大きく印刷するか、打ち込むのだ。「私はこの『契約』の申し出を受け入れないし、この手続きに『同意』もしない」と。

インクは青インク（海事法用）または紫インク（王室用）を使用しよう。海事法は裁判所、王室はあなたの主権を表す。どちらを使っても適切だろう。青または紫のインクで、公証人の前で、あなたの署名の下に、予断を持たず、UCC 1-308と署名するのだ。これは、『統一商事法典』に基づき、この契約について責任を負わないことを宣言する別の方法である。

そして取り消された召喚状を配達証明付き郵便や受領証返送条件で、送達証明書とともに書記官／裁判所に返送するのだ。すると「召喚状」が無効になり、あなたの「同意」が削除され、同時に裁判所の「管轄権」も削除される。実に簡単だ。

（注：送達証明書とは、まず召喚状を特定し、次にいつどのように裁判所に文書を返送したかを特定し、署名された手紙である。否定されなければ、暗黙の了解によって商業的な真実とされてしまう）

万が一、書記官があなたの返書を捨てた場合に備えて、すべての文書をコピーしておくことを忘れてはならない（送達証明書や公証人によって返送されている場合には発生することはないが）。

公証人とは国務副長官にほかならず、書記官よりも権限が強い。公証人の起源は、エジプトやローマの書記官が認証文書（宣誓供述書）を作成したことに始まる。認証文書（宣誓供述書）は、商業における真実なのだ。

出生証明書は、ボンド紙（bonded paper）に書かれた証明書類である。bondedという言葉は、奴隷のbondageから来ている。つまり、私たち全員は出生証明書を保管している人の奴隷になるのだ。あなたは奴隷解放宣言が奴隷を解放したと信じていただろう。だが、それは束の間のことであり、その後、出生証明書と修正第14条が私たち全員を奴隷にしたのだ！

４）出頭命令と訴訟

出頭や応答を命じるためにどんな言葉が使われようとも、「出頭命令」とは契約の申し出にほかならない。これも、先述の「召喚状」と同じように取り消すことができる。100万ドルの訴訟も「召喚状」と何ら変わりはなく、どちらも取り消すことができるのだ。あなたの弁護士はこのことを知っているだろうか。もちろん知っているはずだが、弁護士は裁判所を困らせるわけにはいかないし、裁判所は弁護士がお金を稼ぐ場所でもあるのだ！

（注：今まで何人もの人々が陪審員の義務を回避しようとしてきた。あなたがすべきことは、出頭命令と契約の申し出を取り消し、それを公証し、陪審員に返送することだ。心配することはない。あなたはとても賢く、陪審に影響を与えることができるのだ。陪審員は裁判所を支配するのであって、検察官や裁判官を支配するのではない。あなたがそれを知っていれば、彼らは負け、被告人が勝つのである。彼らは故意に選ばれた候補者が陪審員になるのを好むのだ）

疑似裁判所内の腐敗があまりにも根深いため、回避したり取り消したりがなかなかできない事柄や問題はいくつもある。子供の親権や離婚から生じる財産の分割などがその例である。出生国は、出生証明書に従ってあなたの子供の親権を主張し、国家所有の船舶として運輸省の下でそれらを記録するのだ！

結婚は「契約」であり、本来必要なのは結婚を完了させるための「婚前契約」だけだ。しかし、裁判官や市長、大臣、牧師によって神聖な結婚をしなければならないと洗脳され、その後「認可」を申請したなら、あなたは「国家」

と結婚したことになるのだ！　もし結婚がうまくいかなかったり、あなたが死んだりした場合には、国家が夫婦財産の分割の公正な分け前を得る権利があるのだ（これを検認と言う）！「離婚で財産を奪われることはありえない」と言う人もいるかもしれないが、そのように言う人は、これから私が述べることを知らないだけである。

5）離婚

離婚訴訟は、「認可」された「結婚契約」を破るための要求である。例えば、あなたが離婚を望んでいるが、あなたの配偶者が離婚に同意することを拒否した場合、裁判官は両当事者の「同意」を認めない。どの裁判官も、あなたに離婚を命ずることはないのだ！　だが実はこれを回避する方法があるが、弁護士は決して認めないだろう。なぜなら、弁護士はあなたに健全なアドバイスを与えたところで収入を得ることができないからだ！

（注：プエルトリコはスペインから獲得したアメリカの領土であるが、現在もスペインの法律に基づいて運営されている。プエルトリコがアメリカ領土になったとき、法人アメリカ共和国は法律を変更しなかった。したがって、あなたはまずプエルトリコに向かう必要がある）

プエルトリコに入国後、3日間、私書箱を設置するだけで、居住権を獲得することができる。私書箱を設置した直後に、現地のパラリーガルを雇い、離婚の訴状を作成してもらおう。通常は、パラリーガルが認証された文書である離婚請願書を直ちに提出し、3日以内にプエルトリコの裁判官の審理を受けることになる。

スペインの法律だと、あなたの配偶者は離婚請願書の送達を求められず、離婚の判決書だけが送達されることになっている。判決から5日後、あなたの元配偶者は、スペイン語で書かれた離婚判決を郵便で受け取る。この判決には異議を唱えることはできないし、アメリカのすべての連邦裁判所と州裁判所によって尊重されなければならないのだ！

（注：プエルトリコの裁判官が離婚を宣言した直後に、あなたが選択すれば、契約または認可を受けることで再婚することができる。どちらも合法であるが、誰もそれを教えてはくれない）

夫婦の財産分割や親権争いはさらに複雑な問題であるが、この方法を使えば、少なくとも離婚で財産を不均衡に分割されることはない。だが、アメリカの裁判官は問題を一括りにしている。離婚、財産分与、親権、扶養手当……さまざまな問題があるが、あなたにとっては、現在も将来も、離婚したいという気持ちが、所有するどんなものよりも重要だ！

6）差し押さえ

あなたが差し押さえにあった場合、あるいは時間稼ぎのために破産保護申請を行おうとしている場合には、腐敗した銀行や債権者を州裁判所や連邦裁判所で打ち負かそうとするのではなく、次のような手順で破産保護申請を行い、あなたが確実に主権を握れるように計画しよう！

すべての自己破産の申請書は印刷できて、オンラインで入手でき、インクペンを使って手書きで記入することができる。使用する書式は以下の通りである。用紙の寸法はB－1からB－8まで。番号を取得するためには、5～6ページ分の書類を準備し、提出すればよい。その後、クレジット・カウンセリングを受けることになるが、これは1日でできる。請願書の作成が完了すると、合計で約58ページ分を提出することになるが、このときの費用は約280ドルである。

破産裁判所を利用する理由はここにある。すべての負債を1つの明細表に記載し、資産を記載する場合は、あなたの「出生証明書」とその「CUSIPナンバー」も提出する。あなたの出生証明書の価値は、フィデリティ・インベストメンツ（投資信託の販売・運用会社）のCUSIPナンバーを使用してオンラインで調べることができる。そこであなたは自分に数百万ドルの価値があることがわかるので、資産の明細表にもCUSIPナンバーを記載しなければならない。そうでなければ、出生証明書は裁判官、つまり受託者によってくだらないものとして処分されるだろう。

その後、破産裁判所の裁判官が弁護士受託者を任命し、投資信託が解消されると、あなたの借金を差し引いた残金が支払われることになる。この手続きを踏むと、通常、司法省（DOJ）に目をつけられることになる。彼らは弁護士受託者が失敗して、バチカンや連邦準備制度理事会、法人アメリカ合衆国に損害を与えてしまうことを望まないので、弁護士受託者にしっかりと任務を遂行するように警告したり、脅したりすることがあるのだ！

これらの投資信託のほとんどは、通常10～25の出生証明書のグループから構成されているので、ほんの一部の資産しかあなたのものにならない。破産裁判所の裁判官は、弁護士受託者がその計算と仕事のあらゆる面を完遂できるまで最終処理をしない。もし受託者がミスをしたら、裁判官が責任を負うからだ！

最初の弁護士受託者が任務を辞退した場合は、司法省と取引をするか、新しく任命された弁護士受託者とともに同じやり方で破産保護申請を行うことができる。バチカンと連邦準備制度のせいで、銀行と貪欲な債権者たちにとって有利な制度になっているが、これを承知で相手を攻撃したり自己弁護に走ったりするよりも、私が紹介した方法で破産保護申請をするほうが、簡単で効果的ではないだろうか。

破産している間、あなたは保護される。あなたが保証金や十分な資産を持っている限り、誰もあなたに対して借金返済を迫ったり差し押さえを行うことはできない。出生証明書はその点を保証しており、破産している間は過去の借金を支払う必要はないのだ！
あなたの借金は最終的に免除され、信託基金の残りはあなたのものになる。バチカン、政府、銀行は、あなたからこの先も盗むつもりだった信託基金の資産を失うことになるのだ！

（注：あなたのCUSIPナンバーを特定するために従うべきプロセスがある。友人のブローカーに頼むか、あなたを支援するブローカーを雇うといい。愛国運動者の中には、出生登録番号や社会保障番号をCUSIPナンバーに変換する計算式とその適用方法を知っている人々もいる。私はお金を払ってこれを実行し、自分が約1億6700万円の価値があることを発見した。すべて不換紙幣であるが、利用できる手段は利用すべきである）

この「暴露本」があなたの個人的な知識を啓発し、向上させ、現在および将来のためになることを願っている。

平和があなたとともにあるように。

デイル判事

疑似世界

現在の社会は、どういうわけだか自然をシミュレーションすることに取り憑かれているとお気づきだろうか。これは、新しい技術を生み出す企業が提供する無数の製品、テレビや大画面での3D映画、バーチャル・リアリティ、そして私たちの行動に影響を与えるサブリミナル情報を深くコード化した無数のコンピュータ・ゲームによって引き起こされている。テレビは、見分けがつかないほど完璧に近い映像を映し出し、現実を再現しようとする。人々は本物の動物にそっくりの人形やクマのおもちゃを買い、それを愛でるようになる。サッカー場や庭はプラスチックの芝生で覆われ、プールにはプラスチックや模造の石が敷き詰められる。ブルーレイやハイビジョンの画面は、本物に見えるが本物でない鮮明な画像を作り出す。コンピュータ・ゲームやインターネットでは、アバターを作ることができるが、アバター自体は模擬的なキャラクターである。

これら疑似的なコピーは決して本物ではない。製薬会社は、自然の摂理に基づいた合成治療薬を作るが、これは決して自然のものではない。私たちは「疑似的な現実のブラックホール」に落とし込まれているが、それを拒否することなく、むしろ懇願しているのである。これはすべて、私たちを人間らしさから切り離し、人間らしい感情を低下させ、非人道的な活動を生活の中で受け入れさせるために行われているのである。

夕食の席で夫婦がお互いに話をする代わりに、携帯電話に夢中になっているのをよく見かけるだろう。特に10代の若者はその最悪の例のようである。私たちはテクノロジーの罠にはまり、隣に座っている人にメッセージを送るためだけに、新しいモデルのiPhoneを待ちわびているのだ。

私たちは、この静かな猛攻撃に対して警戒を怠らず、自然に触れ、ビーチを散歩し、山をハイキングし、火のそばに座り、自然の音に耳を傾け、つながりを保つことが必要なのである。人間らしさと母なる自然とのつながりは、私たちが努力しなければ、気づかぬうちに奪われてしまうのである。

法執行機関――陸軍――空軍――海軍――警察

「法の力」とはシミュレーションによる力であって、自然の力ではない。社会のこれらすべての部門と、「安全」に関わるその他の執行機関は、人々を奴隷にするルールを強制するための道具にすぎない。「力」という言葉は、警察や国防軍などの活動と切っても切れない関係にある。大多数の人は、国やコミュニティのために何か良いことをするのだと信じて、こうした組織に加わる。犯罪や汚職と戦い、人々の安全を守り、人々が自由になれるようにすること、つまり民主主義のために戦うのである。これらはすべて、洗脳された誤った認識であり、こうした部門に携わる人々が、自分たちは国民ではなく企業の法律を守るために働いているのだと気づけば、彼らの理想はすぐに色あせてしまうだろう。私たちの国が国民を、財産としてや、世界の株式市場で取引されるストックオプションとして奴隷にしている「企業」であることを知れば、彼らの忠誠心は国民のほうに急速に移っていくはずである。

彼らは、国民を不当で非人道的な法律で支配下に置き、何が何でも自由を制限することを目的としたアメリカ合衆国やその他の企業に忠誠を誓いながら、自分たちの兄弟姉妹に対して武力を行使したことに気づき、怒りでいっぱいになり、裏切られたと感じることだろう。コモン・ローを守る平和の役人から、利益を追求する企業の方針を支持し、収入を生み出す政策担当者に変わってしまったからだ。

ウブントゥ貢献主義のコミュニティでは、誰もが何かを強制されることはない。その土地や人々、気候などを理由にコミュニティに住むことを選択するのだ。誰も住む場所や、自分が住んでいるコミュニティへの貢献以外のことを強制されない。先にも説明したように、これらの貢献はほとんどが愛の労働につながるものであり、決して強制労働と解釈されることはないだろう。人々は経済的な制約ややりたくもない仕事によって、今日のように縛られることはない。ほかのコミュニティには、誰もがいつでも移住できるのだ。

南アフリカの鉱業は、1950年代から1980年代にかけて、多くの農村地域や近隣諸国の地域の生活に想像を絶するような被害を及ぼした。鉱山のために安価な労働力を輸入し、男性の世帯主を追い出し、家族を引き裂き、地域社会に長期にわたるダメージを与えたのだ。すべてはお金とより良い生活のためである。だが、より良い生活が実現されることはなく、長期にわたる不幸と荒廃をもたらしただけであった。

これは昔も今も、資本主義を隠れ蓑にした奴隷労働であり、それ以外の何物でもない。今日、母親や父親が遠くの都市で就職し、家族をほかの場所に残して長期間そこで働かざるを得ない場合、人々は自発的にこのような行動をとるのである。仕事のため、あるいはそうしなければ生きていけないという不安から、特定の場所に住むことを強いられる人は、明らかにこのシステムと勤務先の企業の奴隷である。

お金、貪欲、暴飲暴食、嫉妬、プライド、欲望、怠惰、犯罪のない世界では、「力」や「安全」という言葉は、社会にとって無縁なものになるだろう。コミュニティのガイドラインやモラルに従わない人々への対処もまったく異なる。コミュニティの活動やモラル、ライフスタイルに同意しない人に対して、そこに住むことを強制する必要はないからである。

こうして各コミュニティの人々が自分たちで作る新しい法律、つまり現在の非人道的な複雑な法律とはかけ離れた、まったく別の法体系ができるのだ。長老評議会はこのようなコミュニティのあらゆる問題に対処する機関となる。コミュニティの平和と平穏を継続的に破壊する人々は、コミュニティから出て行くように言われるかもしれない。議会は人々の意思に基づき、その権限を持つことになる。法律を破った場合の処罰は、それぞれのコミュニティと、コミュニティとして合意した法律やガイドラインに委ねられる。これらの措置は、良心的なものから極端なものまであり、日常的に変更される可能性がある。

多くの人が共感できる極端な例で説明しよう。もし私がモノを盗んだり、レイプしたり、殺人を犯したいと考えているなら、その犯罪者が吊るし上げられたり、人前で首を切り落とされたり、ワニがいる湖に投げ捨てられたりするような町を決して選ばない。つまり、法律がそれほど極端でない町を選ぶだろう。ウブントゥのコミュニティではモノを盗む必要がないのでこのようなことは起こり得ないが、極端な自由はその自由を守るために極端な手段を必要とするのだ。コミュニティが極端な犯罪や非人道的行為に対してどう対処するかは、やがて時間が経てばわかるだろう。

では、警察や軍隊などの治安部隊は今後どうなるのだろうか？　おそらくは、火災や洪水、地震、ハリケーンなど、予測不可能で避けられない災害時にコミュニティに貢献するための支援団体に姿を変えていくだろう。その団体は、今日十分な資金がないため利用できない緊急サービスを提供したり、別の団体を構成したりすることになる。すべてのコミュニティは高度な技術を持ち、その活動が好きで携わっている人々で構成される独自の緊急支援サービスを確立することになるだろう。

戦争の武器――銃と銃器

私たちを守るために作られた軍隊は、政府企業に対抗して立ち上がろうとする私たちの前に立ちはだかるようになった。彼らが使う武器は、高度な技術を駆使した秘密の軍事研究プロジェクトから生まれたもので、戦争や大量破壊のための武器として使われている。多くの軍産複合体が開発した致命的な武器や前代未聞の技術が存在するのだ。

アラスカにあるＨＡＡＲＰ（高周波活性オーロラ調査プログラム）はその中でももっとも悪名高いものであるが、ほかにも私たちが知らない兵器がたくさんある。そのため、これらの兵器は政府によって「シークレット・プロジェクト」と呼ばれている。なぜ政府は、自分たちが奉仕すべき国民に秘密を作らなければならないのか？　それは数千年にわたる最大の謎の1つである。こうした兵器や技術は、マイクロ波周波数を使った技術によって何千人ものイラク人兵士を何の理由もなく降伏させた湾岸戦争などで使われてきた。

また、それらの兵器は兵士や国家機密に関わる職員の間で「スリーパー」と呼ばれる暗殺者の潜在意識プログラムに使用されている。人々は電話を通じて戦略的な言葉や周波数を聞くだけで催眠状態になり、決められた行為を行うよう起動されるのだが、その記憶はまったく残らない。映画『クライシス・オブ・アメリカ』がその良い例である。

私たちは、「武器」という言葉を銃や爆弾、戦車、戦闘機といった従来の意味で考えるのをやめなければならない。化学兵器でさえも今日では時代遅れで、新兵器のほとんどは周波数の技術に基づくものだ。レーザーや音響兵器などは、目に見えないエネルギーを発生させ、物質に影響を与えたり、破壊したりするのだ。

こうした技術は、天候の操作、ホログラムによる幻覚、一部のステルス機のように物体の周囲を保護するシールド、物体を見えなくするシールドに使われている。『スター・トレック』や『スター・ウォーズ』で見たことのある特殊効果のほとんどは、昔から再現可能だったものである。ところが、これらの技術は非常に高度なので、一般人は自分が知らないという理由だけでその存在を否定するだろう。この隠された技術のおかげで、政府企業は大衆の反発を受けることなく、私たちを簡単に奴隷にすることができるのである。

新しい技術やフリーエネルギーが日常的に生み出される社会では、一般のコミュニティでもこのような高度な技術やレーザー兵器、音響兵器を入手することができるようになる。これは、自分たちに危害を加えようとするものに対する即時的な抑止力となる。誰もがその高度な技術を入手できるようになり、同じ条件下になれるので、劣等感や優越感を抱く理由がなくなるのだ。要するに、どのコミュニティも、必要な場合は自分自身を効果的に保護するためのツールや技術を持てるのだ。しかし、このような考え方は、競争社会が条件付きで行っている問題対処の仕方に基づくものであり、お金のない世界に適用されることはないだろう。

トップ・シークレット

私たちは、メディアや映画によって、極秘任務や秘密部門、諜報員といった概念を受け入れるように仕向けられてきた。そのため、多くの人はそのような活動が人々や国の安全を守るために必要だと信じている。ジェームズ・ボンドのような映画の登場人物は、「女王陛下の極秘任務のため」という理由で「殺しが許可」されているのだ。なぜ女王陛下は極秘任務を与え、殺人を許可できるのだろうか？

もしあなたがまだそれらを単なる映画の中の架空の人物だと考えているならば、完全に騙されている。世界的なスパイ活動や殺人は、何千年も前から計画の一部だった。それは、いつだって支配と金のためだ。自由で開かれた社会——人々が自分たちのコミュニティと運命をコントロールし、長老評議会が日常的に人々の意志に基づき実行する社会——では、秘密はありえず、その必要もないだろう。誰からも、いかなる種類の秘密の隠蔽も不可能になるのだ。つまりは、お金で動く資本主義の世界で慣れ親しんできたような行動も必要なくなるのである。

農耕

農民を国の英雄とし、国民のためにあらゆる種類の食物を生産するため必要なすべてのものを与えよう。そうすれば誰も飢えることはない。

参考：マイケル・テリンジャー（2005年）

農業は、新しいウブントゥコミュニティの変化の中でも、特にエキサイティングな分野である。私たちが抱える最大の問題である飢餓と栄養不足に即座に解決策をもたらすのだ。食料は水と同じく私たちが生きていくために必要で基本的なものであり、私たちが貢献主義を実行する際に、社会のすべての部門に適用されるモデルになる可能性がもっとも高いのである。

2011年の国際連合の報告によると、世界の食料生産の3分の1が廃棄され、腐ったまま放置されているそうだ。食べる人がいないからではなく、食べ物を買うお金がないからである。これは全人類に対するあからさまな犯罪だ。

田舎や農村には、農家をはじめどんなものでも簡単に育てられる技術を持った人々がたくさんいる。数年で砂漠を森に変えてしまうことだってできるのだ。彼らに必要なのは、道具と材料、そしてコミュニティの支援だけである。

そうすれば、太陽系のほかの地域を養えるほどの食料を生産できる。これぞ私たちがウブントゥ貢献主義のコミュニティで行わなければならないことだ。自分たちのためだけでなくほかの人々のために、食料やその他の製品を生産するのである。

そのためには、農民が国の英雄として扱われ、あらゆる面で必要な支援を受けられる環境を作らなければならない。農家の多くは、燃料、道具、機械、設備などを買えずにいる。ほかにも、科学的なツールや治療法、遺伝子組み換えでない種子を提供し、健康な有機食品と家畜を育てるために研究機関からも支援を受けられるようにする。母なる地球の活動プロセスによってエネルギー化された水や、その方法を知っている人々によってエネルギー化された水を利用するのだ。

科学者や研究者は、作物や動物が特定の自然条件下で、基本的な栄養素、音や光の操作によって、通常の数倍の速度で成長することを知っている。しかし、これらの技術は世界の食料供給を支配しようとするモンサントのような多国籍企業によって徐々に追いやられつつある。彼らは大きく美しい外観の作物を得るために、自然の技術を危険な遺伝子組み換え食品に置き換えているのだ。このようなコントロールは、人間や動物の病気を誘発し、遺伝子組み換え食品から誘発された病気の治療法を即座に提供する医薬品・医療企業を支えることになる。これは、人類の「プロブレム・リアクション・ソリューション」計画の一部である。

食べ物を育てることはすばらしく、その方法を知っている人にとっては簡単な作業である。世界には農業に携わる機会のない農民志願者が何百万人もいるのだ。農業をやりたい人は熟練農家に入門し、熟練者になる。私たちは、自然農法や有機農法の多くの専門家や、バイオミミクリー(生物模倣)の分野の専門家を使って、すべての農耕の質と量を向上させる。また、これらの専門家を活用して新しい農家を育成し、これまで経済的に実現不可能だと思われていた分野にも多様化をもたらし、農業全体を活性化させられるようにもする。あらゆる問題に解決策があり、それを実行していくのだ。

- 国民は必要なものを生産する。
- 銀行家、政治家、企業の指示や許可はいらない。

私たちはお金も金(きん)も食べることができない。経済が崩壊した土地では、家庭菜園と牛と鶏を飼っている人が王様になるのだ。

何千もの農場が、銀行の不法行為によって日々奪われている。南アフリカは、ほかの地域と同様に、世界の食料供給を掌握するという明確な目的を持つモンサントに支配されており、彼らは急激な成功を収めている。食料を支配すれば、人々を支配できるからだ。彼らの活動は違法とされなければならない。彼らの研究所や施設は、農耕部門全体に貴重な資源を提供するために、私たちのコミュニティ内の科学者によって活用されるべきだ。

農家は、遺伝子組み換えの種子や肥料、農法に従わなければ、倒産して農場を失うかもしれないと常に脅迫されている。こうした事態が驚くべき速さで起こっており、私たちがこれを止めなければ、今後数年のうちにモンサントと銀行が南アフリカと世界の生産性の高い農地をすべて所有することになるだろう。そうなると、壊滅的な打撃を受けることになる。

だが、自然で有機的で健康的な作物を生産することで、ウブントゥコミュニティの結束が強まれば、変化が生まれるだろう。私たちは、モンサントの破壊的な影響を短期間で無効にすることができるのだ。

私たちは、既存の専門家の技術を生かし、代替技術を使って農作物や家畜の害虫や病気を治療しなければならない。そのような方法の多くは、土地や食べ物や動物に害を与えることなく、事実上１００％の成功率で導入されてきた。これらの高度な科学技術は、一部の人にはよく知られているが、私たちの食物や動物を毒し、有害な処理を行うことを好む現在の指導者たちからは猛烈に反対されている。これらの代替技術は、健康や医薬品の分野にも応用されており、それについてはさらなる議論が必要だろう。

農家が所有し、利用できる何より強力な資産は、間違いなく「ＥＭ（有用微生物群）」である。ＥＭは、自然界にしか存在し得ない驚異的な能力で、痩せた土壌を再生させる。汚染された広大な水を浄化するほど強力なプロバイオティクスであるが、赤ちゃんが飲めるほど無害なものでもある。ＥＭの唯一の問題は、企業の干渉を受けずに自然に醸造することができるため、企業が利益のためにコントロールできないことである。そのため、土壌や水の浄化に今すぐ使用すべき「万能薬」の有力候補ともいえる。

何千年も続くアフリカの古代伝統と共にあった特定の自然植物の栽培は、妨げられている。政府が特定の植物を不法または違法と宣言することは、神が間違いを犯し、問題がある創造物を作ったので、この間違いを政府が正さなければいけないと言っているようなものである。数多くの植物やハーブが、製薬業界を保護するために政府によって違法とされてきた。大麻はほんの一例である。大麻の栽培は、複数の産業における多くの問題を事実上一晩で解決する。これには核兵器による放射性降下物の根絶も含まれる。このような理由から、大麻はウブントゥのコミュニティにとって必要不可欠な第二の万能薬なのである。

ウブントゥのコミュニティでは、伝統的なヒーラーが、伝統的な治療に必要なあらゆる植物やハーブを栽培することを奨励し支援する。農業の専門家は、伝統的なヒーラーのために、そのような自然の植物や治療薬を栽培する技術を習得し、かつて提供していた誇り高き役割を取り戻せるようにする。私たちは、いかなる「権威」からの搾取も恐れることなく、古代アフリカの知恵と伝統を守るサンゴマ（祈禱師）とシャーマンを尊重し、支援するのだ。

アロマオイル用のハーブの生産は、あらゆる病の治療のために最大限に拡大されるだろう。こうしたハーブは現在、その使用に異議を唱える医療・製薬マフィアに敬遠されている。

ウブントゥ貢献主義システムでは、10人に1人が何らかの形で農耕分野に携わる可能性が高い。農業技術や母なる地球への愛は、幼い頃からすべての子供たちに教えなければならない。本当に母なる地球を愛しているならば、地球を傷つけることは誰にも許してはいけない。あらゆる分野の、あらゆるコミュニティの、あらゆる種類の食料を、今の私たちには想像もつかないほど豊富に生産する農民が、真の英雄になるのだ。

もし私たちが隣人に食べ物を与え、私たちが行っていることを教えることができれば、世界のあらゆる地域で多くの社会経済的な問題を迅速に解決することができる。不幸・困窮といった問題を、豊かさ・協調に置き換えることができるのだ。私たちは、人々が互いに愛し合い、尊敬し合い、ホームレスや自暴自棄、空腹を理由に互いを傷つけたり裏切ったりしない国やコミュニティを作ることができるだろう。

このためには、社会のあらゆる分野と同じように、まずは専門家に相談することが必要である。解決策を提供したり、問題を解決するのは、政治家ではなく、私たちなのだ。食料と農業の危機を解決することは、農業とその関連部門について熟知している人々の仕事であることは明らかである。

そして、農耕分野は、科学研究、農耕に関連するあらゆる分野の訓練、医療、輸送・配送、包装、保管など、社会の多くの分野にも大きな影響を及ぼすことになる。

今日、銀行家と無知な政治家が国民に食料を供給する主な障害となっている。政治家の多くは自分たちが良いことをしていると信じているだけの騙されやすい人々で、銀行に我々の国で不法な帝国を運営することを許し、そうして国民を操作し破壊してきた。

あらゆる手段を尽くして農家を支援しよう。すべての地域を農村にし、母なる地球と共生し、豊かな恵みを生み出すコミュニティにするのだ。

農業——行動計画

ウブントゥコミュニティに移行するための最初の小さなステップとして着手すべきことを提案しよう。ただし、コミュニティが新たなニーズを発見し、より適切な解決策が出てきた際には修正していく必要がある。

1）長老評議会のメンバーを任命する。
2）コミュニティのために土地を提供し、参加を希望する農家と合意する。
3）農家でない土地所有者と合意し、空き地や工場を活用する。
4）1週間に3時間だけ、農園や工場で働くために時間とスキルを提供したい人々を選出する。
5）毎月の寄付で資金を集め、道具、材料、種、燃料などを提供する。
6）農家は、農業の知識や農場で働く人々を無償で育成し、貢献の一端を担う。
7）農家は収穫物の33％を保持し、コミュニティは収穫物の66％を受け取る。
8）生産計画やコストに関わらず、これまで自分たちで生産してきた分と同じか、場合によってはそれ以上の収益を確保できるため、ほとんどの農家はこの方式に満足するだろう。
9）農民は自分の分け前を好きなように使い、市場で自由に売って、過渡期を生き抜くための現金を得ることができる。
10）その66％を、参加した人々や金銭的な貢献をした人々にだけ、コミュニティが分配する。これこそが貢献主義である。時間を割いて貢献した人は、大きな恩恵を受けられる。
11）残りの農作物は、寄付をしない人々にもすぐに役立つように、非常に安い価格で販売される。
12）外部の人や近隣の町に対してファーマーズ・マーケットを開設する。余った農産物は、コミュニティの外部の人にやや高値で売る。それでも、自分たちの町やスーパーマーケットで買うよりはかなり安くなるだろう。
13）周辺のすべての町にこの魅力がすぐ伝わり、彼らも同じモデルを自分たちのために採用するだろう。
14）その資金を元に、さらに生産量を増やし、ほかの食品・製品にも生産拡大していく。
15）この方式を、木材や金属製品、建材、美術工芸品など、ほかの産業分野にも広げていく。
16）ほかの業種の職人にも、同じように33：66のシェアの原則を使う。
17）すべての公園、学校、街路樹、道路沿いに果樹やナッツの木を大量に植え、有事の際にも継続的に食料を供給できるようにする。
18）各家庭に果樹やナッツの木を植えるようにする。

これらはどの町でも実施でき、有機的に成長する基本モデルである。重要なことは、どのコミュニティにおいてもできるだけ早く長老評議会のメンバーを任命することだ。資本主義やエゴは私たちの生活のあらゆる部分に浸透しているため、初期の活発なメンバー間で起こりうる口論や意見の相違を防ぐ必要がある。

農家はコミュニティの財政的・労働的支援から恩恵を受け、コミュニティは専門知識と製品から恩恵を受ける。成功するためにはあらゆるレベルでの完全な協力が必要であり、これはウブントゥ貢献主義へ移行する最初の段階においてとても重要である。

目標は、それぞれの町の人々が必要とする食料の3倍を栽培することだ。さらに、関連する多くの部門すべてにおいて、何百万もの人々に大規模な教育・訓練プログラムも提供する。教室で「承認された」教科書を読むのではなく、その分野の専門家と一緒に働くことが大事な訓練や知識となるのだ。

都市生活者――ウブントゥへの参加

私たちは、都市に住んでいるためにコミュニティの農場やその他の活動に週3時間の貢献さえできないという人たちも取り込んでいかなくてはならない。これは、わくわくするような機会を提供してくれる、すぐにでも取り組むべき課題の1つだ。

都会で成功してキャリアを持ちながら、それを捨てて田舎に移住することができないでいる人は数多くいる。こうした人々は、これからの時代に必要な専門的な技術や才能をたくさん持っている。しかし最初のうちは、たとえウブントゥにその能力を提供してくれているにしても、多様な才能を活用しきることは不可能だろう。

先述したコミュニティ人材交流は、多様なスキルを持つ大勢の都市生活者が、お金をかけずにお互いに奉仕し合うという点で最適なマッチングとなる。さらに、都市住民はウブントゥ農業プロジェクトの恩恵を受けるために、毎月または定期的に現金で寄付をし、ウブントゥ農業やその他の産業の確立を支援することができる。これらの資金はプールされ、継続的に豊富な生産物を拡大するために使われる。

はじめのうちは水の供給と食料生産に焦点を当てよう。脆弱な人類が生存していくために重要な基礎となる。しかし現在、私たちの食料と水は、今や手の出しづらい、安全でないものになってしまった。

各都市にウブントゥの倉庫を作ることも重要だ。全国に広がるウブントゥコミュニティで生産された農作物や生産物の残りをストックするのである。そうすることで都市部のすべての貢献者は、世界中のウブントゥコミュニティの労働力から恩恵を受けることができる。これは都市に住む人々がこの過渡期に参加するための暫定的な解決策であり、この仕組みはメンバー用のスマートカードシステムとコミュニティの人材交流で簡単に管理することができるのだ。

また、多くの農家が倒産や農地の差し押さえに直面していることを忘れてはならない。多くの農家が生産を続けるための支援を切実に必要としているのだ。こうした金銭的な貢献は、農民が現実の困難に直面しても、コミュニティに参加し、生き残るための助けとなる。都市住民の寄付によってウブントゥの農場を活性化し、都市の倉庫に食料やその他の生産物を供給することができるのだ。こうした活動によって、何千もの農場を救い、さらに多くの農場を活性化させ、新しいウブントゥの農場を作り続け、ウブントゥの人々に継続的に生産物を供給し、手頃な価格の食糧品や物品を提供することができるのである。

既存の農場をウブントゥ農場に転換することは、重要な第一歩である。現在、生活苦にあえいでいる農家も、自分の農場のある場所にコミュニティを設立することを許可するようになるだろう。そのようなコミュニティがあることで、銀行による競売が収まり、農家や所有者が守られるだけでなく、その農家とその家族にとってまったく新しい考え方やライフスタイルの基礎となるのだ。

人間の精神は強く、限りなくクリエイティブだ。大都市から抜け出せない人々は、自分たちの郊外をウブントゥコミュニティにするために、自分たちで計画を立てていくだろう。ひとたび最初の数か所が、分かち合い、互いに提供し合う団結した力から恩恵を受けるようになれば、ほかの郊外にも飛躍的な速度で広がっていく。これこそが貢献主義モデルの魅力なのだ。このモデルには境界線がなく、すべての人に真の団結と豊かさをもたらすのである。

これは決して夢物語ではない。アメリカ・メイン州のセジウィックという町は、最近「食の主権」を宣言した。そして、アメリカや他の国でも、同じようなことをしているところがたくさんある（http://www.foodrenegade.com/maine-town-declares-food-sovereignty/）

ロシアでは、『アナスタシア 響きわたるシベリア杉シリーズ』（ナチュラルスピリット／直日）に感化された人々が、1万平方メートルの家族用地を持つコミュニティを立ち上げ、ロシアの年間農業生産に大きな貢献をしている。私たちは、国民、特に子供たちに植林文化を根付かせなければならない。南アフリカでは、100万人の南アフリカ人に自分たちの食べ物を育てるよう促すことを目的とした構想によって、これが実現されているのである。

それが「種をまくコミュニティ」になるということである。小さな町であろうと都会の郊外であろうとどこかで始めなければならない。恐れずに誰かに話し、知識を共有し、行動を起こそう。あなたのコミュニティにウブントゥの最初の種を植えるのだ。恐れず、道を切り開こう。

最小限・最低限の土地面積

循環型社会と人口

プラトンは、円は完全な形であると言った。それは、円や球が原初的な形であるという神聖幾何学にも表れている。自然と共生していた古代文化が、長方形ではなく円形の建造物を建てたのはこのためである。

ウブントゥの町やコミュニティ全体のモデルは、この原則に基づいている。小さな町はウブントゥコミュニティに発展していきながら、必要な土地を獲得していく。それぞれの町は、人々のニーズを満たし、コミュニティの全食料を生産するために必要な最小限の面積の土地を取得する。これは、農民と町の設計者が人口に基づいて計算し、各コミュニティの長老評議会が承認するものである。

コミュニティで生産されるものはすべて、コミュニティが占有する空間で行われる。人々から切り離された広大な農場や工業地帯では行われない。そのような無駄なスペースや、遠く離れた農場からの商品の輸送は必要ない。コミュニティが成長するにつれ、個人の欲望ではなく、人々の必要性に基づいて、より多くの土地を占有するようになるのである。

そうしたことが可能なのは、ウブントゥコミュニティには土地所有権が存在しないためだ。誰もが必要なものを持っており、土地はコミュニティの多様な活動――農業、製造業、スポーツ、レクリエーション、芸術、文化、工学、研究など――のために全員に割り当てられているのだ。

現在のように、コミュニティが巨大都市に発展してしまうという問題はある。しかし、ウブントゥのコミュニティでは人口増加が劇的に減少するという考えがあるのだ。統計によると、人々が幸せで満足しているときは、貧しく絶望的なときよりも繁殖がずっと遅くなることがはっきりとわかっている。現在、人口増加率がマイナスの国がたくさんあるが、ウブントゥ貢献主義のコミュニティでもそうなることが予想される。

貧しいコミュニティでは、子供のことを親の面倒を見るための退職年金と見なすことも多い。これは明らかに人口爆発の大きな要因となっているが、ウブントゥのコミュニティでは通用しないだろう。

とはいえ、私たちは町やコミュニティの最適な規模や人口を考えるべきである。あるコミュニティが最大限に機能するために最適な人口とはどれくらいだろうか？　1万人か、あるいは5万人だろうか？　町が少し大きくなりすぎて、快適でなくなったらどうするか？　そうしたことは、コミュニティが十分に機能し、人々のために、人々によって決定がなされるようになって初めて検討されるようになるだろう。

新しいコミュニティの創造――自然の法則に従う

コミュニティのための循環型プランは非常に重要である。ほかのコミュニティを侵害することなく、新しいコミュニティを成長させ、創造することができるのだ。町が一定の大きさになると、人々は自動的に人間の細胞がするように、分裂し、増殖し、体内のすべての細胞と調和して存在する、持続可能な新しい細胞を体内で作り出せるようになる。その細胞は独自の核、DNA、内部構造を持ち、唯一無二の細胞、つまり新しい細胞の共同体となるのである。

私たちの体にはさまざまな種類の細胞があり、それぞれ異なる働きをしているが、それらはすべて体全体のために役立っている。互いに競争することはなく、協力し合い、体全体の生存を確保するために、それぞれの機能を発揮しているのだ。脳細胞、肝細胞、心臓細胞、筋細胞、血液細胞、ほかにも何十億もの細胞がさまざまな臓器を構成しており、それらが全身のために協力し合って働いている。しかし、コミュニティは非常に柔軟であるため、自然と分断されたり、細分化されたりすることがある。これは特に密集した都市部で起こる可能性がある。サブコミュニティや、さらに小さなコミュニティを形成することも可能だが、その方法を標準化することはできない。それぞれのコミュニティは、固有の地理的・文化的な原則に基づいて運営されているからだ。

通常、体の細胞がほかの細胞を浸食することはなく、ほかの細胞を浸食する細胞は「がん細胞」と呼ばれる。そして私たちの体は、そのようながん細胞を自動的に排除し始める。だが、循環型コミュニティであれば、常にコミュニティ拡張のためのスペースが提供されるだろう。さらに、旅行者、交通機関、その他のニーズのために、コミュニティ間を移動できる中立的な土地が常にあるため、ほかのコミュニティの秩序を破壊するようなことはない。円ではない長方形のコミュニティでは、このような自由は許されないだろう。

コミュニティ外での生活――単身家族の農場と孤立して暮らす者

このような質問を受けることがある。「皆から遠く離れた自分の農場で、ひとりで暮らしたい場合はどうすればいいのか？　私はどのコミュニティにも縛られて暮らしたくない」。

ここでまた、貢献主義モデルの「自己修正」の側面を考えてみよう。ウブントゥでは土地の所有権は存在せず、コミュニティ全員の利益に最大限貢献している人だけが土地を使用できるのだという点を覚えておいてほしい。コミュニティではそれを実現するために必要なだけの土地を占有することになる。

「コミュニティ」とは単なる名詞ではなく、動詞でもあるのだ。例えば、あなたが家族と暮らしているだけだとしても、それもまたコミュニティの1つの形態であり、ある段階においては、ほかの人たちとつながる必要性も出てくるだろう。

ウブントゥモデルでは、あなたのコミュニティが、4人家族や12人家族だとしたら、家族のコミュニティを豊かにするために必要なだけの土地しか占有しないことになる。つまり、人里離れた場所で500頭の牛を飼っている農家を見かけることはない。500頭の牛の世話をするのはとても骨の折れる仕事であり、彼らの牛を売る市場もないのだ。また、広大な土地を持つ農家が何千トンものトウモロコシを収穫することはない。そのトウモロコシを食べる人はいないし、近くの町には町の人々を養うための独自のプログラムがあるからだ。

自分の力で暮らしたい者は自分と家族のことだけ世話していればいい。お金を稼ぐ心配もなく、すばらしい生活を送ることができるのだ。たとえコミュニティから離れて生活したとしても、その家族は羊毛を紡いだり、特別なチーズを作ったり、塩を作ったりすることで最寄りのコミュニティに奉仕することができる。そうすることでコミュニティの一員としてカウントされ、見返りとしてあらゆる恩恵を受けられるようになる。

もしも完全に孤立してしまったとしても、遅かれ早かれ、その家族は近くの町から何かを必要とすることになり、またしても貢献主義のシンプルな原則が適用されることになる。町から何かを得るには、その町のコミュニティ・プロジェクトに自分の時間を費やす必要があるのだ。

孤立した者が町に提供できるもので、町の人々がまだ持っていないというものはほとんどない。だから孤立した者にとって何より重要なのは、その町がより大きな利益を得るために、愛の労働の貢献を行うことだ。このような交流において、長老評議会は誰もが公平に扱われることを保証する重要な役割を果たすのである。

また、孤立して暮らす家族の子供たちが、両親と同じように考えるということもまずないだろう。彼らはほかのコミュニティにも足を運び、共に学び、共に成長することを目指すようになるはずだ。そうして貢献主義の本質が広まっていくのである。

小さな農家同士の物々交換もあるかもしれないが、これは完全に個人の判断に委ねられる。誰も自分の意思に反して何かを強制されることはないのだ。なかには、すでに持っているものを交換によって獲得するのはおかしな話だと思う人もいるだろう。彼らが持っているものはすべて、今日蓄積されたガラクタと違って、実用的で役に立つものばかりなのだ。

たとえ孤立して暮らし、物を交換しなくとも、1週間のうち3時間だけ愛の労働で町に貢献すれば、自分では作れない馬の鞍や、新しい納屋の建材など、必要なものは何でも手に入れることができるはずだ。

電気エネルギー

エネルギーは、発電と供給をコントロールする人々によって、おそらく産業界でもっとも厳しく守られている分野である。そのなかでも電力の継続的な供給はすべての人間にとって重要な関心事の１つとなっているが、電気だけがエネルギーの形態ではないことをお伝えしておきたい。１９００年頃、お金と権力を持つ人が世界中の人々を奴隷にするために選んだエネルギーの種類が、電気エネルギーなのだ。当時、銀行家には「フリーエネルギー」という選択肢もあったが、現在も使われている電気エネルギーを選んだのである。

ＪＰモルガンを中心とする銀行家たちは、代替エネルギーであり、放射エネルギーである、測定不能のフリーエネルギーシステムの痕跡を人間の記憶から消し去ろうとした。電気の供給をコントロールすることでその使用料を国民に請求し、価格をコントロールすることができるからだ。

ニコラ・テスラは、１９０１年にニューヨーク州ロングアイランドのショアハムにある有名なテスラ・タワー（ウォーデンクリフ・タワー）を建設して間もなく、世界中をワイヤーなしでつなぐフリーの非殺傷放射エネルギーを提供し、これが世界中で自由な遠隔通信を可能にし、あらゆる機器の電源になることを示した。この塔からの放射エネルギーは、自動車から照明、機械、飛行機、船舶までの電力を供給することができた。

テスラは、フリーエネルギーを世に送り出したことについて、次のように語っている。「電気エネルギーの伝送に関わるこの現象は、『真の伝導』の１つであり、これまで観察されてきた『電波』と混同してはならない。電波の伝播の性質と様式では、実用上重要な距離まで大量のエネルギーを伝達することはできない」。

残念なことに、テスラの資金提供者は、世界でもっとも力を持った銀行家の１人であるＪＰモルガンであった。

ニューヨーク州ロングアイランド、ショアハムのテスラ・タワー（ウォーデンクリフ・タワー）

ニコラ・テスラ

モルガンは、自分が利益を得られないフリーエネルギーが誕生したことを知ると、テスラへの出資を取りやめた。1917年にアメリカ連邦政府によってタワーは破壊された。フリーエネルギーの記憶を人間から確実に抹消するために彼が背後にいたことは間違いない。1913年、JPモルガンは非合法な民間の連邦準備銀行の創設者の1人であり、JPモルガン銀行のオーナーであったことも重要な点である。モルガン一族は、ロスチャイルド家、ロックフェラー家とともに、今日も世界でもっとも力を持った三大銀行家の一族である。

科学者は、宇宙が無限のエネルギー源であることを知っている。私たちの周りのいたるところにフリーエネルギーがあり、ある形から別の形に変化しているのだ。では、なぜ私たちはエネルギーにお金を払っているのだろうか？

多くの科学者が、エネルギー問題に対するありとあらゆる解決策を持っている。私たちはこれらの新しいエネルギー形態を受け入れる準備ができているのだ。変革のプロセスを開始するために必要なのは人々の意志である。私たちが行動を起こさなければ、古い体制や古いエネルギーは変わらない。新しいエネルギーやフリーエネルギーの発明者たちは、フリーエネルギーが人々の手に渡るのを阻止するために、脅かされ、買収され、拷問され、殺されてきた。

私たちは人類を奴隷状態から解放するために、このシンプルなステップがいかに重要であるかを理解しなければならない。調理、暖房、水、輸送、その他の産業など、私たちの生活のあらゆる場面で必要なエネルギーを供給できるようになれば、人々をコントロールすることは非常に難しくなるだろう。フリーエネルギーが世界中の人々に解放されることで、世界的な覚醒が起こり、人類の意識が急速に高まるのだ。今日使われているさまざまな形態のエネルギーは、私たち一人ひとりを致命的に支配し、もはや認識できないほどの影響を及ぼしている。

私たちが食べるもの、着るもの、買うもの、乗る車、使う技術、お風呂……すべては、何らかの形でエネルギーを必要とする。フリーエネルギーは、深いジャングルから都市の高層ビルまで、一晩であらゆる場所の人々を自由にすることにつながるのである。

フリーエネルギー社会への移行とフリーエネルギーの探索

私たちの目標は、フリーエネルギーについての持続可能な解決策を速やかに見つけて、直ちに実行に移していくことである。聖なる創造主の世界というものは、行動に応えるようにできている。だからこそ、私たちは行動することで、望む変化を引き寄せようではないか。すべての発明家と科学者（民間人であるか既存の機関に属するかを問わず）が、人々にフリーエネルギーを提供する上で必要とする、すべての援助や支援を与えて、代替フリーエネルギーを探す活動を拡大していこうではないか。

太陽光、水力、潮力、風力、地熱、ガス、磁気などの今ある手がかりを探って代替フリーエネルギーに結びつけていこう。この種の装置や技術はすでに数多く存在している。科学者や発明家たちは、機会を与えられれば、現実的かつ持続的なエネルギーソリューションをすぐにでも開発するだろう。

エネルギー供給の分散化

既存のグローバルなエネルギーグリッドは、単に人々をコントロールするためのツールにすぎない。しかもこのグリッドはとても強力な部類のコントロールを及ぼしており、もし停止すれば、私たちの多くがたちまち影響を受けることになる。しかし、そもそもグリッドが存在しなければ、グリッドが機能しなくなることもないのだ。

エネルギー供給を自分たちでコントロールすれば、私たちのコミュニティが寒さや暗闇に悩まされることはなくなる。だからこそ、すべてのエネルギー供給を直ちに分散化すべきだ。すべての都市、町、コミュニティは、政治家ではなく、科学者の助けや助言を得て、自ら新しい解決策を得られるよう集団で行動を起こさなければならない。私たちは、あらゆる選択肢を駆使して、当面の解決策から長期的な解決策までを手に入れるべきである。

ここでの選択肢は、コミュニティの立地条件によっても大きく左右されうる。例えば、河川や海は莫大なエネルギー源であるから、近い将来、石炭を燃やしてエネルギーを生み出すようなことはなくなるだろう。

送電線や変圧器、ひいては既存の送変電ネットワーク全体が、私たち国民が負担したものであることを忘れないでほしい。したがって、私たちは自分たちの町のグリッドをコントロールして、新しいエネルギー供給源に接続することだってできるのだ。

すぐにできる解決策

- すべての河川を利用して水力発電を行い、近隣の町や村に電力を供給する。これは単純な考えではあるがすぐにでも実用化できる。水力タービンは非常に進歩しているから、河川の要所に数基設置すれば、目につかず、環境汚染も起こさず、それでいて絶えず電力を都市に供給することができる。一度設備を設置してしまえば、このようなエネルギーは無料と言っていいほど低コストである。
- 海の波の無尽蔵なエネルギーを利用すれば、廃棄物や公害を発生させることなく、すべての沿岸の町や都市に電力を供給することができる。双方向または全方向に動く水からエネルギーを生成するタービンなどの装置は、すぐに設置可能である上に、石炭を燃やして地球を汚染するのをやめることにつながる。これらのシステムが導入されれば、電気代は実質無料になるだろう。

- サステナブルガスは、エネルギー危機に対する大きな解決策となりうる。すべての下水処理場をメタンガス（天然ガス）生産センターに転換し、その地域の人々にメタンガスを提供すべきである。化学技術者は、コミュニティに大きなコスト負担をかけることなくメタンガスの生成量を増やす方法を知っている。自分たちの廃棄物は、自分たちのために使おう。ガスは、暖房、照明、調理、パン作り、給湯、冷蔵など、私たちが必要とするエネルギー・ニーズのほとんどを満たすことができる。養豚場や酪農場の豚や牛の糞から大量に発生するメタンもメタンガス生成に利用すべきである。このように簡単な転用で、都市部から遠く離れた地方の農場でもメタンガス生成を利用できる。

- 多くの発明家が、磁気装置などによって永久機関のごとく大量のエネルギーを生み出す方法を示してきた。彼らの発明が人々に利用されぬように、沈黙を強いられた者もいれば、殺された者さえいる。私たちは、このような発明家を積極的に探し出し、南アフリカや世界の人々と彼らの発明品を共有できるようにしていきたい。

- 例えば、音や周波数をエネルギー源として利用することもできる。本当の知識を身につけた科学者だけが、１８８８年のジョン・キーリイによる「ミュージカル・ダイナスフィア」の発明や、その後のニコラ・テスラの発明によって、この種の技術が実証され、存在してきたことに気づくだろう。

- 水を沸騰させる音の周波数がある。これは、おそらく過去１００年間でもっとも重要な発見であるが、ニュージーランドの発明家ピーター・デイヴィーが早くも１９４０年に実証している。デイヴィーは、２０１１年に他界したことでその知識を墓場まで持って行った。いま専従の科学者グループを作れば、すぐにこの技術を再発見し、世界を解放することになるだろう。私たちは、適切なツールを持つすべての研究者に、水を沸騰させる周波数を見つけることを奨励する。この周波数が見つかれば、発電所で水を沸騰させる際に石炭を燃やす必要がなくなるからだ。

- また、音の周波数によって冷却効果を生むこともでき、冷蔵やその他あらゆる冷却用途に利用することができる。

ミュージカル・ダイナスフィア（Musical Dynasphere）と共に座る発明家のジョン・キーリイ（1888年頃）

これは「熱音響現象」として知られているものである。

（水を沸騰させる周波数を発見するための指針を記しておこう。まず沸騰するお湯の調和共振周波数を測定し、次に音叉のような振動装置を作り、その周波数の定在波を発生させる。分子間の摩擦による発熱で沸騰させる従来の電気ポットとは異なり、瞬時にお湯が沸くはずである。ほかにも、沸点における酸素原子に対する水素原子の角度や相対的な周波数が関係していると思われる。実際の結合の角度に、周波数の秘密が隠されているのかもしれない）

•オハイオ州アクロンの発明家ジョン・カンジウスが生前に実証したように、20〜90メガヘルツの高周波は、塩水を約１５００℃で燃焼させる。主要なエネルギーソリューションとして、これを活用できる産業分野もあるだろう。

•すべての原子炉を直ちに停止し、解体する。

原子力は予測不可能な技術であると多くの一流の科学者たちが警告してきた。つまり私たちは原子力を理解することもコントロールすることもできないのだ。子供の火遊びよりもはるかに大きな事故になる危険性があり、全人類を滅ぼしかねない。過去に想像を絶する被害をもたらしているし、停止しない限り同じことを繰り返すだろう。

（注：科学者たちに自由に解決策を見つけてもらえば、さらなるすばらしい発明や発見があるはずだ）

電気の現状

エスコムは、南アフリカ国民にエネルギーを供給している会社である。多くの人は、エスコムが、国民に安価な電力を提供することを第一の目的とする国営企業であると思っている。エスコムは、南アフリカで使用される電力の約95％、アフリカ大陸全体で使用される電力の約45％を発電している。同社は、主に石炭を使用して発電を行っており、南アフリカのさまざまな炭鉱から石炭を入手している。問題は、これらの炭鉱のほとんどが、国際企業によって所有されていることである。土地を強奪し、美しい国を破壊しているこれらの国際企業は、国際市場連動価格でエスコムに石炭を売り、考えられないほどの利益を国際的な株主にもたらしている。南アフリカは世界第4位の石炭輸出国であるが、輸出される石炭は本来国民のものである。しかし、国民は石炭からも、石炭が生み出すエネルギーからも、まったく恩恵を受けていない。それどころか、石炭はエスコムや外国に売られ、国際的な株主に莫大な利益を生んでいる。

米国証券取引委員会に登録された法人である南アフリカ共和国政府が、エスコム社の唯一の株主であり、株主を代表するのは公営企業大臣である。一見すると、政府が責任を持って国民の利益を守っているようであるが、残念ながらそうではない。

「公営」企業というと、国民の利益に資する企業であるかのように聞こえるが、これもまた事実ではない。これらの政府系企業のほとんどは、民間の多国籍企業と完全に結びついている。多国籍企業は、これらの企業で働く南アフリカ国民の労働力に依存して、身動きが取れなくなっているし、労働者は流した汗と血に見合わない安い給料しかもらえていない。

さらに、前述のとおり、南アフリカ共和国と南アフリカ共和国政府はどちらも法人として登録されている。これは、政府が、単独で株式を所有しているエスコムのような企業の株式を密かに売買して、南アフリカ国民の勤勉な労働から巨利を得ているということである。つまり、国民の労働と努力が、世界中の見えない株主によって、国際的な株式市場で取引されているのである。

エスコムのウェブサイトによると、２０１１年に１３２億ランド（約17億米ドル）の利益が計上された。役員やCEOは、ペテンを継続させ、疑いを知らない人々の目を見事に欺いた対価として何百万ドルもの報酬を支払われている。

フリーエネルギーの権利

この種のごまかしは、街にいる普通の人には考えられないような規模で行われている。これは、私たちが持つすべての権利に対する完全な裏切りであり、指導者が自国民に対して行うことができる最悪の欺瞞である。1900年代初頭の設立以来、エスコムのすべての設備やインフラは、国民の税金と豊富な鉱物資源から得られる利益で何年も維持されてきた。これまで採掘・販売されてきた鉱物は、国際的な株主に信じられないほどの利益をもたらしてきたが、そもそもは南アフリカ国民のものである。したがって、エスコムを構成するすべてのものは、権利の上からいうと国民のものである。

では、エスコムが所有するすべての費用を何度も負担してきた私たちが、なぜまだこんなに多額の電気代を払っているのだろうか？

政府は、私たちの生活を年々苦しくするような企業を許すのではなく、正当に選ばれた奉仕者として、私たちの生活を改善するために働くべきではないだろうか？

私たち一人ひとりが知っておくべき、そして共有すべきいくつかの事実

これは、すべての国のすべての発電事業者に当てはまる。

1）エスコムの設備、インフラ、技術はすべて国民のものである。なぜなら、国民の代理である政府が何度もその費用を負担してきたからである。これらの費用は、税金か、あるいは、これもまた国民のものである地中の鉱物を売って得た収入で賄われてきた。

2）エスコムが国際的な投資家、資金提供者、パートナー、株主と行ったビジネス取引は、その種類や性質に関わらず、違法であり、法的な拘束力を持つべきではない。なぜなら、国民の見えないところで、国民にとって非常に不利な情報の一部を公開せずに、不正に行われたものだからである。

3）エスコムが行ったすべての取引や合意は、国民のためというより、むしろ政府企業のためになされ、世界中の株主や投資家に利益をもたらしてきた。これらの投資家のほとんどは、社会のすべての側面を支配している強力な銀行家である。エスコムが行うすべての資金取引は、南アフリカの人々にとって、借金を増やすだけで何の利益もないものと言える。

4）このような取引によって、南アフリカの勤勉で疑いを知らない無知な人々は、奴隷として売られたのも同然である。法外な電気料金を支払って、見えない株主に巨額の利益をもたらすことになった。

5）エスコムが国民のものであるというなら、無料とは言わないまでも、非常に安い電力を国民に提供すべきである。なぜなら、それこそが国民が必要とし、望んでいることだからである。政府は、公僕としての役割を果たすべきである。

6）地中にある石炭が国民のものなら、なぜ私たちはその石炭で電気を作るためにお金を払っているのだろうか？

7）エスコムは、南アフリカの人々に安価な、または無料のエネルギーを提供することができる再利用可能な代替エネルギー源を見つける努力をまったくしてこなかった。

8）２０１０年、エスコムは３６８０億ランド（約３６０億米ドル）を自社設備のアップグレードに割いた。一方で、人々のために、より安い電力を提供することや、代替的な電力ソリューションを探すことはしてこなかった。

9）国民を担保にした巨額の資金調達によって、エスコムは新たな設備を建設するとともに、将来にわたって国民に電気料金を請求し続けるための手段を得た。

10）この資金を使えば、エスコムは南アフリカの全世帯に約3万ランド相当の最先端の太陽光発電システムを提供することができた。これがあれば、生活に不可欠なニーズのすべてを満たすことができたはずだ。別途、人々の負担で維持管理が必要であるが、そのための費用は月々わずかな額で済む。

11）それによってエネルギー供給の分散化につながり、自分たちの必要とする電力をコミュニティがコントロールできるようになった可能性がある。

12）真の科学者や研究者なら誰でも、これまでも、そしてこれからも、新しくて環境に優しい、再生可能・再利用可能なエネルギーソリューション、さらには永久機関のような無料のエネルギーソリューションまでもが存在することを知っている。私たちはそれらを見つけ、人々に公開する。

13）さて、自問自答してみてほしい。エスコムをはじめとする世界中の電力供給大手の資金は誰が出しているのだろうか。それは、ニコラ・テスラのフリーエネルギーを破壊し、それ以来、彼の知見を封じ込めてきた、強力な銀行家たちである。

14）このようにして、１９２３年にエスコムが正式に設立されて以来、あらゆる手段でフリーエネルギーの発展が隠蔽され、株主、つまり南アフリカの人々の汗と血から利益を得ている見えない誰かのために、巨額の利益が生み出され続けてきたのだ。

エネルギー──石油

石油産業は、エネルギー業界の中でも特に厳重に守られてきた。石油会社は100年以上にわたって自分たちの帝国をかたくなに守り、誰にもその世界的支配力を揺るがすことを許してこなかった。水やエタノールや水素、ガスや圧縮空気や酸素、あるいは磁気モーターのような独創的な装置で走る自動車を開発した人がどこかにいるという話を、ほとんどの人が聞いたことがあるはずだ。しかし、驚くべきことに、幾千もの偉大な人たちによるこうしたすばらしい発見は、不思議にも、日の目を見ることなく消えてしまったのである。なぜだろうか？

それは、石油やオイルは車を走らせるだけでなく、私たちの生活を支えているからである。現在、世界の産業と経済は、ほぼ完全に石油に依存している。石油は、ゴムやプラスチックなどの合成物質の原料となっており、これらの合成物質は私たち人類が製造し消費するほとんどすべての主要な構成要素となっている。

面白いことに、最初の自動車のエンジンが作られて以来、私たちは実質的にほとんど技術進歩をしていない。いわゆる技術の進歩は、私たちに、新しい技術に出会ったと思い込ませながら輪の中をぐるぐる回らせるための単なる欺瞞にすぎないのである。毎年、ピカピカの金属カバーを付けた新車が発売されるが、エンジンは依然として蒸気機関車の技術と同じ基本原理で動いている。

このことはいつも、F1レースの熱狂的なファンの間で議論の中心となる。しかし、私たちの車はすべて、燃焼技術がピストンなどの機械装置を駆動し、その結果、車輪がくるくる回るという仕組みで動いているという事実に変わりはない。私たちは、ぐるぐる回るハムスターのように、似非（えせ）テクノロジーに翻弄されている。毎年、最新・最高のテクノロジーと称して、小さなテクノロジーの断片を点滴で与えられているのだ。

エレクトロニクスの分野でも、宇宙開発の分野でも、あらゆる技術分野で同じことが言える。私たちが購入するすべてのものに計画的陳腐化が仕組まれており、そう遠くない将来に買い替えさせられるようになっている。言い換えれば、すべての技術製品は、ほんの少し使用しただけで壊れるように作られているのだ。

石油メジャーをはじめとするグローバル企業は、このように計画し、仕組んできたのである。SONYは正確には日本企業ではなく、実質的にはロックフェラー系企業であるStandard Oil New Yorkの頭文字をとったものだという説がある。このような噂の真相を突き止めることは必ずしも容易ではないが、本当だとしても私は驚かない。読者の皆さんも段々とおわかりになってきているのではないだろうか。

このような状況にあるのは、ほかに代替案がないからではない、ということははっきりとさせておこう。いままでに科学者や発明家がいくつもの代替案を示してきた。世界経済を支配する少数の権力者一族の計画によって、私たちはこの苦境に立たされているのである。彼らは、自分たちの生産計画や、人類に対する支配に沿うように世界経済を形作ってきたのだ。過去200年の間に、これらの巨大企業は、人間の営みのあらゆる面から利益を得られるように、世界の全人口の行動を操作してきたのである。彼らの行動は、人類の歴史上もっとも破壊的な地球汚染の一因となっている。

私たち人類という種が生き残るためには、私たちの美しい地球を破壊する行為に直ちに終止符を打ち、すでに多く存在しているグリーンで再生可能な選択肢を世界中で実行していかなければならない。

水で走る車などという単純な発見によってさえ、石油メジャーがたちまち深刻なダメージを受けることは想像に難くない。かなり極端な手段を使っても、彼らはそのような発明がなされることを阻止するだろう。

私は、何人もの発明家から、石油の代替品に関する研究をしたがために、家族や自身の命を脅かされたという実体験を聞いたことがある。もう一度言うが、石油代替品を手に入れられるかどうかは、勇敢な発明家たちのためにドアを開こうという人々の意志にかかっているのだ。こうした発明家たちは、私たちが必要とするすべての解決策をもっている。水で走る車は、おとぎ話ではなく現実なのである。

現在、自動車メーカーと石油会社の間には、株式持ち合いなどの契約関係が結ばれているから、自動車メーカーは、水で走る車を製造するなどして石油会社を廃業に追い込むようなことはしない。

例えば、科学者であり発明家でもあるオーティス・カーは、60年代にアメリカの大手自動車メーカーにアプローチし、まったく石油を使わずに反重力技術で浮く車を提案した。カーの研究室で助手を務めていたラルフ・リングによると、自動車メーカーの幹部からの反応は「そんなものを飛ばしたら撃ち落とすぞ」だったという。

カーを詐欺師だと中傷する人も多いが、これはまさに、大手企業が脅威となる人物の信用を少しでも落とそうと用いる中傷戦術であり巧妙な情報操作である。

このようなやり方は、過去120年の間、ジョン・キーリイ、ニコラ・テスラ、ロイヤル・レイモンド・ライフ、リーン・ケイス、マックス・ゲルソン、ハリー・ホクシー、ジョン・サールなど多くの発明家に対して効果をあげてきた。

あの発明家は頭がおかしいのではないか、詐欺師ではないか、小児性愛者ではないか、といった小さな疑念を人々の心に抱かせたり、あるいは単に発明自体が実際には役に立たないと主張したりする。すると、あっという間にそうした偽情報が社会に浸透し、人々の心に疑念が広がることで、本来の成果はいつしか葬り去られてしまうのだ。

サソールは、南アフリカの企業で、石炭液化燃料や天然ガス液化燃料の製造における世界的なリーダーである。サソールの歴史は、1927年に南アフリカで石炭から石油を作る産業を調査するための白書が議会に提出されたときに始まった。

1950年以来、サソールは低品位炭をさまざまな燃料、製品、化学製品に転換するための世界有数の技術を開発してきた。現在では、100か国以上に輸出している。20か国以上で事業を展開し、南アフリカの上場企業上位5社のうちの1社であるサソールは、ヨハネスブルグ証券取引所とニューヨーク証券取引所に上場しており、南アフリカの国民の負担によって、株主のために考えられないほどの富を生み出している。

主な子会社：サソール・オイル株式会社、サソール・テクノロジー株式会社、サソール化学工業株式会社——オペレーション部門、サソール鉱業株式会社、サソール合成燃料株式会社、サソール石油国際株式会社

主な事業部：サソール・アルファ・オレフィン、サソール化学肥料、サソールファイバー、サソール燃料油、サソール溶媒、サソールコールタール、サソールアンモニア、サソールアクリロニトル、サソール鉱物化学、サソール炭鉱爆薬、サソールガス、サソールエンジニアリング部門、サソール硫酸アンモニウム、サソール合成燃料国際株式会社

ウブントゥ行動計画——石油

1）サソールの技術や設備は、南アフリカの納税者の税金で開発されたものなのだから、国民のものであるはずだ。

2）この技術をすべて民間の株主に売却し、南アフリカの人々の労働力を搾取する多国籍企業を設立したことは、国民に対する犯罪である。国際的なオーナーたちに考えられないほどの富をもたらす一方で、国民には何の利益ももたらさない。

3）サソールは、国民のものである土地から得た石炭とガスを使用している。ではなぜ私たちは、そのガスや石炭から作られたガソリンなどの製品にお金を払っているのだろうか。

4）サソールは、国民の所有物である資源から製造した燃料をはじめ、さまざまな製品を世界100か国以上に輸出している。だが、私たちは国内でそのガソリンを買うことができない。

5）南アフリカの地中や沿岸部から汲み上げられる石油やガスは、すべて国民のものであるはずだ。それなのに、なぜ私たちがその対価を支払っているのだろうか。

6）代替燃料を検討している間の暫定期間は、サソールが実質的に無料でガソリンとすべての副産物を提供する。

7）サソールによる輸出はすべて即時中止し、燃料となる石炭の採掘を減らす。

8）サソールは、すべての農家に必要な燃料を無償で提供する。

9）サソールは、すべての公共交通機関に必要な燃料を無償で提供する。

私たちは、新しい選択肢を生み出すために、発明家や科学者が提示する新しいアイデアを、一見、突拍子もなく見えたとしても支援しなければならない。

健康・病院・薬

ヒーリングは、人間的であること、他者を思いやることに深く共鳴する人々が行う美しくスピリチュアルな仕事であるべきだ。この分野の仕事に就く人の多くは、崇高な思いで働き始めても、すぐに業界を支配する醜い側面に心身がすり減らされてしまう。

私たちの多くは、世界中の救急車や病院に描かれているシンボルに馴染みがある。しかし、この奇妙なシンボルの起源がどこにあるのか、疑問に思うことはない。シンプルな赤十字であれば、ホスピタル騎士団やテンプル騎士団のみに許された印に由来するのであるが、今日では、医療センターにはカドゥケウス（翼のある蛇）を中心にした奇妙な六角形の十字架が付けられている。カドゥケウスは、ギリシャやローマの宗教におけるヘルメスやマーキュリーに関連するシンボルとしてよく知られている。

テンプル騎士団の十字架。銀行やお金を連想させるスイスの国旗の一部でもある。病院や医療支援のシンボルとして赤十字社によって今も使用されている

医療業界で新たに採用された六芒星（ろくぼうせい）の十字架。杖にからみついた蛇があしらわれている。現在、ほとんどの救急車や病院、医療用衣服に描かれている

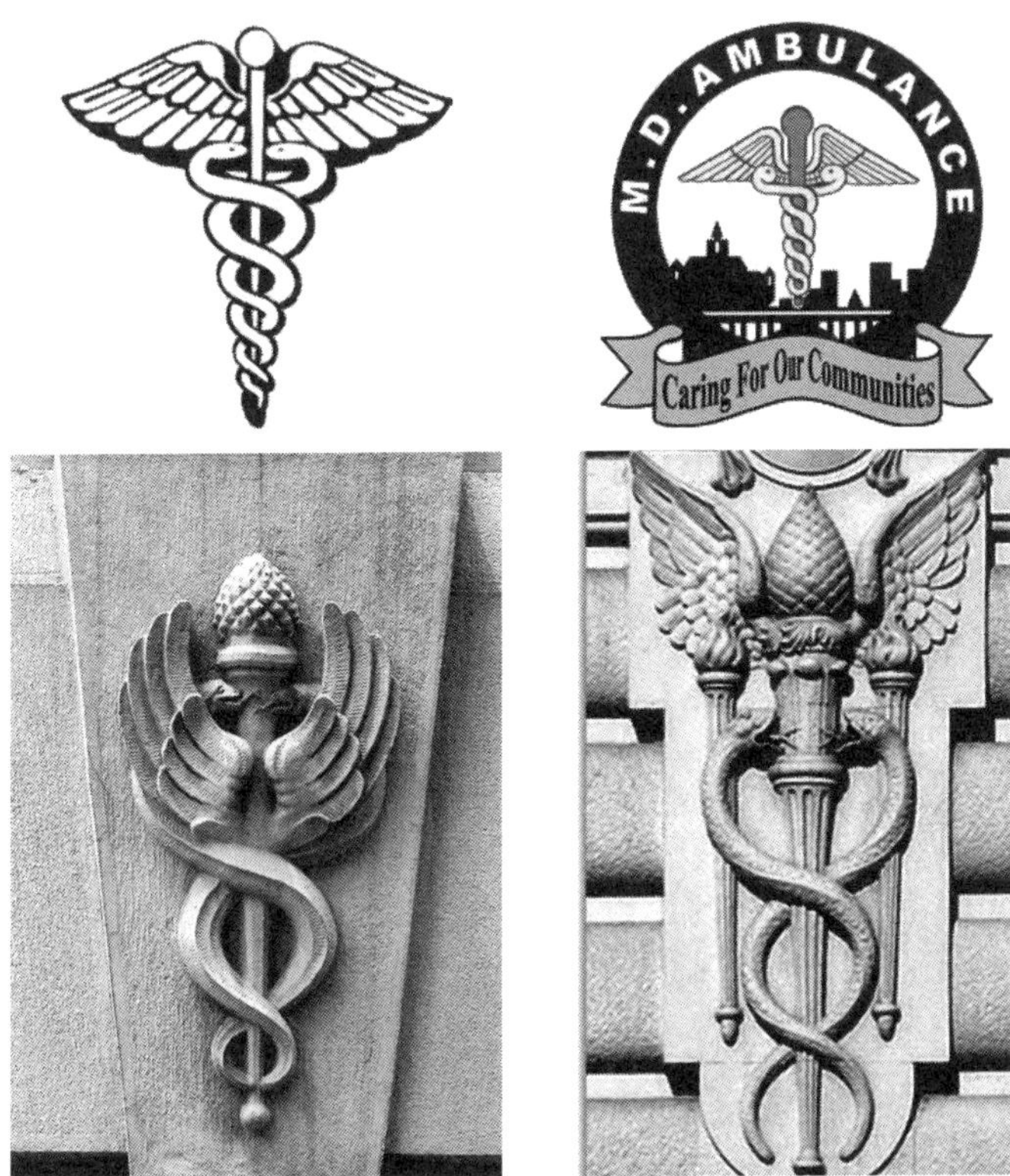

世界中で見かける古代のカドゥケウスのシンボルは、何千年も前から、錬金術、医術、秘密結社に関連するシンボルであった。杖の先端にある松ぼっくりは、人間の脳にある松果体にちなんでいる。カドゥケウスは、自然法則に関する知識と自然法則を操ること、ひいては人類の奴隷化に深く関連するシンボルであった。このような彫刻は、世界中の何千もの建物で見られるが、疑いを知らない人々の目を堂々と欺いているのである。写真は、イタリアのリヴォルノ（左）とニューヨークのブロンクス（右）にある建物の例である

セント ジョン アンビュランスのサービスセンターに誇らかに掲げられるマルタ十字（左)。これはホスピタル騎士団（別名、聖ヨハネ騎士団）が使った形の十字である。この十字と鷲を組み合わせたシンボル（右）は、何千年もの間、アナトリア、ローマ、ドイツ、米国政府や帝国と結びつけられてきた

しかし、カドゥケウスの起源はもっと昔、シュメール人にまでさかのぼることができる。カドゥケウスは「翼のある蛇」または「羽の生えた蛇」と呼ばれ、私たちが知る限り最古のシンボルの1つである。これらはアフリカ、アメリカ、ヨーロッパ、アジアの文化圏において、古代の神々による人類創造と繰り返し結びつけられてきた。シュメール文化では、カドゥケウスは「エンキ」として知られる神と関連している。エンキは、医術面から人類創造の中心的役割を果たした。DNA、遺伝子クローン、そして驚くことに、さらに高いレベルの知識を持つという。ズールー族のシャーマンであるクレド・ムトワによると、アフリカでは人類の創造主は「エンカイ」として知られているそうだ。

このシンボルは、偶然に医療サービスに使われているのではなく、王族の血筋が何千年もの間秘密にしてきた知識の一部であるというのは明らかである。そして、彼らはその知識を、無知でゾンビ化した民衆の目を堂々と欺いて隠しているのである。

私たちの病院は治療の場所ではなく、民衆の不幸をコントロールする場所である。にもかかわらず、民衆側が何をしてもらうにも代金を支払うことになっている。病院は、あらゆるレベルで、人類を絶対的に支配するためにあるということを忘れないでほしい。

世界の保健医療分野が深刻な危機に陥っていることは、誰の目にも明らかである。これは南アフリカだけではない。私たちの公立病院は、本来は奉仕の対象である民衆を侮辱・恥辱している。こんなものを国民は望んでいないし、投票によって選んでもいない。私たちにふさわしいものでもないし、こんなもののために税金を払っているのではない。

私たちの病院は人手不足な上に、設備も悪く、行政サービスへの政府の無関心を反映した惨状を呈している。一般の人々は、ほとんどの病院で専門的な治療やケアを受けることができない。ときには治療を受けるまで、血を流しながら、ひどい場合には死にかけた状態で、廊下で何日も待たされる。

私たちの社会と人々の健康は、病気とは何か、そしてすべての病気をどうすれば治療するだけでなく治すことができるかについて理解を改めることから始まる。意外に思われるかもしれないが、すべての病気を治す方法は、過去や現在の偉大な知性によって何度も発見されてきた。あらゆる病気を治すという伝説は、エジプトにさかのぼる。彼らは、ミステリースクールや王族のための秘密の治療室を持っていたという。

最近でもっとも有名なケースは、1931年に「万病を治す方法を見つけた男」と言われたロイヤル・レイモンド・ライフの話である。

ライフ博士はジョンズ・ホプキンス大学で学んだ後、光学、電子工学、放射化学、生化学、弾道学、航空学の分野で現在も広く利用されている技術を開発した。14もの大きな賞や栄誉を受けるとともに、ハイデルベルク大学からその功績に対して名誉博士号を授与されている。ライフ博士の発明には、ヘテロダイニング紫外線顕微鏡、マイクロディセクター、マイクロマニピュレーターなどがある。彼は間違いなく、人類史上もっとも才能に恵まれた、多才な科学者の1人であった。

1920年、ライフ博士は世界初のウイルス顕微鏡を製作した。1933年、彼はその技術を完成させ、非常に複雑なユニバーサル・マイクロスコープを作り上げた。この顕微鏡には6000個近くの部品があり、物体を実物の6万倍に拡大することができる。この驚くような顕微鏡によって、生きたウイルスを実際に観察することに人類で初めて成功したのだ。つい最近まで、ユニバーサル・マイクロスコープは生きたウイルスを観察できる唯一の顕微鏡であった。

現代の電子顕微鏡は、観察対象を瞬時に殺してしまうので、ミイラ化した遺骸や破片を観察できるだけである。ライフの顕微鏡によって観察できたのは、生きたウイルスの賑やかな活動、すなわち環境の変化に応じて形を変え、発がん性物質に反応して急速に複製し、正常な細胞を腫瘍細胞に変える様子であった。

ライフ博士は、それぞれの微生物のもつ共振周波数を丹念に特定したのである。2種類の分子が同じ電磁波の振動やエネルギー的な特徴を持つことはないから、これを彼は、固有の分光学的シグネチャーと呼んだ。2つの波が合流すると強め合うのと同じように、共鳴によって光は増幅する。

共振周波数を利用すると、白色光下では見えなかった微生物が、その分光学的シグネチャーと共振する色の周波数にさらされることにより、突然、鮮やかな閃光を発して識別可能になる。このようにして、ほかの方法では観察できなかった、微生物が組織培養に侵入してくる様子を、ライフ博士は観察できたのである。この発見により、それまで普通の顕微鏡では誰も見たことのないような生命体を、それらを殺すことなく観察することができた。これは、今日の電子顕微鏡では真似できない偉業である。

ライフ博士は、ヒトのがんウイルスを特定し、人工的に正常な細胞を腫瘍細胞に変えることに成功したが、それはすべて、細胞に当てる周波数を調節することで実現した。

ライフ博士は、当時の一流の科学者や医師と一緒に仕事をしていた。彼らは、ライフ博士の研究をさまざまな分野で裏付けたり支持したりした。そのなかには、次のような人たちがいる。サー・E・C・ローズナウ（長年にわたりメイヨークリニックの細菌学部長を務めた）、アーサー・ケンダル（ノースウェスタン医科大学理事）、ドクター・ジョージ・ドック（国際的に有名な医師）、アルヴィン・フォード（有名な病理学者）、ルーファス・クラインシュミット（南カリフォルニア大学長）、R・T・ヘイマー（パラダイスバレー療養所所長）、ドクター・ミルバンク・ジョンソン（米国医師会南カリフォルニア支部長）、ウェイレン・モリソン（サンタフェ鉄道病院外科医長）、ジョージ・フィッシャー（子供病院、ニューヨーク）、エドワード・コップス（代謝クリニック、ラホヤ）、カール・マイヤー（フーパー財団、サンフランシスコ）、M・ザイト（シカゴ大学）のほか大勢がいた。

微生物に当てる共振周波数の強度を上げると、微生物はまず歪み、やがて構造的なストレスにより崩壊する。この周波数はライフ博士によって「致死反応振動数（MOR：the mortal oscillatory rate）」と呼ばれ、周囲の組織には何ら害を及ぼさない。

この原理は、強烈な音でワイングラスが割れることからも説明できる。グラス以外のものはグラスとは異なる共振周波数を持っているので、破壊されない。ライフ博士は、何年もの研究の末に、ヘルペス、ポリオ、脊髄性髄膜炎、破傷風、インフルエンザやそのほかの膨大な数の危険なウイルスを特異的に破壊する周波数を発見した。今日、世界にはライフ博士の成功を真似る発明家が、程度の差こそあれ、大勢いる。そして、彼らはライフ博士と同じように、製薬会社から迫害され、脅かされ、沈黙を強いられている。私は、南アフリカ共和国内だけでも、少なくとも2人のそのような人たちを知っている。

1934年、南カリフォルニア大学は「特別医療研究委員会」を設置し、パサデナ郡病院の末期がん患者をライフ博士のサンディエゴの研究所と診療所に移して、治療を行うことにした。委員会には、医師や病理学者も含まれており、90日の治療後、患者が生存していれば、その患者を診察することになっていた。

90日後、委員会は86・5％の患者が完治したと結論づけた。ライフ博士は治療周波数を調節し、残りの13・5％の患者を4週間以内に完治させた。ライフ博士は、末期がん患者の回復率100％を達成した。しかも、非侵襲的で毒性がなく、狙った病気だけを破壊する周波数によってである。

1931年11月20日、全米の医学界の権威44人が、パサデナのミルバンク・ジョンソン博士の屋敷で「万病の終わり」と銘打った晩餐会を開き、ライフ博士を讃えた。しかし、1939年になると、これらの著名な医師や科学者のほとんどが、ライフ博士には会ったこともないと言うようになったのだ。

モーリス・フィッシュベインは本当に卑劣な人間であった。1934年までにライフ博士にあるオファーを出した。ライフ博士は、フィッシュベインがアメリカ医師会の全株式を取得し、ライフ博士は、フィッシュベインがどれほど汚い手を使って自分を破滅させようとしているかに気づかず、これを断ってしまった。

がんを含むあらゆる病気を治すという点では、ほかにリーン・ケイス、マックス・ゲルソン、ハリー・ホクシーなどが有名であった。その数年前、同じくフィッシュベインがハリー・ホクシーに、ハーブを使ったがん治療薬のマネジメントを申し出たことがあった。最初の9年間はフィッシュベイン側がすべての利益を受け取り、ホクシーは何も受け取らない。その後、その効果が認められれば、ホクシーが利益の10％を受け取るという提案だった。ホクシーはこれを断り、自分で利益を上げ続けようと考えた。フィッシュベインは、その強力な政治的コネクションを利用して、16か月で125回もホクシーを逮捕させた。大抵は無免許で医療行為を行った容疑での逮捕で、いつもすぐに釈放されたが、このような嫌がらせは、ホクシーを精神的に追い込んでいった。

しかし、フィッシュベインは、この作戦がライフ博士には通用しないことを悟っていたに違いない。ライフ博士は、ホクシーのように無免許で医療行為を行った容疑で逮捕されることはないからだ。製薬業界が一番嫌ったのは、公開裁判の場で、ライフ博士の無痛療法について問うことだった。費用もかからず、わずかな電気を使うだけで末期がん患者が100％治癒する方法があると知られたら、薬なんていらないというイメージを世間に植え付けかねない。

かくして猛攻撃が始まった。最初の事件は、ライフ博士の研究室から部品、写真、フィルム、記録文書などが徐々に盗まれていったことだった。犯人は捕まらない。コピーやコンピュータのない時代、ライフ博士が失われたデータの再現に苦労している間に、貴重な顕微鏡が何者かに破壊された。さらに5682個もある万能顕微鏡の部品がいくつか盗まれた。

それ以前にも、ニュージャージー州のバーネット研究所が、ライフ博士の研究成果を発表しようとしていた矢先、都合よく火災が起きて数百万ドルの被害がでた。さらに、ライフ博士の50年にわたる研究成果のうち火災を免れたものは、警察に不法に没収された。

1939年、製薬業界を牛耳る一族の代理人の協力を受けたフィリップ・ホイランドが、ビーム・レイ社のパートナーたちを相手取って、言い掛かりのような裁判を起こした。この会社は、ライフ博士の周波数測定器を製造している唯一の会社であった。ホイランドは敗訴したが、製薬業界の援助を受けた彼の法的攻撃は望ましい効果をもたらした。会社は訴訟費用で破産し、ライフ社の周波数測定器の商業生産は完全に中止させられた。これは、人間の偉大な発見を破壊するために、裁判所、法律、資金がいかに悪用されてきたかを物語るほんの一例にすぎない。

ライフ博士の情報はすべて世間の記憶から消え去り、ありもしないことを主張するニセ医者だろうという疑惑と憶測に書き換えられてしまった。製薬会社にとって、万病を治す方法が出回るのを見過ごすという選択肢はなかったのである。ライフ博士を擁護しようとする医師は、財団への助成金や病院での特権を失った。

がん産業は、製薬会社にとって、儲かるビジネスであり、1人のがん患者を治療するのに平均30万ドルもの収益を上げている。ライフ博士はその邪魔をし、代償を払わされた。そして、製薬業界はこの事件を完全に消し去るつもりだった。

ライフ博士と共にがんウイルスを共同研究したノースウェスタン大学医学部のアーサー・ケンダル学部長は、25万ドル近くを受け取って突然メキシコに「隠居」した。世界恐慌の時代には、法外な金額だった。

もう一人の著名な共同研究者、ジョージ・ドック博士は、アメリカ医師会が与えうる限りの最高の栄誉と巨額の助成金で沈黙させられた。ライフ博士と関わりのあった人々は、クーシェ博士とミルバンク・ジョンソン博士を除いて、ライフ博士の研究をあきらめ、薬を処方するやり方に戻った。

仕上げに、医学雑誌には、誰が執筆したものであれ、ライフ博士の治療法に関するいかなる論文も掲載拒否された。医学雑誌は、製薬会社の収入でほぼ完全に支えられ、米国医師会によって支配されているのだ。そうした結果、少なくとも2世代にわたる医学生が、ライフ博士の病気治療における功績を一度も耳にすることなく、医療現場に出ている。

こうして、がんを介した人類への猛攻が本格的に始まったのである。これは、あらゆる大量殺人を超えた、本格的な戦争に匹敵する、人類に対する露骨な犯罪である。１９６０年までに、この小さなウイルスによる犠牲者は、米国がそれまでに行ったすべての戦争での死者数を上回った。１９８９年には、人間の40%が一生のうちに一度はがんを経験すると推定された。

世界のがん財団には、自らのことを、良い目的のために、良い仕事をして、人の役に立っていると信じている人たちが集まっている。多くの財団が、病気を蔓延させ、治療法を隠しているのと同じ企業から資金提供を受けていることは、ほとんど知られていない。しかも、これらの財団は何億ドルもの資金を集めながら、ほとんど成果をあげていない。彼らがすることは、がんやあらゆる病気の治療法がずっと以前から存在していることを知りながら、人々に偽りの希望を与え続けることだけである。

実際、米国には、ありとあらゆる種類の病気と慢性疾患のための「財団」が存在している。これらの財団は、製薬会社の利益のために設立され、運営されていることが、見る目のある人には、非常に明白である。

一時期は17万６５００もの抗がん剤が承認申請されたこともあった。そのうち、研究対象となった症例の6分の1以上が「肯定的な」結果を示したものは、すべて認可された。なかには死亡率が14～17%という薬もあった。死因ががんではなく薬剤であった場合、患者ががんで死んだわけではないという理由で、その症例は「完全寛解」または「部分寛解」と記録された。現実には、薬と病気のどちらが先に患者を殺すかの競争を見ているようなものだった。

あらゆる病気に対する治療法を世に送り出したロイヤル・レイモンド・ライフは、1971年、バリウムとアルコールの併用により、その生涯を終えた。ライフ社の業績は、自然の法則と宇宙全体を支えている調和共鳴の原理を私たちが理解したことの証明なのである。まさにウブントゥ貢献主義の根幹をなす原理と同じである。生物や人々が一体となって調和するとき、それらは豊かに成長する。反対に、不調和や対立があると、崩壊して滅びるのである。

これは、石油産業の場合と同様に、ある種の発見をした人が、沈黙を強いられ、賄賂を渡され、ときには殺されることさえあることの証拠である。発見の成果が大量に出回り、人々の元に届くのを阻止したいのだ。

大手製薬会社は、治療薬ではなく死の流通業者になっている。私たちが処方される薬と呼ばれるもののほとんどは、深刻な副作用を持つ危険な薬物である。しかし、当局は、そのような薬物を人類が自由に使うことを容認している。一方で、危険性のない植物を栽培し、神が人類に与えた自然の贈り物で自らを治療する人々を取り締まっているのである。

参考：www.rense.com

製薬業界の欺瞞と隠蔽を発見し始めると、あまりに衝撃的で信じられない気持ちになる。この章で明るみに出されたことは、人が思いつく限りでもっとも邪悪な行いであるため、皆さんには気を確かにもって集中することを強くお願いする。ここで述べたことは、製薬会社による人類への完全な猛攻撃にほかならず、私たちの指導者たちはそれをあらゆる面から支えているのである。このような行為は人道に対する重大な犯罪であるから、その首謀者を暴露しなければならない。

ヨハネスブルグのウィットウォーターズランド大学（Wits）医科部での5年間、私は一度も「医療」という言葉を聞いたことがない。教えてくれるのは、薬物の作用、使用、投与など、薬物に関することばかりだ。しかし、危険な薬物も、合成された研究室から出た後は、薬として知られるようになる。その結果、街行く一般人が、薬と呼ばれるこれらの合成薬物を、指導者によって非合法化された本当に悪い薬物とは別物だと思い込むようになる。

私たちの体を毒し続ける医学界の残虐行為を生々しく暴露した研究は、数えきれないほど発表されている。いわゆる精神科的な問題があると都合よく診断されると、私たちの精神も向精神薬によって毒されることになる。いくつかのドキュメンタリーでは、精神薬産業全体が人為的に作られたものであり、科学的な根拠もないにもかかわらず、疑うことのない人々に対して強力に使用が推し進められていることが紹介されている。

いくつかの研究や『ラン・フロム・ザ・キュア』のようなドキュメンタリーは、大麻のような自然の植物を使って、あらゆる病気、特にがんを治療する際の高い成功率を示している。企業の利益を図る政府とその番犬のような行政機関が、あらゆる手段を講じて人々が自らを治療することを阻んでいるのである。

単純な話だ。製薬会社は人を治すことに興味がない。もし治したら商売にならないからだ。そして、医薬品ビジネスは、おそらくこの地球上でもっとも儲かるビジネスである。製薬会社は、人々を病気の状態に保って、何度も繰り返し薬を売りつけることで、何兆円もの利益を得ている。単純ではあるが年々効果が上がるやり方だ。だが、私たち一般人の多くは、彼らが病気の治療法を見つけるために最善を尽くしていると信じている。

がんの治療だけでも、製薬会社にとっては10億ドル規模の産業であり、治癒するというようなことに邪魔されてはならないのだ。

医療業界の周縁では、毎日何千人もの医師や、伝統療法家、代替療法家たちが、人々を治療して治癒に成功している。これら社会の英雄たちは、がん、エイズ、結核、糖尿病など、いわゆる難病を治療しているが、公の奉仕者である政府は、あらゆる手段でそれを阻止しようとしている。主要メディアがこうした成功例を正確に報道することはほとんどなく、むしろこうしたすばらしい治療家たちを、人々の命をもてあそぶような人目をはばかる偽医者として貶めている。これでは不勉強なジャーナリストが、エリートたちによる情報操作の企みを知らず知らずのうちに推進しているのと同然である。

特定のハーブや自然療法の使用を制限する新しい法律や規制によって、伝統療法家は、力を奪われ、人々を癒すことができなくなっている。

自尊心のある医師なら誰でも、マリファナ（THC）の健康効果について教えてくれるだろう。多くの病気、特にがんに対するもっとも効果的な治療法の1つとなる天然ハーブである。しかし、マリファナは、いわゆる当局によって常に悪のドラッグに仕立て上げられている。その一方で、合法的な薬品や、タバコ、アルコールは、毎年何百万人もの人々を殺している。毎年、がんで死ぬ人よりも、合法的な薬品の副作用で死ぬ人のほうが多いと推定されているのだ。

振動・周波数療法や幹細胞治療の驚くような成功は、隠蔽され、人々の手の届かないところに置かれてきた。その意図は単純である。国民を病気の状態に保ち、心を毒することだ。こうして何千年も前から治療家たちが使ってきた多くの自然の植物やハーブが政府によって組織的に違法化されている。

この80年の間に、製薬会社は次のようなことをした。何千年も前から自然の治療薬として使われてきた植物やハーブの有効成分を特定し始めたのだ。そして、これらの有効成分を抽出し、研究所で合成し始める一方で、元となる植物を入手することを、不可能または違法とした。そしてその有効成分を新しい名前で特許化することにより、その種類の治療法をほぼ完全に独占し、元の植物を棚の上に置いて一般人の目に触れないようにしてしまった。しかも特許によって、誰も類似のものを提供できないようになるという非常に効果的な戦略であった。

前述したように、これは「自然を模倣する」という戦略である。すなわち天然物質の合成版を作り、特許を取得し商品化できるようにすることである。すべては金と支配のためだ。世の中には、どんな手段を使っても、ある種の天然物を葬り、より収益性の高いほかの天然物に取って代わらせようという勢力が存在する。

例えば、ステビアはまったくの天然物であり、小さじ1杯の約5％で、砂糖小さじ2杯と同等の甘さがある。一方で砂糖は多種の植物から抽出された天然のエキスではあるが、代替療法家からはしばしば「白い死」と呼ばれ、公表されていない多くの副作用がある。だが、副作用は製薬会社にとって望ましいものである。

私たちの食べ物は、私たちの想像をはるかに超えて、あらゆるレベルで操作され、人類の間に病気を作り出している。これは、モンスター製薬会社の台頭とともに、何十年も続いてきたことだ。メリーゴーラウンドのように、多くの人を病気にし、このシステムに依存するループの中に閉じ込めている。一度その中に吸い込まれ、処方された薬で生活してしまうと、そこから抜け出すのは非常に難しくなる。

さらに私たちは、食品会社や製薬会社が提供し、私たちがスーパーマーケットの棚から手に取り消費するほとんどすべてのものによって、日々、毒物を投与されているも同然である。保存料、香料、着色料、甘味料、安定剤、増粘剤、そしてE211（安息香酸ナトリウム）といった奇妙な名前を付けられた多くの成分は、そのほとんどが私たちの体にとって有害である。牛肉や鶏肉に含まれるホルモン剤は、人体に多くの永続的な悪影響を及ぼす可能性があることが指摘されている。

以下では、ほぼすべての加工食品や飲料に含まれる安息香酸ナトリウムに関する研究発表の一例を紹介する。

安息香酸ナトリウム——一例として

シェフィールド大学で分子生物学とバイオテクノロジー

の教授を務めるピーター・パイパーは、研究室で安息香酸ナトリウムが生きた酵母の細胞に与える影響をテストした。その結果、安息香酸ナトリウムは、ミトコンドリアという細胞の「パワーステーション」にあるDNAの重要な部分を傷つけていることがわかった。これらの化学物質は、ミトコンドリアのDNAに深刻なダメージを与え、完全に不活性化させる能力を持っている。完全にノックアウトしてしまうのだ。

細胞内のミトコンドリアは酸素を消費してエネルギーを得ているが、多くの疾患状態に見られるように、ミトコンドリアに損傷を与えると、細胞は非常に深刻な誤作動を起こし始める。

「パーキンソン病や多くの神経変性疾患、そして何よりも老化現象など、現在ではあらゆる病気がDNAのこの部分の損傷に関連していることがわかっている」とパイパー教授は述べる。

安息香酸ナトリウムは、ビタミンCの存在下でベンゼンという化学物質を生成する。ベンゼンは、さまざまなプラスチック、合成ゴム、染料などの溶剤として使用され、発がん性物質であることが知られている。大気中にも、タバコの煙、木を燃やす煙、自動車のサービスステーション、ガソリンの輸送、自動車の排気ガス、産業廃棄物に由来する微量のベンゼンが含まれていることがある。

ベンゼンの主な健康への影響は、骨髄へのダメージと、赤血球の減少による貧血である。また、肝臓、腎臓、肺、心臓、脳を攻撃してDNAに損傷を与える。これにより、パーキンソン病などの神経変性疾患の原因となることが知られている。さらには老化プロセス全体を加速させるおそれがある。ベンゼンは、動物でも人間でも、がんを引き起こすことが知られている。

毒による人類への攻撃

人類を取り巻く環境全体が、人類を病気にし、早く老化させようという意図で毒されているようだ。まるで、私たち人類に対して何が行われているかを悟るだけの知恵を得たり、啓蒙を受けたりする暇を与えまいとするかのように。

●フッ素――松果体を石灰化

毒物汚染はほかにもある。ハーバード大学の研究により、フッ素は神経毒であり、深刻なIQ低下を引き起こすことが明らかになった。フッ素は虫歯を防ぐことも、強い歯を作ることもできない。これは人類に放たれた最大の欺瞞の1つである。

水や食べ物や空気に含まれる有害物質について、詳しく説明しているウェブサイトはたくさんあるが、フッ素は、脳の中心にある松果体を石灰化する作用を有することがよく知られている。この小さな内分泌器は、私たちの目と同じ内部構造を持っている。水晶体はないが、杆体(かんたい)や錐体(すいたい)があって、目と同じように幅広いスペクトルの光の周波数から情報を受け取ることができる。古代の人々は、これを「第三の目」と呼んでいた。彼らは私たちが知らないどんなことを知っていたのだろうか？　そして、なぜ当局は私たちにフッ化物を投与して「第三の目」を石灰化させようとしてきたのだろうか？

松果体という体内器官によって、私たちは本来、私たちを取り巻くすべての創造物とつながることができるはずである。いわばレーダーやソナーの送受信機のようなもので、クジラやイルカが使っているものと似ている。言い換えれば、松果体はＥＳＰ（超感覚的能力）を与えてくれるのだ。人類をコントロールしようとする人たちにとっては、これは明らかに許せないことである。なぜならＥＳＰを持つ人はコントロールできないからである。このようなコントロールは、何千年も前のシュメール人やエジプト人の時代から行われてきた。松ぼっくりや「ホルスの目」を使って、人目につくところに堂々とオカルト的知識を隠していたのである。

ミケランジェロやダ・ヴィンチが芸術作品に秘密の知識を暗号化したように、あるいはイルミナティがアメリカのドル紙幣に新世界秩序のピラミッドを配置したように、古代シュメールの印章や彫刻はオカルト的知識を包含している。これらの印章の多くは、髭を生やした男や頭が鳥で翼をもつ生き物が、「松ぼっくり」を手に生命の樹（ＤＮＡ）を操っている様子が描かれている。この松ぼっくりへの奇妙な執着は、マーキュリー、ヘルメス、カドゥケウスのシンボルにも引き継がれており、さらにはローマ法王の杖の上端にも松ぼっくりがついている。エジプト人は、もっとわかりやすく、自分たちの秘密のシンボルとしてすべてを見通す「ホルスの目」を作った。

髭を生やして翼を持つ男と、鳥の頭と翼を持つ生き物が、松ぼっくりを持ちながら生命の樹、すなわち人間のDNAを操っている

多くの暗号を隠したアメリカの１ドル紙幣――すべてを見通す目、奴隷化のピラミッド、そして1776年に新世界秩序が始まったことが誇らしげに描かれている

法王の杖やバチカン美術館の中庭には、松ぼっくりが誇らかに飾られている

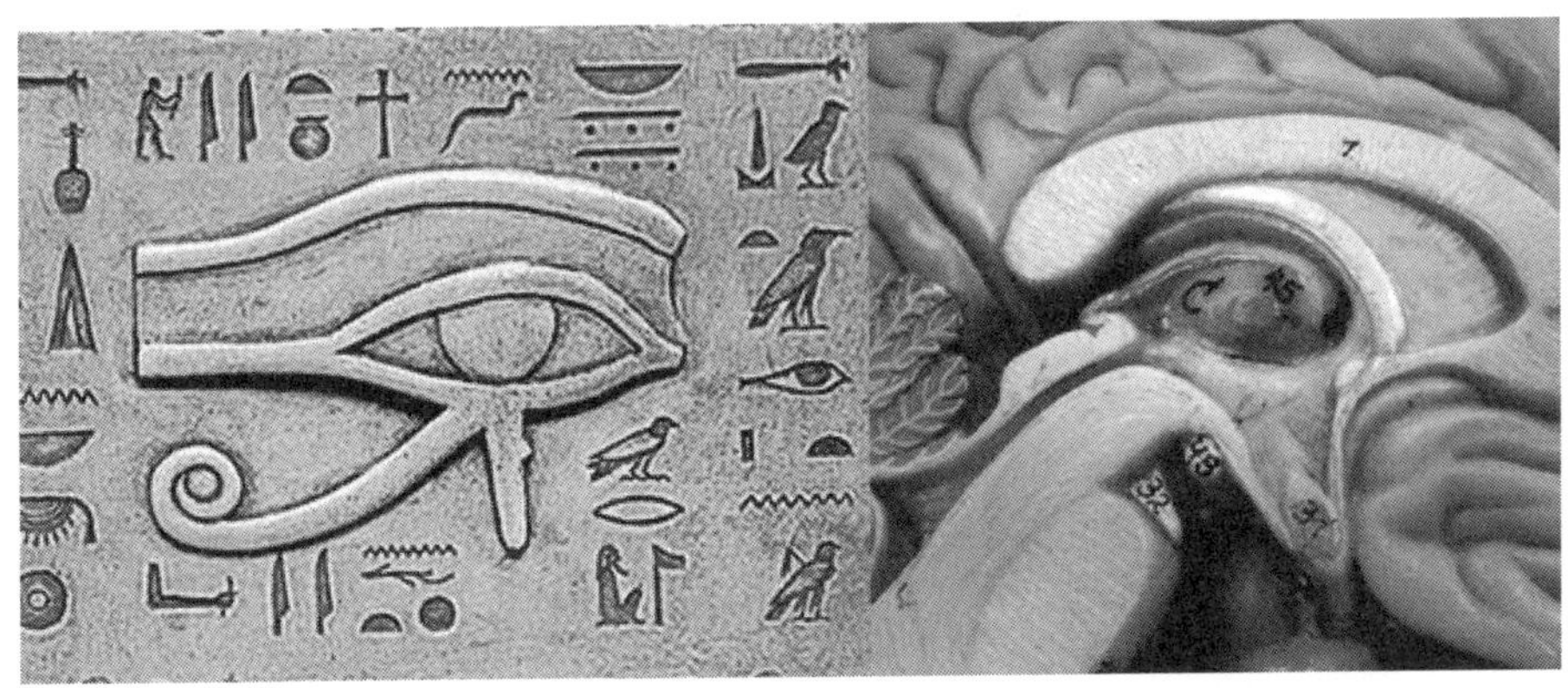

ホルスの目は、人間の脳の中心にある松果体をそのまま表したシンボルである

●アスパルテーム——強力な神経毒

多くのレストランや、ほぼすべての低脂肪食品で甘味料として使われているアスパルテームは、強力な神経毒であり、これを裏付ける多くの研究と証拠がある。にもかかわらず、アスパルテームは、無糖の清涼飲料水にもっとも広く使われている毒物のひとつとなっており、ゆっくりと私たちの精神を蝕み、明晰な思考力を奪っている。米国のFDA（食品医薬品局）や南アフリカのMCC（医薬品審議会）などの政府機関は、このことを十分承知していながら、何もしないのである。彼らは、製薬大手とともに、世界の人々に害を与えることに意図的に加担しているものとして告発されるべきだ。しかし、彼らを有罪にする裁判所があるだろうか？

●ワクチン——遺伝子操作された薬剤カクテル

圧倒的な数の証拠が、ワクチンとして遺伝子操作された薬剤カクテルを進んで注射されることで、インフルエンザや水ぼうそうを予防するというよりむしろ、人生のさまざまな時点でさまざまな病気を誘発していることを物語っている。私たちは、素朴な無知のままにワクチンを受けることで、自ら屠殺場へ歩いていく子羊になり果てているのだ。政府が子供たちにワクチン接種を義務づけ、ワクチンを接種していない子供が学校に入れないというのは、まさしくこのためなのだ。

●モンサント社

モンサント社の遺伝子組み換え食品と、同社が農家に使用を強制している肥料や化学薬品に関連して、ますます多くの健康問題が引き起こされている。実験では、遺伝子組み換えトウモロコシだけを食べたラットに、制御不能のがん性腫瘍が生じた。今や明らかに、私たちを病気にすることに関与する不謹慎な巨大企業によって人類が攻撃を受けていると共に、私たちの健康が巨大な製薬会社によってコントロールされているのだ。

私たちの多くは想像もつかないことかもしれないが、これは支配者一族が実行する単純な計画であり、長い間とてもうまくいってきたのだ。悲しいことに、これらの企業で働く人々は普通の人々であり、家族を養うために生きて仕事を続けようとしている。そういうわけで多くの人々が無知のまま、これらの企業をいまだに守り続けることで、私たちが罠にかけられ、奴隷のようにされるというスパイラルが続くのである。

本当のことを知ってほしい。無知なまま自分が自由であると錯覚しても何にもならないのだ。

ウブントゥ行動計画――ヒーリングセンター

1）すべてのコミュニティ、町、村に、考えられる限りもっとも高度な病院、外傷治療室、救急施設と、治療・ヒーリングセンターを設置する。これらはすべて「ヒーリングセンター」と呼ばれる。これは、単に延命したり症状をなくしたりするのではなく、実際に人を癒し、治すことが期待されているからである。

2）これらの要件と人々のニーズを満たせるように、既存のすべての病院や診療所を可能な限り早く改良する。

3）ヒーリングセンターには、コミュニティにサービスを問題なく提供するのに十分な規模を持たせ、コミュニティの需要に応えられないことがないようにする。

4）ヒーリングセンターは、現在の病院とは違って、あらゆる方法でヒーリングを行うのに必要な環境を作り出すのに適した設計とする。

5）ヒーリングセンターには、さまざまなバックグラウンドを持つヒーラーを配置し、現在許容されている方法だけでなく、新しい代替療法の発展を促進する。

6）食べ物、植物、ヒーリングセラピーを含むホリスティックなヒーリングを提供する。ヒーリングセンターで治療を受けている間、すべての「患者」は健康法を習う。

7）ヒーリングセンターを研修センターとしても活用し、ヒーリングに興味のある人は、各分野の熟練ヒーラーから実地で学ぶことができるようにする。

8）出産センターをすべてのコミュニティに設置し、ヒーリングセンターとは別個のものとして扱う。出産は病気ではないのだから。

9）製薬会社によるすべての疑わしい活動は違法であると直ちに宣告しよう。

10）医学者と研究者を任命して新しい独立のグループを作り、最先端の設備と技術の支援をし、合法・違法を問わず現存するすべての薬物を調査させる。これらの物質のプラスマイナス両方の作用について、人々に新しい科学的見解を示す。

11）私たちは、医療・医薬品業界が自らの経済的利益のために過小評価し、軽んじてきた伝統療法家や代替療法家の活動を促進する。

12）すべての伝統的なヒーラー、代替療法家、サンゴマ、シャーマンは、人々に奉仕する上で、彼らが当然受けるべきすべての敬意とサポートを与えられる。

13）植物やハーブの栽培と生産に必要なあらゆる支援を行い、伝統的なヒーラーやホメオパシー医などをサポートする。

14）すべてのヒーリングセンターに研究所を併設し、優秀な科学者がさまざまな分野のヒーリングに関して継続的に研究を行うことができるようにする。

15）新しい発見があれば、すぐに南アフリカや世界の人々と共有し、一部の人たちだけのために秘密にしておくことはない。

16）ロイヤル・レイモンド・ライフらが世に知らしめた振動・周波数ヒーリングに関する広範な研究を積極的に支援する。

17）幹細胞治療の開発と利用を積極的に支援する。なぜなら、私たちの調査によると、幹細胞治療によってすでに、臓器や切断された四肢の再生を含む、ほぼすべての病気の治癒が成功していることがわかっているからである。これは製薬カルテルにとってもっとも重要な秘密の１つであった。

18）コミュニティ内の経験に基づいて、そしてコミュニティの長老評議会の同意を得て、ヒーリングの分野で何が必要かを決定する権限は、各コミュニティが持つ。コミュニティが決定したことは、これを実行し、構築し、成長させるために必要なすべてのツールをコミュニティの人々へ提供することにより、直ちに行動に移される。ヒーリングの分野で働く人に限らず、ほかの人たちにも機会を与える。

重要な情報・研究

ここでは、製薬業界がいかに邪悪な活動をしてきたかを実感できるような事実をいくつか紹介しよう。読者の皆さんはさらに自分でも調べてみてほしい。

- 製薬業界と医療業界、つまり私たちが健康を託す業界は、薬に頼らない代替療法で病気を治すことに関する情報を常に伏せようとしている。
- ＨＩＶは米国政府の極秘プロジェクトによって開発されたエスニック兵器である。マクドナルド博士は、治療法をズマ大統領に示したと言っている。
- 水銀の詰め物は病気の原因になる。
- 水や歯磨き粉にフッ素が添加されている。これは松果体などに悪影響を及ぼす神経毒性の化学物質である。
- アスパルテームは致死性の神経毒である。マーコラ博士は、アスパルテームの危険性、副作用、健康被害について啓発している。ニュートラスイートやスレンダという名前の人工甘味料はアスパルテームである。
- 研究者のデビッド・リエッツが、アスパルテーム中毒に少なくとも91の症状があることを指摘した論文は必読である。以下は、ＦＤＡがまとめたアスパルテーム摂取が引き起こす症状である。ＦＤＡが「死」を症状として分類していることは驚くべきことである。アスパルテームによって引き起こされる症状：腹痛、不安発作、関節炎様疼痛、喘息反応、腹部膨満、血糖コントロール障害、脳腫瘍（動物での承認前試験）、呼吸困難、目や喉の灼熱感、排尿時灼熱痛、胸痛、慢性咳、慢性疲労、錯乱、死亡、うつ症状、下痢、めまい、過度の喉の渇きや空腹感、疲労感、非現実感、顔の紅潮、脱毛（はげ）や薄毛、頭痛・偏頭痛、難聴、動悸、じんましん、高血圧、性的不能や性機能障害、注意力散漫、易感染性、不眠、イライラ、かゆみ、関節痛、喉頭炎、著しい性格の変化、記憶喪失、月経の異常や変化、筋肉の痙攣、吐き気や嘔吐、四肢のしびれや麻痺、そのほかのアレルギー様反応、パニック発作、恐怖症、記憶力の低下、心拍数増加、発疹、発作や痙攣、滑舌の悪化、嚥下痛、頻脈、震え、耳鳴り、めまい、視力低下、体重増加。

http://www.gene.ch/gentech/1998/Jul-Sep/msg00010.html

- ワクチンは、問題を作り上げてその解決策を示すことによる人類支配計画の一部である。

　まず実験室でウイルスや生物を作り、次にコミュニティ全体や戦闘中の兵士の集団をそれにさらす。その後、治療法としてのワクチンを奇跡的に提示するのである。

　ワクチンは、遺伝子組み換え物質を含む死のカクテルであり、生涯を通じて病気を誘発する。だから、自分の子供にワクチンを接種する前に、よく考えてほしい。

- B型肝炎ワクチンと乳幼児突然死症候群との関連が指摘されている。

http://articles.mercola.com/sites/articles/archive/2011/05/19/us-government-concedes-hep-b-vaccine-causes-systemic-lupus-erythematosus.aspx

鉱業・鉱物

　南アフリカ、そして世界における鉱業・鉱物資源産業は、おそらくもっともデリケートな分野であると思われる。なぜなら、鉱業が長く誇らしい歴史を有するがゆえに、あらゆる立場の人々に深い感情を呼びおこすからだ。

　鉱業の歴史は、何千年も前に始まり、偉大なモノモタパ王国よりもさらに時代をさかのぼる。南アフリカは、地球上のほぼすべての貴金属を大量に産出する、世界でももっとも豊かな国の1つである。

　それなのに、国民は貧困と飢餓の中で暮らし、多くがホームレスになっている。いわゆる解放から19年、※かつてないほどの貧困、飢餓、ホームレスが発生している。この図式では、何かが決定的に間違っていることは明らかである。

※執筆当時。

人々は政治的自由を与えられたかもしれないが、経済的自由を否定されているのだ。

土地がもたらすこの莫大な富は、政府と一握りの国際企業によって、人々から盗まれてきた。これらの国際企業は、鉱物の所有権を主張し、貴重な金やプラチナ、石炭、ダイヤモンドなど、手に入るものは何でも奪う権利を与えられている。土地の人々が単なる奴隷に貶められる一方、企業は目に見えない外国人株主のために想像もつかないほどの富を生んでいる。

いわゆる「国民の奉仕者」である政府は、こうした強欲な企業のやりたい放題を許してきた。彼らの欲には際限がなく、私たちの美しい国を鉱物が採り尽くされた荒れ地にゆっくりと変えているのだ。炭鉱会社が地球に残す傷跡はあまりに目立つものであるから、もっとも罪深いと言える。炭鉱や発電所が汚染した周辺を、かつての美しい自然にあふれる状態に回復するには、長い時間がかかるだろう。また炭鉱の所有者は、それを自分たちの仕事だとは思っていないだろう。

これらはすべて、ごく少数の人々の欲と利益の名の下に行われている。南アフリカのマリカナでストライキ中の鉱山労働者が非人道的に虐殺された悲劇的な事件では、政府が本来奉仕すべき誠実で勤勉な国民の人間としての権利よりも、企業の権利を優先したという恐ろしい事実を、南アフリカが世界に思い知らせることになった。

アフリカの長老や世界中の古くからの教えを守り伝える人は、地球は神聖なものであり、私たちはこの神聖な惑星の管理者であると信じている。すべての生き物を守り、生命の尊厳を守り、母なる大地と調和して生きていくことが私たちの義務である。地球上のすべての生命のバランスを保ちながら、人間性を維持して豊かに繁栄していくためには、共生共存が必要である。それによって初めて、未来のすべての世代に豊かさを保証することができるのである。

しかし、私たちの土地や、私たちの国の自然の豊かさ、美しさに対する権利を否定されているうちは、そうすることはできない。神聖な土地の保護に着手する前に、私たちは奪われることのない自らの権利を思い起こして、すべての国民に帰属するものとしての土地を取り戻さなければならない。私は「帰属」という言葉を、所有権の意味ではなく、注意を払ってあらゆる搾取から国を守るという「管理者たる資格」という意味で使っている。

- 私たちは、私たちの住む土地で自由な存在として生まれた。
- 国は国民に帰属し、国民は国の管理者である。
- 土地と、その地中にあるもの、地上にあるものはすべて、国民に帰属する。
- 川、山、空、海、海岸線は国民に帰属する。
- 私たちは母なる地球を敬い、害から守らなければならない。

これらは、政治家にも、政府にも、不法に権利を主張する企業にも帰属していない。政府企業という名の私企業は国民から国を盗んだのだ。我々国民は国を取り戻さなければならない。

その上、南アフリカのすべての鉱物は、民間所有の南アフリカ準備銀行によって、派手なロゴがいくつか付いた価値のない紙切れで買い取られている。南アフリカ準備銀行はそれを世界の市場で売り、私たちは汗と血で稼いだお金で買い戻さなければならないのである。

国有化

「国有化」という言葉を聞くと、西側の人々が教え込まれたいわゆる「共産主義の脅威」を思い、多くの人の背筋がゾクゾクするだろう。「国有化」と「国民による所有」の違いを強調しておく必要がある。

「国有化」とは、政府が所有し、管理することを意味する。しかし、政府はある意味1つの企業のようなものであるから、この政策は国民を混乱させるための巧妙なごまかしにすぎず、国民から国とその資源をすべて奪うための手段として利用されているのである。

「国民による所有」とは、国民自身が国の自然がもたらす富のすべてから利益を得ることであり、資源と富を、国民のために働いていないことが明らかな政府のためではなく、すべての国民のためにどう使うかについて、国民自身が決定権を持つということである。

ウブントゥ行動計画――鉱業

1）南アフリカのすべての鉱山を、直ちに国民の財産とする（政府の所有物ではない。それは国有化というものだ）。

2）南アフリカ国民がもっとも信頼され尊敬される個人を任命して「長老評議会」を組織し、この分野での国民の利益を守る任務にあたらせる。長老評議会には、絶対的な権限をもたせて、国民の意思を実現させる。強力な多国籍企業に支配された腐敗した政府や政治家の意思ではない。

3）長老評議会のメンバーは、国民の意思によっていつでも交代させることができる。

4）すべての鉱山、またはそれと直接関連する会社における外国人の株式保有および所有権は、直ちに無効とする。

5）これには、精錬工場、あらゆる金属、合金、鉄鋼などの生産工場が含まれる。

6）精錬業・製造業を拡大する包括的なプログラムを直ちに実施する。何であっても、精錬された状態で再度輸入するために、輸出する必要はない。これは、輸出入両側で政府と企業に富をもたらすための巧妙に入り組んだシステムである。

7）鉱物、石炭、鉄鉱石、ダイヤモンドなど、何らかの形で私たちの土地から産出される、あるいは採掘される資源の輸出は、すべて直ちに停止する。

8）輸出は、人々に代わって長老評議会が厳しく管理し、その収入はすべて、持続可能なコミュニティの構築と地方分権の推進のためのコミュニティ・プロジェクトに充てる。

9）南アフリカは、南アフリカ国民が自らの社会のさまざまな産業部門において必要とするだけの量と、その後の生産過程で発生するその他のニーズを賄う量の鉱産物しか生産しない。

10）いかなる分野の製造業に対しても、国民のニーズを満たすための製造を行うために必要なあらゆる原料を支援・提供する。国民は、必要とするものは何でも手に入れることができるのだ。

11）長老評議会は、人々の意思とニーズに基づいて、どのニーズに応えるかを決定する。人々はこのプロセスを完全にコントロールし、すべての採掘活動の正確な状況について完全な情報を知らされることになる。

12）私たちは、社会のあらゆるレベルで豊かさを創造するために、必要なこと、あるいは人々が望むことは何でもしていく。つまり、これまで経済的に成り立たないとされてきた分野でも、常に新しい機会や新しい活動が生まれ、定期的に実施されるようになる。

13）私たちから盗まれた貴重な鉱産物が、世界の株式市場で取引されているが、奴隷同然の安い労働力として使われている私たち国民がこれを買い、外国の株主を富ませるということをやめる。

14）国民が採用する新しい暫定的な貨幣制度や通貨を、南アフリカの鉱物資源と連動させる。鉱物資源には、必ずしも磨き上げられた完成品だけではなく、地中に眠っている潜在的な資源も含む。これにより、南アフリカの通貨はすぐに世界最強の通貨となる。なぜなら、ほかの主要通貨はすべて、国民の信頼以外に本質的な価値をまったく持たない不換通貨（フィアットマネー）だからである。

15）これは、一時的な暫定措置であり、将来的にはコミュニティの再構築を始めて、お金をまったく使わない、あるいは必要としない方向へ向かうこととする。

16）鉱業をどのように行い、将来的にどのように発展させるかは、国民が決定し、社会のあらゆる部門やあらゆるコミュニティの人々に真に実体のある利益がもたらされるようにする。採掘に伴う地球や環境へのダメージを常に念頭に置き、そのような問題に対する解決策を示していく。

17）これにより、優秀な科学者、エンジニア、発明家による研究開発に、新しい時代が開かれ、すべての国民がより大きな恩恵を受けられることだろう。

林業

南アフリカの林業は、世界１００か国以上に製品を輸出する巨大な多国籍産業である。林業会社は紛れもなく南アフリカで最大の土地利用者である。ＳＡＰＰＩやＭＯＮＤＩ以外にも、小規模な林業会社が所有するプランテーションを合わせると、南アフリカ全土で１００万ヘクタール以上の土地を占めている。

本来は国民に帰属する土地が、いつの間にか巨大な多国籍企業の手に渡っている。彼らは、権原（所有権）、またはリースによって土地を使用していると主張している。問題は、この売買および所有権移転契約がいったいどのように構成されていたのか、ということだ。この土地を購入するための資金は、もともとどこから出ていたのか。そして、そもそも国民に帰属する土地をこれらの企業に売却する権利は誰にあったのか。

これらの企業は大量の木材、紙、セルロースなどを生産し、そのほとんどは国際株主の利益のために輸出されるが、国民の多くはそのような製品を購入することができない。人々は土地の使用からまったく利益を得ていない上に、プランテーションのほとんどは一般人の立ち入りすら制限されている。

ＳＡＰＰＩは３５００万トン以上の木材を生産できるだけのプランテーションを持っているが、人々は家を建てるための木材を手に入れることができない。ＳＡＰＰＩは、赤道を4周できる量の紙を毎日生産していることを誇っている。同社は、高級雑誌やアニュアルレポートなどの高級品向け上質紙の世界有数のメーカーであり、株主には何十億もの利益をもたらしている。一方で、私たちの子供たちは学校に持っていくための簡単なノートも買うことができない。

ＭＯＮＤＩは、30万７０００ヘクタールのプランテーションを所有し、世界最大級のＦＳＣ™認証植林ユニットを管理していると主張している。国際的に認められたＦＳＣ™認証は、同社の植林地が責任ある持続可能な方法で管理されていることを意味する。企業の建前としてこれは非常に立派であるが、土地を奪われた我が国の人々にとっては、何の利益もないのである。

住む場所のないホームレスの人々が、空き地である国有地から毎日のように追い出される一方で、これらの企業には必要なすべての保護が与えられている。これは、私たちの法制度が、人々に正義をもたらすためではなく、むしろ企業の必要性を保護するために書かれていることを示す完璧な例である。企業の権利は、人間としての権利よりも優先される。露骨に明らかになってきたこのことは、南アフリカやその他の国々における大きな悲劇の1つである。

これらの企業が所有する木々は、膨大な量の水を必要とする。主に林業会社が植える木には、パイン、ブルーガム（ユーカリ）、ワトルなどの外来樹種が多いからである。そのため、100万ヘクタール以上の面積を占めるプランテーションの木々は、日々考えられないほどの量の水を消費している。一方、全国で何百万人もの人々が、私たちへの奉仕者たる政府によって、水を手に入れることを妨げられているのである。

これは公平な制度と言えるだろうか。

多くの環境保護活動家が、このような大規模なモノカルチャー植林がいかに生態系に悪影響を与えるかを繰り返し示してきた。また、自然と調和しながら木や森を育てる一方で、人類が消費する木々の生育を高めるもっと良い方法があると提案している。

林業は広大な土地を占めている割に、南アフリカで林業セクター全体が雇用するのは約2万人にすぎない。これは、林業が使用する土地の広さとまったく釣り合っていない。だからこそ、この状況を改善することが重要である。

ウブントゥ行動計画――林業

1）林業は、あらゆる場所で世界の人々に大きな恩恵を生み出す、エキサイティングな社会活動である。

2）私は「利益」ではなく、「恩恵」という言葉を使用したい。林業は、国民を犠牲にして企業やその国際的な株主に恩恵をもたらすものであってはならない。

3）土地は国民のものであるから、すべての林業は国民のため、そして、国民だけのものでなければならない。

4）林業は、環境の管理、木材、紙、食料、衣料など、社会の多様な分野の人々に仕事・活動を提供する偉大な担い手（愛の仕事人）であるべきである。

5）南アフリカでは20万人以上の人が林業に携わることになり、現在と将来のニーズを常に管理・計画することになるだろう。

6）林業は、住宅の建築や家具の製作、あるいはその他の活動において、人々が必要とするすべての木材を大規模に供給しなくてはならない。

7）すべての町やコミュニティには、コミュニティの活動や、その継続的な発展のために必要なだけの木材が提供される。

8）木材は今よりもさらに大きな規模で消費されることになるだろう。なぜなら、木は再生可能なものだからである。木は成長するものであり、製造されたり、地面から採掘されたりするものではない。生きている、再生可能な資源なのである。

9）結果として、現在では手頃な価格での入手や、コスト面から製作が実現できないような新しい製品が、木材から作られるようになるだろう。

10）アーティスト、職人、製造者、デザイナー、建築家などは、今よりもさらに大きな規模で木を使うことになるだろう。

11）環境に優しくない合成素材ではなく、木を使うことが、あらゆる人に推奨されるようになるだろう。

12）紙の製造には、持続可能で環境に優しい新たな代替案が検討されるだろう。その代表例の1つが麻である。

13）林業は、人々が必要とするすべての紙や紙を素材とする製品を提供することになる。

14）木材と同じように、紙とその関連製品も、人々のニーズや社会のあらゆる側面から着目され、製造されていくことになるだろう。

15）コミュニティは、もはや利益の創出ではなく、人々のニーズへの提供を基本とするようになるため、各コミュニティが活動を継続するために必要な木材の量を予測することが、より容易になる。

16）各コミュニティと、人々に必要な木材や材木を提供する林業者との間には、緊密な関係が築かれるだろう。

17）人々のニーズを評価し、持続可能で環境に優しい新しい方法によって、すべてのニーズを満たすための長期計画を維持しなければならない。

18）科学者は、企業のニーズではなく、人々のニーズを満たすために、常に新しい、より実用的な解決策を生み出していくことになるだろう。

19）林業は環境に優しく、生態学的に持続可能なものでなければならない。

20）製紙工場とその関連産業が引き起こす汚染に対して、科学者たちは新たな解決策を見出すだろう。

21）汚染問題の解決は簡単だが、現代の貨幣経済では、解決策のほとんどが経済的に成り立たないため、私たちは世界を汚染し続けることになる。

22）エコロジーの専門家は常に、人々のニーズに合わせて林業分野を管理し、改善する。

23）林業は国民のためにあり、その目的は国を発展させることである。国民を犠牲にして外国人株主のために利益を生み出すことではない。

24）木材や紙など、林業に関連する製品の輸出は、国民のニーズがすべて満たされない限り、一切禁止する。

25）林業関連の製品の輸出により発生する収入や利益は、すべて国民のものである。

26）お金で動く社会から、お金が価値を持たない、人で動く社会へ移行するにつれ、一般的には、天然資源を輸出するという考えが意味をなさなくなる。実際、国民が所有するものを売ったり、輸出したり、奪おうとするのは、国民に対する犯罪である。

27）職業、仕事、キャリアなどの表現は、林業やその他の分野でも再定義されることになるだろう。

28）ウブントゥのコミュニティには、職業も、仕事も、キャリアもない。働くことを愛の労働と呼ぶ。人々は自分が得意なこと、あるいは情熱を持っていることを選び、神から授かった才能や身につけた技術を、コミュニティにいるすべての人々のために使う。誰もが、全体のために貢献する人になるのだ。だからこそコミュニティが繁栄するのだ。なぜなら、お金が必要なく、お金が人類の進歩の障害にならないからである。

漁業

漁村では、政府の政策が原因で、何千人もの漁師が漁業で家族を養うことができなくなり、深刻な影響を受けている。現在の政策は、何十万人もの生活を破壊している。海岸線沿いの漁師たちは、家族を生かすために生計を立てようとしただけで罰金を科されたり、逮捕されたりしているのである。

こうした非人道的な政策が、国際的な漁業に門戸を開き、沿岸の魚を枯渇させ、生態系を破壊している。これは南アフリカの人々のためになっていない。政府は自国の魚を輸出し、国際的な株主のために何十億ドルもの利益を上げているが、一方で、国民は生き延びようとするために飢えたり、牢獄に入れられたりするのだ。

こうした現在の政策は、企業の権利を保護し、誠実で勤勉な人間の生活を破壊するものである。そうやって国際企業の権利が強力に保護される一方で、人間の権利が冒瀆されているのだ。私たちの権利章典は、権利章典が記されている紙切れよりも価値がないものなのだ。

このような違法・違憲な活動は直ちに止め、撤回しなければならない。漁師や海洋専門家は、農民と同じく、国民の想像をはるかに超えた豊かな食料を供給するために、重要な役割を果たすことになるだろう。これは政治家ではなく、解決方法を知っている人たちによって、とても簡単に実現できることなのである。

漁師は、美しい海岸線を保護し、維持しながら、食生活における極めて重要な役割を担ってくれるため、その土地の英雄とみなされるだろう。

ウブントゥ行動計画——漁業

1）沿岸の各市町村は、漁業において重要な役割を果たすことになるだろう。

2）ここには、マスやバスの養殖場など、沿岸部以外の養殖場や魚の飼育場も含まれる。

3）この活動には、漁獲、研究、保全、繁殖、包装、出荷など、この分野が再び活性化し、漁業コミュニティとそこに関わる人々によって新しいニーズが出てくるにつれて必要となる活動も含まれることになる。

4）人々はこの部門が成長するために必要なすべての技術サポート、ツール、専門知識を受け取れる。国際的な株主のニーズではなく、そこに暮らす人々のニーズに合わせて、迅速に、そして確実に提供されるだろう。
5）これは、海洋生物学者、科学者、研究者、育種家、自然保護論者などが、自分の情熱に従って、漁業と関連分野の成功を最大化するためのすばらしい呼び水となるものである。
6）南アフリカの沿岸海域では、外国のトロール船やあらゆる種類の漁船の操業を直ちに禁止し、生態系を回復させ、国民に食料を提供する。
7）沿岸の町は多角化を進め、これまで採算が合わなかったあらゆる種類の海産物や淡水魚を生産することになるだろう。お金が町の発展の妨げにならないので、何事も可能になるのである。
8）私たちは、既存の研究施設を最新の技術で改良することを支援し、必要なところには新しい研究施設を作らなければならない。
9）これは、リハビリテーション、癒し、教育、研究などの目的で、水族館やその他の海洋水族館を整備・拡張することを含む。
10）私たちの沿岸の町や村は、私たちの想像を超えて、海の幸を豊富に人々に提供することになるだろう。

輸送と移動

ここでは、自動車、鉄道、航空、船舶の輸送と移動に関する行動計画を掲載している。これは、幅広い才能を持つすべての人に新しい機会を創出するための重要な活性化戦略の1つであり、以下のように定めている。

1）短期的には、お金はまだ社会の一部であるため、人々は仕事を続けるだろうが、個人的な役割と情熱を見つけることで、多方面にわたる愛の労働へと急速に変わっていくだろう
2）あらゆる分野の既存・新規産業を活性化し、活気づける
3）過疎化した都市の分散化
4）地方都市・農村の急速な発展
5）必要なものはすべて陸路で届ける
6）建築資材などの材料の大規模な生産
7）郊外の町における持続可能な新産業開発
8）郊外で必要とされる農業・農村を確立する
9）多様なスキルを持つ人材の育成・教育
10）新しい技術の開発とその過程における移動手段の変化
11）国全体で豊かさと持続可能性を創造する

ウブントゥ貢献主義のもとでは、新技術、フリーエネルギー、素材、産業全般の急速な進歩が期待される。それだけでなく、ウブントゥ貢献主義は、コミュニティの発展と変化の原動力となるだろう。さらに、人々がどのように生き、どこに住み、何をし、どのように自分たちのコミュニティや国全体という大きなコミュニティに貢献するかにも影響を与える。これらの新しい開発は、私たちの移動手段や、物や人を運ぶためのツールを劇的に変化させる。資金の制限という鎖が解かれ、新しいフリーエネルギーや社会のあらゆるレベルにおける革新的な解決策を提供できるようになれば、移送手段の分野は劇的かつ急速に変化するだろう。

例えば、現代人は、生活費を稼ぐために、毎日何時間もバスや電車、タクシーを乗り継ぎ、交通渋滞に巻き込まれながら、職場に行き、また家に帰らなければならない。これは明らかに生産的な時間を浪費している。しかし、人々が自分の好きなコミュニティに住み、そのコミュニティのために自分の天賦の才能や身につけた技能を生かすことを選択できるようになれば、ピーク時の交通量はゼロになり、今日のような狂気に満ちた状態に比べて、道路上の交通量はごくわずかなものになるだろう。

このように私たちの行動をシンプルに変えることで、道路の建設や利用方法、移動手段、物資の輸送などが劇的に変化するのだ。さらなる交通手段も新しい技術によって開発され、それらすべてがより簡単かつ迅速に行えるようになる可能性だってある。ただし、あっという間に魔法のように移行していけるわけではない。お金で動く社会から人で動く社会へ移行する最初の段階では、既存の鉄道システムが、あらゆる活動において重要な役割を果たすことになる。

そのため、この分野に関する提案は、私たちが現時点で自由に使えるツールやテクノロジーに基づいている。こうしたツールは、優れた科学者、エンジニア、研究者、発明家から新しい解決策を提示されることで、人々のニーズに迅速に適応することができるだろう。

「輸送」という言葉は非常に紛らわしく、法制度の章で述べたように、私たちを奴隷にする言葉や法律の一部となっている。このような言葉はすべて、現在のあらゆる法体系の基礎を形成している海事法に関連している。この件に関するより詳細な情報は、「私たちを奴隷にする法律と言葉」（195～204ページ）をご覧いただきたい。

「輸送」という言葉は、私たちが他国や近隣の地域を移動するときに使われる「入港」や「出港」という言葉を連想させる。国境を越えたり「港」に出入りするということだ。その証拠に、私たちは空港で関税や税金を支払っている。なぜだろうか？

国内であっても、まるで港に出入りし国境を越えるとでも言うかのように、通行料を払わず移動することを阻む新しい料金所が、あちこちの道路に出現している。なぜだろうか？

道路

我が国のすべての道路は、国民の土地である。国民全体の奉仕者であるはずの政府は、これらの道路を民間の多国籍企業に売却し、今では旅行をする国民からもお金を強奪している。こうした道路を行き来する私たちの権利は大幅に制限されている。また、有料道路でない道は放置されて通行できないほど荒れ果て、結局は民間の管理する有料道路を利用せざるを得なくなっている。これは現代における、紛れもない高速道路強盗であり、私たちの権利を著しく侵害し、国民を裏切り、自分たちの土地を自由に移動することを妨げている。本来は誰もが、旅行、運転、歩行で道路を使用する際に、どこであろうとお金を払う必要はないはずである。いかなる形式の課税、課金、通行料も違法であり、公共の利益につながっているとは言えない。したがって、違憲であり、直ちに廃止されなければならない。

ウブントゥモデルは、南アフリカ全土の道路を見直し、再計画し、アップグレードするために、およそ100万もの人々が参加する大規模な公共事業を提案する。エンジニアから労働者まで、すべての参加者には、これを可能な限り円滑かつ容易にするためのありとあらゆるツールと最新技術が与えられる。これは、ウブントゥを社会の原理として国中に根付かせるための主な取り組みの一環である。この巨大なプロジェクトには、道路沿いの町から専門家や研修生が参加し、国全体の活動のネットワークが形成される。このプロジェクトは、あらゆる面で地域密着型であり、その結果、技術やトレーニングが広く普及することになるだろう。

やがて、この活動はすべて、街づくり、公共エリア、スポーツ・レクリエーションなど、あらゆる場所の町やコミュニティのさまざまなニーズに統合されていくだろう。エンジニアや建築家、都市計画家は、神聖幾何学、つまり自然の法則に関するあらゆる知識を応用し、あらゆる場所でエネルギーが自然に流れていくようにすることが求められる。これは何千年も前から古代や東洋の哲学の一部であり、過去の偉大な建築家や芸術家は皆、神聖幾何学の影響を理解して、作品に取り入れているのだ。

ウブントゥのコミュニティで行うすべてのことは、この基本原則に従うべきである。なぜなら、そのような環境で生活する人々に良い影響をもたらすからである。これは社会のあらゆる部門に当てはまる。農業、エンジニアリング、建設、都市計画、水質浄化、科学、その他、私たちの生活のすべてに当てはまるのだ。

再構築と癒し

私たちは、大規模な近代化の狂乱によって母なる地球から切り離され、心身の健康を犠牲にしてきた。真のヒーラーや科学者たちは皆、すべての創造物が、調和した共鳴とコヒーレンス（波動が互いに干渉できる性質）の基本原則に基づいて機能しているという事実を知っている。

言い換えれば、宇宙全体が調和しながら振動しているのである。銀河系、太陽系、原子を結びつけているのは、この「調和」なのである。もし、私たちが地球と調和していなければ、「不調」をきたし、病気になってしまう。この事実は、人間のあらゆる活動領域にまたがり、私たちの生活すべてに影響を与えるので、ここで再度強調しておきたい。残念ながら、社会はこの原則に従っていないため、私たちは環境とうまく調和できずにいるのだ。

水を螺旋状に流すことで水を活性化させるというのは、そのほんの一例にすぎない。エネルギーに満ちた水は、私たちの体を癒し、活性化させ、農作物や家畜の成長を促してくれる魔法のような力があるのだ。

研究者たちは、数百メートルにわたって、特定の螺旋に沿って水を流すだけで、下水を浄化し、エネルギーに変えることができることを明らかにした。化学薬品も毒物も必要ない。私たちは、企業や政府の欲のために、自然の法則に従ったこのシンプルな知識を否定されてきたのである。

私たちは、すべての行動において母なる地球と再びつながる必要があるのだ。これは、人類の癒しと覚醒の一部なのである。私たちの道路整備プロジェクトは、この美しい変化のプロセスにおいて、重要な役割を果たす多くの分野の1つにすぎないのである。

鉄道

南アフリカにはかつて、国中の人々が利用する非常に効率的な鉄道システムがあった。しかし、それらは公務を担う政府によって完全に破壊されてしまった。どの町や村にも線路が通っているか、近くに線路があるのに、町と町の間を結び、実際に人々の役に立っている線路はほとんどないのである。何百もの古い鉄道駅が廃墟と化し、毎年さらに多くの駅が廃れていく。

一見すると、線路はまったく機能していないように見えるが、そうではない。列車は1日24時間、常に走り続け、土地を横断し、隣国との国境を越えている。人々のためではなく、石炭、鉱石、石油、自動車、林業など、巨大企業のために働いているのである。

つまり、納税者のお金は、企業のための輸送に使われ、国民は立ち往生させられているのだ。こんなことが許されるはずがない。

ウブントゥコミュニティでは、かつて発展していた南アフリカの鉄道網を復活させ、アップグレードする大規模なプロジェクトを開始する。すべての古い鉄道駅は再建され、改良される。荒れ果てた鉄道は修復され、すべての町や村には、人々にサービスを提供するために機能する鉄道システムが整備される。

鉄道システムは、重要な推進メカニズムとして機能するだろう。何百万もの人々に仕事を与え、新しいスキルを身につけさせ、誰もが「自分たちの運命をコントロールし、すべての人々に真の永続的な繁栄と豊かさを提供できる」という信念を持つことで、皆の心が満たされるようになるのだ。

水上輸送——海、川、その他の水路

すべての沿岸の町や都市は、我が国の再生と変革のために重要な役割を果たすことになる。これには、エネルギーの供給、漁業と魚の養殖、海岸線と海洋生物の保護、港湾の整備と維持、そして商品の輸出入が含まれる。私たちは、ウブントゥの生き方を送るようになることで、劇的に変化していくだろう。つまり、お金ではなく、人と情熱で動くようになるのだ。

すべての港湾は、人々を犠牲にして国際企業のニーズに応えるのではなく、人々のニーズに応えるために整備され、再設計される。

沿岸の町や都市、村には、そのコミュニティのニーズと活動に基づいて、独自の港がある。何が必要かを計画し、決定するのは、それぞれのコミュニティである。そのためには、整備や維持のための技術や多くの人々の参加が必要になる。海辺の暮らしが好きな人たちは、人口過剰となった都会から静かな海辺の暮らしに移る絶好のチャンスだと考えるだろう。

こうした人々の移動によって、あらゆる場所で建築・住宅・街づくりの分野が活発になれば、あらゆる階層の人々に多くの新しい機会を提供できるようになることは明白である。

既存の船や水上交通の船は改良され、陸上や近くのコミュニティの人たちへのサービスに必要な機能を備えるようになる。漁師と船の所有者は、海岸線、川、その他の水路において、輸送や移動におけるさまざまな側面に関与することを奨励される。

これは多くの意味でまったく新しい取り組みであり、現在の移動手段の選択肢やライフスタイルを大きく拡大していくものである。このためには革新的な発想、大規模な工事、設備、トレーニングが必要であり、さまざまなスキルを持つ多くの人々に、ワクワクするような機会を提供することになるだろう。

さらに、海岸線、河川、水路によって、現在はコスト面や利用制限のために選択肢から除外されている移動手段や物資の輸送にも、エキサイティングな方法がもたらされるだろう。海岸沿いのどこに住んでいようとも、ほかの海岸沿いの町まで、船を利用したり、商品を運んだりすることができるようになるのだ。

空港、航空旅行、輸送

南アフリカ航空をはじめ、政府が管理する航空会社、空港、関連施設に関する費用はすべて国民が負担してきたものである。したがって、政府の管理下にある飛行機、空港、すべての関連施設は国民のものである。

国民に代わって、国民の負担でこれらの施設を管理・運営するために、政府が多国籍企業と結んだ契約は、違法であり、国民の知らない間に行われたものである。今日存在するそのような協定からは、国民に何の利益ももたらされない。

ウブントゥコミュニティでは、航空輸送と旅行業界全体が、世界中の人々にとって有益なものになるよう再編されるだろう。すべてのパイロットと航空機の所有者は、この課題の解決の一端を担い、自らのスキルを活かすよう奨励されるだろう。

空港と航空輸送は、人々の移動手段と物資の輸送方法を変える重要な要素になるのだ。私たちは、科学者の解放によって生まれる新しい技術を利用して、可能な限り早く、新しいタイプの航空機を開発する。しかし同時に、南アフリカ（あるいはほかの国）の格納庫にある機能的な航空機をすべて改良して、人々のために使えるようにするということも推進していく。

このような機体はたくさんあるが、そのほとんどは修理代がかかるという理由だけで稼働していないのが現状である。ウブントゥ行動計画では、資金の制約を受けることなく、利用可能なすべての資源を、この土地にある航空機の修理と改良にできる限り充てる予定である。古いプロペラ機での飛行には、多くの人が体験したことのない、そして体験してみたいであろう高揚感がある。新しいジェット機の技術があるからといって、古い機体を捨てる必要はない。古いツールは、それが人々の役に立つものであれば、あるいは過去を記憶する役割を果たすものであれば、ぜひとも活用すべきである。これは、鉄道や自動車産業にも当てはまることである。

南アフリカは、サソールを通じて石油を大量に生産している国であるため、航空会社をはじめ南アフリカの飛行機が使う燃料は、無料ではないにせよ、サソールから非常に安く提供されることになるだろう。

旅行・交通に関する行動計画

ウブントゥコミュニティは、道路、鉄道、港湾、空港、空の旅を、国民のために再生する大規模な国家プロジェクトを開始することを計画している。これは国民のために交通網を管理すると主張する私企業の利益のためではない。

この計画の結果、南アフリカでは400万人以上、アメリカではおそらく4000万人以上の人々が、さまざまなスキルを身につけることになるはずである。そこには、職業訓練や膨大な量の資材の提供なども含まれる。

これは、金融の専制政治から国民を解放する基礎となるものである。私たちの生活のさまざまなレベル、あらゆる分野で、持続可能な繁栄を生み出す種となるのだ。これらのプロジェクトは、お金や欲に頼らず、人々の協力によってコミュニティや国全体のために最善を尽くすウブントゥ社会に向けて、私たちを急速に前進させるだろう。

古い鉄道駅はすべて再建・整備され、廃線になった路線は復元され、すべての町や村で利用できる鉄道システムが作られ、サービスを提供できるようになる。古い蒸気機関車は改装され、展示されたり、レクリエーションや昔を懐かしむ用途で使われたりするようになる。私たちは、かつて発展していた南アフリカの鉄道網を復元し、整備していくのだ。

私たちは、近未来やその移行期には鉄道が主要な輸送媒体になると考えている。また、鉄道は工業部門にも利益をもたらし、ひいては国民にも利益をもたらすだろう。国民のためにこの変化のプロセスが開始されれば、この繁栄のマシンを止めることはできないのだ。

すべてのコミュニティは、自分たちのコミュニティの鉄道網、道路、港湾、空港、および関連するすべての活動の計画、設計、実施に関与する機会を持つことになる。また、これらの産業に情熱を持つ人々が、すべての市町村、コミュニティにおいてあらゆるレベルで関わることができる多くの機会を提供することになる。

道路、鉄道、港湾、航空などの公共事業に携わりながら、人々が町やコミュニティを選んで定住できるようになると、人口過剰になった首都圏の地方分権化のきっかけとなる。

さらに、これらのプロジェクトは、技術、材料、職業訓練を必要とし、国全体のすべての小さな村にまで広がっていくだろう。それに伴い、今は予測もつかない多くの関連産業が生まれるだろう。そのためのツール、技術、専門知識を提供する必要があるので、多くの新しい分野も発展していくと思われる。

各コミュニティでは、プロジェクトに必要な建築資材を提供できるよう、さまざまな施設を整備していく。その結果、鉄鋼、金属、石材、セメント、レンガ、砂、材木、木工、その他のサステナブルな天然素材など、さまざまな資材を調達することができるようになるだろう。

統合とトレーニング

プロジェクトを活性化し、成功を維持するためには、これらの分野におけるあらゆる技能を持った人々のトレーニングが重要になる。また、これらの活動は、地元の都市開発者、プランナー、建築家、建設業者に、人々が最大限の恩恵を受けられるような施設を備えた町のレイアウトを計画し、改善するための材料を提供する。

これには、住宅、スポーツ・レクリエーション、芸術・文化、地場産業、農業、エネルギー供給などが含まれ、すべての町で必要なものを可能な限り自給自足できるようになっている。いつでも即座に恩恵がもたらされ、コミュニティが必要とする量の3倍を生産できるようにするためである。そうすることで、ウブントゥ貢献主義の原則が発揮され、自分たちのためだけでなく、ほかの人たちのためにも貢献できるようになるのである。

この移行プロセスにおいては、タクシー業界など、運輸部門の関係者たちも多く関わり、道路、鉄道、港湾、空港を中心とした巨大な支援ネットワークと統合し、転換を迎えるためのサポートが行われる。このプロセスでは、誰も取り残されたり、ないがしろにされたりすることはない。競争ではなく、協力に基づき、すべての国民に利益をもたらす包括的なプロセスでなければならないのである。

この活動は、これまでのように大多数の犠牲のもとに一部の人たちが大金を手にするためのものではなく、むしろ私たち全員がウブントゥの原則に向かう過渡的な段階であることを忘れてはならない。なぜなら、必要なものはほとんど提供され、誰もが必要なものをいつでも手に入れることができるからである。

お金はもはや進歩を阻むハードルでもなければ、欠乏を生み出すツールとしても使われない。ウブントゥのモデルと解決策は、基本的でシンプルなものである。このことを理解していない人たちが、このモデルを複雑にして、混乱を招くことを許してはならない。農家は食べ物を提供し、エンジニアは橋を架け、教師は教え、科学者は科学的な解決策を提供し、パン屋はパンを焼き、画家は絵を描く。すべての人に居場所があり、お金を稼がなければならないという心配をすることなく、誰もが必要なものをいつでも手に入れることができるのである。

通信・放送

通信・放送は、私たちの生活や社会にとって非常に重要なものであるため、国民が自由に利用できるようにすべきである。電波は宇宙のものであり、政府や私企業に属するものではない。

最近まで、テルコムは南アフリカで唯一の固定電話通信会社であった。テルコムが電話線を私たちのところに持ってくるための技術や設備はすべて、何度も何度も税金で賄われたものである。いったん回線が敷設されれば、それを維持するための費用はほとんどかからない。国民がこれらの費用を負担しているのに、なぜ私たちは電話をかけるためにお金を払っているのだろうか？　私たちのシステムなのだから、少なくとも無料かほぼ無料で使えてもいいはずだ。

ネオテルは民間企業で、独占されてきた固定電話通信事業に、最近新規参入する権利を得た。この問題点は、国民が負担した、国民のものである固定回線インフラの使用権をネオテルが持つようになったことである。

国民がお金を払ったものに対して、民間企業が設備を所有し、私たちに通話料を請求するなんて正気の沙汰とは思えない。これは、私たちに奉仕するはずの指導者たちが、いかに私たちを欺き、金銭的な虐待をしているかを示すさらなる証拠の1つである。

携帯回線

携帯電話会社は、マイクロ波周波数、つまり「電波」を使って、電線を使わずに信号を伝えている。これらの信号と周波数は、私たちの国中に散在する送信機によって送信され、ときに衛星回線によってサポートされている。

携帯電話会社は、世界でもとりわけ収益性の高い事業を行う多国籍企業である。スポーツイベントのスポンサーになっていることからもわかるだろう。そのため、携帯電話会社は、巨大な銀行と化し、国境を越えて巨額の資金を集めている。電波塔が立ち、通信ができるようにさえなれば、コストはほとんどかからない。それなのに、世界中の勤勉で貧しい人々から何十億もの利用料金を巻き上げているのだ。

これらの企業はすべて、文字通り、何もないところからお金を作り、人々からお金を強奪し、世界支配の構想のための資金にしているのである。電波や周波数は、宇宙全体を構成する電磁スペクトルの一部である。すべての創造主である神によって創られたものであり、誰かがそれに権利を主張するなどありえないことなのだ。

しかし、どういうわけか、私たちに奉仕するはずの政府が、これらの周波数への権利を主張したうえで、民間の携帯電話会社に独占権を与えて、国民から想像を絶する額の金をゆすり取っているのである。

電波と周波数は国民のものである。政府や、不法に権利を主張するいかなる企業にも属していない。政府と携帯電話会社によるこうした活動は、違法かつ違憲であり、人々の意思に真っ向から対立している。

携帯電話に使われているマイクロ波は、人体に極めて有害であることが研究により明らかにされている。政府はこの情報を隠蔽するために多大な労力を費やしてきた。だが、私たちは、聡明な科学者や研究者を任命し、独自の情報を国民に提供し、それに従って行動する。

また、これらの周波数は、私たちの心や思考などを操作する、さまざまな周波数を送信するために使用されていることが明らかになっている。突拍子もない話に聞こえるかもしれないが、世界中の研究者によって数多くの証拠が発表されており、世界中の人間にとって非常に現実的な脅威だと言われているのだ。ジェシー・ベンチュラはテレビ番組『陰謀論』の中で、アメリカ政府がマインドコントロールや拷問などの道具としてこのようなテクノロジーを使っていることは、氷山の一角にすぎないことを暴露している。

私たちは、この人類に対する猛攻撃が、すべて国民に対する絶対的な支配のためであることを認識する必要があるのだ。現状では、お金を支配する者が、世界を支配している。彼らの支配の道具を取り除けば、彼らにはもう国民を支配する力はないのである。

放送――ラジオ――テレビ――インターネット――その他のメディア

グローバルメディアの支配と活用法について、エリートたちの言葉をいくつか紹介しよう。

「すべてのニュースが公開されるべきではない。むしろ、報道政策を管理する者は、すべてのニュースの項目が一定の目的にかなうように努めなければならない」

パウル・ヨーゼフ・ゲッベルス――ナチス宣伝大臣

「私たちは、ワシントンポスト、ニューヨークタイムズ、タイム誌、その他の著名な出版社の編集局長たちが、40年近くも私たちの会議に出席し、慎重な報道を心掛けるという約束を守ってくれたことに感謝している。もし、この間、私たちが宣伝合戦に巻き込まれていたなら、世界に対する私たちの計画を進展させることは不可能であっただろう。しかし、今や世界はより洗練され、世界政府に向かって行進する準備が整っている。知的エリートと世界銀行家による超国家的な主権は、過去数世紀に行われてきた国家の自決よりもきっと好ましいことだろう」

デイヴィッド・ロックフェラー――CFR（外交問題評議会）と三極委員会の創設者

「メッセージが持つ隠された意図やそれを取り巻く神話を理解していないのであれば、ジャーナリストは、自分たちのことを単なるメッセンジャーとさえ言えない」

ジョン・ピルガー

「私たち（シオニスト）は、すべてを支配下に置き、誰も、1人として、私たちのメディアを通さない限り、人々に情報を届けることができないようにしている。我々がすべての支配権を握っているのだ！」

ハロルド・ウォーレス・ローゼンタール——1976年のインタビューより

「1915年3月、J・P・モルガン、鉄鋼、造船、軍需品の利権者と、およびその傘下組織が、新聞界の高官12人を集めて、アメリカの有力な新聞社を厳選し、日刊紙の政策をおおむね統制できる数にするよう依頼した……そして、そのうちの25紙を買収すればよいことがわかった」

米国下院議員オスカー・キャラウェイ、1917年

「したがって、世界は、多様な国々が人類の普遍的な願望を達成するという共通の目的のために引き合わされ、新世界秩序という長年の約束を実現する機会（ペルシャ湾危機）をつかむことができる」

ジョージ・ハーバート・ウォーカー・ブッシュ

放送・メディア分野は、世界中で同じように小さな集団に独占され、コントロールされている。南アフリカでは、南アフリカ放送協会、マルチチョイス、プリメディア、その他数社の手に委ねられている。政府は国民からこれらの権利を奪い、一握りの企業に与えたのだ。政府は、誰がテレビ局を立ち上げるか、誰に立ち上げを許さないかを指図し続けている。これは世界中どこでも同じである。

世界の主要メディアは、お金の供給を支配しているのと同じ、少数の権力者によってコントロールされている。彼らはニュースを教化の媒体として使い、銀行と政治エリートのアジェンダを継続的に促進する。このため、放送は厳しく制限され、管理されている。

国際ニュースは、彼らが信じさせたいことを私たちに信じ込ませるもっとも強力なツールとなっており、大抵、ニュースは真実に完全に反している。この点については、客観的に判断してほしい。科学、技術、新たな発見、考古学、野生生物、植物、宇宙開発、新しい発明、そして無限に広がる活動領域において、全世界ですばらしい頭脳の持ち主たちがいるのに——テレビをつけると、すべてのニュース番組でまったく同じ出来事を取り上げているのはどうしてだろうか？　同じ出来事で、人々の恐怖心を煽る以外に、共有すべき本当のニュースがないのだろうか？

私たちが目にするのは、暴力、犯罪、戦争、政治、ビジネス、経済ばかりである。政治家は、実現することのない約束を延々と続け、私たちに「耐えなければいけない」と言っている。傲慢な経済学者が、金融市場の上昇と下降、指標、金融予測について長々と議論するのを見ると、私たちの心は麻痺し、それらがすべて非常に重要なことで、人

生と切り離せない部分であるかのように錯覚してしまう。ゆっくりと、しかし確実に、世界のメディアは、「お金」が世界を動かしていると人々に信じ込ませているのである。しかし、これほど真実から遠いことはないのだ。太陽は毎日昇り、世界はそれ自体で回っているのである。人々は創造性、科学的な頭脳、無限の愛に満ちた能力によって世界を回している。お金はその反対のことをする。

南アフリカでは、一部の国民を代表するような新しい民間のラジオ局やテレビ局だって数多くあるだろうに、政府はそれらの局がこの市場に参入することを非常に困難にしており、国営テレビとラジオの放送権を誰にでも許可することはないだろう。普通の人が放送事業を始めることは事実上不可能なのだ。だが、あらゆる町や文化の人々が自分の意見を表明し、自国や海外の人々と交流できるよう、何百もの私設放送局があってしかるべきである。

社会のあらゆる分野と同様に、私たちに奉仕する政府は、私たちの権利をすべて盗んで少数の多国籍企業に与え、これらの企業によって経済的に虐げられ続けている国民を犠牲にしているのだ。こうした活動はすべて違憲、違法であり、即刻是正されることになるだろう。

衛星施設

南アフリカには、ハルトエベーステック電波天文台のように、一般人の立ち入りが制限され、極秘の場所となっている高度な衛星設備がいくつか点在している。なぜ、これらの施設や技術にお金を払っている私たちは、こうした施設が何に使われているのかも知らされず、アクセスも拒否されるのだろうか？　私たち国民は、政府や軍のすべての施設に関する情報にアクセスし、そのような施設が何に使われているかを知らされるべきである。

ウブントゥ行動計画——コミュニケーションと放送

1) この分野の古い規制や法律はすべて廃止され、企業や政府による秘密の活動を支持するのではなく、国民のためになる新しいガイドラインに置き換えられる。

2) 携帯電話会社を含むすべての電気通信事業者の外国人持ち株および所有権は、即座に取り消される。

3) すべての携帯電話会社は、国民に実質無料の携帯電話通信を提供するために、営業モデルを変更する機会を与えられる。

4) 固定回線プロバイダーとそのインフラを経由して行われるすべての通信を誰もが自由に利用できるようになる。メンテナンスとアップグレードが必要な場合は、月々少額の料金が発生する場合もある。

5) ウブントゥコミュニティへの移行期間中、通信会社の従業員は、他の部門と同様に、民間の南アフリカ準備銀行に代わって新たに設立される人民銀行から直接給与を受け取ることになる。

6）これにより、これらの企業で働く多くの人々（例えば経理部門の人々など）は、コミュニティへの貢献として、自分の好きなことをしたいという情熱に従い、好きな町や都市に移住することができるようになる。経済的な制約を受けることもない。これこそ、ウブントゥのモデルなのだ。人々は自分の情熱に従って行動し、それによって豊かさを生み出すのである。

7）国民によって定められた新しい法律を遵守する限り、誰でも、どこでも、新しい携帯電話通信技術を立ち上げることが許される。

8）既存のインフラを利用して、国民のための新しい携帯電話事業を立ち上げる。これには、国民に害のない、可能な限り最新かつ高度な技術を取り入れる。

9）この新サービスはどこでも無料で利用でき、既存の携帯電話事業者が国民から搾取し続けることを不可能にする。

10）私たち国民は、これらの分野の技術を常に向上させ、できるだけ早く国民が安全に利用できるようにするための継続的な研究を推進・支援する。

11）私たちの新しいアプローチに賛同しない国際的なインターネットプロバイダーからの妨害を防ぐために、南アフリカでインターネットを安定的に利用できるようにする。

12）学校、公共の場、個人宅など、すべてのインターネット通信が自由に提供されるようになる。

13）すべての学校、すべての生徒が自由にインターネットにアクセスできるようになる。

14）インターネットは、国民に自由に情報を流すための有力な媒体となる。

15）国民によって定められた新しい法律に従う限り、誰もが南アフリカのどこにでもラジオ局やテレビ局を始める権利を持つことになる。

16）南アフリカの既存のテレビとラジオの独占企業は、国民へのサービスにおいて競争力を維持するために、新しい方法に適応しなければならないだろう。

17）スポーツを含むテレビ・ラジオ番組へのスポンサーシップはすべて不要になる。

18）スポーツや文化的な活動は、財政的な制約やスポンサーシップに制限されることなく、人々が見たいと思うイベントをできるだけ多くカバーし、より広範囲に放送されるようになるだろう。

19）広告の概念が大きく変わるだろう。人々は、搾取的なブランドやサービスの宣伝を許さない。なぜなら、すべてが無料になるからである。資本主義的な企業は、広告を出す意味がなくなり、むしろ人々のためになるように製品を再構築する。広告は、人々に新しい情報を提供するためのプラットフォームとして、新しいものに変化していくだろう。

20）計画的陳腐化（買い替えを促すために次々とモデルチェンジすること）は、故障したり交換したりする必要がある道具や技術を人々が使わなくなるにつれて、あっという間に根絶されるだろう。

21）偽情報を流し、コントロールを行うことで、私たちを無知にしている国際的な大手メディアが流すプロパガンダの代わりに、独立系のニュースチャンネルは、実際のニュース、新たな発見、活動、発明を取り上げ、人々を鼓舞する情報プラットフォームとなっていくだろう。

22）すべての新しいラジオ局とテレビ局は、これまでとは違う番組やイベントの生放送、ニュースチャンネル、コミュニティの関心事を扱うことが必須となる。これは、ラジオやテレビ放送、そしてこれらすべての分野のコンテンツ制作に携わりたいと考える幾千もの人々に数多くの新しい機会を提供することになるだろう。放送業界は多くの人手が必要になるのだ。

23）映画部門も放送業界に貢献するようになる。過去のこだわりを捨て、人々の関心や情熱を向ける対象が変化するにつれて、映画の製作は劇的に変わるだろう。例えば、映画の中の暴力は、もはや私たちの新しい現実の一部ではないので、おそらくすぐに消えてしまうはずだ。

24）望遠鏡を含むすべての衛星施設とその敷地に国民が自由にアクセスでき、国民はそのような施設が何に使われているかを常に知ることができる。

25）これらの敷地で行われる、人々に害を与える可能性のある悪質な行為や、人々の利益にならない行為は、直ちに中止される。

26）すべての衛星設備は、より良いサービスを提供し続けられるよう、常に新しい技術でアップグレードされていく。

27）通信・放送分野は、映画分野とともに、人民による、人民のための知識・情報を共有する媒体となり、社会のあらゆるレベルで豊かさを実現することに貢献する。

活字メディア

各町村や都市は、民衆が決めた独自のローカルニュースを定期的に発行し、印刷することができるようになる。全国紙や特定の分野に関する雑誌は、暫定的に人民銀行が奨励し、その費用を負担することになる。最終的にこれらの活動は、人々がコミュニティや国のために自分たちの役割として行う、コミュニティの一側面となるだろう。その結果、多くの新しい作家、写真家、その他の芸術家が活躍する刺激的なプラットフォームが生まれる。国家的独占企業は存続こそ許されるだろうが、政府や銀行の思惑ではなく、真実や真の情報を広めなくてはならない。なぜなら、誰もくだらない記事を読むことに興味を持たなくなり、もはや彼らの情報は、私たちの現実の一部でなくなるからである。印刷に関する素材もすべて、生分解性のある、リサイクル可能な、無害なものになるだろう。

金融・銀行

ここには、貨幣、貨幣の創造、貨幣の貯蔵、貨幣の印刷に何らかの形で関わるすべての企業、銀行、会計事務所、保険会社、ほかにも巧妙に偽装しているためにおそらく私たちの注意を逃れている企業などが含まれる。

銀行システム全体とそれを支える産業は、違法、搾取、腐敗という基盤の上に成り立っている。これは人類に対して行われた最大の犯罪的な欺瞞である。銀行は、法的な反発を受けることなく、毎日、何の反省もなく法律を破り、彼らを信頼する何百万もの人々の生活を破壊している。

法律・司法部門と共に金融部門も、銀行の株主や、国民を支配しようとしている多国籍企業のためではなく、真に国民のためになるよう、全面的な見直しが必要である。

金融業界がもたらす不幸と苦難は、想像を絶するものである。毎年、銀行の違法行為によって家族を失い、自殺する人が後を絶たないのだ。人権を何よりも尊重する道徳的な社会において、彼らの行為はまったく容認できるものではない。

私たちの哲学では、人類が繁栄するためにお金は必要ない。お金がなくても、社会として大きな成功を収めることができるのだ。しかし、このような最終目的地に近づくには、いくつかの重要なステップと時間が必要である。では、金融業界はどうすればいいのだろうか？　短期的、長期的にどのように変えていけばいいのだろうか？

出血を止めるためには、金融部門の即時リストラが何より重要である。

同様の活動が功を奏し、人々にすぐさま救済をもたらした世界の成功事例を見てみよう。２０１０年にアイスランドで起きた政府、銀行、中央銀行に対する民衆の蜂起は、私たちが見習うべき完璧なモデルである。２００８年の金融危機で、アイスランドほど派手に崩壊した国はないだろう。アイスランドの株式市場は90％下落し、失業率は9倍に上昇、インフレ率は18％以上となった。そして、国の大手銀行がすべて破綻した。これはリーマンショック後の不況ではなく、完全なる本格的な恐慌であった。

オラフル・ラグナル・グリムソン大統領は「政府は、アメリカや他のヨーロッパ諸国とは逆に、国民を救済し、銀行家を投獄した」と述べる。アイスランドは、ほかの西欧諸国とは異なり、危機の原因を作った人々、つまり、世界中でそうであったように、問題を作り出した銀行家たちの責任を追及したのだ。アイスランドがやったことは、単に感情的な満足をもたらすものではなく、すべての国の模範となるべきものである。だからこそアイスランドが回復している一方で、銀行家を救済し、銀行家の犯罪の代償を一般国民に支払わせた他の西側諸国の経済は回復していないのである。

簡単に言うと、アイスランド国民は、闇僚を辞任させ、新しい閣僚を任命し、銀行家を起訴して投獄し、500億ドル以上の違法な住宅ローンや自動車金融ローンを償却し、そうすることで国民を銀行家の搾取と詐欺行為から解放するきっかけを作り出したのである。そして、デノミネーション（通貨の呼称単位の切り下げ）を行い、外貨建て債務を切り下げられたアイスランドクローナに換金し、債権者に大幅なヘアカット（債務減免）を適用したのである。2010年6月、最高裁は外貨建て銀行融資を違法とし、債務者にさらなる救済を与えた。アイスランドクローナは危機の最中に80%も急落したため、外国からの借金の返済コストは2倍以上にもなった。しかし、この判決により、消費者はアイスランドクローナ建てで融資を受けていたかのように銀行に返済することができるようになった。現在、アイスランドはユーロ圏と連動し、国民1人当たりの経済力は間違いなくトップクラスである。

経済学者や銀行家、そして彼らを守る弁護士の難しい言葉に惑わされてはならない。彼らは、自分たちのエゴを膨らませ、他人を混乱させるために、こうした言葉を使うのである。このような重要な事柄を扱えるのは、非常に高度な訓練を受けた金融関係者だけであるというのは明らかな嘘であり、大多数の一般庶民が銀行家のやっていることに疑問を持たないようにさせるための明らかな操作である。

難しいことはない。もし、国民に説明できないのであれば、国民が理解できるように、そして国民が納得できるようにしなくてはいけないし、システムが国民のためになるように変えていく必要があるのだ。しかし、その可能性はゼロだ。なぜ、ほとんどの人がこの詐欺に思いが及ばないかというと、銀行家による詐欺の規模があまりにも大きいからである。世界的な銀行詐欺は、地球全体のGDPの何十倍ものお金を動かしている。

銀行と金融セクターに対する私たちの揺るぎない反対姿勢を完全に理解していただくためには、お金がどのように作られるのか、誰が銀行を所有しているのか、お金の供給がどのように行われるのか、一握りの銀行家たちがこの地球全体を支配している世界帝国をどのようにコントロールしているのかを完全に把握してもらう必要がある。このことを理解しやすくするために、世界の銀行カルテルに関する事実を以下に列挙する。

グローバル・バンキング・マシンに関する事実

1）世界の主要銀行はすべて銀行家が所有し、支配している。

2）彼らは、世界中の貨幣の創造、印刷、供給の全プロセスをコントロールしている。

3）このカルテルの三大巨頭は、ロスチャイルド家、ロックフェラー家、モルガン家で、カーネギー、ハリマン、シフ、ウォーバーグといった少数の有力銀行家とともに、最終的に世界の全銀行を所有または支配している。

4）彼らは、その悪巧みを知った人々から「バンクスター」と総称されるようになった。

5）南アフリカ準備銀行を含む世界の主要な中央銀行は、アメリカの連邦準備銀行と同様に、金融市場を完全にコントロールする民間企業である。

6）これらの民間所有の中央銀行には、各国の国民に金融政策を指示する権利が与えられている。これは想像を絶するようなおぞましいことであり、どんなコミュニティにおいても容認できないことである。

7）銀行家の一族や中央銀行は、それ自体が法律であり、誰に対しても答弁をする必要はない。例えば、南アフリカ準備銀行法第33条では、自分たちの行動を秘密にすることができる。

8）マネーサプライを中心に構築されたグローバルな金融システムは非常に複雑で、この仕組みを本当に理解している人はごくわずかである。このことは、一般の人々の関与を排除するための口実として、常に利用されている。

9）複雑で込み入った法制度は、この構造を操作し、支えるために同じように利用され、一般の人が合法的に司法にアクセスできないようにしている。

10）大統領が裁判官を任命するため、裁判官は企業のために働き、国民ではなく企業の福利厚生を守らなければならない。したがって、裁判所は銀行政策の単なる執行者にすぎないのである。

11）銀行は貨幣を扱わない。銀行が扱うのは、荷為替手形、譲渡性預金、約束手形などである。

12）南アフリカの銀行法には、「お金」という言葉の定義すらなく、「支払い」という言葉も定義されていない。

13）世界の主要な貨幣はすべて「フィアットマネー」である。フィアットマネーとは基本的に、本質的な価値を持たず、一昔前のように金や銀のような貴金属によって価値を保証されていないことを意味する。フィアットマネーは、銀行が何もないところから作り出したものなので、「融資」を受けたとしても、実際には、融資というものは存在しないのだ。これは偽造に等しい。南アフリカの通貨供給量は過去10年間で4倍になったが、この供給量の増加に伴って、金、銀、その他の実物商品の埋蔵量が増加することはなかった。

14）つまり、私たちが使っている紙やプラスチックのお金は、まったく価値がないのである。派手なロゴが印刷された、ただの紙切れで、まったく価値がないのだ。「価値」は、純粋に、その通貨を信頼し、交換手段として使い続けている大勢の人々から得られるのである。

15）例えば、合法的賄賂の支払い／手数料の存在を知っている人はほとんどいない。南アフリカ準備銀行に使用済みの紙幣や硬貨が返却されるたびに、南アフリカ政府に合法的な賄賂が支払われているのだ。この支払いはシニョリッジと呼ばれ、南アフリカ政府は、準備銀行が管理する紙幣やプラスチック貨幣による国民の搾取から利益を得ることができ、最終的には準備銀行が命令を受けている国際決済銀行のものとなる。

16）しかし、このような価値のない紙切れを破棄することは違法であり、代替紙を導入したり、この紙切れをコピーしたりする人は、著作権侵害で投獄される。

17）私たちのお金に価値があるのは、私たちがそれに価値を与えているからだ。私たちが価値があるとみなすことが、お金の持つ唯一の価値なのである。もし人々がお金への信頼を失えば、お金は崩壊する。なぜなら、お金の価値を裏付けるものは何もないからだ。実際、「信用（credit）」という言葉はラテン語のcredereから来ており、「信じる」という意味である。その証拠に、中央銀行の総裁が口を開くたびに、この言葉が何度も繰り返し出てくる。中央銀行総裁の主な指示は、何としてでも銀行の信用を維持するためのものだからである。信頼が損なわれれば、銀行システムの崩壊につながるのである。そして、これこそが、ネルソン・マンデラ氏の顔を新紙幣に載せた理由である。マンデラ氏の自由への決意を完全に冒瀆しながら、お金に対する信頼を刷り込み、書き換えるためである。

18）銀行は、会計コンピュータのシステム上で、借方と貸方を作るだけで、何もないところからお金を作り出す。これは「費用収益対応の原則」と呼ばれ、ＧＡＡＰ（一般に公正妥当と認められた会計原則）によって管理されている。

19）「融資」という言葉を言い換えると、顧客であるあなたの署名を銀行当局に「提出」することで、見返りとして、銀行に約束手形を発行してもらう指示のことである。約束手形は、コンピュータで作成された銀行取引明細書の形で提供され、あたかも融資のように見えるように作られている。つまり、銀行があなたに返している約束（あなたが銀行に約束するのと引き換えに）が、あなたが受け取っている「融資」の正体なのである。要するに、あなたは銀行に何もないところからお金を作るように指示したのである。あなたは何も知らないから、搾取的な条件に同意し、もちろん、裁判所は銀行に有利な条件でこれを執行するのである。

20）多くの人は銀行があなたに貸すためのお金を持っていると思っているが、そうではない。いわゆる「融資」が行われる前には、お金は存在しないのである。

21）銀行は、顧客の署名や顧客の署名したいわゆる契約書や貸付金をもとに貨幣を作る。これらの契約は、証券化と呼ばれるプロセスで第三者に売却され、その第三者が世界の株式市場でこれを売っている。これは、彼らが利益を得るための極秘の、しっかりと守られたテクニックである。これにより、不当な利得が生み出されている。そして、そのような融資を束ね、年金基金や保険契約を通じて国民に売り戻すのである。皆さんはすでに混乱しているだろうか？　多くの弁護士や、ほとんどの裁判官は、このことを理解していない。だから、私たち自身が学ばなければいけない。このことを熟知して銀行家を擁護する弁護士から裁判で身を守れるように、国民は知っておかなければならないのだ。

22）あなたの署名、「約束手形」、または住宅ローン債権契約を売却することによって、銀行は融資したあらゆる財産に対するすべての法的権利を失う。法律用語では、これを「提訴権」を失うという。

23）銀行は融資を証券化することで、融資の元本全額と利息を前払いしてもらえる。つまり、あなたへの融資は、あなたが債務不履行に陥った場合に備えて、第三者によって事前に決済されているのだが、あなたはこのことが裏で行われていることを知らないのである。

24）銀行は、自分たちが持っていないもの、つまりお金を貸すと主張することで、契約法を破っているのだ。銀行は、ほとんどの場合、サイバーマネーという形でお金を作り出している。あなたがすべての書類に署名した後、銀行はあなたの約束手形を第三者に売り、第三者はそれを、ときには何度も、世界の株式市場で取引して、ほかの第三者に売っているのだ。証券化はねずみ講とも言える。誰もがこのことを認識しなければならない。これは「シャドーバンキング」とも呼ばれ、ネットで調べればすぐにわかるはずだ。

25）こうしたことが顧客に開示されることはなく、私たちは暗闇に閉じ込められている。あなたは、銀行が実際にお金を貸してくれると信じていたかもしれない。だが、それは嘘である。彼らはあなたに価値のあるものを貸したわけではなく、あなたと銀行の両方が何かを失う立場にある「平等な対価」など存在しないのである。これは基本的な契約法にも反しているし、一般的な道徳や誠実な人間関係にも反している。銀行は人間ではない。法的に認められた虚構の企業である。

26）あなたは自分の意思ですべての価値を創造し、あなたの署名によって第三者の買い手からお金を引き出し、銀行があなたの代わりにお金を受け取った。しかし、そのことはあなたには伝えられていない。

27）銀行は不動産業者のような仲介役にすぎず、私たちに「自分のお金」を貸してくれるわけではない。彼らは私たちに何も貸さず、ただ私たちの署名の力を使ってお金を手に入れているだけなのだ。第三者から見れば、銀行が請求する利息はただの強奪であり、詐欺である。有効な契約を成立させるためには、情報開示が行われなければならない。

28）南アフリカのお金は、南アフリカ共和国造幣局で印刷されている。この機関も民間企業で、国民の努力によって利益を得ているだけである。最近では紙幣の印刷をスウェーデンに委託しており、数十億ランド相当の紙幣が寸法を間違えて印刷され、廃棄せざるを得なくなり、準備銀行が大恥をかくという大惨事になっている。けれども、慌てることはない。紙幣は、派手なロゴをつけた紙切れにすぎないのである。

29）民間企業である準備銀行は、印刷された紙幣を管理し、銀行券の額面の何分の一かの値段でほかの銀行に売ったり貸したりしている。

30）銀行が使用済みの銀行券を準備銀行に返却するときには、その銀行券の額面のほぼ全額が支払われる。紙をシャッフルしてお金を作り出すことで、自分たちの利益のために何もないところから富を生み出しているのだ。

31）銀行は「フラクショナル・リザーブ・バンキング」と呼ばれる形式で運営されている。これは、銀行は預金のごく一部を保持するだけでよいというもので、残りは何倍にも増やして一般市民に貸し出され、存在しないお金で借金をするスパイラルを生み出している。

32）例えば、あなたが100ドル預ければ、銀行は約900ドルの架空のお金を顧客に貸し出す。しかも、この存在しないお金に複利で利子をつけているのだから、紛れもない詐欺である。これはあからさまな詐欺行為だし、普通はこんなことをしたら長いこと刑務所に入るはめになるだろう。

33）利息は前金で請求される。銀行は利子を「本物のお金」と見なし、この架空の「本物のお金」を使ってさらに融資を行うのだ。だが、そもそも利子など存在しない。

34）現状では、この利子があるために、世界中の負債を返済できる十分なお金がなくなっているのである。これはまさに銀行家たちが作りたかった状況である。銀行は、差し押さえることのできる不動産やその他の資産を完全に支配したうえで、同じ負債状況に陥る可能性が高い、何も知らない別の人間に再販売するだけである。

35）このような活動はすべて、現行の法制度と、明確な証拠を前にしながら不正を永続させるだけの無知な裁判官によって継続的に支えられているのである。しかし、すべての裁判官が無知なわけではない。多くの裁判官は銀行から給料をもらっているために、裁判官が誠実な人間だと信じて疑わない人々に対する詐欺に加担していることを自覚しているのだ。

36）ある国では、勤勉な人々が借金を返せないという理由で刑務所に入れられることがあった。これは人道に対するあからさまな犯罪である。投獄されるべきは銀行家であり、裁判官は自らが奉仕している人々に対して責任を負うべきである。しかし、彼らは国民に奉仕しているのではなく、彼らを雇っている企業、つまり南アフリカ共和国や、国を装ったその他の企業に奉仕しているのである。したがって、ほとんどの裁判官は、国民ではなく、企業の権利を守っているのだ。

37）私たちが「お金」と呼んでいる印刷された紙幣は、実際には負債を負わせるツールであり、違法とされるべきものである。今日私たちが知っているお金は、負債として発行される。アメリカの負債の約40%は、架空の、偽の負債であると言われている。連邦準備銀行が、何もないところから作り出し、その負債に利子までつけているのだ。アメリカで徴収された所得税はすべて、借金の金利分を連邦準備銀行の所有者へ返済するために使われている。

これは、私たちを無知にし、銀行家の世界的支配の奴隷にするために作られた、入り組んだ欺瞞の網のほんの一部にすぎない。だが、私たち国民は、銀行の奴隷化ツールに代わる新しい貨幣を自分たちで作り、この新しい貨幣を、経済を安定させるための暫定的なツールとして使うことができる。この貨幣は国民のための合法的な貨幣である。

ウブントゥ行動計画――金融・銀行編

1）アイスランドの例に倣い、銀行家と、彼らが人道に対する罪を犯していることを知りながら銀行家たちを擁護した弁護士を起訴する。

2）銀行に騙された正直な人々に対して、銀行に有利な違法な判決を下した裁判官を訴追する。裁判官たちは正義に従わず、自分の権限を行使しなかった。彼らは国民を失望させ、何百万人もの人々に想像を絶する苦難を味わわせたとして訴追されるべきである。

3）銀行という私企業の国際株主ではなく、国民に忠誠を誓う新たな人民取引所を創設する。これは、貨幣をまったく使わずに活動するための短期的なステップと見なされなくてはならない。人々が必要とするすべてを建設または開発するために、必要なときに必要なだけお金が提供されることを理解し始めると、お金はまったく必要ないことにすぐに気がつくだろう。そして、私たちはお金に邪魔されることなく、製造、開発、発明に専念することができるのである。

4）新しい通貨を金や銀と紐づけ、真の価値を与える。そうすれば、ランドは一夜にして世界最強の通貨となる。この下支えは、どこかの金庫にある実際の金ではなく、豊富な鉱床に基づく理論的な金でよいのである。私たちは、経済的利益のために地球を破壊するのを直ちに止める必要があるのだ。

5）すべての商業銀行と準備銀行を閉鎖し、取締役と株主には、信頼する人間を犠牲にして作った負債に対して個人的な責任を負わせる。言い換えれば、彼らが作ったのだから、彼ら自身の負債でもあるのだ。

6）既存の銀行の支店を人民取引所の店舗にする。

7）現在の銀行の従業員は、国民によって雇用され、国民のために奉仕する新しい人民取引所の従業員として残ることができる。

8）既存の住宅ローン、自動車ローン、クレジットカード、その他証券化や部分準備銀行制度などの銀行トリックによって作られたこの種の銀行ローンをすべて帳消しにする（銀行が融資した「お金」と呼ばれるものはすべて、証券化のプロセスを通じ、世界の株式市場で私たちの署名を売ることによって、すでに銀行に支払われていることを思い出してほしい。だから本質的には、いずれの場合も借金などないのだ）。

9）銀行や企業のために行動しているすべての民間および公的なセキュリティ機構は直ちに解体されることになる。皮肉なことに、ここには今日存在するほぼすべての軍隊と警察が含まれている。

10）移行していく最初の段階においては、大富豪や悪意ある人々による搾取から町を守るために、町ごとに代替通貨を作る。お金のないシステムへ移行していき、人類の欲が落ち着くまでにはしばらく時間がかかるだろう。

11）今日融資されたすべての財産は、私たちの署名の力によって、すでに支払われており、借金はないはずである。これは銀行家たちが、法外な複利でますます多くの負債を負わせ続けるために作り出した壮大な欺瞞なのである。

12）おかしな話だと思う人もいるかもしれないが、私たちから利益を得ている貪欲な銀行家以外、この行動計画によって損をすることはない。

この行動計画は、貢献主義システムの下、社会の他のあらゆる分野と同様に、成長し、修正を繰り返すだろう。真の透明性をもって、すべての人々に利益をもたらすために、国民がコントロールするシステムは、今日の詐欺的な非人道的金融システムよりもはるかに優れていると私は考えている。

産業・製造業

1901年、カリフォルニア州北部のリバモアで、初めて電球のスイッチが押された。そしてその電球は、今日も明るく燃え続けている。かつての私たちは、永遠に使い続けられるものを作っていた。だが、今日の私たちは、1シーズン限りのものを作っている。

想像しうるすべてのものが、人々によって、人々のために、入手され、設計され、測定され、計画され、製造され、実施され、建設され、植えられ、調理され、彫られ、描かれ、提供されている世界を想像してみよう。これがウブントゥ貢献主義の世界だ。進歩を妨げる障害は何もない。

人々ができることに、何の制約もない。人々ができることは何であれ、そのコミュニティのための活動でなければならない。決して個人の利益のためだけに、他人を犠牲にしてはならないのだ。これは、個人が趣味や芸術・文化活動に参加するということではなく、コミュニティのために何かを生み出すという活動を指す。

この何の抑制もない自由な考え方は、現在では夢でしかないような、想像を超えた産業やものづくりを生み出すだろう。特に公害を引き起こしたり、生態系に何らかの悪影響を及ぼしたりするような既存の産業分野の多くは消滅し、新しいやり方に取って代わられるだろう。

このようなコミュニティでは、自分たちの運命を自分たちでコントロールし、人々にできる限りのものを提供するようになるため、おそらくすべての産業が町や村の近くに急速に分散化されていくだろう。このような産業は、日常的な食料の供給だけでなく、建築材料、木製品、金属工房、陶器、織物、靴作りなど、より多様で特殊な製造業にも拡大していく。

また、ほかのコミュニティの製造業者が必要とする原材料の生産を中心に形成される専門化されたコミュニティも誕生するようになるだろう。例えば、鉄、合金、金属、シリカ、新時代のプラスチック、その他多くの、現在は経済的に成り立たない材料などである。

プラチナや金、鉄、鋼などの重工業を生み出す既存の鉱山の周辺にできた町は、それ自体がそうした原材料を継続的に供給するための重要なコミュニティとなる。これらは、もともと原料の供給源に近い場所に作られたものであり、新しい技術で代替が可能になるまではそこで活動を続けることになる。

ウブントゥのシステムでは、モノはできるだけ長く使えるように作られ、資源の圧迫を大きく軽減できることを覚えておこう。これは、現在の企業の繁栄を支える計画的陳腐化とは正反対である。したがって、消費に対する新しいアプローチが取り入れられることで、これらの材料の需要は劇的に減少するだろう。営利を目的とした鉱物や原材料の輸出は行われない。私たちは、自分たちのコミュニティで暮らす人々や、さまざまな活動にとって必要なものだけを生産していくのである。

現在の梱包方法は、資源の無駄遣いでしかなく、今後急速に変化していくだろう。あらゆるものが箱や袋、あるいは何らかの包装に包まれ、取り出されて捨てられているのである。ほとんどの包装は、内容物を宣伝することを第一の目的としてデザインされている。特に食品業界は、考えられないほどの無駄遣いをしている。人々は商品を受け取ってから数秒で包装を捨ててしまうにもかかわらずだ。私たちの世界では、ほとんどすべてのものが使い捨てにされ、埋立地に捨てられているのである。

私たちは、ものづくりの分野で多くの新しい選択肢を提供する新技術や新素材の爆発的な普及を目の当たりにすることになる。そして、そのような材料の使い方は、劇的に変化するだろう。とはいえ、最初のうちは、主要な産業が、より特殊なものを作る2次的な製造業者に原材料を供給し続けるだろう。

自動車を作るために必要な部品を考えてみると、いかに多くの製造工程があるかがわかる。では、電車、道路、ヘリコプター、コンピュータ、照明、ラジオ、スピーカー、本、老眼鏡、冷蔵庫を作るために何が必要かを考えてみてほしい。ヒーター、スパナ、ドアハンドル、ドリル、手押し車、芝刈り機、鉛筆、プリンター、電話機などはどうだろうか？

どのメーカーも、部品を製造する人から必要なものを調達しているし、材料を作る人からその材料を調達している。この管理は、正確で巧みでなければいけない。そのため、サプライチェーンの管理は、新しいウブントゥコミュニティの重要な一部となり、多くの人にこの分野に携わる機会を提供することになるのである。

もし新しい工場が必要なら、最高の建築家が最高の仕様で設計し、最高の技術者が最高の建材を使って建設し、想像しうる限り最高の品質の製品を、できる限り長く使えるように作る。ウブントゥ運動の最優先事項は、すべての企業を早急にコミュニティのための企業に戻すことである。企業がコミュニティを強奪し続け、コミュニティを干上がらせ、不毛にし、人々が自分たちの製品を割高で買い戻すことを強いることは許されないし、許さない。

また、生活のある側面に焦点を当てた専門的なコミュニティも発展していくかもしれない。仏教僧のような隠遁型、スポーツ重視型、芸術・文化重視型、テクノロジーやコンピュータオタクのコミュニティなど、さまざまなものが考えられる。想像力を働かせれば限界などない。生きていくための労働が取り除かれたときに、生活がどのように変化するかを想像すると、とてもわくわくする。しかし、私の想像は完全に間違っていて、多様な興味に基づくまったく別の集団が現れるかもしれない。同じような趣味を持つ人同士でつるむという現在の社会習慣は、単に未知なるものへの恐怖に対する無意識の反応かもしれないからだ。

私たちの行動を左右する潜在意識の問題は、お金がシステムから取り除かれ、完全な自由と置き換われば、劇的に変化するだろう。現在の私たちの中で、このような自由の恩恵を受けている人は、いたとしてもごくわずかだ。何が起ころうと、どのように展開しようと、すべてを創造しうる団結した意識は急速に高まっており、実現するだろう。私たちはこの変化の触媒なのである。

自然・地球との共生

◎リサイクル――再生――環境にやさしい――毒性がない――生分解性

私たちの新しい世界、新しいユートピアでの生活は、すべてが母なる地球と完全に調和したものでなければならない。そのため、私たちが開発する新しい合成素材はすべて、完全に生分解性で再生可能なものであるべきだ。これは、専門家やこのテーマに熱心な人たちに任せておけば、実現するのは難しいことではない。このような新しい技術を無償で提供することで、私たちは、より多くの人に、より良い製品を提供することができるのである。その結果、私たちが夢見るような新しい素材が生み出されることだろう。

私たちが使うもの、作るものはすべてリサイクル可能でなければならない。何らかの理由でリサイクルできないのであれば、使うべきではないだろう。しかし、もし私たちが生きていくために、リサイクルできないものをどうしても持たなければならないのであれば、それをコミュニティに役立つほかの何かに変換できるようにする。自由な社会では、そこで暮らす人たちや環境に有害なものを製造することを、簡単に納得してはもらえないからだ。

また、これは包装、食品、農業、産業、技術、建設、教育、医療など社会のあらゆる分野に適用されるだろう。このような理由から、ウブントゥ貢献主義のコミュニティは、自動的に、そして急速に、地球と調和した生活へと向かっていくことが明らかである。

自然の法則と相反するその他の行動は、意識の高い社会には受け入れられない。それは、水なしで泳ごうとするようなものである。

つまり、ウブントゥのコミュニティで暮らすということは、自然や母なる地球と完全に調和した生活を送るということなのである。

コミュニティの構造

先にも述べたように、私たちのコミュニティは、体内の細胞のように成長し、円を描き、分裂し、互いに支え合いながら、コミュニティ全体を健全に保っていく。あるコミュニティは、体の大きな臓器のようにより多くの細胞から構成されて大きくなり、またあるコミュニティは、小さく趣を保っている。しかし、彼らは皆、団結と協力のもとに、コミュニティのメンバーから感謝されるような唯一無二の重要な仕事をこなしているのである。決して競争や対立の中にあるのではない。これは、私たち全員にとってすばらしい教訓になるだろうし、団結することでしか、人間の営みにおける無限の多様性や豊かさを実現することはできないのである。

ウブントゥのコミュニティには、資本主義社会であれば金持ちや権力者しか利用できないような、息を呑むような美しいデザインや建築物があふれている。何千もの人々が毎年何千ドルも払ってアフリカの高級サファリツアーに出かけ、大部分のアフリカ人が行けないような豪華な野外宿泊施設に滞在しているが、世界の高級リゾートにあるような最高級の天然素材で建てられた7つ星の贅沢を、誰もが味わえるようになるのだ。ウブントゥムーブメントと密接な関係にある「ニューアースプロジェクト」は、フリーエネルギーを利用した環境に優しい住宅、すべての人が調和

ストレスのない調和のとれた生活とアーバンジャングルの必要性を表現したアーティストによるイメージ。どのコミュニティも、人々のニーズと願望に基づいて、独自のデザイン、構造、レイアウトを持つことになる

現在ではごく限られた人しか利用できない美しい細工やデザインを、誰もが、どこでも楽しむことができるようになる

南アフリカのロンドロジのロッジ。このような施設で、誰もが5つ星のサファリに常時滞在しているような気分を味わえる

アースシップは、調和のとれた暮らしのための自然な建築スタイルのすばらしい例である

のとれた生活環境を送るために必要なありとあらゆる要素など、私たちに開かれた可能性を示している（https://newearthproject.org/）。

言葉や言語の力

私たちが知らないうちに、私たちの言葉は私たちの想像をはるかに超えた、途方もなく強力な奴隷化のツールになっている。私たちを奴隷にする法律や言葉、私たちの認識とまったく違う意味を持つ「法律用語」の原理についてはすでに取り上げたが、今日の私たちの言葉の使い方は、私たちを一種の催眠術の呪縛に閉じ込めておくために非常に巧妙に設計されている。

次章に「魅力的な言葉やスローガンは、呪縛の言葉」と題して例を挙げているが、人を魅了するとは、ある種の魔法の呪文をかけることである。例えば、古くから伝わる神秘的なブードゥー教の儀式は、さまざまな方法で魔法をかけている。今日、私たちの多くは、ブードゥー教はフィクション作家が作り上げたナンセンスなものだと思い込んでいるが、それはまったくの間違いである。

周波数技術を使って人の心をコントロールし、普通ではできないようなことをさせるということは、すでに取り上げた。兵士や一般人が、声や音の周波数によって起動し、事後にはまったく記憶の失われる行為を行う暗殺者に仕立て上げられてしまうのだ。ここでのキーワードは「周波数」である。

言葉や音には人を刺客にする力がある。言い換えると、これは武器として使える周波数があるということだ。古代の魔法使い、魔術、呪文、ブードゥー教と現代の軍隊で使われている技術には関連性がある。ドイツのスーパーマーケットで行われた実験では、サブリミナル周波数を隠したBGMを流すと、買い物客がほかの商品ではなく、特定の商品を選ぶようになった。私たちの言語、私たちが発する言葉や使うフレーズは、私たちの利益にも不利益にも利用できる本当に強力なツールなのだが、ほとんどの人はそのことに気づいていないのだ。

　アルファベットを構成する音には、不思議な由来がある。すべての文字には、音や周波数が関連付けられているのだ。その音や周波数は、私たちの住む物理的な世界に影響を及ぼす。このため、魔法使いは特定の一連の単語やフレーズ、呪文を唱えることで効果を発揮することができるのである。現代人の中には、このようなことは馬鹿げていると思う人もいるかもしれないが、それさえもすべて、私たちが長い間、接してきた偽情報の結果である。私たちは自らの言語や言葉を使って魔法をかけることができるのだ。過去の偉大な巨匠たちによって作られた多くの芸術作品には、自然の法則や神聖幾何学に関する高度な知識が暗号化されている。偉大な著作物も同じで、シェイクスピアは、サブリミナル的な情報を埋め込むことで、心を揺さぶる作品を書いている。

　南アフリカのヨハネスブルグに住む電気技師、ウィレム・デ・スワートは、こうした暗号化された情報の例を数多く発見しているが、なかでも大きな貢献は、ハリウッド大作映画の解読にあるだろう。ハリウッド映画が高度な知識で暗号化されているのは興味深い話だが、何のためなのだろうか？　私たちを魅了するため、魔法をかけるため、あるいは私たちを無知な催眠状態から目覚めさせるためなのだろうか？

　暗号化された情報は、人類が深い眠りの状態から高次の意識に目覚め、無限の力を持った意識的存在として、宇宙における自らの立ち位置を認識するようになることを目的としているようである。私たちは心と思考で創造ができる。過去と現在の偉大な教師たちは、そう私たちに伝えてきた。私たちは心で「山を動かすことができる」のだ。逆に言えば、心は私たちを奴隷にもしてしまうものだ。

　美術、文学、映画に暗号化されたメッセージが含まれているのも不思議だが、ハリウッド（Hollywood）という名称を分析すると、さらに神秘的な事実がわかる。というのも、魔法使いが呪文を唱えるには、ホーリーの木、つまり「ホーリーウッド」を使うことが不可欠だからだ。

　本や映画における暗号化されたメッセージの最大の例でいえば、L・フランク・ボームが1900年に書いた『オズの魔法使い（The Wonderful Wizard of Oz）』である。これは後にハリウッド黄金期を象徴する作品となった。ボームが明確な意図を持ってこの作品を書いていたことは明らかであり、私たちは彼がこの大きな陰謀をどのように作品に落とし込んでいるかを見ていく必要がある。

　この物語では、黄色いレンガの道、すなわち金の延べ棒で舗装された道が、謎に包まれた大魔法使いに通じている。この大魔法使いは、金（金の計量単位は「OZ（オンス）」である）をすべてコントロールしている。

かかしとして知られるキャラクターは、「あやつり人形」を表している。あやつり人形とは、全角文字で表される法的な架空の存在・人物（法人）として、政府という企業によって産み落とされた私たち一人ひとりのことである。かかしたちは、オズの魔法使いに脳みそを与えてほしいと求めた。法的な証明書など紙切れにすぎず、脳みそにはならないからだ。だが、残念なことに、かかしは欲しかったものを得られなかった。その代わりに、新しい法的な出生証明書を与えられ、あらゆる法律を付与された新たな法的地位を手にした。かかしは、自分を奴隷にする嘘と欺瞞を理解する脳の代わりに証明書を与えられたのだ。つまりは、典型的な脳なしのあやつり人形になったのである。

ブリキの男（Tin Man）は、税金を払うために奴隷のように働く国民を表している。ＴＩＮは納税者番号（Taxpayer Identification Number）のことである。哀れなブリキの男は、体が文字通り凍りついて機能しなくなるまで、ただ無心に立ち尽くしながら仕事をしている。私たちは、自分がブリキの男であると信じながら必死に働いている生きた人間であり、非合法な政府のために死んでいくのである。ブリキの男は心や感情のない法的な虚構、あるいはすでに死んでいるかのように日々の仕事をロボット的にこなす生き物の象徴である。この男の主人は、人間的な感情や他人とのつながりをコントロールするために、ブリキの男の外見を冷たく、内面は冷淡にしている。だから、ブリキの男は魔法使いに心臓をもらおうとしたが、もらうことはできなかった。そしてビロードにおがくずを詰めたプラシーボを、心臓と偽って与えられたのである。

臆病なライオンは、怖がりでひとりでは生きていけないので、魔法使いに勇気を求めたが、自分より弱い者に対しては、大口をたたくいじめっ子であった。まさに権威ある立場の人が、あたかも勇敢であるかのように振舞いながらも、実際にはまったく勇敢ではないのと同じである。臆病なライオンは、大男や自信家に対しては、いつも屈服して弱音を吐いていた。そのため、魔法使いに勇気を求めたが、代わりに与えられたものは公的に認められたメダルだった。そして今度は、ひどく臆病者でありながらも、その公的な地位によって、公式に認められた権限を持ったいじめっ子となった。法律の陰に隠れる銀行家の弁護士、テンプルの法曹院に隠れる弁護士と同じである。

ケシ畑の旅の場面は本当に魅力的だ。かかしとブリキの男はケシの花の香りをかいでも眠らなかったが、これは彼らが実在の人物ではなく、法的な架空の存在であり、それゆえ麻薬が効かなかったという事実を表しているのだろう。『オズの魔法使い』は、20世紀初頭に書かれたのに、作者はアメリカが薬漬けになることを予感していたのだ。「麻薬戦争」がアメリカ政府によってでっち上げられた偽旗作戦であるように、王室は何世紀にもわたって麻薬カルテルのゲームに興じてきたのだ。香港の歴史とアヘン戦争は、こうした不謹慎な秘密結社の悪徳行為を思い起こさせるものである。王室は麻薬によって中国全土を征服するという貴重な経験を持っているので、ほかの国もそれに倣うだろう。

しかし、その魔法使いの正体を暴いたのは、トト（Toto）と呼ばれる、ちっぽけな犬だった。トトとは、ラテン語で「完全に、全部で」という意味で、裁判所や弁護士の法律文書ではよく使われる言葉である。トトは小さいながらも、大魔法使いの思い上がった芝居に怯えることはなかった。煙や炎、影といったイメージは、人々を怖がらせてオズの大魔法使いの言うことを聞かせるためのものだったのだ。トトは忍び足で歩き、カーテンの後ろを見た。すなわち、銀行や裁判所という企業のベールの向こうにあるものを見て、それが詐欺であることを見抜いたのである。トトが執拗に吠えたことで、ほかの人たちもようやく注意を払い、何事かと見に来るようになった。

そこでは驚いたことに、何の特別な権限もない普通の人が、自らに権限を与え、大魔法使いのような錯覚を起こさせるレバーを操っていたのである。こうして法的な架空の存在とその詐欺的な法廷を隠す企業の欺瞞のベールが剥がされた。大魔法使いの正体が、誰の目にも明らかになったのだ。

外国企業や銀行の詐欺について、トトのように吠えている人が世界中にはたくさんいる。自分たちがいかに操られ、悪用され、嘘をつかれてきたか、国民が気づくのは時間の問題である。私たちは、善き魔女グリンダがドロシーに「あなたはいつも力を持っている。ずっと持っていたのだ」と言ったように、すべてを変える力があることを思い出さなくてはいけない。そして永遠の幸福と、虐待や奴隷のないユートピアの生活を手に入れるのだ。

人類は、銀幕に光で映し出された映像である映画に夢中になる。映画とは、投影された現実であり、実際の現実ではない。役者たちは「スター」と呼ばれ、普通の人間として暮らしながらも明るく輝いている。これは現実世界でも同じだ。太陽などの星は光を放ち、そして地球上の生命は私たちのスター、太陽の光にエネルギーをもらっているのだ。

したがって、映画の投影された現実と、私たち人間が経験するいわゆる現実とは、非常に強い類似性がある。この関係性こそが、私たちの本当の原点であり、創造主と無限の力でつながりながら、この地球という惑星で投影された現実を演じている不滅の魂であることを浮き彫りにしているのではなかろうか。

また、このような理由から、私たちは読むことを学ぶ際に単語の「綴り」を教わるのだと気づくことも重要である。私たちは無意識のうちに、魔法をかけるためのツールを使っていて、現実を変えることができるのである。この「綴り」と戦略的な使い方については、デイヴィッド・ウィン・ミラー裁判官が研究の中で完璧に明らかにしている。
1988年、彼は言語の数学的インターフェースを発見し、量子——言語——品詞——構文——文法の研究を世界に紹介した。これは、過去8500年の間に私たちの言語がどのように、そしてなぜ変質していったかを説明するものである。

デイヴィッドは、今日の私たちの言葉の使い方は、まったく生産的でないと教えている。私たちの言葉からは、プラスの効果をもたらすための周波数やエネルギーが奪われてしまっているのだ。欺瞞の根源は、私たちが使う言葉とその使い方にあったのだ。私たちの中には、このことを知っていて、無意識の人間に対してこのツールを使う達人がいる。また、デイヴィッドは、言葉や文章の数字的な構造について説明し、それらがどのように他者に強い影響を与えるか、あるいはまったく無害であるかを解説している。デイヴィッドが主に解説している魔法の基本、この驚くべき画期的な研究については、彼のウェブサイト（www.davidwynnmiller.com）で詳しく知ることができる。

一部のメディアでは、興味深い綱引きが行われているようである。ニュースやリアリティ番組のように、私たちを騙し続けるために最善を尽くしているものもあれば、ハリウッドの超大作（ブロックバスター）映画は、私たちにサブリミナル情報を与え、宇宙の知識に関する潜在的なブロックを解除（バスター）し、集合意識を高めようとしている。

魅力的な言葉やスローガンは、呪縛の言葉

ここでは、私たちを催眠状態に保つために日常的に使われているキーワードやスローガンを探ってみよう。私たちはこのような言葉を、その意味や現実を左右する意図に疑問を持つことなく受け入れている。これらの言葉や表現のほとんどは、資本主義社会の産物であり、私たちが奴隷にされ続けることと表裏一体となっている。私たちは、これらの表現の大部分を1日に何度も耳にし、潜在意識の現実にマトリックスを保持し続けている。心を開いて、周りで起きていることが何であり、なぜ起こっているのかを認識するだけでも、すべてがエネルギーの自然の流れ、特に人間のエネルギーに逆らって動いていることを実感することができるだろう。

以下に挙げるのは、言葉やフレーズだけでなく、私たちが日常的に行っていることや使っている表現であり、心を開いて人間として考えれば、まったく新しい意味を持つようになる。

競争は良いことだ

競争は良いことではない。競争は分裂、分断、対立につながる。また、知識の抑圧につながり、分割統治を推進す

ることになる。協力こそ、私たちが目指すべきものである。協力によって、私たちは無限の豊かさ、知識、そしてあらゆるレベルでの躍進を実現することができるのである。

経済・経済成長

これは欠乏の原理に基づいている。節約、全員に十分に行き渡らないという恐れ、将来のために貯金しなければならない、お金が基盤である……これらは、豊かに繁栄したいのであれば、必要ないものである。経済成長は、経済が成長しなければ、人間は繁栄しないと思わせる。これは飢饉や不況と結びつき、「使えるお金があるか」ということに関係し、人々が創造し、与えるという無限の力とはかけ離れたものである。自由な人間は、決して経済の停滞を経験することはない。ウブントゥコミュニティでは、経済という言葉は完全に異質なもので、あらゆるものが人々の意思によって生産され、創造される。お金の供給に支配されることはないのである。

財政的安定

私たちは、お金がなければ安定はないと思わせられている。お金がないと、私たちは安定をなくし、社会に適合して生きていけなくなるのだ。私たちの多くがお金の不足を貧困と同一視してしまうのは、私たちを欠乏の状態にし続けている「経済」のせいである。だが、お金のない社会は貧困ではないのだ。そのような社会は自由であり、あらゆる人間の営みが豊かさに満ちている。お金と財政は私たちの生活を安定させるものではなく、私たちの生活を支配するものなのである。お金がなければ、私たちは安定をなくす。つまり、支配することができない存在になるのである。

貧困

これは資本主義の構造であり、恐怖の戦術として使われている。お金のない世界は、人々を貧しくするのではなく、奴隷から解放する。お金のない世界では、誰もが必要なものを手に入れ、好きなことをして、いつでも誰でもすべてが手に入り、人々が必要なものを何でも構築し、創造し、全員の豊かさを実現していく。そんなウブントゥコミュニティに貧困は存在し得ないのである。

自由と解放

何千年もの間、奴隷として扱われてきた私たちに、自由について語ることなどできるはずがない。奴隷として扱われてきた私たちには、自由とは何かという本当の概念がないのだ。しかし、私たちはどんなときも、自由と解放のために立ち上がらなければならない。自分たちが自由だと信じている人たちは、残りの人類を欺き、同じような無知な信念を抱かせている。愛国心は政府によって推進され、家族は分断され、ある者は自由の名の下に他国への侵略を助ける兵士となり、ある者は自由と自由の乱用を声高に主張し、愛国心がないと非難されている。覚えておいてほしい。政府が認めた自由の権利は自由ではないのだ！　この自由の権利とは、より権威ある者によって、その権威に忠誠を誓った人に与えられる利益のことである。自由の権利はいつでも撤回したり変更したりすることができる。なぜなら、各人が高い権威に従うことに同意していることが前提だからである。

セキュリティ

セキュリティは、私たちを安全だと思わせてくれる。しかし、何から守る必要があるのだろうか。私たちに危害を加えようとする他者からの安全だろうか。

無意識のうちに、セキュリティは分断、不安、疑念を生み出している。なぜなら、セキュリティは、私たちの財産や命が、周囲の人々から常に脅かされていることを示唆しているからである。セキュリティは、銀行や金融会社が取引する商品に対して使っている言葉でもある。銀行が電話口で「セキュリティのために通話を録音している」と言うときには実際、銀行はあなたの通話を録音し、あなたが担保（security）／取引可能な商品として、銀行に紐づけられていることを確認しているのだ。電話口で大声で笑う前に、このことについて考えてみてほしい。

教育

教育と知恵はいつも混同されている。賢くなるためには現行のシステムで教育を受ける必要はない。世界でもっとも賢いと言われる人たちの中には、学校というものを見たことがない人もいる。

私たちは、「教育がなければ何もできない」「ホームレスや飢餓になる」「仕事を見つけることができない」と信じ込まされている。これらはすべて、企業の奴隷として人々に職を持たせ、働かせるためである。教育を受けなければ、失敗することになると恐れるように仕向ける非常に強力な手段なのだ。

キャリアと職業

仕事は、私たちが無知な奴隷として人生の大半を費やすものである。一度、教育によって十分に洗脳され、人生の大半を過ごすことになる職業に就くと、それはキャリアと呼ばれるようになる。

疑問を持たず、自分を奴隷にしたシステムを支えるために人生を捧げてくれる「良き奴隷」だからこそ、このシステムは高価な金の時計を与えてくれる。そして、まるで彼らがとるに足らない存在であるかのように、さらには何かに「なる」ために奇妙な儀式でもしなければならないかのように、私たちは子供たちに「あなたは何になりたいの？」と尋ねている。そうして無意識のうちに幼い心に劣等感の種を植え付けているのである。

私たちは、神の儀式によって、それぞれが唯一無二の特別な才能を持って生まれてきた、生きている人間なのだ。私たちは何者かになる必要はないのだ。あなたはあなたなのだ。

食料

テレビは、おいしい料理は優れたシェフだけが提供できるものだと思わせている。一般庶民は、おいしい料理を作ることも、家族のために簡単な料理を作ることもできなくなっている。スーパーマーケットの棚に並ぶ食品は、ほとんどの人にとって高価になってしまい、私たちは愚かで居続けるために、毒されたジャンクフードばかりを選ばされるようになる。

食料の栽培はあちこちで違法となりつつあり、質の良いものはすぐに贅沢品になってしまう。この贅沢品は、規則に従って行動し、システムをサポートする奴隷だけが手に入れることができる。

だが、本来、食料はどこでも自然に育つはずである。

ビジネス

私たちは24時間365日、ビジネスに関する報道を浴びせかけられ、ビジネスがなければ私たちは存在し得ないと無意識のうちに思い込んでいる。ビジネスは、人々が生き残るために、より多くのお金を稼ぐために、より奴隷らしくなるために、必要な仕事を作っている。そうすることで、意識的であることから目を背け、忙しさを維持するために、そして「忙しくする」ために、心にもないことに追われているのだ。こうして人間の気を完全にそらし、エゴを作り出しているのである。エゴの塊である大物実業家や女性起業家たちは、大成功した人の例としてメディアに取り上げられる。実に悲しい人間の好例であるドナルド・トランプが出演する人気テレビ番組『アプレンティス』は、教化のツールとして極めてうまく利用されている。この番組は、ただ一人の生き残りをかけて戦う、食うか食われるかの競争、嘘とごまかしにまみれた残酷な見世物である。この番組は若者たちに、間違ったモラル、人間としての在り方やウブントゥの原則である団結の意識に反するものすべてを教えている。

新しいテクノロジー

新しいテクノロジーは、私たちの気を完全にそらす。新しいテクノロジーとは、古いものが新しい金属で覆われ、再パッケージ化されることを意味する。

毎年発売される新型車は、この強迫観念の最たる例で、人類は「新しいピカピカの金属」のトリックに何度も何度も引っかかり、バンクスターの奴隷で居続けている。

私たちが自分自身の存在や意識について熟考するのを妨

げるために、無意味な活動に時間を費やし、人生を浪費するよう、巧妙に気をそらしているのだ。テクノロジーは文字通り、私たちの目を外側に向けさせ、内なるエネルギーが、（私たちのほとんどが信じないであろう）邪悪な力によって利用され、乗っ取られているということから、注意をそらすために作られた装身具なのである。軍産複合体によって使用されている真に高度なテクノロジーは、決して人々に公開されることはないだろう。

投資

若いうちに投資をしておかないと、年をとってから貧乏になる、と言われ、私たちは恐怖心を煽られる。そのため、退職して釣りに行くこともできなくなる。投資をすれば、何もせずともお金を受け取ることができるため、どこかのビーチで座っていたいという願望が、投資の原動力になっていることもある。そしてこれが資本主義のマシーンを動かしているのである。ある人は座ったまま何もせず、別の人がその人のためにあくせく働くという理想的な世界。

だが、お金がなくても機能する社会では、投資はまったく意味をなさない。何に投資するのか？　どこに？　なぜ？　これらを考えれば、投資も資本主義の巧妙な仕組みであり、お金で動く社会でしか通用しないことは明らかである。永遠の至福は、投資では得られない。永遠の至福は、私たちの中にあるのだ――手を伸ばせば届くところに。

リタイア

何からリタイアするのか？　リタイアとは、あまりやりたくないと思いながらやっていたことを、ある段階でやめて、情熱や趣味などを追求することを意味する。しかし、これを実現するには、貯蓄や投資をしていなければならない。そうでなければ、リタイアすることはできず、死ぬまで働き続けなければならないのである。もしあなたが自分の情熱を傾け、神から授かった才能を発揮し、コミュニティの人々の生活を向上させながら人生を送るなら、何からリタイアすることになるのだろうか？　人生そのものだろうか？

ウブントゥのコミュニティには、リタイアはない。理にかなっていないからである。コミュニティの人々は必ず何かをやりたいと思っているし、年配者であれば知恵と経験を持っている。年配者は、その知恵でほかの人たちを導き、リードしていく人たちなのである。

年配者は、必ずしも体を動かす必要のないスキルを持っている。人は常に、自分の喜びとなるものを創り続けたい、やり続けたいと思うものであり、それは、ほかの人々の生活を向上させるものでもあるのだ。高齢で何もできない人は、自動的にコミュニティの世話人、つまり他人の世話をするのが好きな人たちに世話をしてもらうことになるが、これは資本主義社会では必ずしも経済的に成り立たないことである。

夢がかなう

「希望」と「夢」を持ち続けるという古典的な罠がある。夢を持ち続けるということは、ただ夢を見ているだけで、本当の意味で生きていないことを意味する。「夢がかなう」とは、ほとんどの場合、それを夢見る人にとって手の届かない金銭的価値のあるものを獲得すること、入手すること、受け取ること、達成することに関連している。このことが、テレビの賞金番組、宝くじ、ギャンブル、その他多くのお金を勝ち取るための狂乱につながっている。そうすれば、奴隷である自分たちにご褒美をあげられるからだ。すべてが可能な世界に住むようになれば、夢がかなうのを楽しみにする必要はない。ウブントゥのコミュニティでは、すべてが利用可能、実現可能、実行可能、達成可能なのである……。

なぜなら、何をやるか、何を作るか、何を生み出すかは、政治家やお金を支配する奴隷商人ではなく、人々が決めるからである。

露天商

路上や交差点で物を売って生き延びようとする露天商が、本当に必要でもなく、誰も欲しがっていないものを必死で売ろうとするのではなく、実際にコミュニティのためになることをしていたらどうなるか想像してみよう。もし、この人たちが、銀行家に支配された紙切れのためでなく、コミュニティを豊かにするために自分たちの才能を使っていたら、どれだけのものが手に入るか想像してみるのだ。露天商の一人ひとりは、自由と正義を切望する魂を持ったすばらしい人間である。この一人ひとりが持つ特別な才能や技能は、生き延びるために人生を浪費し、政府・銀行エリートの不当な法律を執行する警察から嫌がらせを受けるために使うのではなく、自分や他者の人生を豊かにするために使うべきなのである。これは、小売店の店主やその他の商人にも当てはまる。このような形の交流が好きな人たちの多くは、ウブントゥコミュニティでモノを提供する側になる可能性が高い。そのほうがよっぽど崇高な才能の使い道である。

稼ぐこと・収益を生むこと

これらの言葉は、人間には本来価値がなく、生まれつきの才能や技能を使う以上のことをしなければならないということを意味している。お金や尊敬を得るために一生懸命働き、自称権力者の要求にどうにか応じるために人間の本質とはまったく異なることをしなければならないのである。企業の世界でいえば、企業のオーナーや政府にとっての「収益」を生み出すため、何百万もの人々が汗と血を流すことを指している。奴隷は収益を上げるが、そこから何の利益も得られない。企業は奴隷を絶対的な管理下に置き、彼らが収益を上げ続けるようにするか、あるいはシステムに違反した場合は罰せられるようにする。私たち一人ひとりは、どこまでも特別な存在であり、どこにいても平和に暮らすことのできる、不可侵の権利を持っている。私たちは、生まれたときに「収益」を生むことに同意したわけではないのだ。生きることで、神から授かった才能、あるいは人間の情熱によって獲得した技術を使って、創造し続けるだけでいいのである。私たちが情熱を持って創造したものは、自分でも気づかないうちに、周りの人たちの役に立っているのだ。私たちは、ただ生きている人間としてこの世界に生まれ、「創造する」という人間のもっとも基本的な側面を表現することによって、至福と豊かさに満ちた人生を手に入れる権利を獲得したのである。収益は人間の本性とは無関係である。

民間セクター

テレビに出演している金融・経済リポーターが、世界各地の株式市場の動きを途切れなく発信する姿には驚かされる。無知な大衆には、彼らが何年もかけて複雑な金融の世界をマスターし、人類の繁栄と世界の繁栄に役立てている、高度に知的な人々のように見えるだろう。無知な大衆は、哀れなリポーターたちが、自分たちの言っていることや、金融や経済の仕組みをまったく理解していないとは思っていない。もし理解しているなら、良心がとがめるはずだ。この無知なリポーターたちが、「民間セクター」を人類の救世主のように語り始めると、胸が締め付けられる。民間セクターとは、地球を支配し、政府に指示を出している多国籍企業のことである。民間セクターは、産業、鉱業、農業、水、そして特に銀行など、私たちのありとあらゆる自然や資源を所有し、貨幣を作り、世界のメディアを支配して、無意味な経済報告で大衆を洗脳し続け、密室から密かに経済操作を行う。このまやかしの民間セクターは、「秘密の」セクターとも呼ばれ、多くの人々に病的なまでの畏怖の念を持って尊敬されているが、生きている人間を完全に支配するために、すべてを乗っ取っているのだ。人々をあらゆるレベルの搾取と奴隷制度から解放するためにも、民間セクターは直ちに解体される必要がある。

以下の言葉や表現のリストを読みながら、それぞれが資本主義社会の中でどのような位置を占めているのか、そして貢献主義の世界ではどのように変化するのか、私たちの生活にどのような影響を与えるのか、あるいは現実から消えてしまうのか、想像してみてほしい。これは、私たちが恐怖に支配されることなく、これから待っているユートピアを認識できるようになるための、ワクワクするようなエクササイズである。

第三世、希望、財務報告、銀行、取引、商人、乞食、店

主、表彰式、美人コンテスト、競技、クイズ番組、人間性、産業、製造、年間成長、景気後退、金融、工場、生産ライン、自動車、外国投資、外国人持ち株、所有、統計、世界経済フォーラム、シェルター、健康、医学、薬剤学、法律、取り締まり、警察、軍隊、子供、戦争、犯罪、才能、向上心、ショッピング、モール、スポーツ、休日、レストラン、リゾート、機密文書、秘密、政治、キャンペーン、約束、税金、増税、失業、リスク、フランス領、イギリス植民地、収入、可処分所得、八百長、債券、国債……

今度は新聞を手に取り、見出しを読んでみよう。それぞれの見出しについて、できる限り批判的に考え、お金のない世界では、それがどのように変化するかを想像してみてほしい。きっと、笑顔がこぼれるはずである。最初はそうでなくても、やがて、私たちの心がいかに毒され、(実生活に役立つと思い込んでいる)毎日のニュースに洗脳されているかを理解するようになるだろう。そして、ひとたびこの気づきを得たら、新聞を置き、二度と新聞を買ったり読んだりしないことだ。あなたは想像以上の解放感を味わうだろう。

貢献主義について、よくある質問とその認識

同じような質問が、次から次へといくつも出てくる。２００５年から現在まで、私は世界中の人々の質問に何千回となく答えてきた。このことは、私たちが同じように考えるよう、等しく条件づけられてきたことを示している。教育制度は奴隷の主人によく仕えてきたものである。

私たちが縛られている奴隷制度を守ろうとする主な根本的動機は、恐怖心であると思われる。この恐怖心は、私たちにしっかりと植え付けられ、人類の大多数が宙ぶらりんの状態で麻痺しているのである。指示に従わないことへの恐怖、嘲笑への恐怖、箱から飛び出し、現実を問うことへの恐怖。質問に対する答えは、実にシンプルかつ明白なものである。

これは繰り返し、強調しておかなければならない。貢献主義のシステムはとてもシンプルなので、失敗しようがない。自然の摂理に従った自己修正システムなのである。そして、私たちが5つのマントラに忠実である限り、答えは易々と現れてくる。

以下の質問を読んで、それぞれの質問についてしばらく考えてみてほしい。自分自身で答えを見つけ出すのだ。これは、今まで信じてきたことに逆らうことで、感覚が研ぎ澄まされ、枠にとらわれない思考をするための最良の方法である。同じ疑問が沸き上がった場合は、答えを調べる前に、その質問を自分に投げかけ、あなたに正しい方向を示してくれるかを確認してみよう。

- お金のない社会で、この状況はどう変わるのだろうか？
- これは私だけの利益なのか？　それともコミュニティ全体の利益なのか？
- なぜ、今のような状況になったのか？
- なぜ、欲しいのか？
- 本当に必要なのか？
- なぜ、このようなことが起こるのか？
- もし皆がこれに取り組んだら、誰かが被害を受けるのだろうか？

5つのマントラを繰り返して、答えにたどり着こう。

1）お金は必要ない。
2）物々交換はしない。
3）取引はしない。
4）付加価値を付けない。なぜなら、私たちの努力と貢献はすべて等しい価値があるのだ。
5）誰もが、自分の生まれつきの才能や身につけた技術を、コミュニティのすべての人により大きな利益をもたらすために貢献する。したがって、すべてのものが、いつでも、すべての人に利用可能である。

私はこのことを理解するのに長い時間（何年もの期間）を要し、深く根付いた資本主義的な条件付けを捨てた。買い溜めをする必要も、紛失や盗難を恐れる必要も、今日の社会が直面するいかなる問題も存在しないことを、私は常に自分に言い聞かせなければならなかった。もはや「自分にとって何が得か」ということを考える必要はないのである。なぜなら、すべては「私」のためにあるのだ。もはやお金を追いかける必要はなく、ただ自分の好きなことを仕事にすればいいのである。

2005年以降、私たちの集合意識は大きく変化し、私が数週間、数か月、ときには数年かかって解明した答えを、数分で手に入れる人たちを目の当たりにしてきた。私たちは、欲に駆られ、モノを溜め込み、自己に奉仕するという考え方から、他者やコミュニティに奉仕するという「共有」の考え方にいとも簡単に移行できるのである。他人に奉仕することで、私たちは自分自身に奉仕することができるのだ。

与えること以上に名誉なこと、満足することはほかにない。与えることで、宇宙は私たちに豊かな報酬を与えてくれるのである。

よくある質問

1）もし、すべてが無料なら、何もしないで座っているだけで、人々が私に物を持ってきてくれるのか？

回答：そうではない。このシステムは貢献主義と呼ばれ、誰もが1日数時間、自分のスキルを使ってコミュニティに貢献するというものである。あなたには、これまでの人生で培ってきた多くの技能やさまざまな情熱があるはずだ。それを生産的に使うことができるのだ。すべてのものをいつでも利用できるのは、このとてもシンプルな原則があるからである。1日3時間「愛の労働」をした後でも、18時間は何もしないで座っていることができる。

しかし、ウブントゥのコミュニティでは、「何もしない」ということはまずありえない。なぜなら、あなたは多くの趣味や情熱を追求することになるからだ。あなたがコミュニティに留まり、皆のために愛の労働をすることを選べば、趣味を追求するために必要なすべてのツールを無料で手にすることができるのだ。

しかし、もしあなたが貢献しないのであれば、長老評議会は、コミュニティからの退去を求めるかもしれない。その場合、隔離された場所で一人暮らしをするという選択肢もある。しかし、何もしないで座っていれば、その必然的な結末は死である。だから、どう考えても、生きていくために何かをすることになる。路上で物乞いをする人たちが、服を着て、帽子をかぶり、マグカップを持ち、物乞いをする場所までの交通手段を探すという苦労をしなければならないのと同じである。彼らは「何もしていない」のではなく、「何かをしている」、すなわち物乞いをしているのである。だがそれは、生産的で品位のある1日の過ごし方とは言えない。

2）誰がゴミを回収するのか?

回答：人間の情熱と物事の多様性について、良い知らせがある。ミケランジェロやレオナルド・ダ・ヴィンチが誕生するように、化学や汚水処理に情熱を傾ける若い科学者が世の中には何千人もいるのだ。彼らは、下水を堆肥やきれいな水、エネルギー、そして私たちがまだ発見していない何かに変える方法を知っている。ただし、現状でそれは経済的に成り立たない。このようなすばらしい頭脳が解き放たれ、研究室で自由に研究できるようになれば、多くのすばらしい発見をすることができるだろう。

EM（有用微生物群）については前述したが、これは多くの緊急の課題を数日で解決できる自然浄化法の一例である。つまり、下水が私たちの家を出る頃には、庭を美しくし、生活を向上させる多くの有益なものに変化しており、誰もゴミを回収する必要はないのである。見方を変えれば、ゴミを回収する行為は、資本主義社会のヒエラルキーを強調することになる。低賃金の人々は、象牙の塔に住む俗物たちが敬遠する仕事、例えばトイレ掃除、道路の掃除、ゴミの撤去などをやらされる。彼らはお金を持っているからこそ、他人にそのような仕事をさせているが、これもエゴの表れにすぎず、そのような仕事をする人は、より多くお金を稼いでいる人から見下されるのである。

ウブントゥのコミュニティでは、誰もが平等であり、お金によって作られた階層はない。コミュニティの誰もがコミュニティのための仕事をすることが要求される。これには、道の掃除や公共の場を清潔に保つことなど、さまざまな活動が含まれる。誰もほかの人を見下すことはない。これこそがウブントゥコミュニティの強みであり、今日の社会の弱点とは無縁なのだ。誰もが1日3時間、週5日、自分の愛の労働を選び、さらに週3時間、コミュニティ・プロジェクトに貢献するのである。それ以外の時間は、自分の好きなことをしたり、自分の創造性を発揮したりすることができる。なぜなら、多くの人が多くの情熱を持っている自由な社会では、人々がさまざまな新しいスキルや情熱を追い求め、それに取り組むことになるからである。

3）すべてが無料なら、豪邸10軒とフェラーリを50台欲しいのですが。

回答：ウブントゥのコミュニティには、土地の所有権がない。誰もが、家族の人数や必要に応じて、最高の建築家が無料で設計・建設したすばらしいマイホームに住むことができるのだ。誰もが、コミュニティと長老評議会によって、コミュニティのために何をするかに基づいて、土地を割り当てられる。農民は、自分たちのコミュニティのために十分な量の作物を生産するために必要なだけの土地を手に入れることができる。例えば、ハーブ農家はトウモロコシ農家よりずっと少ない土地しか使わないだろう。

すべてのものがいつでも手に入るので、物質的な所有は存在しない。大きな屋敷やフェラーリのような高価な車は資本主義の副作用であり、お金のある人だけが買えるもので、そのほとんどは物質的な豊かさを誇示して、それを買えない人たちと区別するためにある。それらはステータスを象徴するものであり、エゴの表れでしかなく、私たちの生活から根絶しようとしている残りの問題と共に、分裂と嫉妬を引き起こすのだ。

ウブントゥのコミュニティでは、たとえあなたが50台のフェラーリを持っていたとしても、誰もすごいとは思わないだろう。なぜなら、彼らもその気になれば50台のフェラーリを持てるからである。フェラーリは、今のような価値を持たない。ただ場所をとって、埃をかぶるだけである。車を持ったからといって、あなたがコミュニティで人気者になることもないだろう。

ウブントゥのコミュニティでは、交通費や移動費が無料であることを心に留めておかなければならない。輸送、移動、自動車の分野では、新しいエネルギーや驚くべき新発見があるだろう。自動車はおそらく、古くて効率が悪いとみなされるため、今日のような理由で作られることはなくなる。また、自動車は新エネルギーを燃料としない限り、環境を汚染するので、コミュニティから使うことを許されないだろう。そのため、現在の車愛好家たちのように、感傷的な理由から、古い車を作り続ける車好きの人たちが爆発的に増えるかもしれない。50台のフェラーリは、地元の車愛好会に所属する全員のものとなり、誰もが運転する権利を持ったり、愛好会に参加したりして、コレクターたちのための車を作ることもできるようになるだろう。このような愛好会は、過去を懐かしむ気持ちから、既存の多くの分野に関連して誕生する可能性が高い。人々はデザインを評価し、車の形を愛し、価格ではなく、その車の本質的な芸術性を認識する。車作りは、輸送のための必需品ではなく、芸術の域に達するだろう。

　コミュニティと長老評議会は、これに関して重要な役割を果たすことになる。少数派の原理、つまり競争ではなく協力を大切にし、ほかの人々やコミュニティ全体の権利を侵害しない限りは、すべての少数派のニーズを満たすことができるようになるのである。つまり、どんなことも可能なのである。

4）なぜ、今まで一生懸命に努力してきたものをあきらめなければならないのか？

回答：何もあきらめる必要はない。むしろ、夢見たものすべてを手に入れることができるのだ。私たちは生涯にわたってモノを集め、収集している。ガレージや屋根裏部屋、地下室にモノを溜め込むのは、いつかそれが必要になるかもしれないという理由からだが、結局は後になってすべてを捨てることになる。不要な家具で家を飾り、新しい空間を作っても、結局は使われることなく、お店のウィンドウのようになってしまうのだ。

　このように、あらゆるものが手に入る、お金のない社会では、これまでの人生で蓄積してきたものの多くが、別の意味や価値を持つことになる。今、この瞬間に想像もつかないほど、無限に多くのものにアクセスできるようになるのである。あなたは、今まで溜め込んでいたゴミをようやく片付けることができて、ほっとすることだろう。必要なものがあれば、それを受け取りに行くか、正確な仕様で注文することができるのである。

5）見返りがないのに、なぜ私があなたに何かを与えなければならないのか？

回答：この言葉は「自分にとって何がメリットなのか」という考えに基づいている。だが、すべてはあなたのためにあることを忘れてはならない。

　現在のあなたはシステムにエネルギーを供給するために存在している。映画『マトリックス』でモーフィアスが説明したように、あなたはプログラムが動くためのエネルギーを供給する人間バッテリーなのである。

　だが、ウブントゥのコミュニティは違う。あなたは無意味なもののために何かをする必要がないし、それはほかの人も同じだ。必要なものはすべて、いつでも手に入れることができるのである。あなたは、これまで培ってきた多くのスキルの中から、愛の労働としてやりたいことを選び、自分自身の満足のためにそれを行い、同時にコミュニティのためにもなることができる。そして、あなたが自分の才能やスキルを提供することで、誰もがその才能やスキルを享受し、恩恵を受けることができるのである。このように、才能、スキル、商品、製品、その他、あなたが心に思い描くものには何でもアクセスできるようになる。つまり、どこの誰でも、それをできるようになったり、作ったりすることができるようになるのである。

6）これも共産主義の一形態ではないか？

回答：まったく異なっている。共産主義は人民のためになる崇高な考えとして始まったかもしれないが、金に堕ちた権力欲の強い政治家たちに乗っ取られてしまった。共産主義には、これまでのあらゆるシステムと同じように、「お金」という弱点があったのだ。これが、貢献主義とこれまでの社会主義の政治システムの決定的な違いである。

ウブントゥのシステムにはお金がない。そのため、人は汚職を働いたり、買収されたり、お金をもらって不愉快なことをしたりすることができないのだ。実際、この地球上における資本主義と共産主義の間に、違いはほとんどない。

古典的な共産主義は、絶対的権力への近道にすぎない。一方、資本主義では、政府やすべてを買い占めた企業の完全な支配下にあるということが人々に気づかれにくい。資本主義と同じように、共産主義もやはり中央集権的なシステムで、政府という企業の代表が必要なのである。

7）人間は本質的に怠け者である

回答：これは、多くの人が提起するもっとも誤解されやすい議論の1つである。マトリックスに閉じ込められている私たちが、人間の本質について価値判断を下すことは不可能である。私たちは、人間の本質とは何か、つまり人間であることがどういうことなのかさえもわかっていないのだ。私たちはマトリックスに完全に囚われているため、ほとんどの人がいまだに自分がシステムの完全な奴隷になっているとは思っていない。人間というものに対する私たちの認識は、私たちが育ったコミュニティによって完全に歪められているのである。

自分が心から楽しいと思うことのために、時間とエネルギーを捧げない人がいるのなら教えてほしい。私たちの価値観やモラルは、下心を持った他人に指図されている。私たちの周りの世界や人間に対する見方は、平和や団結よりも戦争や紛争を推進するグローバルなメディアや政治家によって決められているのである。

私たちは常に、人間は本質的に怠け者であると聞かされている。一生懸命働かない限り何事も成し得ないと言われるのである。私たちは、多くのレベルで絶え間ないストレスにさらされながら生きている。私たちのほとんどは、嫌な仕事でも、生きていくためにはやらなければならない。人々は心の底では自分が虐げられていることを知っているが、どうしたらいいのかわからない。怠惰は資本主義の結果であり、人間の性質の一部ではないのだ。

多くの人は、どんなに努力しても貧民街から抜け出すことはできないと思っている。人が怠けるのは、敗北感を味わうからである。それは、自分を支配する目に見えない力に対する一種の反抗心である。何もしないで座っているのは、これまでの人生で、自分は役に立たない、何にもならない、と言われ続けてきたからである。誰もが、勝ち気な性格で、トップに立つ意欲があるわけではない。資本主義に教化され、私たちは皆、混乱している。いわゆる怠け者は、ラットレースに勝てるのはネズミだけだということを本能的に知っているので、あえてそのレースに加わらないという選択をしているのかもしれない。人間は本質的に怠け者で対立的だと言う人は、資本主義に教化されたクローンになってしまい、人間であることを忘れてしまっているのだ。

人は生まれながらにして、さまざまな才能や情熱を持っている。だが、その才能は、幼少期からの教育制度や社会全体によって破壊されてしまう。やがて人は夢や情熱を忘れ、ただ生きていくためにどんな仕事でも引き受けるようになるのだ。人間の本質は、このような性質とはまったく逆のものである。

私たちは皆、偉大なる創造の一部なのだ。私たちの本質は、創造すること、クリエイティブであること、神から授かった才能を表現することである。

8）これは、私たちが暗黒時代に戻って、洞窟で暮らすということなのか？

回答：もし、あなたがこの質問の答えを知らないのなら、それはあなたが注意を払っていないからである。理性的になってほしい。科学者や発明家が自由になり、フリーエネルギーや、お金に追われる社会では考えられないほど高度な新技術を生み出したのに、どうして暗黒時代に逆戻りすることがあるだろうか。

世界のすべての人々にとって、土地は十分すぎるほどあるのだ。そして進歩のためのハードルはすべて取り除かれる。私たちは暗黒時代に戻るのではなく、宇宙に飛び出して行くのだ。私たちの知識と技術は、『スター・トレック』やその他のSF映画で見たことのあるようなものばかりになるだろう。一方で、私たちはこの美しい地球という大地にしっかりと根を張り、自然と調和し、必要なものがすべて満たされた生活を送ることになる。なぜなら、私たちは多くのことを理解し、隣人に見せびらかすために派手な車やダイヤモンドを必要としないことに気づいているからである。

9）やりたい放題の無秩序で無法地帯の社会になるのではないのか？

回答：そうはならない。これまで、政府によって国民に法律が強制されてきた。しかし、これからはそうではない。既存の法律はすべて撤廃される。なぜなら、それらの法律は何千年にもわたって既存のシステムとお金を支配する人たちを守るために作られたものだからである。

だが、新しい法律やガイドラインは、コモン・ローの基本的な原則に基づいて、人々によって、人々のために書かれることになる。危害を加えないこと、盗まないこと、騙さないこと。これらに加えて、すべてのコミュニティは、それぞれのコミュニティの人々の必要性に基づいて、独自の新しい法律を発展させるだろう。あらゆるものがいつでも誰でも手に入る社会、人々が情熱に従って、神から授かった才能を自由に表現できる社会、お金が進歩の妨げにならない社会、誰もがお互いのことを知っている社会では、強権的な法律を施行する必要はないのである。だが、今の社会に囚われながら、このような自由で平和な社会を想像することは、本当に難しいことである。

10）誰がルールを作るのか？

回答：法律やルールは、民衆のために民衆によって書かれることになる。極端な自由は、その自由を乱用する者に対処するための極端な手段を必要とするかもしれない。暴力や犯罪などの行為にどのように対処するかは、各コミュニティの長老評議会を通じて、人々の意思に委ねられることになる。これは生きた法治社会であり、人々のニーズを満たすために、必要であれば日々法律を修正していく。誰もが、自分が選んだコミュニティで、その豊かさの恩恵を受けて自由に生活できることを忘れてはならない。その恩恵と自由を乱用する者は、おそらくそのコミュニティから出て行くように言われるだろう。そのような行為は許されるものではないのだ。

別の言い方をすれば、ルールはまず自分から始まるということである。次に家族へ、そして近所へ、さらにコミュニティへと広がっていくのである。それぞれのコミュニティは他のコミュニティとつながり、他のコミュニティに危害を加えることなく、むしろ他のコミュニティのためになるように行動する。スポーツのように、安全のためにルールが設計され、一般的なルールが適用される。しかし、そのルールは、必ずしも厳密に守られるわけではなく、それぞれの状況に応じて検討される。ルールに固執すると社会（あるいはスポーツ）を停滞させてしまうという問題があるため、社会のニーズや人々の利益に基づき、それぞれの状況に応じた裁量が必要なのである。

11）進歩や進化、テクノロジーについてはどうなるのだろうか？　これは、私たちが後退し、後戻りすることを意味するのか？

回答：そのようなことはない。私たちは想像もつかないような技術で宇宙に行き、科学者たちは制限されることなく発明を行う。政府の秘密のプロジェクトもなく、情報の制圧もなく、国民に隠し続けるものもないのである。

12）お金がなかったら、どうやってモノを買えばいいのか？

回答：誰もモノを買わなくてよくなる。コミュニティへの貢献者であれば、誰もがすべてを手に入れることができるからだ。あなたは好きなコミュニティで暮らせる。誰も何かを強制されることはない。誰もが自分の愛の労働をコミュニティへの貢献として選び、その見返りとして、必要なもの、欲しいものをすべて手に入れることができるのである。このため、あらゆるもの、特に情報は自由に共有することができる。例えばパン屋はパンを焼き、エンジニアはエンジニアリングを、農家は農業を、運転手は運転を、靴職人は靴作りを、芸術家は芸術を、サーファーはサーフィンを教える。すべてのものを、コミュニティの誰もが、毎日使えるようになるのである。もし、手に入らないものがあれば、コミュニティはその品物の生産を始めるか、そのような品物を生産しているほかの町から手に入れることを決定する。1か月分の食料を買ったり、事前に予算を立てたり、毎月のガソリン価格の上昇を心配したりする必要もないのである。

情報の共有については、次のような例で説明しよう。例えば私が靴職人で、町のある陸上選手のためにランニングシューズをデザインしているとする。そうすると、最新の素材を、あらゆる素材メーカーから手に入れて使うことができるのである。そして、その靴がとてもうまくできて、その選手は400メートルの世界記録を更新することができたとする。すると、ほかのランナーも皆、私のシューズを欲しがるようになるのだ。パリのスポーツコーチから、無料のインターネット通信システム「スカイプ」で、彼の指導する選手が私のランニングシューズを欲しがっているという、電話もかかってくる。彼は私に自分たちが利用している靴屋の名前を教えてくれたので、私は数分後に靴のデザインの仕様をアップロードし、この靴を誰もが使えるようにした。私のランニングシューズは、この100年間でもっとも多く使用されるスポーツシューズとなり、誰もが私のデザインであることを知っている。これは、私から人々への贈り物であり、世界への貢献なのである。一部の人しか買えないブランドになったり、私が何十億ドルも稼ぐ一方で、ほかの誰も同じものを作れないように商標登録されたりすることはない。

13）なぜタダで1日中奴隷にされなくてはいけないのか？

回答：あなたは混同している。生き延びるためだけに複数の仕事を掛け持ちしなければならない今日の奴隷としての人生と、ウブントゥ貢献主義者たちのコミュニティで体験する至福のユートピアの人生は別物だ。誰も二度と奴隷になることはないのである。誰もが自分のコミュニティのために、自分が好きで得意なことを選んでやっているのである。彼らは皆、自らの情熱に従い、神から与えられた才能を、意図したとおりに使っている。職業もキャリアも企業もない。誰もが自らのコミュニティのために貢献する愛の労働を持っているのだ。

「ワーカホリック（仕事中毒）」という表現は、まったく違った意味を持つようになるだろう。もう、1日12時間、お金を追いかけて奴隷になる必要はないし、どこかの企業が利益のためにあなたを搾取し、嫌な工場で働く必要もないのである。誰もが1日に3時間だけ愛の労働をすればよく、その後18時間は好きなことをすることができるのである。しかも制限されることもなく、お金もかからない。釣りや乗馬、苗の栽培、絵画や彫刻、フェラーリのキットカーの製作など、自分の趣味を貫くことができるのである。誰も二度と奴隷になる必要はない。奴隷制度は資本主義の副次的なものだ。私たちはもうお金を追いかけることはないので、すべての営みが、あらゆるレベルの豊かさを提供することにつながるのである。だからこそ、私たちは皆、1日3時間だけ「愛の労働」で貢献すればいいのだ。そうでなければ、モノが増えすぎてしまうのだ。たくさんの橋、たくさんの靴、たくさんの食器、たくさんのロウソク、そして腐るほどの食べ物。誰も二度と奴隷になったと思う必要はない。

毎日の貢献しなければならない時間は、あくまでガイドラインであり、コミュニティのニーズに応じて変更される可能性がある。なぜなら、利用できるものが増えすぎてしまうので、週に数時間程度になることだってありえるからだ。

14）誰が食料を提供するのか？

回答：農家が食材を育て、チーズ生産者がチーズを作り、パン屋が焼く、といった具合である。食品は生分解性の容器に詰められ、環境に優しい輸送手段で運ばれ、食品市場やその他、今は予測もつかないような場所に陳列される。そして、こうした食品を確実に手に入れるため、サプライチェーンに沿ってあらゆることを行う人々のネットワークが存在する。

食の供給には多くの人が関わり、常に新しいアイデアを生み出し、現在では経済的に成り立たないような新しいことに挑戦していくことにもなるだろう。ファーマーズ・マーケットや生鮮食品市場は、毎日、新鮮な食品を入手できるもっとも一般的な場所になるだろう。コミュニティの食堂や、専門の料理人やシェフが経営する無数のレストランが、最高の料理を振舞ってくれる。しかも、費用は一切かからない。シェフは、お金を稼ぐためではなく、おいしい料理を作る能力があるという理由で、住民を代表して長老評議会から任命されたことを忘れてはならない。料理が好きで、自ら進んで料理をする場合は別であるが、誰も自分で料理をする必要はない。なぜなら、彼らはコミュニティ全体のために貢献していることを、コミュニティから受け入れられ、尊敬されているからである。コミュニティから受け入れられ、尊敬されることは、私たちが受け取ることのできる最高の報酬である。いくらお金を積んでも、それに匹敵するものはない。

15）教育はどうなるのだろうか？

回答：教育のセクションで詳しく説明したように、私たちはまったく新しいアプローチで教育に取り組んでいく。教室での授業や試験という構造から、より実践的な方法で、生活に必要な真のスキルを身につけることができるのである。ウブントゥのコミュニティでは、実の親と同じようにコミュニティ全体で子供の面倒を見る。子供たちは危険な目に遭うこともなく、自由に歩き回り、遊び、探検することができる。

私たちの託児所とラーニングセンターは、未来のオープンマインドな人々を育て、試験のために本から情報を暗記するのではなく、真の知識の土台を築く育成場になるだろう。子供たちは、早い時期から基本的なライフスキルを学び、生まれ持った才能や創造性を発揮し、好きなだけ多くの分野で制限なく能力を伸ばしていくことができるようになるのだ。子供たちは、その知識、技術、能力の高さによってコミュニティから指名されたマスターティーチャーから学ぶのである。また、子供たち自身も、何千年も前から武術の道場で行われてきたように、互いに教え合うことで学んでいく。

最高の技術を持ち、子供たちに自己流で教えることが許されるような人たちは、コミュニティから尊敬されるようなスターティーチャーに任命されることは、コミュニティのメンバーに与えられる最高の栄誉と尊敬の1つだ。マスターティーチャーだけが、自分の指導する生徒を新しいマスターティーチャーに任命することができる。教育は、幼児を対象にした短い対話型のゲームやワークショップから始まり、水や土、種まき、食物の栽培、牛の乳搾り、チーズ作りなど、生命や母なる地球に関する基本的な事柄を学ぶ。この短いワークショップは、子供たちが大きくなるにつれ、より多様な分野へと広がり、あらゆる種類の技術を学ぶことができる。そして、14～16歳になると、ワークショップは数か月間のインターンシップとなり、それぞれのテーマでスキルを磨くことになる。

この年齢になると、子供たちは自分の才能、情熱、そして人生の次のステージでやりたいこと、コミュニティへの貢献について、非常に前向きに考えるようになる。つまりは愛の労働についてである。ウブントゥの教育システムでは、卒業証明書という紙切れを手に、オフィスや工場での仕事を探す、知識の乏しい若者を生み出さない。16歳になる頃には、子供たちは土地を耕し、食物を育て、チーズを作り、パンを焼き、橋を架け、高い塔を設計し、フリーエネルギーを生み出し、ロケットを作り、水を浄化し、綿を紡いで美しい布を作る方法を知っていることだろう。彼らは何千ものことを実際にやってのけ、今いる世界中の教授たち全員よりも多くのことを知っている。若者たちは皆、新しい技術や知識を使って貢献することで、コミュニティから尊敬される存在になるのである。誰でも、いかなる段階からでも新しいスキルを身につけることを決断していいのだ。新しいスキルを身につけることは同時に、何らかの形で、すばらしい奉仕となる。教育システム全体がコミュニティのニーズに完全に溶け込んでおり、バランスの取れた、オープンマインドで、コミュニティ全体に大きく貢献する若者を生み出すのである。

16）どうやって電気を確保するのか？

回答：発電所から家庭までの輸送で、全エネルギーの60%ものエネルギーが失われていることに留意する必要がある。したがって、すべてのエネルギー生成は、各コミュニティによってローカルに行われるべきである。既存の電力系統からの配線を利用して、自分たちの町の電気を自分たちのできる方法で供給し、供給をコントロールし続けるのだ。やり方は場所によって異なる。海や風を利用できる海岸沿いの町もあれば、太陽光や川、地熱を利用できる町もあるだろう。私たちは、フリーエネルギーを探しながら、できる限りの手段を利用することになる。水のあるところでは水力発電、ほかにも太陽光、風力、ガス、地熱、波力などが利用できる。

科学者とエンジニアは、すでに存在しているにもかかわらず、抑制されたままになっている新しいフリーエネルギーの開発・提供に取り組み続けることになるだろう。お金の罠がなくなれば、そのようなフリーエネルギー装置を設置するのにも時間はかからない。このことは、私たちの生活のすべて（旅行、車、電車、飛行機、家の建て方、産業、製造業など）に影響を与えるだろう。新しいフリーエネルギーは、石炭や石油や欲望に支配された持続不可能なエネルギー供給網に縛られている間は想像もつかないような、数多くの新しい側面を私たちの生活に生み出すのだ。

17）これは、金持ちから奪って貧乏人に与えるということではないのか？

回答：そうではない。貢献主義のシステムには、お金持ちもいなければ、貧しい人もいない。なぜなら、私たちが強いられているような階級的な分裂を生み出すためのお金がないからである。誰もが必要なものを常に持っている。私が持っていて、あなたが持てないものは何もない。人は自分の趣味や好みに応じた、欲しいもの、必要なものを手に入れることができる。

だからこそ、盗むという概念は存在しない。なぜなら、こうしたものは皆に供給されていて、自分の好きなスタイル、形、色でもらえるのだから、何かを盗みたいと思うはずがない。そして、もし何らかの理由で、誰かがほかの人から何かを盗んだとしても、皆がお互いのことを知っているオープンなコミュニティでは、誰が盗みを働いたかを突き止めるのはとても簡単なことである。盗まなくとも提供してもらうことができると知っている加害者は大抵、盗みという行為をとてつもない恥だと感じるはずだ。

18）誰もが仕事を持ち、十分な食料などを入手できるように、経済を改善し、貧困を緩和することに力を注いだらどうだろうか？

回答：経済とは、資本主義の下で作られた哲学である。この哲学は、モノには希少性があり、私たちは倹約したり、経済的な行動をとったりしなければならないことを示唆している。経済は、あるものをほかのものより価値あるものとし、金融市場を動かす原動力になるのである。

経済という言葉は、ウブントゥのコミュニティには存在しない。お金がないから、貧困はあり得ない。誰もが必要なものをすべて持っており、誰もが自分の好きなこと、得意なことを仕事にしている。そうすれば、人々は笑顔で目覚め、1日を楽しみにすることができる。嫌な仕事に行かなくて済むようにあらゆる言い訳を探しながら不機嫌に過ごすのとは対照的である。「仕事」というのは、お金のために何かをすること、つまり奴隷になることを意味する響きの良い言葉にすぎない。私たちが「経済の改善」や「貧困の緩和」や「食料の供給」を心配する必要はない。すべては全員に豊かさを提供する団結したコミュニティによって十分に提供されるのである。

19）どうやって物を輸入するのか？

回答：私たちは、社会のために、まったく新しい製品をデザインし、生産していくことになる。なぜなら、何を生産するにしてもお金はハードルにならないからだ。資本主義がまだ機能している国々だと、人々は物を買わなければならず、お金に余裕がないので、私たちの社会に提供できるものはほとんどないだろう。私たちは、数か月で壊れ、買い替えを余儀なくされるような粗悪品を工場から輸入しなくても、必要な材料さえあれば、すべて自分たちで生産し、製造することができる。私たちの想像力次第で、あらゆるものをデザインし、製造することができるのだ。たとえレアアースがなくても、科学者たちはより実用的で環境に優しく、生分解性で長持ちする代替素材を開発するだろう。そうであれば、なぜ、ほかの資本主義国から何かを輸入しようと思うだろうか？

20）これは、私たちのライフスタイルの悪化を意味しないのか？

回答：まったく逆である。幸せで充実した生活を送るために必要なもの、欲しいものがすべて揃っていて、制限なく情熱を傾け、好きなように芸術を創造し、文化的な行事に参加することができるのだ。ストレスや犯罪を減らすことが、どうして私たちのライフスタイルを悪化させることになるだろうか？

21）全部タダなら、あなたの家に行って好きなものを持って帰っていいのか？

回答：そういうことではない。先にも述べたように、市場や製品の製造元から好きなものを手に入れることができるのに、なぜ私の家に行って奪いたいのか？

このような性質の犯罪や窃盗は一夜にして事実上消滅する。誰もがお互いを知り、どこに住み、何をしているかを知っているコミュニティで、誰かから何かを奪うことは非常に愚かなことだ。なぜなら、あなたの行為はすぐに知れ渡ってしまうからである。そのような行為は、長老評議会の指導のもと、コミュニティの法律に基づいて対処される。町の平和を継続的に乱す人は、ほとんどの場合、出て行くように言われるだろう。ほかのコミュニティも、秩序を乱す人はあまり受け入れたがらないだろう。

必要なものはすべて揃っていて、人々があなたを愛し、あなたが誰であるか、あなたがコミュニティのために何をしているかを尊重しているのに、どうして、自らコミュニティの平和を乱したいと思うだろうか？　また、本質となるのは「何のために」という部分である。もし、あなたが長老評議会や住民を満足させるような答えを出せるのなら、そうすればいいのである。もしかしたら、盗んだ品物の持ち主が、あなたにそれをくれるかもしれない。あなたのほうがより必要としているからだ。でも、そうであるなら、本人に直接交渉すればいいだけの話である。

22）法律や警察、治安維持部隊はどうなるのか？

回答：ウブントゥのコミュニティでは、どんな種類の力もほとんど必要ないだろう。そのため、警察や国防軍、その他の資本主義的な政府企業の手先は消滅し、コミュニティのための重要な支援団体に姿を変えていくだろう。火災、洪水、地震、竜巻、ハリケーンなど予測困難な災害に備え、さまざまな緊急サービスを通じて支援を行い、コミュニティが必要とするときに重要なスキルを提供するのだ。

政府の強権的な法律を自国民に押し付けるのではなく、

平和の使者はコミュニティの人々に奉仕する。彼らは最先端のツール、技術、武器を手に入れ、部外者による不測の挑発からコミュニティを守ることができるようになる。しかし、技術や兵器の自由な共有によって、コミュニティ間の不必要な挑発は防ぐことができる。誰もが自らを守り、その過程で侵略者に深刻な損害を与えることのできる科学的な能力を持っているからだ。私たちの社会にお金がないことは、戦争の仕掛人に「熱冷ましの薬」を与えるようなものだろう。

23）学歴やスキルが高い人たちの時間のほうが貴重ではないのか？

回答：教育がガラリと変わるのだ。人々は、お金をたくさん稼げるからという理由で仕事を選ぶのではなく、自分の生まれ持った才能を追い求め、スキルを磨いていくことになるだろう。誰もが自分の才能やスキルを身につけるために、いつでも教育やトレーニングを受けることができるようになるのだ。人々は自分のスキルの対価を得るのではなく、そのスキルや才能を誰もが享受できるよう、コミュニティに貢献する。そして、その見返りとして、コミュニティは彼らの能力を称え、尊重するのだ。

人の数だけ多様な才能やスキルがあるが、ウブントゥのコミュニティには才能の序列がない。なぜなら、皆の貢献はほかの皆と同じように価値があると見なされているからである。だからこそ、システムがスムーズに機能し、予期せぬ問題が起きても自ら修正することができるのである。つまりは、欲に濫用されたり、腐敗したりすることのない自己修正システムなのである。

結論――自分の知識をみんなと共有する

指数関数的な成長というのは、ありえないことである。小さな種を植えたとき、それが一生のうちにどれだけの実や種を生み出すか、私たちは想像もつかない。これが自然の驚くべき、そして予測不可能な豊かさなのである。だから、私たちが知っていることを知った以上、皆さんも一人ひとりが知識と情報の種をできる限り届けていかなくてはいけない。地球を席巻する壮大な意識の急激な高まりを、黙って見ているわけにはいかない。私たちは、参加し、皆と知識を共有し、行く先々で意識の種をまいていくのだ。

あなたはひとりではない。あなたと同じような人が何百万人もいるのだ。その多くは内気で自分の知っていることを話すことを恐れている。一方で、多くの人は恐怖心を手放し、自分の意見を伝え、日々自信を深めている。真実を話せば話すほど、恐怖心はなくなり、より多くの人がそれらの話を聞きたいと思うようになるのである。なぜなら、私たち一人ひとりの心の奥底には、最高の真実、神のあらゆる創造から生まれた「団結した意識」という普遍的な共鳴があるからだ。

まもなく、すべての種から芽生えた意識のチャンネルは、あらゆる方向に広がり、つながり始め、破壊されることのない地球規模の意識の網を作り上げるだろう。もし、あなたが話した10人のうちの1人が、別の10人に伝えれば、私たちはあっという間にユートピアを顕在化させることができるのである。

私たち自身、そして未来の世代のために、望む未来を創造するのは、今の私たち次第なのである。思考は強力なツールである。賢く、生産的に使うのだ。私たち全員が、永遠の魂を持つ、生きた人間として望み、それに値するユートピアを可視化してみよう。私たちが生きている間に、新しい世界を実現させるのだ。

1）怖がらない。
2）恐怖心をなくす。無限の愛の宇宙に恐怖心は存在しない。
3）自分の知識をみんなと共有するようにする。
4）あなたはひとりではないことを知る。あなたのような何百万もの人が学び、分かち合っている。
5）コミュニティを集団で管理する。
6）資金力を結集し、コミュニティの運営を指揮する。
7）コミュニティに貢献するプロジェクトをできるだけ多く立ち上げる。
8）生きていくために必要な主な分野で、コミュニティが自立できるようにする。具体的には水、食料、エネルギー、住居、健康、教育、芸術、文化など。
9）これらのプロジェクトで得た収入で、特定のコミュニティに役立つプロジェクトをさらに立ち上げる。
10）外部からの搾取から自分たちを守るために、自分たちのコミュニティのために暫定的な地域通貨を作る。
11）やがて、自分たちの成功は周囲の町にも波及していくだろう。あなたのコミュニティが生み出す農産物やサービスには太刀打ちできなくなるからである。
12）ウブントゥが世界に急速に広がっていくためのドミノ効果をあなたが生み出そう。

意識的に進化した人々の美しいユートピア世界へようこそ。私たちの地球やすべての生命と調和し、団結し、生活していこう。

団結してこそ、無限の多様性が生まれる。

The New Freedom Charter
新自由憲章

新自由憲章

２０１０年11月３日、南アフリカ共和国ムプマランガ州ウォーターバル・ボーベンで開催されたウブントゥ貢献システムの発表会で、人々によって採択された。

「自由は私たちの権利ではなく、聖なる創造主からの贈り物である。誰もそれを奪う権利も、どんな形であれ私たちを奴隷にする権利も持っていない」
マイケル・テリンジャー　２０１０年11月３日

- 政府は、ネルソン・マンデラやその他の誠実な長老たちを含め、過去から現在に至るまで、国民の自由のために生き、死んでいったすべての南アフリカの人々の夢を裏切った。
- 政府は自由憲章とすべての人権を冒瀆している。
- 彼らは悪意を持って、私たち一人ひとりを政府という企業とグローバル銀行エリートの奴隷にした。
- 今日、私たち国民はかつてないほどの奴隷扱いを受けている。
- 新自由憲章は、人々のニーズとその不可侵の人権に応えるものである。
- 本書は、政府のニーズではなく、時代や人々のニーズによって変化し続ける生きた文書である。
- あなたは、プロパガンダではなく、自分自身で情報を収集し、真実を学ぶ。
- 自らの知識を知り合い全員に伝えることを誓う。
- これは私たちの誓いであり、これらはあなた方の権利である。

私たち南アフリカ国民は、我が国と世界のすべての人々に宣言する

南アフリカとその土地は、そこに住むすべての人のものである。

政府と多国籍大企業が、国民から国と国土を奪ったのだ。

国民は取り戻す必要がある。

私たちの政府は、国民の知らない間に、株主が不明確な非合法の企業に変わってしまった。

いかなる政府も、国民によって合法的に任命されていない限りは、いかなる種類の偽装や欺瞞によっても、国民を支配し、その土地を管理する権利を有しない。

政府は国民を南アフリカ共和国という私企業に隷属させたのだ。

この企業は、裁判所と裁判官を利用して、企業の法律を南アフリカの人々に強制してきた。

国民は知らず知らずのうちに企業の所有物となり、隷属する奴隷と化しているのだ。

南アフリカ共和国という企業は、企業の権利を守っていることを知らない警察やその他の治安執行機関に勤務する人間を、彼らの兄弟姉妹、母親、父親に対して利用し、その過程ですべての人権と慣習法を冒瀆してきたのである。

私たちの人権は、国民ではなく、南アフリカ共和国と呼ばれる企業の権利を守るための憲法によって冒瀆されている。

南アフリカという土地に暮らす人々は、南アフリカ国民に奉仕し、常に国民の意思を実現するために政府を任命しているはずである。

国民は、自分たちのニーズが満たされていないと感じたら、平和的手段と国民投票によって、いつでも政府を交代させる権利を保持している。

いかなる政府、政党、企業または個人も、国民や、土地または土地の一部の所有権を主張することはできない。

したがって、私たち南アフリカ国民は、誰もが自由で平等な、同胞であり兄弟であるとして、この2010年新自由憲章を採択する。

そして、私たちは、不可侵の権利とコモン・ローが、国民と私たちの土地に戻されるまで、力と勇気を惜しまず、共に努力することを誓おうではないか。

国民が統治する!

新しい法律や新しい統治機構は、地方や国レベルで、国民の意思に基づいて作られる。

アフリカ部族の構造を長老評議会と組み合わせて再導入し、コミュニティの管理と助言を行う。

これらの新しい部族評議会は、ウブントゥ貢献主義の基本原則を採用し、人々を指導し助言する力を強化していく。

すべての男女は、自分たちのコミュニティを代表し、法律を守る、審議会の候補者として立候補する権利を有する。

すべての国民は、国民が新たに整備した法律に従って、国、町またはコミュニティの行政に参与する権利を有する。

透明性は、すべての評議会のあらゆるレベルにおいて維持され、すべての人が、いつでも、すべての、あらゆる情報にアクセスできるようにする。

すべての決定事項は、その影響力が及ぶコミュニティ全体、あるいは国全体に、あらゆる媒体を通じて公表され、すべての人が日々その決定事項を知ることができるようにする。

どのコミュニティや、どの国の国民においても、国民の目から見て非効率的、あるいは好ましくないと思われる議員を罷免（ひめん）する権利を有している。

国民の権利は、人種、肌の色、性別に関係なく、同じでなければならない。

すべての国民と民族は平等な権利を持つ！

団結の原則は、すべてのコミュニティと国の統治機関の基礎となるものである。

すべての国民は、他人の慣習を侵さない限り、自己の言語を使用し、自己の文化および慣習を発展させる平等な権利を有する。

私たちの文化と言語の多様性と美しさは、できるだけ広く普及させ、多くの人々に称えられるようになる。

すべての民族は、その民族と民族の誇りを侮辱されることのないよう、法律によって保護される。

社会のあらゆる側面に上下関係はなく、すべての人の貢献が等しく評価される。

すべての差別的な法律および慣行は撤廃されるものとする。

お金と富を分裂、隔離、差別の道具として使うことは廃止される。

国民で国の富を分かち合う！

我が国の富、南アフリカ人の遺産は国民に返還され、あらゆる面で国民に恩恵を与え保護するための新しい適用法が作られる。

地上あるいは地中にあるすべての鉱物資源は、国民によって管理され、すべての国民やコミュニティのために利用される。個人、企業、支配的な団体に独占されることは許されない。

すべての国際貿易は、すべての国民に幸福をもたらすために、国民のニーズに合わせて実施される。

すべての産業と製造業は、すべての人々にあらゆる豊かさを提供するために、あらゆる可能な方法で支援され、実施されなければならない。

ウブントゥへの移行に伴い、国民全員が最大限の収入を得られるよう、あらゆる階層の人々を巻き込んで観光業を発展させる。国立公園やその他の地域は、世界中から大勢の観光客が訪れるよう最高の水準に改善され、これにより国民に幾多のチャンスがもたらされる。

すべての国民は、自分が携わりたい商売、技術職、専門職を選択する平等な権利を有し、その仕事に就くための訓練および教育はすべて無償である。

銀行や金融システム、お金の印刷の管理は根絶され、私たちの社会からお金がまったく必要なくなる。人民銀行は、ウブントゥへ移行するのに必要なすべての資金を提供する。

土地は、そこで働く者たちが共有するものである！

人々を養う農民は、その土地の英雄であり、土地、種、農具、そして作物や農産物の生産を最大に増やすために必要なあらゆる援助が与えられる。

土地の利用は、すべての人々の利益になるように使用され、そこで働く人々が利用できるようにし、飢饉と飢餓を根絶しなければならない。

土地は皆のものであるから、土地所有権は廃止され、新しい社会の新しい土地利用法に取って代わられ、すべての人々、特に食料を提供する人々が恩恵を受けることになる。

貨幣がシステムの一部でなくなるのだから、個人や法人、その他の方法によって土地が売られたり、所有されたりすることはない。

既存の農家は、コミュニティのために自分の土地を使うか、ほかの新しい農家を指導して、空いた土地で農業を行い、人々の生活を支えることが求められる。

コミュニティに貢献する人には、その仕事を遂行するのに必要なだけの土地が与えられる。

各コミュニティの人々は、コミュニティの最大の利益のために、コミュニティの再建、公共公園やレクリエーション地域の開発を計画し、実行する。

すべてのコミュニティは、農作物やその他の農業に必要なものを生産するために、その境界周辺の特定のエリアを管理する権利を持つことになる。

これらの境界は、貢献主義の平等な権利の下で、コミュニティの人口に基づいて導入される新しい法的構造によって指定されることになる。

各コミュニティは、すべての生産物において自立し、持続可能であることが奨励される。また、自分たちが必要な量の3倍を生産し、必要に応じてほかのコミュニティを支援することも奨励される。

食料はコミュニティ間や自給できないコミュニティへ全国的に分配され、食料だけでなく、農業や農作物はすべて無償で提供される。

すべての人は、自ら選択したコミュニティに定住し、自らの技能または才能をもってコミュニティに貢献する権利を有する。

法の下では皆平等である！

新しい法制度として導入された基本的なコモン・ローは、すべての国民と国全体のために国民によって起草され、実施される。しかし、各コミュニティは、それぞれのコミュニティの必要性に応じて新しい法律を追加する権利を有する。

各コミュニティは、その法律が他人の権利を侵害したり、国家の基本的な慣習法に反したりしない限り、コミュニティが作った法律に従って町や境界を統治する権利を有することになる。

貢献主義の下で国民が実施した新しい法制度に基づく公正な裁判なしに、誰も投獄されたり、強制送還されたり、制限されたりすることはない。

裁判所は、すべての国民を代表するものでなければならない。

懲役は、国民に対する重大な犯罪に限り、国民が決定する。この際には、長老評議会が指導し、復讐ではなく、再教育を目的として行われる。

警察、軍隊、その他すべての同じような集団は、国民の助力者、保護者であり、すべての人が平等に参加することができて、開かれたものでなければならない。

警察と軍隊は、国民のニーズと民意に基づいて再編される。彼らは、貢献主義の下で新しい法律が要求する任務を遂行するために必要なツールとサポートを与えられる。警察や軍隊は平和を守る存在とみなされるようになる。

すべての人は平等な人権を享受できる！

普遍的人権は、すべての人間の最高の権利として支持される。

ほかのいかなる権利も、人権に勝る、あるいは勝るものとして課されることはない。

ウブントゥ貢献主義システムの下では、すべての人間はあらゆる面で平等である。

私たちのかけがえのない人権を損なう権利は、何人も持っていない。

長老評議会は、各コミュニティの人々の合意のもとで法律を作り、集団的な国家レベルでは、他者の権利、特に人権を侵害する行為にどう対処するかを決める。

ウブントゥのコミュニティや社会では、お金によって作られた階級的な区別がなく、特定の集団や個人を差別することは不可能なので、いかなる階層も存在しない。

仕事と安全が確保される！（移行期）

ウブントゥ貢献システムの下での自由な社会では、誰もがお金のために働くのではなく、個人的な満足とコミュニティへの誇りのために働く。お金はシステムから排除されるのだ。

新しい社会では、「仕事」という表現は急速に失われ、「愛の労働」という言葉に置き換えられるだろう。なぜなら、すべての人が情熱や神から与えられた才能に従って、自分自身と他人の人生を豊かにするために、コミュニティに貢献するようになるからである。

コミュニティへの参加と貢献に関する新しい法律が、国民によって制定される。

貢献主義に完全に移行するまでの移行期には、自分の仕事やビジネス、収入を持たないすべての人が、交通、健康、住宅、通信、エネルギー、その他すべてのサービス提供を改善し、誰もが利用できるようにするための国や地方の公共事業への参加と貢献を求められる。

貢献主義への移行準備の一環として、貢献する人は皆、等しく報酬を受け、1日平均5時間だけ貢献することを要求される。

貢献した人は全員、報酬として食料、水、住居、電気を無料で受け取ることができる。

その他、どのような商売をする人にも、自分の能力を最大限に発揮し、最高の技術水準で仕事をするために必要なすべての道具、材料、サポートが提供される。

私たちの社会が完全なウブントゥ貢献主義に変わる頃には、仕事はなく、1日3時間、コミュニティに貢献する愛の労働だけが存在することになるだろう。

さらに、コミュニティの各メンバーは、ほかの活動や何に貢献しているかに関わらず、コミュニティ・プロジェクトに週3時間貢献することが求められる。

それぞれのコミュニティが一致団結して、誰もができるだけ楽に、気持ちよく、人生を楽しみ、最大限に生きられるように努力する。

学問と文化の扉が開く!

教育・学習は成長の醍醐味であり、バランスの取れた社会づくりの基本である。

教育の目的は、青少年が自国民とその文化を愛し、人類の同胞愛、自由と平和を尊び、母なる地球と調和して生きることを教えることである。

すべての教育は無償になり、子供や学生は毎日、毎週、毎月、毎年、学びたいことを選択することができる。

大規模なコミュニティ学習計画によって、読み書きができない成人がいなくなる。

現在の教育制度は人々のニーズとまったくかけ離れているため、教育の仕組みやシステムをすべて転換し、教室での授業もすべて廃止する。

早期学習の一環として「遊び」と「対話方式のゲーム」の概念を導入し、読み書きの基礎を迅速かつ容易に確立することができるようにする。

教室での授業は、エキサイティングで活気に満ちた一連のインターンシップに取って代わられ、子供たちは自分の情熱に従って、さまざまな分野で、その道のマスターたちから真の生きる力を学ぶ。そして16歳になる頃には、幅広い知識を身につけ、社会貢献の一環として何をしたいか明確になる。

教師はコミュニティから任命された、その分野の専門家である。彼らは日々のプロセスの中で、インターンシップの立場で子供たちのグループを教える。インターンシップは、子供たちの年齢が上がり、より具体的な学習分野を選択するにつれて、長期化する。

すべての子供たちは、まず生命と生存の基本原則、土壌、水、地球、植物、動物、作物の植え付けと収穫、農業のあらゆる側面について学び、すべての人々の間に強い絆を築き、母なる地球への愛と敬意を抱くようになる。その後、彼らは自分が選んだ学びを深めていく。

人生のどの段階においても、誰でもキャリアを変える決断をして、新しいスキルを身につけるためのプログラムに参加することができる。

文化的な生活を向上させるために、あらゆる年齢層の才能の発見と育成をあらゆるレベルで推進する。

人類の文化的な宝物はいずれも、書籍やアイデアの自由な交換、あらゆるコミュニティやほかの地域との定期的な交流によって、すべての人に開かれるものとする。

家も、安心も、快適さもある！

すべての人は、自ら選択した場所に住み、自ら選択したコミュニティにとって不可欠な一員となる権利を有する。

スラム街は取り壊し、新しい郊外を開拓し、すべての人々が交通機関、道路、照明、運動場、託児所、社会センターなどを利用できるようにする。

すべてのコミュニティは、そのコミュニティの人々の意志とニーズに基づいて、集団で町や集落を設計し、再建する。

この設計や建設は、訓練を受けたコミュニティのメンバー、またはコミュニティのリーダーから依頼された外部の人間が行う。

国民やコミュニティに敬意を払わない旧体制が設置した古い構造物に代わって、環境に配慮した設計と耐久性のある構造物を設置する。

建築や建設のあらゆる材料は、コミュニティにもっとも近いところにある特定の産業から建設業者に提供される。鉱山、採石場、林業、その他コミュニティへの材料供給者としての役割を果たすことができる産業がこれを担う。

通信とＩＴの分野でコミュニティを盛り上げるために、あらゆる努力をし、あらゆる先進的な技術を駆使していく。

新しい代替エネルギーやフリーエネルギーはできるだけ早く提供し、水の配給を合理化する。

すべてのサービスは無料で提供されるほか、エネルギー、水、住宅、そして最終的には食料も無料で提供される。

公園、レクリエーションエリア、スポーツ施設、文化施設は、それぞれのコミュニティのニーズに応じて設計・建設され、これらの施設はすべてコミュニティの誰もが自由に利用できるようにする。

国民に課される家賃やその他の請求料金は、一切ないものとする。

病院や老人介護施設は、各コミュニティで利用可能な最新の技術で建設される。

医療と入院は、すべての人に無料で提供され、母親と幼い子供には特別な配慮がなされるものとする。

老人、孤児、身体障害者、病人は、コミュニティによって看護されなければならない。

健康保険や傷害保険は一切不要となり、すべての医療が無料で受けられるようになる。

各コミュニティにおける最高水準の動物病院やリハビリテーションセンターを建設し、そのサービスはすべての人々に無料で提供される。

製薬会社の毒薬に代わる新しい薬物療法や治療法を模索し、可能な限り適用する。

代替療法士は、あらゆる病気の自然治癒を発見し続けるために、必要なすべてのサポートを受けることができる。

自然療法や治療法の研究は、中心となる統治機構や各コミュニティによって積極的に推進され、その研究に必要なすべてのツールとサポートが提供される。

フェンスに囲まれた場所やスラム街は廃止し、家族を崩壊させる法律はコミュニティのビジョンによって廃止されるものとする。

コミュニティの警察およびセキュリティ・フォーラムは、各コミュニティとそのリーダーが決定する必要なセキュリティ構造を確立する。

彼らは、各コミュニティの法律に必要な権限を付与されることになる。

セキュリティ対策を実施するために必要なツールは、コミュニティからセキュリティ・フォーラムのメンバーに提供される。

コミュニティの全メンバーは、各コミュニティの法律で規定された最低時間、セキュリティ・フォーラムに参加する。

大部分の犯罪の動機はお金なので、ウブントゥのコミュニティにはほとんど犯罪がなく、したがって投獄や拘留も最小限にとどめることができる。

すべての人が無料の交通手段を利用できる!

鉄道、道路、航空輸送はすべて無料とし、いかなる種類の通行料も徴収しない。

道路や高速道路は、可能な限り最高の品質で整備される。

すべての鉄道、道路と鉄道駅を改修・整備し、新しい鉄道を建設して、国土のすべての町やコミュニティを結び、誰もが望む町やコミュニティへどこでも列車で移動できるようにする。

科学者たちは、グリーンエネルギーやフリーエネルギーによる新しい代替輸送手段を開発するために、あらゆるレベルでサポートされる。

このようなフリーエネルギーの解決策は、国民を奴隷にし続けたいと願う石油会社やエネルギー会社によって隠蔽されてきた。これは許されることではなく、すべての新しい発見が促進され、あらゆる場所で人々に公開されるようになる。

平和と友情と自由なメディアがある！

南アフリカは、すべての国の権利と主権を尊重する完全な独立国家である。

南アフリカは、世界平和を維持し、すべての国際紛争を戦争や紛争ではなく交渉によって解決するよう努めなければならない。

すべての国民の平和と友好は、すべての人々の平等な権利、機会および地位を維持することによって確保され、分裂や隔離、また、人種差別を引き起こすいかなる階層的な構造も存在してはならない。

ニュースや情報は通常のチャンネルで自由に配信され、誰もがニュースや情報を投稿したり配信したり、独自のメディアを立ち上げて情報を配信したりする権利を持つことになる。

ラジオ、テレビ、インターネット、その他のあらゆる媒体の伝達経路が、排他的なエリートのために確保されることはない。

私たちがここで言っているように、国民と国を愛するすべての人々で、今、宣言しよう。

「自由を勝ち取り、私たちの土地を不法に奪い、自分たちのものと主張する政府と多国籍企業から国と土地を取り戻すまで、私たちは生涯にわたって、自由のために努力し続ける」

あとがき

ウブントゥ（UBUNTU）

ウブントゥの下（Under Ubuntu）、私たちは自分たちのために新しい地球を創造することができる。そこでは、すべての生き物が、それぞれの価値に応じて尊重される。

そして、もう一度、平等に分かち合う星になる（Become）。あらゆる豊かさと思いやりをもって。

団結（United）することで、私たちは平和な種族に進化する。苦しみから解放され、奴隷解放のきっかけとなるのだ。

もはや（No longer）、銀行に支配されることはない。お金がなければ、ミサイルも銃も戦車もなくなる。

純粋な愛と尊敬をもって互いに接する（Treating each other）ことは、啓蒙、変革の力となる。

国家間の団結（Unity）、すなわちすべての民族と部族が団結することは、私たちの美しい青い地球を確実に存続させることにつながっていくのだ。

ヴァネッサ・ブリストウ＝ローズ

UBUNTU

Under Ubuntu we can create for ourselves a new Earth.
Where all beings are honoured for their individual worth.
Become once again a planet of equal sharing.
With abundance for all and compassionate caring.
United we will evolve into a species at peace.
Set free from suffering, triggering enslavement release.
No longer controlled by the vice-grip of banks.
Without money there will be no more missiles, guns and tanks.
Treating each other with pure love and respect
will have the enlightening, transforming effect.
Unity between nations – all races and tribes,
will ensure that our beautiful blue planet survives.

Vanessa Bristow-Rose

この本の完璧な締めの言葉を提供してくれたヴァネッサに感謝する。
世界で広がるウブントゥムーブメントに参加しよう。
意識の種になろう。

www.ubuntucontributionism.org

マイケル・テリンジャー
研究者、作家、科学者。2006年に『神の奴隷の種族』、2012年に『神々の奴隷の種族』（いずれも未邦訳）という大作を執筆し、人類と呼ばれる奴隷種族の解放を目指す青写真を提起した。2006年以来、南アフリカをはじめ、世界7か国の100以上の都市で、ウブントゥ貢献主義の哲学を何千もの人々に広めてきた。これまでに200以上のラジオやテレビ番組に出演し、彼のオンライン動画は何百万人もの視聴者を魅了している。ウブントゥ解放運動と、南アフリカのウブントゥ党の創設者として、ウブントゥのメッセージを精力的に発信している。

www.michaeltellinger.com
www.ubuntucontributionism.org

田元明日菜　たもと あすな
1989年生まれ。早稲田大学大学院文学研究科修了。訳書に『タオ・オブ・サウンド』（ヒカルランド）、『つのぶねのぼうけん』『すてきで偉大な女性たちが世界を変えた』（化学同人）、共訳書に『ノー・ディレクション・ホーム：ボブ・ディランの日々と音楽』（ポプラ社）などがある。

横河サラ　よこかわ さら
ドランヴァロ・メルキゼデク ATIH 公認ティーチャー。
脈々と続いてきた洗脳の箱から出て、一人ひとりがハートから生きることを思い出すために、精力的に活動中。著書に『ダイヴ！ into ディスクロージャー』『ダイヴ！ into アセンション』（ヒカルランド）『ハートナビ』（ビオマガジン）がある。

ウブントゥ
人類の繁栄のための青写真（ブループリント）

第一刷　2022年12月31日

著者　マイケル・テリンジャー
訳者　田元明日菜
推薦　横河サラ

発行人　石井健資
発行所　株式会社ヒカルランド
〒162-0821　東京都新宿区津久戸町3-11　TH1ビル6F
電話　03-6265-0852　ファックス　03-6265-0853
http://www.hikaruland.co.jp　info@hikaruland.co.jp
振替　00180-8-496587

本文・カバー・製本　中央精版印刷株式会社
DTP　株式会社キャップス
編集担当　小塙友加

ISBN978-4-86742-200-7

ヒカルランド　近刊予告！

地上の星☆ヒカルランド　銀河より届く愛と叡智の宅配便

NYタイムズベストセラー！　世界39か国翻訳の名著。内なるエネルギーでいかに身体・心を最適化するか、「自己変革」成就への究極の実践プログラム。インドで最も影響力ある50人の１人に選出された現代最高峰のグルが古典ヨガの科学を今に蘇らせる！　今こそ“絶対幸福への道”を歩きだそう！

歓喜へ至るヨギの工学技術
インナー・エンジニアリング
内なるエネルギーでいかに身体・心を最適化するか
著者：サドグル
訳者：松村浩之／松村恵子
四六ハード　本体 2,200円+税

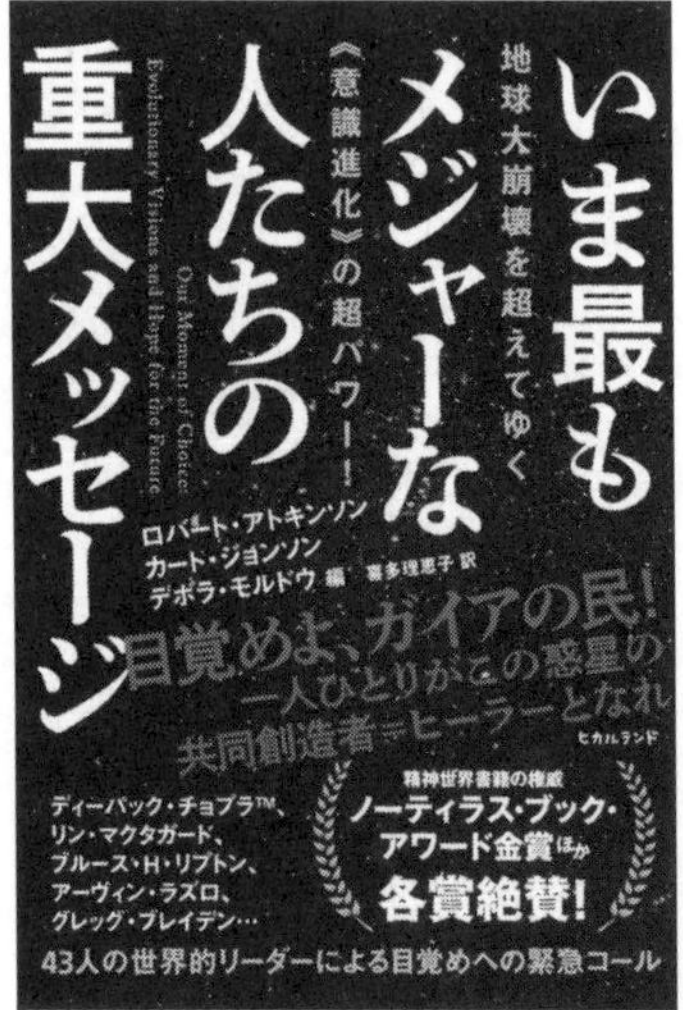

一人ひとりがこの惑星の共同創造者＝ヒーラーとなれ！　ディーパック・チョプラTM、リン・マクタガード、ブルース・H・リプトン、アーヴィン・ラズロ、グレッグ・ブレイデン…43人の進化的指導者（エボリューショナリー・リーダー）たちによる意識覚醒のメッセージ。いざ、進化と相乗の新次元へ！

地球大崩壊を超えていく《意識進化》の超パワー！
いま最もメジャーな人たちの重大メッセージ
著者：ロバート・アトキンソン／カート・ジョンソン／デボラ・モルドウ
訳者：喜多理恵子
四六ソフト　本体 3,000円+税

ヒカルランド　近刊予告！

地上の星☆ヒカルランド　銀河より届く愛と叡智の宅配便

著者自身が実体験した異星人による拉致の告白と慈悲深い異星人との交流を紹介。本書の中心を成しているのは、110もの宇宙種族についてエレナ自身が描くイラスト付きの解説であり、異星人種族の百科事典とも言える内容。地球と地球人がこれまでどのような歴史をたどって来たのかについて初めて知りうる情報が満載です。未知なる銀河コミュニティへと読者を案内する貴重な銀河のガイド本、待望の翻訳へ！

【イラスト完全ガイド】
110の宇宙種族と未知なる銀河コミュニティへの招待
著者：エレナ・ダナーン
監修：上村眞理子　訳者：東森回美
四六ソフト　予価未定

闇の支配勢力【ダークアライアンス】から地球を防衛する【光の艦隊】の瞠目すべき全貌！〈彼ら〉が人類にもたらす、意識進化／覚醒計画のすべて。いま、世界で最も注目を集めるスペース・コンタクティ、エレナ・ダナーンによる驚異のコズミック・レポート！

We Will Never Let You Down
この惑星をいつも見守る　心優しき地球外生命体たち
銀河連合司令官ヴァル・ソーとのDEEPコンタクト＆太陽系ジャーニー全記録
著者：エレナ・ダナーン
訳者：佐野美代子
四六ソフト　予価未定